melancia

Marian Keyes

apresentação de Carina Rissi

tradução de Sônia Coutinho

BERTRAND BRASIL

Título original: *Watermelon*

Capa: Leonardo Iaccarino

Texto revisado segundo o novo
Acordo Ortográfico da Língua Portuguesa

2016
Impresso no Brasil
Printed in Brazil

CIP-BRASIL. CATALOGAÇÃO NA PUBLICAÇÃO
SINDICATO NACIONAL DOS EDITORES DE LIVROS, RJ

K55m

Keyes, Marian, 1963-
Melancia / Marian Keyes; tradução de Sônia Coutinho. – 1ª ed. – Rio de Janeiro: Bertrand Brasil, 2016.
23 cm.

Tradução de: Watermelon
ISBN 978-85-286-2074-0

1. Romance irlandês. I. Coutinho, Sônia. II. Título.

16-34278

CDD: 828.99153
CDU: 821.111(415)-3

EDITORA BERTRAND BRASIL LTDA.
Rua Argentina, 171 – 2º andar – São Cristóvão
20921-380 – Rio de Janeiro – RJ
Tel.: (0xx21) 2585-2006 – Fax: (0xx21) 2585-2084

Atendimento e venda direta ao leitor:
mdireto@record.com.br ou (0xx21) 2585-2002

Impresso no Brasil pela Prol Gráfica e Editora.

apresentação

Era para ser o dia mais feliz da vida de Claire Walsh: sua primeira filha nasceu! Ela e James, seu marido, haviam começado uma família. É claro que ela sabia que muita coisa mudaria a partir daquele momento. Afinal, ela era mãe, agora. No entanto, dentre todas as mudanças que ela poderia ter imaginado, ser deixada pelo marido vinte minutos após dar à luz não estava entre elas.

James a informa ainda no hospital que está tendo um caso com a vizinha (que nem é tão bonita assim) e eles irão viver juntos. Ele estava com tanta pressa para deixar Claire e correr para os braços da amante que nem sequer segurou a filha nos braços!

Destruída física e psicologicamente, Claire não tem ideia do que fazer a seguir. Nem mesmo consegue escolher o nome da própria filha! Ela só vê uma solução: deixar Londres e voltar para a Irlanda. Uma temporada na casa dos pais em Dublin, sua terra natal, deve ajudá-la a colocar a cabeça — e o coração — em ordem.

Papai e mamãe Walsh e as quatro irmãs de Claire (cada uma tem seu próprio livro) dão todo o suporte de que Claire precisa. Do jeito deles, é claro. Os Walsh são tudo, exceto previsíveis e comuns.

Leva algum tempo até que Claire consiga se livrar da depressão, daquela camisa verde horrorosa que a deixa parecida com uma melancia e consiga encontrar ânimo para alguma coisa. Preparar um jantar parece um bom começo. E é nesta noite que ela conhece Adam, um colega de faculdade de sua irmã caçula. O rapaz fica encantado pela bebê de Claire. E Claire por Adam. Ora, o rapaz é lindo, inteligente, se derrete todo pela pequenina Kate (ela finalmente conseguiu escolher um nome para a filha) e exala tanta testosterona que, se houvesse um medidor para isso, ele acabaria explodindo.

Conforme o tempo passa, Claire consegue enxergar seu casamento sob uma luz menos favorável e, aos poucos, resgata a verdadeira Claire dentro de si. Aquela Claire que em algum momento da vida adulta havia se perdido. E Adam... Oh, Adam... Ele é jovem demais, mas tão ridiculamente lindo e a faz sentir-se tão bonita...

Quando Claire pensa que sua vida começa a voltar aos eixos, James retorna. Claire imaginou que saberia lidar com a situação, mas a verdade é que ela não estava nem um pouco preparada para o que o ex-marido tinha a lhe dizer. Ela vai ter que tomar uma decisão. E sabe que, de uma maneira ou de outra, sua vida mudará outra vez.

Melancia é um dos meus livros favoritos! É engraçado, encantador, deliciosamente bem-escrito, mas acima de tudo, é franco. Mostra a vulnerabilidade e a força da heroína de maneira tão simples que é quase visceral. Impossível não se identificar com a Claire, não sofrer com ela, não se reconhecer nela! Sua voz é tão nítida que poderia muito bem ser aquela sua amiga lhe contando a tragédia da vida dela, sem jamais perder o bom humor.

Poderia ser você contando a sua história.

Este é um dos talentos mais admiráveis de Marian Keyes: descortinar os segredos mais profundos da alma feminina. Ao terminar a leitura de uma obra de Marian sempre me pergunto se deixei uma parte minha dentro do livro ou se foi ele que entrou dentro de mim. Sendo franca, acho que acontecem as duas coisas.

É por isso que eu tenho certeza que você vai amar *Melancia* tanto quanto eu! E se posso dar um conselho, leia tudo que encontrar de Marian Keyes. E então espere por mais.

Porque ler Marian é sempre uma experiência mágica!

Mil beijos,
Carina Rissi

melancia

Para mamãe e papai

agradecimentos

A primeira pessoa a quem quero agradecer é a minha editora, Kate Cruise O'Brien. Kate me "descobriu" quando enviei alguns contos para Poolbeg, apenas a título de experiência, e imediatamente houve magia entre nós. Ela acreditou em *Melancia* antes de mim, antes até que fosse escrito. Foi maravilhosa comigo, muito protetora, incrivelmente animada, sempre elogiosa, receptiva diante de quaisquer mudanças e correções que eu sugerisse, isso sem falar que é muito generosa, hospitaleira e uma boa amiga.

E, claro, devo imensos agradecimentos ao Mr. Poolbeg, Philip MacDermott, e para toda a sua equipe. Philip foi muito acolhedor e sua equipe trabalhou duro e com muita sensibilidade em *Melancia*. Gostaria de fazer um agradecimento especial a Brenda, pela excelente capa; a Nicole, pelo projeto gráfico; a Breda, por organizar o marketing e a publicidade; e a Kieran, por sua paciência com meu contrato.

Obrigada a mamãe e papai, que sempre estiveram do meu lado. São duas das pessoas mais desprendidas e íntegras que já conheci. E obrigada aos meus maravilhosos irmãos e irmãs, Niall, Caitriona, Tadhg e Rita-Anne, todos tão belos, talentosos e inigualáveis.

Obrigada a Charlotte e Niall pela paciência e tolerância e pelo apoio, muito além do que o dever imporia. Também obrigada a ambos e a Kirsten pela compaixão e bondade que sempre me ofereceram.

Obrigada a Belinda, minha cobaia, por todo encorajamento e entusiasmo.

Obrigada a Eileen, por tanta coisa. Por sua gentileza, sua amizade sem julgamentos e pelo trabalho meticuloso que fez em meu contrato.

Obrigada a Ailish, por sua vibração e energia e pela amizade que tem demonstrado por mim ao longo dos anos.

Obrigada a Louise, pela grande lealdade pelo amor e amizade.

Obrigada a Conor, Patricia e Alan por tudo, especialmente por janeiro de 1994. Não há palavras que possam expressar minha gratidão.

Obrigada a Lian, pelo bom exemplo e pela grande loucura.

Obrigada a Jenny, por *tudo.* Ela fez tanto por mim que não sei por onde começar. Então, não começarei.

Obrigada à maravilhosa Albyn. Conhecê-la foi uma imensa dádiva.

Obrigada a Maureen Rice, por sua bela citação.

Obrigada aos funcionários do Rutland Centre e às pessoas que eram "residentes" quando eu estava lá. Obrigada a todas as pessoas ótimas que conheci nas salas dos Alcoólicos Anônimos.

E, finalmente, obrigada ao meu amado Tony, meu prestimoso sabichão. Por sua admiração, por me forçar a trabalhar quando eu não queria, por seus conselhos práticos, por rir quando eu escrevia alguma coisa engraçada e por me fazer tão feliz.

prólogo

Quinze de fevereiro é um dia muito especial para mim. É o dia em que dei à luz meu primeiro filho. E também o dia em que meu marido me deixou. Como ele esteve presente ao parto, só posso supor que os dois acontecimentos tiveram alguma relação entre si.

Eu sabia que deveria ter seguido meus instintos.

Era a favor do papel clássico, ou, digamos, tradicional, que o pai desempenha no nascimento dos seus filhos. Que é o seguinte: tranque-o num corredor do lado de fora da sala de parto. Não deixe que entre, em momento algum. Dê-lhe quarenta cigarros e um isqueiro. Instrua-o a caminhar até o fim do corredor. Quando chegar a essa feliz posição, instrua-o a dar a volta e retornar ao local de onde veio.

Repita, se necessário.

A conversa deve ser reduzida. Tem permissão para trocar algumas palavras com qualquer outro pai aguardando ao seu lado.

"Meu primeiro" (sorriso amarelo).

"Parabéns... meu terceiro" (sorriso pesaroso).

"Mandou bem" (sorriso forçado — ele está tentando sugerir que é mais viril do que eu).

A essa altura os sentimentos tendem a se exacerbar.

Ou eles têm permissão para se jogar em cima de qualquer médico que saia exausto da sala de parto, coberto de sangue até os cotovelos, e arquejar: "Alguma notícia, doutor???" Ao que o médico poderá responder: "Ah, meu Deus, não, cara! Está com uma dilatação de apenas 3 centímetros." E seu marido fará um sinal afirmativo com a cabeça, como se entendesse tudo, embora não entenda nada além do fato de que ainda há um longo caminho pela frente.

Ele também tem permissão para deixar um espasmo de angústia passar por seu rosto, ao ouvir as agonias de sua amada lá dentro. E quando tudo termina, mãe e filho estão limpos: a mãe, com uma camisola imaculada, está recostada em travesseiros rendados, com um ar exausto, mas feliz, e o bebê perfeito está mamando; então, e apenas então, o pai deve ter permissão para entrar.

Mas não, cedi à pressão social e concordei em agir de uma maneira inteiramente New Age a respeito do assunto. Só posso dizer que as dúvidas foram muitas. Quero dizer que não desejava nenhuma de minhas amigas íntimas nem parentes envolvidos na remoção do... digamos... meu apêndice. Humilhante! A pessoa fica numa situação de tamanha desvantagem. Todas aquelas pessoas olhando-a, reparando em lugares que você mesma nunca viu, nem sequer com um espelho. Eu não sabia como era o aspecto do meu intestino grosso. E, como prova do que digo, não sabia como era o aspecto do colo do meu útero. Nem queria saber. Mas metade do pessoal do Hospital St. Michael sabia.

Senti-me em grande desvantagem. Assim, não estava fazendo justiça a mim mesma.

Resumindo, eu não estava com a minha melhor aparência, e isso é uma coisa bastante humilhante.

Eu vira na televisão uma porção de motoristas de caminhão machistas, que mal sabiam se expressar, com lágrimas nos olhos, a voz embargada, esforçando-se para nos dizer que estar presente no nascimento do seu filho fora a coisa mais pr... pro... prof... funda que já acontecera com eles! E ouvira histórias sobre atléticos jogadores de rúgbi, beberrões, que convidaram o time inteiro para fazer uma visita e assistir ao vídeo da mulher deles parindo.

Mas, novamente, a gente fica imaginando seus motivos.

De qualquer jeito, James e eu ficamos muito emocionados com relação ao parto e decidimos que ele deveria estar presente.

E esta é a história de como ele estava lá, na sala de parto. A história do motivo pelo qual ele me abandonou, e como o fez... é um pouquinho mais longa.

1

Desculpe, você deve achar que sou muito grosseira. Mal fomos apresentados e aqui estou eu lhe contando as coisas terríveis que me aconteceram.

Vou apresentar-lhe rapidamente meu perfil e deixarei detalhes como, por exemplo, o meu primeiro dia na escola para mais tarde, se tivermos tempo para isso.

Vejamos então. O que devo lhe contar? Bem, meu nome é Claire, tenho 29 anos e, como disse, tive meu primeiro filho há dois dias (uma menina, com quase 3 quilos, lindíssima) e meu marido (contei que o nome dele é James?) me contou, vinte e quatro horas atrás, que há seis meses vem tendo um caso com — veja bem, não com sua secretária ou uma mulher charmosa do seu trabalho — uma mulher casada que mora no apartamento dois andares abaixo do nosso. Incrível como isso soa *clichê*! E ele não apenas está tendo um caso como quer se divorciar de mim.

Desculpe se estou sendo desnecessariamente frívola quanto a isso. Estou muito confusa. Dentro de instantes estarei chorando novamente. Ainda me encontro em estado de choque, assim acho eu. O nome dela é Denise, e eu a conheço muito bem.

Não tão bem quanto James a conhece, é óbvio.

O terrível é que ela sempre pareceu tão boazinha.

Tem 35 anos (não me pergunte como sei disso, simplesmente sei. E, correndo o risco de parecer que falo por pura inveja e de perder a sua simpatia, a aparência dela é de quem tem mesmo 35), é mãe de dois filhos e tem um bom marido (ou seja, bem diferente do meu). E, pelo que parece, saiu do seu apartamento e ele do dele (do nosso, melhor dizendo) e ambos se mudaram para um novo, em endereço secreto.

Não é incrível?! Como se pode chegar a um drama desses? Sei que o marido dela é italiano, mas realmente não vejo nenhuma probabilidade de que ele mate o casal. É garçom, não é um mafioso; então, o que vai fazer? Envenená-los com pimenta-do-reino? Fazer com que entrem em coma, após tantos *boa-noite, senhores?* Ou atropelá-los com o carrinho das sobremesas?

Novamente pareço frívola.

Mas não sou.

Estou é com o coração partido.

Um desastre completo. Nem sei como devo chamar minha filhinha. James e eu tínhamos discutido alguns nomes — ou, pensando bem, eu os discutira e ele fingira ouvir —, mas não decidimos nada. E agora pareço ter perdido a capacidade de tomar decisões. Patético, eu sei, mas o casamento é isso. Acaba com o nosso senso de autonomia pessoal!

Mas nem sempre fui assim. Antigamente, eu tinha força de vontade, era independente. Agora tudo isso parece que foi há muito, muito tempo.

Fiquei com James por cinco anos e estávamos casados há três. E, meu Deus, como eu amo aquele homem.

Embora houvéssemos tido um início não muito auspicioso, a magia tomou conta de nós muito rapidamente. Ambos concordamos que nos havíamos apaixonado um pelo outro cerca de 15 minutos depois de nos conhecermos, e assim permanecemos.

Ou, pelo menos, eu permaneci.

Durante muito tempo, nunca pensei que encontraria um homem que quisesse se casar comigo.

Bem, talvez eu devesse amenizar isso.

Nunca pensei que conheceria um *bom* homem que quisesse se casar comigo. Muitos malucos, sem dúvida. Mas um bom homem, um pouquinho mais velho do que eu, com um emprego decente, boa aparência, engraçado, gentil. Sabe como é — alguém que não me olhasse de esguelha quando eu mencionasse a novela, nem alguém que prometesse sair comigo para uma noite no McDonald's logo após seu curso noturno, nem alguém que se desculpasse por não poder me dar um presente de Natal porque sua ex-esposa havia conseguido ganhar todo o seu salário num processo de pensão alimentícia, nem alguém que me fizesse sentir antiquada e intimidada porque me zangara quando ele disse que tinha transado com sua ex-namorada na noite seguinte àquela em que transara comigo ("Meu Deus, vocês, garotas de convento, são tão *caretas*"), nem alguém que me fizesse sentir constrangida por não saber a diferença entre Piat d'Or e Zinfandel (seja lá o que for isso!).

James não me tratava de nenhuma dessas maneiras desagradáveis. Até parecia bom demais para ser verdade. Ele gostava de mim. Ele gostava de quase tudo em mim.

Quando nos conhecemos, estávamos ambos morando em Londres. Eu era garçonete (explico direito mais tarde), e ele, contador.

Entre todos os bares ao estilo texano-mexicano ao redor do mundo, ele entrou justamente no meu. Eu não era uma garçonete de verdade, você entende, era formada em inglês, só que passara por minha fase rebelde bem mais tarde do que a maioria das mulheres, lá pelos 23 anos. Que foi quando pensei que seria bem divertido deixar meu emprego fixo em Dublin, com direito a aposentadoria e até bem pago, e partir para a pecaminosa cidade de Londres, para viver como uma estudante irresponsável.

Algo que deveria ter feito quando *era* mesmo uma estudante irresponsável. Mas, naquele tempo, estava ocupada demais adquirindo experiência de trabalho em minhas férias de verão, e então minha irresponsabilidade teve de esperar até eu estar inteiramente preparada para ela.

Como eu sempre digo, há tempo e lugar para a espontaneidade.

De qualquer modo, dei um jeito de arrumar um trabalho como garçonete naquele badalado restaurante de Londres, com música alta, telões e subcelebridades.

Bem, para ser honesta, havia mais subcelebridades entre os empregados do que na clientela, já que a maior parte dos funcionários era composta de atores e modelos desempregados.

Nunca entendi como consegui um emprego ali. Talvez tenha sido contratada como símbolo da Garçonete Saudável. Antes de mais nada, eu era a única garçonete mais para baixinha e gordinha. E, embora pudesse não ser uma modelo em potencial, acho que tinha um certo, digamos, encanto natural sabe, cabelo curto e brilhante, olhos azuis, sardas, belo sorriso, esse tipo de coisa.

E era muito inexperiente e ingênua. Nunca percebia quando entrava um rostinho bem maquiado de alguma estrela do teatro ou da televisão.

Mais de uma vez, eu estava servindo alguma mesa com algumas pessoas, quando uma das outras garçonetes me dava uma cotovelada (derramando molho de churrasco escaldante na virilha de um infeliz cliente) e sussurrava algo como: "Esse cara que você está servindo não é fulano de tal, daquela banda?"

E geralmente eu respondia: "Que cara? Aquele com roupa de couro?" (Lembre-se, eram os anos 1980.)

"Não", sussurrava ela, em resposta. "Aquele com cachos louros e usando o batom Chanel. Não é aquele cantor?"

"Ah, é?", gaguejava eu, sentindo-me por fora e tola, por não saber quem era aquela pessoa.

De qualquer jeito, eu adorava trabalhar. Emocionava-me até a medula dos meus ossos burgueses. Parecia tão charmoso e excitante acordar todos os dias a uma da tarde, ir trabalhar às seis, terminar à meia-noite, embriagar-me em seguida com o *barman* e, mais tarde, com os ajudantes de garçom.

Enquanto estava lá na Irlanda, minha pobre mãe chorava lágrimas amargas ao pensar em sua filha, com educação universitária, servindo hambúrgueres a estrelas pop.

E nem sequer estrelas pop lá muito famosas, para piorar as coisas.

Trabalhava ali havia cerca de seis meses, na noite em que conheci James. Foi uma sexta, tradicionalmente a ocasião em que os BE frequentavam nosso restaurante. BE, claro, queria dizer *babacas de escritório*.

Toda sexta-feira, às cinco da tarde, qual túmulos expelindo seus mortos, os escritórios em todo o centro de Londres liberam seu pessoal para o fim de semana, e então hordas de funcionários pálidos, com espinhas, malvestidos, caem em cima de garçonetes, todos de olhos arregalados e cheios de ansiedade, procurando as estrelas e querendo encher a cara — tudo ao mesmo tempo.

Era norma para nós, garçonetes, ficarmos ao largo, com um ar de desdém para a clientela desse tipo, sacudindo nossas cabeças com piedade descrente diante dos trajes, cortes de cabelo etc. dos pobres clientes, ignorando-os durante os primeiros 15 minutos, passando por eles às pressas, com brincos e braceletes tilintando, obviamente fazendo alguma coisa mais importante do que atender às suas patéticas necessidades e, afinal, após reduzi-los até quase as lágrimas de frustração e fome, seguir requebrando até suas mesas com um imenso sorriso, caneta e um bloco de pedido. "Boa noite, cavalheiros, desejam uma bebida?"

Isso os deixava tão *agradecidos*, entende? Depois, não fazia a mínima diferença se os pedidos de bebidas estavam completamente errados ou se a comida jamais aparecia; mesmo assim, deixavam uma gorjeta enorme, pois se sentiam com sorte por receber nossa atenção.

Nosso lema era: "O cliente está sempre errado e provavelmente estará muito malvestido para ganhar a discussão."

Na noite em questão, James e três dos seus colegas sentaram-se em meu setor e atendi a seus pedidos da maneira habitual, ou seja, irresponsável e avoada. Não lhes dei a menor atenção, mal ouvindo o que diziam ao anotar o pedido, e não os olhei diretamente sequer uma vez. Se tivesse feito isso, talvez notasse que um deles (sim, James, claro) era muito simpático, com seu jeitão, cabelos negros, olhos verdes, 1,80 metro. Eu deveria olhar para além do terno e ver a alma do homem.

Ah, superficialidade, seu nome é Claire.

Mas eu queria ficar lá nos fundos com as outras garçonetes, bebendo cerveja, fumando e falando de sexo. Clientes eram uma interferência mal recebida.

— O ponto da minha carne pode ser malpassado, por favor?

— Humm — disse eu, distraída. Estava ainda menos interessada do que o habitual, porque notara um livro em cima da mesa. Era um livro realmente muito bom, que eu já tinha lido.

Eu adorava livros. Adorava ler. E adorava homens que liam. Adorava o homem que soubesse distinguir Existencialismo de Realismo Fantástico. E passara os últimos seis meses trabalhando com homens que mal conseguiam ler sua revista de gente chique e famosa (soletrando com esforço, em silêncio, cada palavra). De repente, percebi, com uma pontada no peito, o quanto sentia falta de um pouquinho de conversa inteligente.

Porque eu podia dar as cartas em qualquer conversa sobre romance americano moderno. Verei seu Hunter S. Thompson e erguerei para você um Jay McInerney.

De repente, os homens daquela mesa pararam de ser simples chatos e assumiram para mim uma espécie de identidade.

— De quem é esse livro? — perguntei abruptamente, interrompendo o pedido. (Não ligo para como você quer o seu bife.)

Os quatro homens se surpreenderam. Eu falara com eles! Eu os tratara quase como humanos.

— É meu — disse James e, enquanto meus olhos azuis encontravam seus olhos verdes, por cima do daiquiri de manga que ele estava bebendo (embora, na verdade, tivesse pedido um copo de cerveja), aconteceu: o mágico pó prateado foi salpicado em cima de nós. Naquele instante, houve algo maravilhoso. A partir do momento em que realmente nos olhamos, embora nada soubéssemos um do outro (a não ser que gostávamos do mesmo livro — ah, sim, e que gostávamos das nossas respectivas aparências), ambos percebemos que havíamos encontrado alguém especial.

Sustento que nos apaixonamos imediatamente.

Ele não sustentou nada do gênero e disse que eu era uma tola romântica.

Disse que demorou pelo menos trinta segundos para se apaixonar por mim.

Os historiadores discutirão.

Antes de mais nada, tinha de descobrir se eu também lera o livro em questão, porque pensou que eu devia ser algum tipo de modelo ou cantora burra, se estava trabalhando ali como garçonete. Sabe, do mesmo jeito como eu o descartara, considerando-o algum tipo de funcionário público chato. Bem feito para mim.

— Você leu? — perguntou ele, obviamente surpreso, com seu tom de voz na verdade querendo dizer: "Será que você consegue mesmo ler uma coisa desse nível?"

— Sim, li todos os livros dele — respondi.

— Sério? — perguntou, pensativo, enquanto se recostava em sua cadeira, olhando-me com interesse. Um cacho do seu cabelo negro e sedoso caíra-lhe em cima da testa.

— Sim — dei um jeito de responder, sentindo-me ligeiramente enjoada de tanto desejo.

— As perseguições de carro são boas, não?

Agora, devo dizer a vocês que não havia nenhuma perseguição de carro em qualquer dos livros sobre os quais falávamos. Eram livros sérios, profundos, sobre vida, morte e questões parecidas.

Deus do céu, pensei, alarmada: bonito, inteligente e, ainda por cima, engraçado. Será que sou capaz de ganhar esse cara?

E então James sorriu para mim, um sorriso lento, sensual, uma espécie de sorriso de quem sabe das coisas, que em nada combinava com o terno de riscas que usava, e juro a você que minhas entranhas viraram sorvete derretido. Você sabe, tudo assim meio quente, gelado e formigante e... ora... como se estivesse se dissolvendo ou algo parecido.

E, durante anos, muito tempo depois que a magia inicial já se desgastara e a maioria de nossas conversas era sobre política de seguros, tudo o que eu precisava fazer era me lembrar daquele sorriso para me sentir exatamente como se tivesse acabado de me apaixonar outra vez.

Trocamos mais algumas palavras.

Apenas umas poucas.

Mas foram o bastante para me fazer saber que ele era gente boa, inteligente e engraçado.

Ele pediu o número do meu telefone.

Era uma falta punível com demissão dar a um cliente o número do telefone particular.

Dei a ele o número do meu telefone.

Quando ele saiu do restaurante, naquela primeira noite, com seus três companheiros, um borrão de pastas, guarda-chuvas, exemplares enrolados do *Financial Times* e ternos escuros, sorriu para mim em despedida e (ora, digo isso com o benefício de já ter vivido a situação. É muito fácil prever o futuro, quando já aconteceu, se é que você me entende) eu sabia que olhava para meu destino.

Meu futuro.

Alguns minutos depois, ele estava de volta.

— Desculpe — sorriu. — Como é mesmo seu nome?

Logo que as outras garçonetes descobriram que um sujeito de terno pedira o número do meu telefone e, pior ainda, que eu lhe dera, fui tratada como uma pária. Basta dizer a você que demorou muito para que eu fosse novamente convidada para o cantinho delas para cheirar cocaína.

Mas não me importei. Estava realmente atraída por James.

Apesar de toda a minha conversa sobre independência, eu era, de fato, do fundo do coração, uma pessoa muito romântica. E, apesar de toda a minha conversa sobre rebeldia, eu era a pessoa mais classe média do mundo.

Desde a primeira vez em que saímos juntos, foi tudo maravilhoso. Tão romântico, tão bonito.

E lamento dizer isso a você, mas vou ter de usar uma porção de clichês aqui. Não vejo nenhuma maneira de escapar disso.

Tenho vergonha de contar a você que eu andava nas nuvens. E lamento mais ainda ter de lhe dizer que me sentia como se já o conhecesse há muito tempo. E vou agravar as coisas, contando ainda que achava que ninguém me entendia do mesmo jeito que ele. E, como perdi toda a credibilidade com você, também posso dizer que não sabia que era possível ser tão feliz. Mas não vou forçar a barra contando-lhe que ele me fazia sentir segura, sexy, inteligente e meiga. (E, lamento, mas realmente devo falar que achava que havia encontrado minha outra metade e agora eu era inteira, e prometo que vou parar por aqui.) (Exceto, talvez, para mencionar que ele sabia rir e era ótimo de cama. Agora falo sério, fico por aqui, já disse tudo mesmo.)

Quando começamos a sair juntos, eu trabalhava como garçonete quase todas as noites; então, só podia vê-lo quando saía do trabalho. Mas ele me esperava acordado. E, quando eu chegava, exausta, após horas servindo grelhados ao pessoal de Londres (ou da Pensilvânia ou de Hamburgo, para ser mais exata), ele — até hoje não acredito — banhava meus pés doloridos e os massageava com loção de hortelã para pés. Mesmo sendo mais de meia-noite e ele tendo de estar no trabalho às 8 horas para ajudar as pessoas a sonegar seus impostos, ou seja lá o que fazem os contadores, mesmo assim ele fazia tudo isso. Cinco noites por semana. E me deixava atualizada quanto às novelas. Ou ia até o posto 24 horas, quando eu ficava sem cigarros. Ou me contava historinhas engraçadas sobre seu dia no trabalho. Sei que é difícil acreditar que qualquer história sobre contabilidade possa ser engraçada, mas ele conseguia.

E, por causa do meu trabalho, nunca podíamos sair aos sábados à noite. E ele não se queixava.

Estranho, não?

Sim, eu também achava.

E ele me ajudava a contar minhas gorjetas. E me dava ótimos conselhos sobre como investi-las. Ações de estatais, esse tipo de coisa.

Eu geralmente comprava sapatos.

Pouco depois, tive a sorte de ser demitida do emprego de garçonete (um tolo mal-entendido envolvendo a mim, várias garrafas de cerveja importada, um caso de "jantar servido no colo" e um cliente irracional, que não tinha o menor senso de humor. De qualquer jeito, acho que as cicatrizes dele desapareceram quase por completo).

E consegui arrumar outro emprego com um horário mais regular. Então, nosso romance prosseguiu do modo mais tradicional.

Depois de algum tempo, fomos morar juntos. Depois de um tempo um pouco mais longo nos casamos. E, alguns anos depois, decidimos ter um bebê, afinal, meus ovários pareciam estar prontinhos, os espermatozoides dele não registraram nenhuma queixa, meu útero não levantou nenhuma objeção e, então, engravidei. E dei à luz uma menina.

E foi aqui que você entrou.

Então, acho que estamos bem atualizados.

E, se você está na expectativa de algum tipo de descrição terrivelmente macabra do parto, com conversas sobre contrações, fórceps e gemidos de agonia, além de comparações vulgares, como expelir um enorme saco de batatas, então lamento lhe desapontar.

(Ora, tudo bem, apenas para animar você, imagine a pior cólica menstrual que já sentiu e a multiplique por sete milhões, fazendo também com que dure 24 horas e, então, terá uma ideia de como são os trabalhos de parto.)

Sim, foi assustador, confuso, humilhante e doeu até dizer chega. Foi também emocionante e maravilhoso. Mas a coisa mais importante para mim foi que terminou. Eu podia mais ou menos lembrar da dor, mas ela não tinha mais o poder de me ferir. Porém, quando James me deixou, percebi que preferia passar pela dor de cem trabalhos de parto do que passar pela dor de perdê-lo.

Eis como ele soltou a notícia de sua iminente separação de mim.

Depois que segurei meu bebê nos braços pela primeira vez, as enfermeiras o levaram para o berçário e a mim para meu quarto, onde dormi por algum tempo.

Quando acordei, James estava em pé, olhando-me com seus olhos muito verdes no rosto branco. Sorri para ele, sonolenta e triunfante.

— Olá, querido — disse.

— Olá, Claire — disse ele, formal e educadamente.

Tola como era, pensei que ele estava com aquele ar grave e sério em sinal de respeito. (Vejam só minha esposa, ela pariu uma criança hoje, é uma mulher, dá a vida — sabe, esse tipo de coisa.)

Ele se sentou na beirada da cadeira dura do hospital, com aspecto de quem ia levantar-se e sair correndo a qualquer instante. O que de fato faria.

— Esteve no berçário para vê-la? — perguntei, com ar sonhador. — É tão linda.

— Não, não estive — disse ele, sumariamente. — Ouça, Claire, vou embora — prosseguiu, com rispidez.

— Por quê? — perguntei, afundando em meus travesseiros. — Você acabou de chegar. — (Sim, eu sei, também não consigo acreditar que eu disse isso; afinal, quem escreve minhas falas?)

— Claire, ouça — disse ele, começando a ficar um pouco agitado. — Vou deixar você.

— O quê? — perguntei, lenta e cuidadosamente. Devo admitir que agora ele tinha toda a minha atenção.

— Ouça, Claire, lamento muito, mas encontrei outra pessoa e vou ficar com ela. Desculpe quanto ao bebê e todo o resto, deixar você desse jeito, mas tenho que fazer — despejou ele, branco como um fantasma, com os olhos brilhantes de angústia.

— O que quer dizer com "encontrou" outra pessoa? — perguntei, perplexa.

— Quero dizer que... bem... me apaixonei por outra pessoa — assumiu ele, com ar arrasado.

— Você quer dizer... outra mulher ou algo assim? — perguntei, com a sensação de ter levado uma pancada na base do crânio com um taco de beisebol.

— Exatamente — disse ele, sem dúvida aliviado porque eu parecia ter entendido o básico da situação.

— E você vai me *deixar*? — repeti o que ele dissera, em tom de descrença.

— Vou — disse ele, olhando para seus sapatos, para o teto, para minha garrafa de suco, para qualquer outra coisa, menos para meus olhos.

— Mas você não me ama mais? — surpreendi-me perguntando.

— Não sei. Acho que não — respondeu ele.

— Mas e o bebê? — perguntei, pasma. Era inacreditável que me deixasse, sobretudo agora, quando acabávamos de ter nosso bebê. — Você tem de tomar conta de nós duas!

— Desculpe, mas não posso — disse ele. — Darei ajuda financeira, e decidiremos alguma coisa sobre o apartamento e a hipoteca, sobre todas essas coisas, mas tenho de ir.

Eu não conseguia acreditar naquela conversa. Sobre que diabo falava ele, apartamentos, dinheiro, hipoteca, toda aquela bosta? Segundo o roteiro, deveríamos estar nos babando com nosso bebê e discutindo carinhosamente a quem ela puxara na família. Mas James, *meu* James, falava em me deixar. Quem é o encarregado aqui? Gostaria de me queixar da minha vida. Claramente, pedi uma vida feliz, com um marido amoroso, para combinar com meu bebê recém-nascido, e que roteiro grotesco era aquele que me ofereciam?

— Meu Deus, Claire — disse ele —, odeio deixar você assim. Mas, se eu for para casa com você e o bebê agora, nunca mais conseguirei sair de lá.

"Mas a ideia não era exatamente essa?", pensei, confusa.

— Sei que não existe uma boa hora para lhe dizer uma coisa dessas. Mas não podia dizer quando você estava grávida, para que não perdesse o bebê. Então, estou falando agora.

— James — disse eu, fracamente —, tudo isso é muito estranho.

— Eu sei — ele se apressou em concordar. — Você já passou por muita coisa nas últimas vinte e quatro horas.

— Por que você estava presente no parto, se planejava me deixar no minuto em que terminasse? — perguntei-lhe, segurando seu braço, tentando fazer com que ele me olhasse.

— Porque prometi — afirmou, sacudindo minha mão para livrar seu braço, e sem me olhar nos olhos, parecendo um colegial repreendido.

— Só porque prometeu? — perguntei, tentando encontrar algum sentido naquilo. — Mas você me prometeu toneladas de coisas. Como me dar carinho e me amar até que a morte nos separe.

— Desculpe — gaguejou ele. — Mas não posso cumprir essas promessas.

— Então, o que vai acontecer? — perguntei, atordoada. Nem por um segundo aceitei uma única palavra do que ele dizia. Mas a banda continua a tocar mesmo quando ninguém está dançando. Eu estava mantendo o que, para todos os efeitos, podia parecer ao observador imparcial, de fora, uma conversa com James. Mas não era absolutamente uma conversa, porque eu não tinha a menor intenção de fazer o que eu mesma dizia e não aceitava nada do que ele dizia. Quando lhe perguntei o que aconteceria, não precisava de uma resposta. *Sabia* o que se seguiria. Ele iria para casa comigo e com o bebê, e toda aquela tolice acabaria.

Acho que eu quase sentia que, se o mantivesse conversando, ali, junto de mim, ele perceberia como estava sendo tolo por ter pensado em me deixar.

Ele se levantou longe demais de mim para eu poder tocá-lo. Usava um terno negro (havíamos brincado, muitas vezes, sobre o fato de que ele usava aquele terno para supervisionar falências e liquidações), tinha um ar sombrio e estava muito pálido. De certa forma, jamais me parecera tão bonito.

— Vejo que você está usando seu terno de empresário — disse eu, amarga. — Um toque simpático.

Ele sequer tentou sorrir, e então percebi que o perdera. Ele tinha a aparência de James, falava como James, cheirava como James, mas não era James.

Como num filme de ficção científica dos anos 1950, no qual o corpo da namorada do herói é ocupado por um extraterrestre — e mantém a mesma aparência (um suéter de lã angorá cor-de-rosa, bolsinha bonita, sutiã tão pontudo que furaria um olho etc.) ... só que com olhos diferentes.

O observador casual ainda podia pensar que era James. Mas eu percebi, olhando-o nos olhos, que meu James se fora. Havia em seu corpo um estranho frio, sem amor. Soube então que *meu* James partira.

Talvez ele estivesse na nave espacial.

— Já tirei de casa a maior parte das minhas coisas — disse ele. — Vou ficar em contato com você. Cuide-se.

Deu meia-volta e rapidamente deixou o quarto. Na verdade, quase saiu correndo. Desejei correr atrás dele, mas o filho da puta sabia que eu não podia me levantar, por causa dos vários pontos que levara na vagina.

Ele se fora.

Fiquei deitada em minha cama de hospital, imóvel por um longo tempo. Estava atordoada, chocada, horrorizada, incrédula. Mas, de uma maneira muito estranha, havia alguma coisa em que eu realmente acreditava, em tudo aquilo. Havia alguma coisa quase familiar nessa sensação.

Sabia que não podia ser uma sensação de familiaridade, porque eu nunca fora largada por um marido. Mas havia definitivamente alguma coisa fora do lugar, ali. Acho que existe uma parte no cérebro de uma pessoa — certamente há no meu — que se mantém em vigília, esperando sinais de perigo. E sinaliza de volta para o restante do cérebro, quando enxerga o perigo. A versão emocional de "Os índios estão chegando". Quanto mais eu pensava a respeito, mais percebia que essa parte do meu cérebro provavelmente tinha enviado sinais de fumaça como uma louca nos últimos meses. Mas as outras partes do meu cérebro estavam no agradável e verdejante vale da gravidez, e não queriam tomar conhecimento do perigo iminente. Então ignoraram inteiramente as mensagens que lhe foram enviadas.

Eu soubera que James sentira-se infeliz durante a maior parte de minha gravidez, mas atribuíra isso às minhas mudanças de estado de espírito, à minha fome constante, ao meu sentimentalismo rasgado, ao meu choro por causa de tudo, desde a novela ao informativo econômico.

E claro que nossa vida sexual fora drasticamente reduzida. Mas eu pensava que, logo que tivesse o bebê, tudo voltaria ao normal. Só que a um normal melhor, se é que você me entende.

Pensei que a infelicidade de James fosse apenas resultado do fato de eu estar grávida, com os efeitos colaterais daí decorrentes, mas, olhando para trás, talvez eu tivesse ignorado coisas que não deveria.

Então, o que fazer? Sequer sabia onde ele estava hospedado. Mas a intuição me disse para deixá-lo em paz por algum tempo. Levá-lo na brincadeira. Fingir que estava topando tudo.

Mal podia acreditar naquilo.

Abandonar-me, francamente! Minha reação normal ao fato de me sentir magoada ou traída deveria vir em seguida, mas de alguma forma eu sabia que isso, naquela situação, não me faria bem, de maneira nenhuma. Eu tinha de permanecer calma e sã, até poder decidir o que fazer.

Uma das enfermeiras passou por mim com seus sapatos de sola de borracha, parou e sorriu.

— Como se sente? — perguntou.

— Ah, ótima — disse eu, desejando que ela fosse embora.

— Acho que seu marido virá ver você e o bebê mais tarde — disse ela.

— Eu não contaria com isso — respondi, com amargura.

Ela me lançou um olhar espantado e se afastou rapidamente na direção de uma das mães boazinhas, civilizadas, corteses, estalando sua caneta e me lançando olhadelas nervosas.

Decidi telefonar para Judy.

Judy era minha melhor amiga. Éramos amigas desde os 18 anos. Viéramos para Londres juntas. Ela fora minha dama de honra.

Eu não conseguiria enfrentar aquela situação sozinha. Judy me diria o que fazer.

Cautelosamente, ergui-me da cama e, tão rápido quanto permitia minha condição, segui até o telefone público.

Ela atendeu imediatamente.

— Ah, oi, Claire — disse. — Eu já estava a caminho daí.

— Ótimo — foi tudo o que eu disse.

Só Deus sabe quanto eu desejava cair em prantos e contar a ela sobre o suposto abandono de James, mas havia uma fila de mulheres de cor-de-rosa, arrastando suas camisolas atrás de mim, à espera de sua vez de usar o telefone (sem dúvida, a fim de ligar para seus dedicados maridos) e, contrariando todas as probabilidades, ainda me restava algum orgulho.

"Essas filhas da puta presunçosas", pensei, com amargura (e irracionalmente, devo admitir), enquanto coxeava de volta para a cama.

Logo que Judy chegou, soube que ela já sabia de tudo a respeito de James. Soube porque ela disse: "Claire, já sei tudo a respeito de James." E também porque não chegou com um imenso buquê de flores, um sorriso maior ainda e um cartão do tamanho de uma mesa de cozinha, cheio de cegonhas. Tinha um aspecto ansioso e tenso.

Meu coração estourou de dor. Se James estava contando a outras pessoas, então *devia* ser verdade.

— Ele me deixou — disse eu, dramaticamente.

— Eu sei — ela afirmou.

— Como ele pôde fazer uma coisa dessas? — perguntei.

— Não sei — respondeu ela.

— Ele se apaixonou por outra pessoa — disse.

— Eu sei — disse ela.

— Como sabe? — perguntei, sacudindo-a para que me informasse de tudo.

— Michael me contou. Aisling contou a ele. George contou a ela. (Michael era o namorado de Judy. Aisling trabalhava com ele. George era o marido de Aisling. George trabalhava com James.)

— Então, todo mundo sabe — disse, em voz baixa.

Houve uma pausa. Judy estava com cara de quem gostaria de morrer.

— Então deve ser verdade — disse eu.

— Acho que é — falou, obviamente constrangida.

— Sabe quem é essa outra mulher? — perguntei-lhe, sentindo-me nojenta por colocá-la em posição tão constrangedora, mas eu tinha de saber e estava chocada demais para perguntar a James antes de ele ir embora.

— Hã, sim — disse ela, meio sem graça. — É aquela Denise.

Demorei um minuto para perceber sobre quem ela estava falando.

— O quê!? — gritei. — Não me diga que é aquela Denise do andar de baixo!

Um infeliz sinal afirmativo com a cabeça por parte de Judy.

Foi bom que eu já estivesse deitada.

— Aquela filha da puta! — exclamei.

— E tem mais — murmurou ela. — Ele está falando em se casar com ela.

— Que diabo você quer dizer com isso? — gritei. — Ele *já é* casado. Comigo. Não sabia que tinham tornado a poligamia legal nos últimos dias.

— Não tornaram — disse ela.

— Mas então... — interrompi-me, perplexa.

— Claire — ela suspirou, falando com um tom desanimado —, ele diz que vai se divorciar de você.

Como eu disse, foi bom que eu já estivesse deitada na cama.

A tarde foi passando, juntamente com a paciência de Judy e qualquer esperança que eu ainda pudesse abrigar.

Olhei para ela, desesperada.

— Judy, o que vou fazer?

— Escute — disse ela, com objetividade. — Dentro de dois dias você vai sair daqui. Ainda terá um lugar para morar, terá dinheiro suficiente para alimentar a si mesma e ao bebê, voltará ao trabalho dentro de seis meses, e tem uma filha recém-nascida para cuidar. Dê a James algum tempo e, finalmente, vocês dois vão chegar a alguma conclusão.

— Mas Judy — gemi —, ele quer o *divórcio*.

Embora James parecesse ter se esquecido de um pequeno detalhe: não há divórcio na Irlanda. James e eu éramos casados na Irlanda. Nosso casamento fora abençoado pelos padres da Igreja de Nossa Senhora do Perpétuo Socorro. Embora ela nos tivesse prestado muito pouco socorro, na verdade. Tchau, Socorro.

Eu estava completamente perdida. Sentia-me sozinha e com medo. Queria puxar os cobertores por cima da minha cabeça e morrer. Mas não podia, porque tinha uma pobre criança indefesa para criar.

Que início de vida ela estava recebendo...! Menos de dois dias e já fora abandonada pelo pai, e a mãe estava à beira de um colapso.

Pela milionésima vez, imaginei como James podia fazer isso comigo.

— Como James pôde fazer isso comigo? — perguntei a Judy.

— Você já me perguntou isso cerca de um milhão de vezes — disse ela.

E era verdade.

Eu não sabia como James podia ter feito aquilo comigo. Sabia apenas que fizera.

Até então, suponho que pensava que a vida repartia as coisas desagradáveis para mim em pequenos pedaços e a espaços regulares. Nunca me dava mais do que eu podia enfrentar de cada vez.

Quando ouvia falar de pessoas que sofriam desastres cumulativos (por exemplo, um acidente de automóvel, perder o emprego e pegar o namorado na cama com a irmã, tudo numa única semana), pensava que a culpa era dessas pessoas. Bem, não exatamente *culpa*. Mas, se as pessoas se comportassem como vítimas, iriam se tornar vítimas. Se esperassem que o pior acontecesse, então ele invariavelmente aconteceria.

Via, agora, como estava errada. Algumas vezes, as pessoas não se apresentam voluntariamente para serem vítimas, mas se tornam vítimas, de qualquer jeito. Não é culpa delas. Certamente não era minha culpa que meu marido achasse que se apaixonara por outra pessoa. Não esperava que acontecesse e certamente não queria que acontecesse. Mas aconteceu.

Soube, então, que a vida não respeitava circunstâncias. A força que atira em nós os desastres não diz: "Bem, não darei a ela aquele caroço no seio antes de pelo menos um ano. É melhor deixar que se recupere primeiro da morte da mãe." A vida simplesmente vai em frente e faz o que tem vontade, sempre que tem vontade.

Percebi que ninguém está imune à síndrome do desastre cumulativo. Não que eu pensasse que ter um bebê fosse um desastre. Mas certamente ele não deveria ter vindo em circunstâncias tão tumultuadas.

Eu acreditava controlar inteiramente a minha vida e, Deus me perdoe, se alguma coisa chegasse a dar errado comigo mesma e com James, eu seria capaz de dedicar todo o meu tempo e minha energia para resolver a situação. Não esperava exatamente ser abandonada menos de vinte e quatro horas depois de dar à luz ao meu primeiro filho, quando meus níveis de energia estavam mais baixos do que nunca e os de vulnerabilidade, mais altos do que nunca.

Sem falar em como eu estava obviamente gorda naquele momento.

E um bumbum gordo jamais agradou ao belo James.

Judy e eu ficamos sentadas na cama em silêncio, ambas tentando pensar em algo construtivo para dizer. De repente, ocorreu-me a solução. Bem, talvez não a solução perfeita, mas uma solução.

Alguma coisa para tapar o buraco, por enquanto.

— Sei o que vou fazer — disse a Judy.

"Ah, graças a Deus", pude sentir que ela pensou, com fervor. "Graças a Deus."

E, como Scarlett O'Hara, nas últimas linhas de... *E o vento levou,* eu disse, queixosamente: "Vou para casa. Vou para minha casa em Dublin."

Sim, concordo com você. "Dublin" não soa tão bem quanto "Tara", mas de que me adiantaria ir para uma casa em Tara? Não conhecia ninguém lá. Na verdade, eu só passara por lá duas vezes a caminho de Drogheda.*

* Referência à fazenda Drogheda do romance *Pássaros feridos,* da autora australiana Colleen McCulough.

2

Judy me buscou no hospital alguns dias depois. Ela reservara uma passagem para mim e minha filha num voo apenas de ida para Dublin. Levou-me para casa a fim de fazer as malas.

Nesse meio tempo, não tive qualquer notícia de James. Cambaleava de um lado para outro numa espécie de nevoeiro cheio de dor.

Algumas vezes, simplesmente não conseguia acreditar naquilo. Tudo o que ele me dissera parecia um sonho. Eu não podia realmente me lembrar dos detalhes, mas sim do sentimento. Aquela sensação doentia de que alguma coisa estava errada.

Mas algumas vezes a perda aparecia como um astro especialmente convidado.

Ela me invadia. Tomava conta de mim. Era como uma força física. Batia em mim, tirando-me a vida. Tirava-me o fôlego. Era selvagem.

A perda me odiava.

Só assim se explicaria que me magoasse tanto.

Não consigo realmente lembrar como passei aqueles dias no hospital.

Só me lembro vagamente de minha perplexidade, quando todas as outras novas mães falavam de como suas vidas agora estavam mudadas para sempre, de como as coisas jamais tornariam a ser as mesmas, os problemas de terem de ajustar suas vidas à chegada do novo bebê e tudo isso.

Mas eu não podia ver qual era o problema. Já não podia imaginar a vida sem minha filha. "Somos eu e você, querida", sussurrava para ela.

O fato de termos sido abandonadas pelo homem de nossas vidas provavelmente intensificou nosso processo de ligação. Nada como uma crise para unir as pessoas, como dizem.

Passava muito tempo sentada, quieta, segurando-a.

Tocar seus minúsculos, realmente minúsculos pezinhos de boneca, seus perfeitos dedinhos rosados em miniatura, seus punhos bem fechados e revirados para cima, suas orelhinhas graciosas, sentir seu rostinho inacreditavelmente pequeno, imaginando de que cor seriam seus olhos.

Ela era tão linda, tão perfeita, um verdadeiro milagre.

Tinham-me dito que eu sentiria um amor total por minha filha; sabe Deus que ninguém pode dizer que eu não fora avisada. Mas nada poderia ter-me preparado para aquela intensidade. Aquela sensação de que eu mataria qualquer pessoa que tentasse tocar num fio de cabelo louro de sua cabecinha macia.

Eu podia entender que James me deixasse — bem, falando a verdade, eu não podia —, mas realmente não podia entender que ele deixasse aquela criancinha linda e perfeita.

Ela chorava muito.

Mas, na verdade, não posso me queixar, porque eu também chorava.

Tentava repetidas vezes consolá-la, mas ela raramente parava.

Depois de chorar por cerca de oito horas seguidas no primeiro dia, e após mudar sua fralda 120 vezes e tê-la alimentado 49, fiquei ligeiramente histérica e pedi que um médico a examinasse.

— *Deve* haver alguma coisa terrivelmente errada com ela — declarei ao jovem com aspecto exausto que era o médico. — Ela não pode estar com fome e não está (eu ria, levemente, enquanto dizia isso) "suja", mas não para de chorar.

— Bem, nós a examinamos e não há nada, absolutamente nada errado com ela, até onde posso observar — ele me explicou, com paciência.

— Mas por que ela está chorando?

— Porque é um bebê — respondeu. — É isso que eles fazem.

Ele estudara medicina durante sete anos e essa era a explicação que tinha para dar?

Não fiquei convencida.

Talvez ela estivesse chorando porque, de alguma maneira, sentia que o pai a abandonara.

Ou talvez — grande pontada de culpa — estivesse chorando porque eu não a estava amamentando. Talvez ela se ressentisse profundamente por estar sendo alimentada com uma mamadeira. Sim, eu sei, você provavelmente está no auge da indignação porque não a amamentei. Acha, com certeza, que não fui uma boa mãe. Mas, há muito tempo, antes de ter minha filha, pensei que seria lícito que meu antigo corpo me fosse devolvido, depois de emprestá-lo por nove meses. Sabia que já não seria capaz de chamar minha alma de minha, agora que era mãe. Mas tinha uma leve esperança de que ainda poderia chamar meus seios de meus. E estou envergonhada de dizer que tinha medo de que, se amamentasse, seria vítima da síndrome do "seio encolhido, achatado, caído".

Agora que eu estava com minha linda e perfeita criança, minhas preocupações a respeito da amamentação pareciam mesquinhas e egoístas. Tudo realmente muda, quando se dá à luz. Nunca pensei que chegaria o dia em que colocaria as necessidades de outra pessoa à frente da boa aparência dos meus seios.

Então, se minha queridinha não parasse logo de chorar, consideraria a possibilidade de amamentá-la. Se isso a tornasse feliz, suportaria mamilos gretados e vazando e meninos bobos de 13 anos tentando olhar minhas "leiteiras" no ônibus.

Judy, minha filha e eu chegamos em casa. Entramos no apartamento e, embora James me dissesse que estava saindo, eu ainda não estava preparada para os espaços desocupados no banheiro, o armário vazio, a ausência de livros na estante.

Foi tão terrível.

Sentei-me vagarosamente em nossa cama. O travesseiro ainda tinha seu cheiro. E senti tanto sua falta.

— Não consigo acreditar — disse eu a Judy, soluçando. — Ele foi mesmo embora.

Minha filha também começou a chorar, como se sentisse igualmente o vazio. E não chorava há apenas uns cinco minutos.

A pobre Judy parecia atrapalhada. Não sabia a qual de nós duas consolar.

Depois de algum tempo, parei de chorar e virei vagarosamente para Judy com o rosto molhado de lágrimas. Sentia-me exausta de tanta dor.

— Vamos — disse eu. — É melhor fazermos as malas.

— Ótimo — sussurrou, ainda me embalando, e a minha filha, em seus braços.

Comecei a jogar as coisas dentro de uma sacola de viagem. Coloquei tudo o que julguei necessário. Preparava-me para levar uma pilha de fraldas descartáveis do tamanho de um pequeno país sul-americano, mas Judy me convenceu a deixá-las.

— Vendem isso em Dublin também — lembrou-me, com delicadeza.

Joguei dentro da sacola mamadeiras, um aquecedor de mamadeiras com o desenho de uma vaca pulando por cima da lua, chupetas, brinquedos, chocalhos, macacões, meias do tamanho de selos de correio, tudo o que me veio à cabeça para minha pobre filhinha sem pai.

Como agora eu era uma família com genitor único, estava obviamente supercompensando a ausência do outro.

— Sinto muito, querida, privei você do seu pai porque não fui suficientemente bonita ou inteligente para fazê-lo prender-se a mim, mas deixe que compense isso cobrindo você de bens materiais.

Depois, pedi a Judy que me devolvesse algumas fraldas.

— Para quê? — perguntou ela, segurando-as com força.

— Para a eventualidade de termos uma emergência no avião — argumentei, tentando arrancá-las de suas mãos.

— Eles não lhe deram toalhas sanitárias no hospital? — perguntou ela, com um tom de voz chocado.

— Não estou falando de emergência minha, sua pateta, e sim de minha filha.

Se bem que não se poderia chamar isso de emergência, não é?, pensei. Algo mais próximo de um risco ocupacional, talvez.

Ela estendeu três fraldas. Mas com relutância.

— Sabe, você não pode continuar a chamá-la "minha filha" — disse Judy. — Tem de lhe dar um nome.

— Não consigo pensar nisso agora — disse eu, começando a entrar em pânico.

— Mas o que andou fazendo durante os últimos nove meses? — Judy parecia chocada. — Você deve ter pensado em *alguns* nomes.

— Pensei, sim — murmurei, com meus lábios começando a tremer. — Mas pensei neles com James. E não iria me sentir bem se desse a ela um deles.

Judy parecia um pouco aborrecida comigo. Mas eu estava novamente à beira das lágrimas, e então ela não disse mais nada.

Para mim, levei muito pouca coisa, além de um punhado de livros sobre bebês. Por que me preocuparia em levar alguma coisa para mim, pensei, agora que minha vida tinha terminado?

E, além disso, nada mais me servia.

Abri meu armário e recuei, com a repugnância que meus vestidinhos me davam. Não havia dúvida a respeito. Todos falavam de mim.

Eu quase podia vê-los acotovelando-se e dizendo: "Olhem para ela, vejam seu tamanho. Será que pensa, honestamente, que elegantes e pequenos tamanhos P, como nós, caberiam em qualquer corpo tipo bujão, na faixa do GG, como o que ela está arrastando de um lado para outro? Não é de admirar que seu marido tenha fugido com outra mulher."

Sabia o que eles pensavam.

"Você se desleixou. E sempre disse que não faria isso. Você nos abandonou e abandonou a si mesma."

"Desculpem", disse eu, servilmente. "Vou perder peso. Voltarei para vocês, prometo. Logo que tiver condições."

O ceticismo deles era ostensivo.

Eu podia escolher entre usar minhas roupas de grávida ou uma calça *jeans* que James deixara para trás, em sua pressa de partir. Vesti a calça e avistei meu revoltante corpo gordo no espelho do quarto. Meu Deus, eu estava horrorosa. Parecia estar usando a fantasia do boneco da Michelin da minha irmã mais velha. Ou, pior, parecia ainda estar grávida.

Nas poucas semanas antes de dar à luz, eu estava absolutamente enorme.

Inteiramente redonda. Como a única coisa que cabia em mim era minha bata de lã verde, combinando com meu rosto sempre verde, por causa do enjoo contínuo, fiquei com a aparência de uma melancia usando botas e um pouco de batom.

Agora, embora não estivesse mais verde, ainda parecia uma melancia, sob todos os outros aspectos.

O que estava acontecendo comigo? Para onde tinham ido meu verdadeiro eu e minha vida de verdade?

Com um coração que não era a única coisa pesada em mim, fui telefonar para pedir um táxi para o aeroporto.

O interfone tocou. Dei uma última olhada na minha sala, as prateleiras que mais pareciam uma boca com alguns dentes faltando, a reluzente e nova babá eletrônica na parede (que *desperdício*!), o montículo de fraldas abandonadas no chão.

Fechei a porta atrás de mim antes que começasse novamente a chorar.

Firme.

Sim, eu sei. Um simbolismo muito pouco sutil. Desculpe por isso.

E então percebi que faltava algo.

— Ah, meu Deus! Minhas alianças!

Corri outra vez para dentro e peguei no meu quarto minhas alianças de noivado e casamento. Tinham ficado na penteadeira durante os dois últimos meses, porque meus dedos estavam tão gordos e inchados que eu não podia usá-las. Enfiei-as em meu dedo, e mais ou menos couberam.

Percebi que Judy me lançava um olhar engraçado.

— Ele ainda é meu marido, você sabe — disse-lhe eu, desafiadoramente. — O que significa que ainda sou casada!

— Eu não disse nada — falou ela, com uma expressão inocente.

Judy e eu descemos com dificuldade pelo elevador, carregando, como duas malabaristas, malas, sacolas, bolsas e uma criança de dois dias em seu berço portátil.

E há outra coisa que ninguém nos diz sobre o fato de ter um bebê! Os manuais deveriam dizer algo como: "É imperativo que seu marido não deixe você nos primeiros meses depois do nascimento do seu bebê, pois, do contrário, você terá de carregar tudo sozinha."

Judy estava enfiando tudo no táxi, quando vi, com horror, o marido de Denise vindo pela rua. Devia estar a caminho de casa, voltando do trabalho.

— Ah, meu Deus — disse eu, com um tom de horror.

— O que foi? — perguntou Judy, alarmada, com o rosto vermelho e suado, por causa dos seus esforços.

— O marido de Denise — resmunguei.

— E daí? — perguntou ela, em voz alta.

Eu esperava algum tipo de cena terrível, passional, da parte dele. Como já disse, ele é italiano. E tinha medo de que insinuasse algum tipo de aliança entre nós. Alguma coisa do gênero: "O inimigo do meu inimigo é meu amigo." E claro que eu não queria isso.

Meus olhos prenderam-se aos dele e senti, em meu estado de culpa e medo, que sabia exatamente o que ele pensava. "É tudo culpa sua. Se você fosse tão atraente quanto minha Denise, seu marido podia ter ficado com você, e eu ainda seria casado e feliz. Mas não, você tinha de arruinar tudo, sua vaca gorda e feia."

Ótimo, pensei, também posso fazer esse jogo.

Devolvi seu olhar fixo, retribuindo suas mensagens telepáticas. "Bem, se você não tivesse casado com uma ordinária, ladra de maridos, destruidora de lares, mas com uma moça boazinha e decente, nenhum de nós estaria nessa confusão."

Provavelmente, eu fazia ao pobre homem uma terrível injustiça. Ele não me disse nada. Apenas me olhou com uma espécie de expressão triste e acusatória.

Abracei Judy, em despedida. Ambas chorávamos. Para variar, minha filha não.

— Aeroporto de Heathrow, Terminal 1 — disse eu, em lágrimas, ao motorista do táxi, e nos afastamos em alta velocidade, deixando o Sr. Andrucetti a olhar o vazio à nossa procura.

Enquanto eu seguia com esforço pelo corredor do avião, esbarrei em vários passageiros irados com minha mala de acessórios de bebê. Quando, afinal, localizei meu assento, um homem levantou-se para me ajudar a guardar minhas coisas. Quando sorri para lhe agradecer, automaticamente imaginei se ele não desejaria ter alguma coisa comigo.

Foi terrível. Essa era uma das coisas de que eu realmente gostava, na condição de casada. Por alguns anos, fiquei fora desse horrível carrossel de tentar encontrar o homem certo e descobrir que ele já era casado, ou vivia com outro homem, ou era patologicamente pão-duro, ou que lia Jeffrey Archer, ou que só podia ter um orgasmo se chamasse a parceira de "mamãe", ou qualquer das milhares de falhas de caráter que não eram imediatamente óbvias da primeira vez em que você apertava a mão dele e sorria olhando dentro dos seus olhos, e sentia uma cálida sensação de zumbido na boca do estômago, que nada tinha a ver com remédios não prescritos, tomados ou não por você, na noite anterior, e então pensava para si mesma: "Puxa vida, este pode ser o homem certo."

Agora eu estava de volta à situação em que todo homem é um namorado em potencial. Estava de volta a um mundo onde há 800 mulheres maravilhosamente lindas para um único homem solteiro. E isso antes mesmo de começarmos a eliminar os verdadeiramente medonhos.

Olhei com atenção para o homem prestativo. Ele não era sequer tão atraente. Era provavelmente gay. Ou, quem sabe, um padre.

Quanto a mim, uma esposa abandonada, com um bebê de dois dias, o amor-próprio de uma ameba (será que era tudo isso?), 14 quilos acima do peso, na iminência de uma depressão pós-parto e com uma vagina dez vezes o seu tamanho normal, eu própria não chegava a ser exatamente uma conquista apreciável.

O avião decolou, e casas, prédios e ruas de Londres circularam distantes, sob mim. Olhei para baixo, enquanto as avenidas e ruas da cidade ficavam cada vez menores. Deixava para trás seis anos da minha vida.

É assim que se sente uma refugiada?

Meu marido estava lá embaixo, em alguma parte. Meu apartamento estava lá embaixo, em alguma parte. Meus amigos estavam lá embaixo, em alguma parte. Minha vida estava lá embaixo, em alguma parte.

Eu havia sido feliz ali.

E, depois, a vista foi coberta pelas nuvens.

Um pouco mais daquele simbolismo nada sutil. Desculpem novamente.

Recostei-me em meu assento, com meu bebê no colo. Suponho que devia parecer, para todos os outros passageiros, exatamente uma mãe normal. Mas, e o pensamento me dominou com muita força, eu não era. Agora era uma esposa abandonada. Eu era um indicador numa estatística.

Tinha sido uma porção de coisas em minha vida. Fora Claire, a filha cumpridora dos seus deveres. Claire, a filha terrível. Claire, a estudante. Claire, a prostituta (por pouco tempo. Como disse, se tivermos tempo, vou contar tudo). Claire, a administradora. Claire, a esposa. E, agora, era Claire, a esposa abandonada. E não me ajustava confortavelmente à ideia, de jeito nenhum, posso lhe garantir.

Eu sempre pensara (apesar do meu declarado liberalismo) que as esposas abandonadas eram mulheres que moravam em apartamentos pobres e que seus maridos, parando apenas um minuto para lhes dar um soco no olho, partiam com uma garrafa de vodca e o carnê das pensões das crianças, deixando-as aos prantos com uma imensa pilha de contas a pagar de artigos domésticos, uma desculpa esfarrapada para o olho roxo do tipo “dei uma testada na porta” e quatro crianças problemáticas, todas com menos de 6 anos; em suma, mulheres que para os homens são apenas aventuras.

Era uma experiência de humildade e esclarecimento descobrir como eu estava errada. *Eu* era uma esposa abandonada. Eu, a Claire de classe média.

Bem, seria uma experiência de humildade e esclarecimento se eu não me sentisse tão amargurada, zangada e traída. Afinal, quem era eu? Algum tipo de monge tibetano? Uma Madre Teresa qualquer?

Mas percebi, realmente, de uma maneira engraçada, por meio da autopiedade e da hipocrisia, que algum dia, quando tudo aquilo tivesse terminado, eu poderia ser uma pessoa melhor, já que estaria mais forte, sábia e compassiva.

Mas ainda não estava pronta para aquilo.

— Seu pai é um filho da puta — sussurrei para minha filha.

O prestativo padre gay teve um sobressalto.

Devia ter ouvido o que eu dissera.

Em cerca de uma hora, começamos a descida para o aeroporto de Dublin. Passamos em círculo sobre os verdes campos da parte norte da cidade e, embora eu soubesse que minha filha de fato não podia ver nada ainda, ergui-a e a segurei em frente à janela, para lhe dar sua primeira visão da Irlanda. O aspecto era tão diferente da visão de Londres que acabávamos de deixar para trás! Quando olhei para o azul do mar irlandês e para a névoa cinzenta sobre os campos verdes, jamais me senti pior em toda a minha vida. Um fracasso completo.

Deixara a Irlanda havia seis anos, cheia de euforia com relação ao futuro. Ia conseguir um emprego sensacional em Londres, conhecer um homem maravilhoso e viver feliz para sempre. E conseguira um grande emprego, tivera um homem maravilhoso e vivera feliz para sempre — bem, pelo menos durante algum tempo —, mas, de alguma forma, tudo dera errado, e agora estava eu de volta a Dublin, com um humilhante senso de *déjà vu*.

Mas uma coisa importante mudara.

Agora eu tinha uma criança. Uma criança perfeita, bela, maravilhosa. Eu não mudaria isso por nada neste mundo.

O prestativo padre gay, ao meu lado, ficou meio sem graça, enquanto eu chorava, desamparada.

"Dane-se", pensei. "Pode ficar sem graça quanto quiser. Você é um homem. Provavelmente também já fez um bom número de mulheres chorar desse mesmo jeito."

Eu já tivera dias mais racionais.

Ele saiu às pressas, logo que aterrissamos. Na verdade, não poderia ter saído mais rápido. Sem nenhuma oferta para me ajudar a tirar as sacolas. Eu não poderia culpá-lo.

3

E lá vamos nós para o setor de restituição das bagagens!

Sempre acho isso um verdadeiro suplício.

Entende o que quero dizer?

A ansiedade começa no momento em que chego ao setor de desembarque e fico em pé junto da esteira rolante. É quando me convenço de que todas as pessoas simpáticas e educadas com as quais partilhei uma viagem aérea transformaram-se em terríveis ladrões de malas. E de que cada uma delas está espiando a esteira rolante com o objetivo expresso de roubar minha bagagem.

Fico próxima da esteira, em pé, com o rosto contraído, desconfiado. Um olho na portinhola através da qual saem as malas e o outro olho pulando de uma pessoa para outra, tentando fazê-las compreender que conheço seus truques. Que escolheram a pessoa errada para roubar.

Suponho que melhoraria ligeiramente a situação se eu fosse uma dessas pessoas bem organizadas que de alguma forma dão um jeito de ficar perto da portinhola. Mas, em vez disso, fico sempre na extremidade mais afastada da esteira, olhando de viés e na ponta dos pés, para tentar ver o que está saindo pela portinhola e, finalmente, quando vejo minha mala surgir, tenho tanto medo de que alguém vá roubá-la que não consigo ficar em pé, com paciência, para esperar que a esteira rolante a entregue a mim no devido momento. Em vez disso, corro por toda a extensão do setor das bagagens para pegá-la, antes que outra pessoa o faça. O caso é que, em geral, é impossível romper o cordão apertado dos carrinhos das outras pessoas. Então, minha mala navega serenamente e passa por mim, circulando inúmeras vezes pela sala antes que eu seja capaz de agarrá-la.

É um pesadelo!

Desta vez, para minha surpresa, consegui garantir para mim um lugar bem próximo da portinhola.

Talvez as pessoas se mostrassem mais simpáticas comigo pelo fato de eu estar carregando um bebê.

Sabia que ela acabaria sendo útil.

Então, fiquei esperando junto da esteira rolante, tentando ser paciente, chocando-me com todas as outras pessoas que tinham acabado de sair do avião, sentindo meus joelhos fraquejarem todas as vezes que um companheiro de viagem, com seu carrinho, dava uma pancada assassina na parte de trás dos meus tornozelos.

Fiz contato visual com tantas pessoas quanto possível, esperando convencê-las a não roubarem minhas malas. Não é o tipo de conselho que os criminologistas nos dão? Você sabe do que estou falando. Que, se a pessoa for feita refém, deve travar amizade com seu sequestrador. Olhá-lo nos olhos, para ele perceber que você é um ser humano, tornando, portanto, menos provável que a assassine.

É por aí. Tenho certeza de que sabe o que quero dizer.

Nada aconteceu, durante séculos.

Todos os olhos estavam fixos na portinhola, à espera da primeira visão das nossas malas.

Ninguém falava. Ninguém sequer ousava respirar. E então, de repente! O barulho da esteira rolante começando a se movimentar!

Viva!

Só que não era a nossa.

Um anúncio veio pelo alto-falante: “Por favor, os passageiros do voo EI179, vindo de Londres, sigam para a esteira número quatro para pegar sua bagagem.”

Isso, apesar do fato de que o vídeo acima da esteira número dois nos garantira, durante os últimos 20 minutos, que a bagagem logo apareceria ali.

Começou então um louco corre-corre para a esteira número quatro. As pessoas empurrando-se e se acotovelando, como se suas vidas dependessem disso. E, desta vez, ninguém parecia tão preocupado com a recém-nascida em meus braços.

Como resultado, fiquei bem no finalzinho da outra esteira.

E, por algum tempo, fiquei bem.

Até calma.

Tentei parecer determinadamente alegre, enquanto uma a uma as pessoas em torno de mim resgatavam suas malas.

"Ninguém com a cabeça no lugar desejaria roubar algumas malas cheias de roupas de bebê e mamadeiras", disse a mim mesma.

E enchi-me de confiança no pessoal do aeroporto de Dublin, certa de que não desviariam minhas malas para um voo a Darwin.

Ou a Marte.

Mas, quando a única coisa que restou na esteira rolante foi um conjunto de tacos de golfe que pareciam estar ali desde o fim da década de 1970 e haviam passado por mim pela 14ª vez, e eu e minha filha éramos as únicas criaturas humanas que restavam na área das bagagens, enquanto algumas aranhas começavam a tecer suas teias em volta de meus sapatos, chegou afinal o momento de cair na real.

"Sabia que me pegariam, um dia", pensei, sentindo-me enjoada. "Era apenas uma questão de tempo. Aposto que foi aquela velha vaca com o rosário. São sempre os caladinhos."

Comecei a correr de um lado para outro, com meu bebê nos braços, procurando freneticamente um funcionário do aeroporto. Afinal, encontrei um pequeno escritório onde havia dois carregadores com um aspecto mais ou menos jovial.

— Entre, entre — convidou-me um deles, enquanto eu vagueava perdida em frente à porta. — O que podemos fazer pela senhora, nesta bela e úmida tarde irlandesa?

Comecei aos tropeços a contar a história das minhas malas e meu berço portátil roubados. Estava novamente quase em prantos. Sentia-me tão *vitimada*.

— Não se preocupe, senhora — garantiu-me um dos funcionários. — Não foram roubados. Estão apenas perdidos. Vou achá-los para a senhora. Tenho uma linha telefônica particular para Santo Antônio.

E, sem dúvida, cerca de cinco minutos depois ele voltou com toda a minha bagagem.

— São suas, querida? — perguntou.

Disse que sim.

— E não vai para Boston?

— Não vou para Boston — garanti, com a voz mais firme que pude arrumar.

— Tem certeza? — perguntou ele, em tom de dúvida.

— Certeza absoluta — jurei.

— Ora, alguém pensou que iria, mas não tem importância. Agora, pode ir para casa — ele riu.

Agradeci aos dois e saí correndo em direção ao corredor do "Nada a declarar".

Atravessei-o às pressas, com meu carrinho, meu bebê e minha bagagem recuperada. Meu coração disparou, quando um dos funcionários da alfândega me fez parar.

— Calma, calma — disse ele. — Onde é o incêndio? Tem alguma coisa a declarar?

— Não, não tenho.

— O que está carregando aí?

— Um bebê.

— O bebê é seu?

— Sim, é meu.

Meu coração quase parou de bater. Eu não dissera a James que partiria. Mas será que ele adivinhara que eu iria para Dublin? Teria dito à polícia que eu sequestrara nossa filha? Estariam todos os portos e aeroportos sob vigilância? Será que tirariam meu bebê de mim? Seria eu deportada?

Estava aterrorizada.

— Então — continuou o homem da alfândega —, a senhora não tem nada a declarar, a não ser os seus genes.* — Gargalhou com vontade.

— Ah, sim, essa é muito boa — disse eu, quase sem forças.

— Um grande espírito, o nosso Mr. Wilde — disse o funcionário alfandegário em tom de quem puxa conversa. — Um venerável cavalheiro.

---

* Trocadilho com as palavras "genes" e "genius" [genialidade], esta última tendo sido declarada pelo autor irlandês Oscar Wilde (1855-1899) a um oficial aduaneiro norte-americano.

— Ah, mas sem a menor dúvida — concordei. — O senhor me deu um susto terrível — sorri para ele.

Ele assumiu uma postura e uma dicção arrastada de xerife.

— Tudo bem, madame — piscou o olho. — Fazer umas piadinhas é parte do trabalho.

Era bom estar em casa outra vez.

4

Saí correndo para a área de desembarque. Do outro lado da barreira, vi minha mãe e meu pai me esperando. Pareciam menores e mais velhos do que da última vez em que os vira, seis meses atrás. Senti-me tão culpada. Estavam ambos com 50 e tantos anos, e a preocupação dos dois comigo começou no dia em que nasci. Bem, para ser mais exata, desde antes do dia em que nasci, porque meu nascimento passou três semanas da data prevista e eles pensaram que teriam de mandar uma comissão de boas-vindas me buscar.

Já ouvi falar de pessoas que chegaram atrasadas ao seu próprio enterro, mas tive a distinção incomum de chegar atrasada ao meu próprio nascimento.

E eles se preocuparam comigo quando eu estava com seis semanas e sofria de cólicas.

E também quando tinha 2 anos e passei um ano inteiro sem comer outra coisa que não pêssegos enlatados. Preocuparam-se comigo quando eu tinha 7 anos e ia muito mal na escola. E se preocuparam comigo quando eu tinha 8 e me saía realmente bem na escola, mas não tinha nenhum amigo. Preocuparam-se comigo quando eu tinha 11 e quebrei o tornozelo. Preocuparam-se comigo quando tinha 15 e fui a uma discoteca da escola e tive de ser carregada para casa em coma alcoólico por um dos professores. Preocuparam-se comigo quando eu tinha 18 anos, estava no meu primeiro ano na universidade e jamais ia às aulas. Preocuparam-se comigo quando fazia meus exames finais e não saía das aulas. Preocuparam-se comigo quando tinha 20 e rompi com meu primeiro verdadeiro amor e fiquei deitada num quarto escuro chorando durante duas semanas. Preocuparam-se comigo quando aos 23 larguei meu emprego e fui para Londres trabalhar como garçonete.

E ali estava eu, com quase 30, casada, com um bebê meu e eles ainda precisavam preocupar-se comigo. Quero dizer, não era muito justo, era? Exatamente quando eles deram um grande suspiro de alívio e pensaram: graças a Deus, ela conseguiu agarrar um homem bastante respeitável. Talvez a gente possa deixar que ele se preocupe com ela de agora em diante, enquanto continuamos com a incumbência de nos preocuparmos com suas quatro irmãs mais novas, e então tive a audácia de me virar e dizer: desculpe, pessoal, foi alarme falso, estou de volta e isto é pior do que qualquer das outras coisas com que forcei vocês a se preocuparem.

Não era de surpreender que estivessem com um aspecto envelhecido e intimidado.

— Ah, graças a Deus — disse minha mãe, quando me viu. — Pensamos que você tivesse perdido o avião.

— Desculpem — disse eu, e explodi novamente em prantos. E todos nos abraçamos e ambos choraram quando viram meu bebê, o primeiro neto que tinham.

Eu realmente teria de dar logo um nome a ela.

Atravessamos o labirinto que é o estacionamento de automóveis do aeroporto de Dublin. Os procedimentos foram levemente atrasados quando meu pai tentou sair pela via cuja passagem tinha de ser previamente paga, e ele não pagara, e então todos os carros que estavam atrás dele precisaram voltar de ré, para deixar que ele saísse, fazendo-o perder ligeiramente a calma e o mesmo acontecendo com outro motorista, mas não vamos nos demorar nesses detalhes.

Quando chegamos à rua, seguimos por algum tempo em silêncio. Era uma situação muito estranha. Minha mãe estava sentada atrás comigo, segurando a neta, que embalava suavemente. Desejei ser ainda um bebê, para que minha mãe pudesse me segurar e me fazer sentir segura de que tudo ia dar certo.

— Então o infeliz do Jim deu o fora — disse meu pai, abruptamente.

— Sim, papai — disse eu, em tom lacrimoso.

Meu pai jamais gostara realmente de James. Meu pai é o único homem numa casa cheia de mulheres e é louco por companhia masculina, alguém com quem conversar sobre futebol, esse tipo de coisa. James não jogava bem rúgbi e entendia demais de cozinha para o gosto dele. Não importava que meu pai fizesse todas as tarefas domésticas em nossa casa, cozinhar era uma questão diferente, trabalho de mulher, como ele o chamava. Mas a última coisa que ele queria era me ver infeliz.

— Agora ouça, Claire — disse ele, numa voz que reconheci como do tipo "estou prestes a fazer um discurso referente a questões emocionais, não estou acostumado a isso, e me sinto muito constrangido, mas tem de ser feito e realmente pretendo fazê-lo". — Somos sua família, amamos você e este é e será sempre seu lar. Você e minha neta podem ficar conosco pelo tempo que quiserem. E... hã... tanto sua mãe quanto eu sabemos como você está infeliz, e se pudermos ajudar de alguma maneira, por favor, nos diga. É... isso... aí. — E acelerou o carro, muito aliviado por ter conseguido levar a termo o discurso.

— Obrigada, papai — disse eu, chorando novamente. — Sei disso.

Estava imensamente grata. Era maravilhoso saber que eles me amavam. Mas, simplesmente, não havia substituto para a perda de um homem que era o companheiro da minha alma, meu melhor amigo, meu amante, a única coisa em que eu confiava num mundo nada confiável.

Finalmente, chegamos em casa. O aspecto era exatamente o mesmo. E por que não deveria ser? A vida, seja lá como for, segue em frente. E o cheiro era também o mesmo. Era tão familiar, tão confortador. Carregamos as malas e o berço portátil pelas escadas acima, até o quarto que partilhei toda a minha vida com minha irmã Margaret, até me mudar para Londres. (Margaret, 26 anos, esportiva, extrovertida, com uma vida simples, morando em Chicago, trabalhando como assistente de advogado, casada com o único namorado que teve na vida.) O quarto estava com um aspecto realmente curioso, porque ninguém o ocupara durante muito tempo. Alguns dos sapatos de Margaret estavam no chão, cobertos de poeira. Algumas de suas velhas roupas ainda estavam penduradas no armário. Era como uma espécie de santuário.

Joguei algumas das malas no chão, armei o berço e coloquei nele minha filha. Coloquei ao lado, em cima da penteadeira, o aquecedor de mamadeira com o desenho da vaca pulando por cima da lua, sentei-me na cama e me livrei dos sapatos, coloquei meus livros nas prateleiras e deixei minha bolsa de maquiagem derramando seu conteúdo em cima da mesa de cabeceira. E, num abrir e fechar de olhos, o local parecia um chiqueiro.

Puxa vida, estava bem melhor.

— Então, quem está aqui? — perguntei à mamãe.

— Bem, apenas nós e o papai, neste momento — respondeu ela. — Helen está na universidade, voltará para casa mais tarde. Deus sabe onde está Anna. Há dias que não a vejo.

Anna e Helen eram minhas duas irmãs mais novas. Eram as únicas que ainda moravam em casa.

Minha mãe ficou sentada comigo, enquanto dava de mamar à neta. Depois que eu a enrolei e tornei a pô-la para dormir, minha mãe e eu ficamos sentadas na cama, em silêncio. A chuva parou de cair e o sol apareceu. O cheiro do jardim molhado entrou pela janela aberta com o sussurro da brisa soprando através dos ramos das árvores. Era um tranquilo anoitecer de fevereiro.

— Quer comer alguma coisa? — perguntou ela, finalmente.

Sacudi a cabeça.

— Mas você precisa comer, especialmente agora que tem uma recém-nascida para cuidar. Tem de se manter em forma. Quer que prepare um pouco de sopa para você?

Estremeci involuntariamente.

— De saquinho? — perguntei.

— De saquinho — concordou ela, gentilmente.

— Não precisa, mãe. Estou bem.

É melhor eu explicar. A capacidade para cozinhar pula uma geração. Eu sabia cozinhar. Portanto, minha filha não saberia. Que Deus se compadecesse dela. Que tipo de começo de vida estava tendo? E, pelo mesmo motivo, minha mãe também não sabia cozinhar. Minha mãe e as delícias culinárias não eram as melhores amigas. De fato, seria justo dizer que minha mãe e as delícias culinárias mal se cumprimentavam com um aceno de cabeça.

Lembranças tormentosas de jantares de família invadiram num jorro minha cabeça. Estaria louca? Por que diabo tinha eu voltado para casa? Eu queria realmente morrer de fome?

Da próxima vez em que precisar perder muito peso bem rapidamente — aquelas férias de duas semanas numa praia? O casamento de sua irmã? Uma saída com o bonitão do escritório? —, não precisa entrar para o Vigilantes do Peso nem tentar subsistir à base de macrobiótica ou se arrumar com refeições em pó. Basta vir hospedar-se em nossa casa por algumas semanas e insistir que mamãe cozinhe para você.

É sério, há muito espaço, você pode ficar no quarto de Rachel. Depois de duas semanas, estará pele e osso. Porque não importa quão faminto esteja, mesmo assim não será capaz de se obrigar a comer nada do que minha mãe cozinha.

Fico espantada com o fato de nenhuma de nós jamais ter sido hospitalizada por desnutrição, quando éramos mais jovens.

Minhas irmãs e eu éramos chamadas para nossa refeição da noite. Todas nos sentávamos e olhávamos em silêncio para o prato à nossa frente, durante alguns momentos de perplexidade. Finalmente, uma de nós falava.

— Tem alguma ideia do que seja?

— Não será frango? — pergunta Margaret, cheia de dúvidas, cutucando-o experimentalmente com seu garfo.

— Ah, não, pensei que era couve-flor — diz Rachel, a vegetariana, saindo às pressas, nauseada.

— Bem, seja lá o que for, não vou tocar nisso — diz Helen. — Pelo menos a gente sabe onde está pisando quando come cereais — e sai da mesa a fim de pegar uma tigela para si.

Quando, afinal, minha mãe se sentava à mesa e nos dizia o que era ("purê de batata com repolho e cebola, suas pirralhas ingratas"), todas, com base nas conclusões de cada uma, já tínhamos fugido da mesa de refeições e estávamos saqueando os armários da cozinha, numa tentativa de encontrar alguma coisa vagamente comestível.

— Margaret — chamava minha mãe, sabendo que Margaret, entre todas nós, era a mais cumpridora dos seus deveres. — Será que você não quer dar nem uma provadinha?

E Margaret, sendo uma boa menina, levava um pedacinho até os lábios.

— Que tal? — perguntava minha mãe, mal se atrevendo a respirar.

— Não serve nem para o cachorro — respondia Margaret, sendo a honestidade outra de suas virtudes, juntamente com a obediência e a bravura.

Então, após muitos anos de chorosos jantares e um número cada vez maior de cafés da manhã à base de cereais, minha mãe, para eterno alívio de todas, decidiu parar inteiramente de cozinhar.

Quando alguma de suas filhas ou seu marido lhe dizia que estava com fome, ela o levava pela mão, em silêncio, até a cozinha. Dizia: "Veja o freezer ali, cheinho de comida congelada", e escancarando a porta do freezer exortava-o a examinar os inúmeros petiscos que havia dentro. Depois, atravessava a cozinha e dizia: "Todos apreciam o micro-ondas. Meu conselho é que trate bem dessas duas máquinas. Descobrirá que são preciosas, na luta contra a fome nesta casa."

Então, agora, você entende por que relutei tanto em aceitar sua oferta de uma sopa.

Mas o que havia de maravilhoso no fato de minha mãe não cozinhar nem fazer qualquer serviço doméstico é que ela tinha tempo suficiente para as coisas verdadeiramente importantes da vida. Assistia a uma média de seis novelas por dia e lia cerca de quatro romances por semana, estando, portanto, bem habilitada a aconselhar suas filhas sobre suas desilusões amorosas.

Estava familiarizada com as tragédias românticas.

Especialmente se fossem australianas.

Por exemplo, ela presenciou quando Skip (filho ilegítimo de Brad e de uma enfermeira com quem ele tivera um caso, quando estava no Vietnã) casou-se com Bronnie (meia-irmã de Wayne e Scott) e Bronnie engravidou e Skip começou a ter um caso com Chrissie. Naturalmente, Jeannie (enteada de Chrissie) descobriu e contou à Sra. Goolagong (que não era parente). A Sra. Goolagong teve uma discussão com Skip sobre duas latinhas de cerveja e alguns petiscos, no Billy Can, e verificou-se que Skip se sentia na verdade excluído por causa da gravidez e pelo fato de Bronnie só conseguir falar sobre o bebê. A Sra. Goolagong o tranquilizou. Skip terminou tudo com Chrissie, recompôs as coisas com Bronnie, que teve um belo bebê chamado Shane, e Chrissie voltou para o Território do Norte com seu cão Bruce. (Acredito que a Sra. Goolagong foi subsequentemente demitida do Billy Can, por causa dos já mencionados petiscos e das latas de cerveja enquanto estava de serviço, mas essa é outra história.)

Ficamos sentadas ali, no quarto que escurecia, ouvindo o som da respiração satisfeita de minha filhinha.

— Ela é tão linda — disse mamãe.

— É, sim — confirmei eu, e comecei a chorar em silêncio.

— Que aconteceu? — perguntou mamãe.

— Não sei — respondi. — Achei que tudo estava ótimo. Achei que ele estava tão entusiasmado com a filha quanto eu. Sei que a gravidez não foi fácil. Eu estava sempre enjoada, engordei, e raramente transávamos, mas pensei que ele entendesse.

E minha mãe foi tão boa. Ela não me falou nenhuma daquelas tolices sobre o fato de que os homens... bem... são diferentes de nós, querida. Eles têm... necessidades...

querida, da mesma maneira que os animais. Ela não me insultou, supondo que James fora embora porque não fizemos sexo enquanto eu estava grávida.

— E agora, que é que eu faço? — perguntei-lhe, sabendo que ela, como eu, ignorava a resposta.

— Você, simplesmente, tem de passar por tudo isso — ela afirmou. — É só o que pode fazer. Não tente entender, você enlouqueceria. A única pessoa que pode dizer-lhe por que James foi embora é o próprio James e, se ele não quer conversar com você, você não pode forçá-lo. Talvez ele próprio não entenda. Mas você não pode mudar a maneira como ele se sente. Se ele diz que não a ama mais e ama essa outra mulher, você tem de aceitar isso. Talvez ele volte, talvez não, mas, de uma forma ou de outra, você tem de passar por tudo isso.

— Mas dói tanto — eu disse, desamparada.

— Sei que dói — disse ela, triste. — E, se eu pudesse fazer passar essa dor, você sabe que faria.

Olhei para minha menininha adormecida no berço, tão tranquila, tão inocente, tão segura e feliz naquele momento, e senti uma angústia insuportável. Queria que ela sempre fosse feliz. Queria abraçá-la incessantemente, não soltá-la nunca. Não queria que sentisse a rejeição, a solidão e o choque que eu sentia naquele momento.

Desejava protegê-la sempre da dor. Mas eu não seria capaz. A vida se encarregaria disso.

Exatamente naquele momento a porta se abriu, arrancando-nos às duas da infelicidade em que havíamos mergulhado. Era Helen, minha irmã mais nova. (Helen, 18 anos, entrara raspando no primeiro ano da universidade, para fazer cursos incrivelmente úteis, como Antropologia, História da Arte e Grego Antigo, tinha cabelos longos e negros e olhos puxados de gato, estava sempre rindo, era extremamente malcomportada e amada pela maioria das pessoas, em especial pelos homens, cujos corações ela destruía em massa. Acho que a expressão "cara de pau" foi inventada especialmente para ela.)

— Você está aqui! — berrou ela, quando irrompeu no quarto. — Vamos, deixe-me dar uma olhada na minha sobrinha — ela gritou. — Não é o máximo? Imaginem, eu, titia. Foi terrível? É como tentar cagar um sofá? Conte-me, eu sempre quis saber: para que fervem água e rasgam lençóis?

Sem esperar resposta, ela enfiou seu rosto bem dentro do berço. A pobre criança começou a chorar, aterrorizada. Helen tirou-a do berço e segurou-a debaixo do braço, como um jogador de rúgbi no momento exato de marcar o gol da vitória para a Irlanda.

— Por que ela está chorando? — perguntou.

O que poderia eu dizer?

— Como é o nome dela?

— Claire até agora não escolheu o nome — disse mamãe.

— Escolhi, sim — disse eu, decidindo aumentar a confusão geral. Olhei para mamãe.

— Decidi que vou dar a ela o nome de sua mãe.

— O quê? — guinchou Helen, horrorizada. — Você não pode chamá-la Vovozinha Maguire. Isso não é nome para um bebê.

— Não, Helen — disse eu, cansada. — Vou chamá-la de Kate. — Ela me olhou fixamente por um momento, franzindo seu lindo narizinho, enquanto a compreensão chegava.

— Ah, entendi — disse, rindo.

E, depois, resmungou, não muito baixo:

— Ora, também não é nome para um bebê.

Entregou-me de volta a recém-nascida, mais ou menos da maneira como os fazendeiros passam dois sacos de batata do seu caminhão para o feirante, ou seja, desajeitadamente, sem cuidado, com pouca atenção para o bem-estar ou conforto das batatas. Depois, para meu horror, perguntou:

— James está aqui? Onde está James?

Obviamente, não sabia de nada.

Comecei a chorar.

— Meu Deus — disse ela, chocada. — Por que ela está chorando? — perguntou à minha mãe.

Mamãe apenas a olhou fixamente, com uma expressão neutra. Não conseguia responder.

Será que você acredita? Ela estava chorando.

Helen olhou fixamente, cheia de desgosto e perplexidade, para as três gerações de mulheres Walsh, todas chorando.

— O que há de errado com vocês? O que foi que eu disse? Mamãe, por que você está chorando? — perguntou, irritada.

Nós nos limitamos a olhá-la, encolhidas juntas na cama, com as lágrimas rolando por nossas respectivas faces, a recém-batizada Kate rugindo como um trem.

— O que está acontecendo? — perguntou ela, frustrada.

Mas, mesmo assim, ficamos ali, paradas. E nada dissemos.

— Vou lá embaixo perguntar ao papai — ameaçou ela. Mas, depois, mordeu o lábio e se deteve, à porta, como se pensasse a respeito. — Mas vai que de repente ele também começa a chorar...

Finalmente, mamãe conseguiu falar:

— Não, não vá a lugar nenhum, querida — disse, estendendo a mão para Helen. — Venha cá, sente-se aqui. Você não fez nada.

— Então, por que vocês estão chorando? — perguntou Helen, a contragosto, voltando ao leito do pranto.

— Sim, por que você está chorando? — perguntei à minha mãe. Estava tão curiosa quanto Helen pelo motivo do choro de mamãe. Será que seu marido acabara de deixá-la? Será que estava precisando trocar a fralda?

Achei que não; então qual o motivo das lágrimas?

— Porque eu estava exatamente pensando na vovozinha — fungou ela. — E em como ela não viveu o bastante para ver sua primeira bisneta. E é maravilhoso que você tenha dado à sua filha o nome dela. Ela ficaria feliz. E honrada.

Senti-me tão culpada. Pelo menos minha mãe ainda estava viva. Pobre mamãe, vovó morrera no ano passado e todos sentíamos tanto sua falta. Abracei mamãe e Kate, ambas chorando.

— É uma pena — refletiu Helen, nostalgicamente.

— O quê? — perguntei.

— Ah, você sabe; que vovó não tivesse um nome bonito, como Tamsin, Isolda, ou Jet — disse.

Não sei por que não a matei naquele instante.

Mas, por algum motivo, era muito difícil alguém se zangar com Helen.

Então, ela voltou sua atenção para mim.

— E por que você está chorando? — perguntou-me. — Ah, meu Deus, eu sei, aposto que está com esse negócio de depressão pós-parto. Saiu uma coisa no jornal sobre uma mulher que teve isso e jogou seu bebê por uma janela do 12º andar. Depois, não queria abrir a porta quando a polícia veio, e eles tiveram de arrombar. A mulher não tirava o lixo de lá havia semanas e o lugar estava repugnante. E então ela tentou se matar e eles tiveram de colocá-la numa camisa de força. Ou algo parecido.

Helen contava tudo isso deliciada, nos mínimos detalhes.

— Ou talvez eles apenas a tenham trancafiado, ou algo assim — ela admitiu com relutância, calando-se em seguida. — De qualquer jeito, o que há de errado com você? — perguntou-me alegremente, de volta ao assunto inicial. — Ainda bem que não moramos no 12° andar, não é, mamãe? Se morássemos, teríamos pedaços de bebê esparramados pelo pátio inteiro. E Michael faria o diabo com você, por causa da sujeira toda.

Michael era o octogenário mal-humorado, pouco disposto ao trabalho e supersticioso, que vinha duas vezes por mês para "cuidar" do nosso minúsculo jardinzinho, à sua própria maneira. A ira de Michael era algo temível de se testemunhar. Da mesma forma como era a jardinagem de Michael. Isto é, nas raras ocasiões em que ele realmente fazia alguma jardinagem. Meu pai tinha um medo terrível dele e lhe faltava coragem para demiti-lo. Na verdade, toda a família se sentia aterrorizada diante de Michael. Até Helen mostrava-se bastante submissa perto dele.

Lembrei-me da tarde no ano anterior em que minha pobre mãe ficou em pé no jardim, gelada, com seu avental (que usava puramente para salvar as aparências), fazendo desesperados acenos afirmativos com a cabeça, sorrindo amarelo, apavorada demais para ir embora, enquanto Michael explicava, com grandes detalhes, grunhidos desarticulados e assustadores gestos com as tesouras de podar, que o muro, por exemplo, cairia, se a sebe fosse aparada. (— A senhora entende, ele precisa da sebe como ponto de apoio.) Ou que, se o gramado fosse cortado, toda a grama murcharia e morreria. (— Os germes entram na grama através das pontas cortadas e tudo simplesmente seca e morre à sua frente.)

Minha mãe finalmente conseguiu voltar para a cozinha, onde se podia ouvi-la manipular os utensílios, aos prantos, enquanto fervia a água da chaleira para o chá de Michael.

— Aquele velho preguiçoso filho da puta — soluçou para mim e para Helen. — Ele nunca faz nada. E me fez perder duas novelas. E a grama está da altura dos nossos joelhos. Tenho a maior vergonha por causa disso. Nossa casa é a única do bairro com um jardim igual a uma selva. Estou com vontade de cuspir no chá dele!

Uma pausa lacrimejante. Uma pausa de três segundos.

— Que Deus me perdoe — disse ela, com voz trêmula. — Helen, deixe em paz esses biscoitos de chocolate recheados! São para o chá de Michael.

— Por que Michel ganha biscoitos de chocolate recheados, quando você o detesta, e tudo o que ganhamos são aqueles horríveis biscoitos integrais? — perguntou Helen, com voz bem alta.

"Boa pergunta", pensei.

— Psiu — fez minha mãe. — Ele vai ouvir o que você está dizendo.

Michael estava na porta dos fundos, àquela altura, tirando suas impecáveis botas de borracha de cano alto. Podia-se comer o jantar em cima delas, de tão limpas.

— Quer dizer, você não nos detesta — continuou Helen, queixosamente. — E não ganhamos biscoitos gostosos e você detesta Michael — as três últimas palavras foram ditas muito alto e na direção da porta dos fundos —, e ele ganha biscoitos maravilhosos. Oi, Michael, entre e coma um biscoito. — Sorriu-lhe docemente, quando Michael entrou mancando na cozinha, com a mão nas costas, como se doessem por causa dos rigores de seu trabalho.

— Boa noite — resmungou, olhando desconfiado para mim.

Obviamente, pensava que era eu quem falava a seu respeito. Ninguém suspeitava nunca de Helen, com seu rosto inocente e angelical.

Ah, esses idiotas.

— Quer que sirva seu chá? — perguntou-lhe minha mãe, obsequiosamente.

Mais tarde, porém, naquela noite, ouvi meus pais discutindo na cozinha.

— Jack, você precisa dizer alguma coisa a ele.

— Ouça, Mary, eu mesmo vou cortar a grama.

— Não, Jack, nós pagamos a ele para fazer isso. Então ele deveria fazê-lo. Em vez disso, me vem com toda essa tolice de que a grama aparada pega micróbios! Deve pensar que sou uma perfeita idiota.

— Está bem, está bem, vou falar com ele.

— Ou talvez devêssemos cimentar o canteiro de uma vez. E então teríamos de demiti-lo.

Mas papai jamais "falou" com Michael. E acabei sabendo que ele próprio cortou a grama, no dia em que mamãe foi a Limerick ver tia Kitty, e depois lhe contou uma descarada mentira a respeito.

E, de vez em quando, Helen perguntava a minha mãe se, caso prometesse nunca cortar a grama, mamãe compraria biscoitos de chocolate recheados especialmente para ela.

Helen tinha razão. Se um bebê se espatifasse no pátio, Michael ficaria de fato uma fera com a sujeira.

Mas isso não aconteceria.

Embora, se Kate não parasse logo de chorar, talvez eu tivesse de reconsiderar essa possibilidade.

— Não, Helen — expliquei-lhe. — Não estou com depressão pós-parto. Bem, acho que não. Pelo menos, ainda não.

Meu Deus! Só me faltava mais essa.

Mas, antes que eu pudesse contar-lhe que James me abandonara, papai entrou no quarto.

Teríamos de começar a levar uma parte da mobília para o sótão, se as visitas continuassem a chegar em tal proporção.

— "Hijack" — dissemos em coro.

Meu pai recebeu o cumprimento com um sorriso e um aceno de cabeça. Sabem, o nome do meu pai é Jack e, no início dos anos 1970, quando os sequestros — "hijack", em inglês — eram o assunto mais em voga na imprensa (ultrapassados somente pelo abuso a crianças), um tio dos Estados Unidos o cumprimentou com as palavras "Hi, Jack". Minhas irmãs e eu quase adoecemos de tanto rir. Jamais deixava de provocar um sorriso.

Ora, talvez você precisasse estar lá.

— Vim para ver minha primeira neta — anunciou papai. — Posso segurá-la?

Entreguei Kate a papai e ele a carregou habilmente. Na mesma hora, Kate parou de chorar. Ficou deitada placidamente em seus braços, fechando e abrindo suas mãos, que pareciam estrelas-do-mar.

Exatamente como a mãe — pensei, tristemente: maleável como massa de modelar nas mãos dos homens.

Eu, realmente, no caso de Kate, teria de cortar essa tendência pela raiz. Comporte-se com certa dignidade, garota! Você não precisa de um homem para a sua felicidade! Enquanto todas as outras mães estivessem lendo para suas filhinhas histórias sobre máquinas capazes de falar e lobos que encontram seu merecido castigo, decidi que, em vez disso, eu leria panfletos feministas para minha filha.

Abaixo *A Pequena Sereia* e viva *A Mulher Eunuco.*

— Quando você vai dar um nome a ela? — perguntou papai.

— Ah, acabei de dar — disse. — Dei o nome da vovó.

— Lindo — exclamou papai. — Olá, pequena Nora — disse ele para a trouxinha cor-de-rosa, cantarolando em tatibitate.

Helen, mamãe e eu trocamos olhares pasmos.

Avó errada!

— Hã, não, papai — disse eu, constrangida. — Dei-lhe o nome de Kate.

— Mas minha mãe não se chama Kate — ele franziu a testa, confuso.

— Eu sei, papai — gaguejei. (Ah, meu Deus, por que a vida é tão cheia de ciladas?) — Mas dei a ela o nome da vovó Maguire, não da vovó Walsh.

— Ah, entendo — disse ele friamente.

— Mas Nora será seu segundo nome — prometi, envergonhada.

— De jeito nenhum — interrompeu Helen. — Dê a ela um nome bonito. Já sei! Que tal Elena? Elena é Helen em grego, vocês sabem.

— Psiu, Helen — repreendeu-a mamãe. — O bebê é de Claire.

— Você sempre nos disse que tínhamos de partilhar todos os nossos brinquedos — disse Helen, emburrada.

— Kate não é um brinquedo — suspirou mamãe.

Realmente, Helen era exaustiva.

Porém, como ninguém lhe deu a menor atenção, ela desviou a sua para outras coisas.

— Ei, papai, me dá uma carona até a casa de Linda?

— Helen, não sou motorista — respondeu papai, com voz firme e severa.

— Papai, não lhe perguntei o que você faz para ganhar a vida. Sei qual é sua profissão. Simplesmente pedi a você uma carona — disse Helen, com uma voz do gênero "estou preparada para ser razoável com relação a isso".

— Não, Helen, você pode muito bem caminhar. Que diabo! — exclamou papai. — Honestamente, não sei o que há de errado com vocês, jovens. Preguiça, é isso aí. Agora, quando eu...

— Papai — Helen o interrompeu bruscamente —, por favor, não me diga de novo como você precisava caminhar seis quilômetros, descalço, para chegar à escola. Eu realmente não aguentaria. Basta me dar uma carona — e ela lhe deu um pequeno sorriso de gato por debaixo de sua comprida franja negra.

Ele a olhou exasperado por um momento, e depois começou a rir.

— Está bem, então — disse, fazendo tilintarem as chaves do seu carro. — Vamos lá.

Ele me devolveu Kate.

Da maneira como um bebê deve ser devolvido.

— Boa noite, Kate Nora — disse ele, talvez com uma ênfase excessiva no "Nora". Não acreditei que ele tivesse me perdoado inteiramente, ainda.

Papai e Helen saíram.

Mamãe, Kate Nora e eu permanecemos na cama, saboreando o silêncio ocasionado pela partida de Helen.

— Olhe — disse eu severamente a Kate —, essa foi sua primeira lição sobre a maneira de tratar um homem, cortesia de sua titia Helen. Espero que você tenha prestado muita atenção. Trate-os como escravos e, não resta dúvida, eles se comportarão como tal.

Kate me olhou fixamente, com os olhos arregalados.

Minha mãe limitou-se a sorrir enigmaticamente.

Um sorriso presunçoso, secreto.

O tipo de sorriso de quem sabe das coisas.

O sorriso de uma mulher cujo marido, nos últimos 15 anos, vem passando o aspirador de pó na casa.

5

E, então, para a cama.

Era muito estranho dormir na cama onde eu passara meus anos de adolescente. Pensara que aquele tempo havia passado para sempre.

Déjà vu.

Mas eu podia ter dispensado isso.

E era um tanto estranho receber um beijo de boa-noite de minha mãe, quando eu tinha minha própria filha no berço ao meu lado.

Eu era uma mãe, e não precisava que Sigmund Freud me dissesse que ainda me sentia uma criança.

Kate fitava fixamente o teto, com os olhos abertos. Provavelmente ainda estava em estado de choque, desde seu encontro com Helen. Eu me sentia um tanto ansiosa por causa dela, mas, para minha surpresa, estava de fato cansadíssima. Adormeci rapidamente. Embora pensasse que na verdade não seria capaz, de forma alguma.

Nunca mais, quero dizer.

Kate acordou-me gentilmente por volta das duas da madrugada, chorando a mais ou menos um milhão de decibéis. Imaginei se ela havia mesmo dormido. Alimentei-a. Depois, voltei para a cama.

Voltei a dormir, mas, algumas horas mais tarde, acordei novamente com um sobressalto, cheia de horror. De um horror que nada tinha a ver com o papel de parede, as cortinas e o edredom exuberantemente floridos, ao estilo Laura Ashley, que me cercavam e que eu só podia ver, obscuramente, através da escuridão.

Horror de estar em Dublin e não em meu apartamento em Londres, com meu amado James.

Olhei para o relógio e eram (sim, você adivinhou) 4 horas. Eu deveria tirar algum consolo do fato de que aproximadamente um quarto da humanidade cujos relógios são regidos pelo Horário de Greenwich também acabara de acordar, com um sobressalto, e estavam todos deitados, fitando miseravelmente a escuridão, preocupando-se com tudo, desde "Será que vou ser demitido?" a "Será que algum dia encontrarei alguém que realmente me ame?" ou "Estarei grávida?".

Mas não era nenhum consolo.

Porque eu me sentia como se estivesse no inferno.

E compará-lo com o inferno de outra pessoa não diminui em nada a dor do meu.

Desculpe a metáfora sanguinolenta, mas, se estão serrando a perna de uma pessoa com uma serra de arco enferrujada, ela não se consola com o fato de que a pessoa na cela ao lado está sendo pregada numa mesa a marteladas.

Sentei-me na cama, na escuridão.

Kate dormia tranquilamente ao meu lado, em seu berço rosado.

Parecíamos vigias noturnos. Acordando em turnos. Pelo menos uma de nós parecia estar acordada a qualquer hora.

Embora a semelhança terminasse aí, porque eu não podia dizer — bem, pelo menos com um mínimo de sinceridade — "Quatro horas, tudo bem".

Meu estômago estava embrulhado com o horror de tudo aquilo. Não conseguia acreditar que estava na casa de meus pais, em Dublin, e não em meu apartamento em Londres, com meu marido. Senti que devia estar fora de mim, para ter saído de Londres e deixado James para outra mulher. Eu simplesmente o abandonara!

Será que eu enlouquecera completamente? Eu precisava voltar. Tinha de lutar por ele! Tinha de reconquistá-lo!

Como é que fora acabar ali?

Dobrara a esquina errada em algum universo paralelo, onde as coisas ainda pareciam minha vida, mas era tudo ruim, sinistro e errado.

Eu *não podia* viver sem James.

Ele era parte de mim.

Se meu braço caísse do meu corpo, eu não diria: "Deixe que fique assim, por enquanto. Ele voltará, se for esse o caso. Não adianta forçar as coisas. Talvez você só consiga afastá-lo." Afinal, era meu braço, e James fazia muito mais parte de mim do que qualquer braço velho.

Eu precisava muito mais dele.

Amava-o muito mais.

Simplesmente não podia viver sem ele.

Desejava-o de volta. Desejava de volta minha vida com ele. E conseguiria que voltasse. Eu o deixaria de quatro.

(Desculpe, isso foi petulante e vulgar.)

Estava dominada pelo pânico.

E se agora já fosse tarde demais?

Não deveria nunca ter partido.

Deveria ter me mantido firme e lhe dito simplesmente que ele e eu poderíamos resolver as coisas. Que ele não tinha a menor possibilidade de amar Denise. Que me amava. Que eu era por demais uma parte dele para que não me amasse.

Mas eu admitira a derrota e o entregara aos braços cheios de celulite (mas eram mesmo!) de Denise, sem nenhum protesto.

Tinha de falar com ele, agora.

Ele não se importaria se eu lhe telefonasse às quatro da manhã. Quero dizer, era sobre James que falávamos. Ele era meu melhor amigo. Eu podia fazer *qualquer coisa* e James não se importaria. Ele me entendia. Ele me conhecia.

E eu voaria de volta para Londres com Kate naquela manhã mesmo. E minha vida estaria consertada.

A última semana seria esquecida. O corte em nossas vidas seria curado e não ficariam marcas. A cicatriz desapareceria. Só quando se olhasse bem de perto seria possível vê-la algum dia.

Tudo seria ajeitado e consertado. Tudo voltaria ao seu curso. Da maneira como sempre estivera destinado a ser.

Fora tudo um erro terrível, uma confusão desagradável, mas nenhum dano permanente fora causado.

Tudo está bem quando termina bem, não é mesmo?

Sei o que você está pensando.

Sei, sim.

Você está pensando: "Ela enlouqueceu."

Ora, talvez seja verdade. Talvez eu esteja com a cabeça fora do lugar, por causa da dor.

Você está querendo me dizer: "Tenha um pouco de amor-próprio, Claire."

Mas acho que percebi que meu casamento importava mais para mim do que o meu amor-próprio. O amor-próprio não mantém você aquecido à noite. O amor-próprio não escuta você no fim de cada dia. O amor-próprio não lhe diz que prefere fazer sexo com você do que com Cindy Crawford.

Não se tratava apenas de algum romance de colegial adolescente que dera errado. Ele não convidara outra jovem beldade para o baile dos estudantes. Não se tratava de *romance.*

Tratava-se de amor.

Eu amava James. Ele era parte de mim. Isso era bom demais para ser simplesmente posto de lado.

Mesmo se o capitão do time de futebol me convidasse para ir ao baile com ele, em lugar de James, e eu pudesse usar meu vestido novo, manter minha cabeça bem erguida e salvaguardar meu orgulho, não teria a menor importância. Eu ainda precisaria recuperar James.

Lutei para sair da cama, abrindo caminho com dificuldade através dos quilômetros do camisolão de flanela que minha mãe insistira que eu usasse. Ao fugir de Londres, eu esquecera de colocar na bagagem uma camisola. E, quando minha mãe descobriu isso, informou-me secamente que ninguém dormia nu sob seu teto. "E se houvesse um incêndio?" e "Esta pode ser a maneira como as pessoas se comportam em Londres, mas agora você não está mais lá". Então, tive a escolha de usar um pijama de lãzinha estampada do papai, ou ficar com uma das camisolas de mamãe, larguíssimas, vitorianas, compridas até o chão, de gola alta, forradas também de lã e com estampa florida. Não consigo imaginar como aquela mulher conseguiu, algum dia, fazer um homem engravidá-la uma vez que seja, quanto mais cinco, usando aquele tipo de traje.

Aquelas camisolas apagariam o fogo até de um italiano de 15 anos de idade. Quando qualquer homem ganhasse a briga com aqueles metros de tecido e tivesse a sorte de descobrir um pouco de carne humana, estaria exausto demais para fazer o menor gesto que fosse.

Escolhi a camisola em vez do pijama de papai, porque a imensa quantidade de pano me fez sentir uma garotinha, magricela, bonitinha. Enquanto o pijama de papai era alarmante e deprimentemente apertado.

Todos os sentimentos são relativos, decidira eu. Estava errada em me sentir gorda. Não estava gorda demais. Não havia nada de errado comigo. O resto do mundo é que era pequeno demais. Eu não precisava mudar. O que precisava mudar era o mundo ao meu redor. Simplesmente tornar tudo em torno de 15% maior do que era agora — roupas, móveis, pessoas, prédios, países — e, de repente, eu estaria novamente do tamanho certo!

Digamos, 20%. Assim, poderia sentir-me verdadeiramente frágil.

Tudo, percebia eu muito depressa, era apenas uma questão de *proporção*.

Tudo era bom ou ruim, gordo ou magro, grande ou pequeno apenas em comparação com o que estava ao redor.

Então, guarde para você mesmo seus comentários espirituosos sobre minha camisola. Havia método em minha loucura, como na de Hamlet (bem, pelo menos nesse seu aspecto particular). Sabia o que fazia. Esbelta, era como me sentia. Magrinha, leve, como uma garota.

Levei cerca de dez minutos para sair da cama e, afinal, quando consegui ficar de pé no chão, quase me garroteei, pisando a ponta de trás da camisola e assim puxando a parte da frente da gola para cima, deixando-a violentamente apertada na minha garganta, num aperto semelhante ao de um torno.

Sufocada, tossi um bocado, e Kate começou a se mexer e se agitar incessantemente, em seu berço. "Ah, não acorde, querida", pensei, desesperada. "Não chore. Não há necessidade. Tudo vai ficar bem. Vou conseguir seu paizinho de volta. Você verá. Segure as pontas só mais um pouquinho."

E, miraculosamente, ela se acalmou e aquietou, e não acordou. Saí na ponta dos pés do quarto escuro e fui até o topo da escada. A imensa camisola girava em torno de mim, ampla e agradavelmente, enquanto eu descia os degraus com as luzes apagadas. O telefone estava no andar de baixo, no hall. A única luz era a do poste na frente da casa, brilhando através dos vidros opala da porta de entrada.

Comecei a discar o número do meu apartamento em Londres. O ruído da discagem ecoava no silêncio. Soava como disparos de fuzil na quietude da casa adormecida. "Meu Deus", pensei, abalada, "os McLoughlin três casas adiante, vão aparecer para se queixar do barulho."

Houve alguns cliques, enquanto o telefone em Dublin fazia a conexão com outro, de um apartamento vazio, numa cidade a 800 quilômetros de distância.

Deixei que tocasse. Talvez umas cem vezes. Poderiam ser mil vezes.

O telefone tocava sem parar, chamando inutilmente alguém num apartamento frio, escuro e vazio. Pude imaginar o telefone tocando sem parar e a cama macia, lisa, onde ninguém dormira, sombras da janela lançadas em cima dela, enquanto as luzes da rua jorravam para dentro através das cortinas abertas — abertas porque não havia ninguém lá para fechá-las.

Mesmo assim, deixei-o tocar sem parar. E, lentamente, a esperança me abandonou.

James não atendia.

Porque James não estava lá.

James estava em outro apartamento. Em outra cama.

Com outra mulher.

Eu estava louca em pensar que podia tê-lo de volta apenas porque o queria de volta. Devia estar fora de mim em pensar que podia simplesmente ignorar o fato de que ele estava morando com outra mulher. Ele me *abandonara,* pelo amor de Deus. Ele me dissera que amava outra pessoa.

Vagarosamente, a sanidade voltou.

De forma temporária, a Insanidade veio sem ser chamada e gritou: "Entre, a porta está aberta." Por sorte, a Realidade chegou inesperadamente em casa e encontrou a Insanidade Temporária vagando livre pelos corredores da minha mente, entrando nos quartos, abrindo armários, lendo minhas cartas, espiando dentro de minha gaveta de *lingerie,* esse tipo de coisa. A Realidade correu e chamou a Sanidade. Depois de uma briga, ambas conseguiram expulsar a Insanidade Temporária e bateram com a porta na cara dela. A Insanidade Temporária agora está caída em cima do cascalho da estrada de acesso da minha mente, arquejando, furiosa, e gritando: "Ela me convidou para entrar, sabem? Ela me convidou. Me *queria* lá."

A Realidade e a Sanidade estavam inclinadas para fora numa janela do andar de cima, gritando: "Vá embora, desapareça. Ninguém quer você por aqui. Se não for embora dentro de cinco minutos, chamaremos a Polícia das Emoções."

Acho que qualquer psiquiatra digno do seu título diria que eu estava sofrendo de Rejeição. Que o choque por James ter me deixado tão repentinamente fora excessivo e eu não conseguia assimilá-lo. Que eu, simplesmente, não podia aceitar a situação, e não sabia lidar com ela. Era mais fácil fingir que nada de mau acontecera realmente e que, se eu fingisse que tudo poderia ser arrumado, de fato seria.

Sentei-me no chão do hall frio e escuro. Depois de muito tempo, desliguei o telefone.

Meu coração, que batia freneticamente, voltou ao normal. Minhas mãos cessaram de tremer. Minha cabeça parou de fingir e fantasiar.

Eu não voltaria para Londres naquela manhã.

Minha vida, agora, era ali. Pelo menos, por enquanto.

Senti-me desgraçada.

Após toda a exultação de pensar que podia falar com James e sair beijando todo mundo, restou a maior e mais vazia tristeza que já sentira em minha vida. Tristeza tão grande quanto um continente. Tão profunda quanto o Atlântico. Tão vazia quanto o cérebro de Helen.

Meus pés começaram a ficar frios.

Embora eu me sentisse tão cansada quanto uma pessoa de mil anos de idade, percebi que não conseguiria tornar a dormir.

A dor da perda que sentia era grande demais para me deixar dormir. E eu queria, desesperadamente, dormir. Qualquer coisa para deter aquele sentimento.

Como desejei que tivéssemos uma mãe neurótica. Que guardasse pílulas para dormir, Valium, antidepressivos na gavetinha do armário de remédios, no banheiro.

Quando, na verdade, se pedíssemos dois Paracetamol para nossa dor de garganta/estômago/perna quebrada/úlcera duodenal perfurada, ela agiria como se fôssemos candidatas a uma clínica de reabilitação. "Ofereça seu sacrifício", dizia ela. "Pense em Jesus Cristo sofrendo na cruz". Ou: "O que faria você se não tivessem inventado os analgésicos?" E a resposta poderia ser: "Ser pregado a uma cruz seria como um dia assistindo às corridas, em comparação com essa dor de ouvido." Ou: "Você pode açoitar-me no pelourinho qualquer dia da semana que quiser, se acabar com minha dor de dente."

Isso, claro, acabava com qualquer chance, por mínima que fosse, de arrancar algum remédio da minha mãe. A blasfêmia era um dos primeiros itens em sua lista de coisas imperdoáveis.

Ah, como eu desejava que minha irmã Anna ainda traficasse drogas. O que eu não daria por um tablete de *ecstasy,* naquele momento.

Na realidade, as chances de encontrar até mesmo uma bebida alcoólica eram pouco promissoras. Nem meus pais bebiam muito. E tinham em casa pouco álcool.

Não, falo sério. Essa não foi uma decisão deles, por questão de princípios. Não foi uma posição que tomassem. Foi algo que aconteceu com eles.

Mesmo quando tentaram ter álcool em casa, eles, ainda assim, tiveram, na realidade, muito pouco, e isso por minha própria causa e mais recentemente por causa das minhas irmãs.

Nosso lema parecia ser: "Nenhum teor alcoólico é alto ou baixo demais, considerando-se todas as bebidas em seu conjunto." Tudo o que caía na nossa rede era peixe, desde o uísque de contrabando à aguardente de cereja, passando pelo Babycham e qualquer intermediário.

Nos tempos em que eu era mais jovem, naqueles tempos serenos antes de eu descobrir o que o álcool podia fazer por mim, tínhamos um armário de bebidas cheio e eclético.

A mais pura vodca polonesa dividia o espaço com garrafas de Malibu. Garrafas de Slivovitz húngaro comportavam-se como se tivessem todo o direito de ficar em pé ao lado de uma garrafa de Southern Comfort. Não havia guerra fria em nosso armário de bebidas.

O caso é que papai ganhava constantemente garrafas de conhaque ou uísque no golfe. E mamãe, de vez em quando, ganhava uma garrafa de xerez ou algum tipo de licor de menina, no bridge. As pessoas nos davam garrafas de bebidas de luxo, quando voltavam das férias. Nosso vizinho nos trouxe de Chipre uma garrafa de Ouzo.

A secretária de papai nos trouxe a Slivovitz ao voltar de suas férias Atrás da Cortina de Ferro. (Isso aconteceu em 1979, e eu e minhas irmãs a achamos realmente ousada e corajosa, e a interrogamos demoradamente em sua volta, para saber se ela testemunhara alguma violação dos Direitos Humanos por parte dos húngaros. "É verdade mesmo? Eles ainda têm de usar foguetes de sinalização e plataformas?", perguntamos, com os olhos arregalados de horror. Enquanto Margaret, sempre prática, queria saber qual a taxa de câmbio para uma caixa de chicletes. "De quantas caixas eu precisaria para comprar uma casa?" Sinceramente, aquela garota tinha visão.) Anna ganhou uma garrafa amarelo-fluorescente de aguardente de banana na rifa de Natal da St. Vincent de Paul. Outra pessoa trouxe uma garrafa extraviada de aguardente de damasco.

Pouco a pouco, nossa coleção de álcool cresceu. E, como nossos pais raramente bebiam e nós, crianças, ainda não tínhamos começado, nosso armário de bebidas ficou superlotado.

Esses dias felizes, entretanto, chegaram ao fim.

Lamento informar que, quando tinha uns 15 anos, descobri as delícias do álcool. E rapidamente percebi que meu dinheirinho para as coisas do dia a dia não ia dar para satisfazer minha paixão recém-descoberta. Como resultado, passei muitas horas de ansiedade, vigiando por cima do ombro, enquanto tirava com o sifão pequenas quantidades das várias garrafas do armário da sala de estar.

Decantava-as numa pequena garrafa de limonada, que utilizava como depósito para a mistura que fazia. Tinha receio de tirar demais de uma só garrafa, então escolhia uma ampla gama de bebidas. E as misturava na garrafa de limonada, vocês entendem. Ligava muito pouco para o gosto do produto final. Minha prioridade era me embriagar. E, se para conseguir isso tivesse de beber alguma coisa com gosto repugnante, beberia mesmo, sem hesitar.

Passei muitas horas felizes — após beber talvez a mistura de xerez, vodca, gim, aguardente e vermute (tia Kitty nos trouxera o vermute de sua viagem a Roma) — alegremente embriagada, em qualquer discoteca para aonde ia depois de conseguir intimidar meus pais ou convencê-los de me deixarem ir até lá.

Bons tempos. Tempos maravilhosos.

Para evitar cenas constrangedoras e embaraçosas com meus pais, eu substituía tudo o que tirava de cada garrafa por uma porção correspondente de água. Era a coisa mais limpa, pensava eu.

Entretanto, como acontece com aquelas plantas delicadas que são regadas em excesso e morrem, consegui também aguar em excesso uma porção de álcool. Uma garrafa de vodca, em particular.

Meu dia de prestação de contas finalmente chegou.

Numa noite de sábado, quando estava com uns 17 anos, mamãe e papai convidaram os Kelly e os Smith para virem à nossa casa tomar uns drinques. Mamãe e a Sra. Kelly escolheram a vodca. Ou pensaram que sim. Porém, graças aos meus esforços no curso dos últimos 18 meses, o que outrora era Smirnoff passara a ser mais ou menos cem por cento de água pura, não adulterada, não maculada pelo mais leve toque de álcool.

O restante do grupo teve a sorte de beber álcool de verdade.

Então, enquanto papai, o Sr. Kelly, o Sr. Smith e a Sra. Smith falavam mais alto, ficavam mais vermelhos e conversavam mais, rindo de coisas que não eram nem remotamente engraçadas, e papai contava a todos que não declarara toda a sua renda à Receita Federal e os Smith revelavam que o Sr. Smith tivera um caso no ano anterior e eles quase se separaram, mas que agora estavam refazendo seu casamento, mamãe e a Sra. Kelly permaneciam sentadas, rígidas, os rostos impassíveis, sorrindo de má vontade, enquanto os outros morriam de tanto gargalhar.

Mamãe não encontrou nada sequer remotamente divertido no fato de a Sra. Smith derramar seu Bacardi com Coca-Cola (eu realmente não gostava de Bacardi, de modo que seu conteúdo alcoólico estava praticamente intato) por todo o tapete da sala de estar, que era de boa qualidade, mas papai achou tudo profundamente engraçado. O riso reverberava. Em todos, menos nas adeptas de vodca.

O caldo entornou com mamãe, no dia seguinte.

A garrafa de vodca foi submetida a vários testes. (Como: "Olhe só, cheire isso. Na sua opinião, cheira a quê?" "A nada, mamãe." *"Exatamente!")*

Resultados do laboratório forense improvisado na cozinha mostraram que a garrafa de vodca fora na verdade adulterada. E repetidas vezes, de fato.

Houve uma cena lacrimosa entre mim e meus pais. Bem, minha mãe, pelo menos, estava lacrimosa, não de emoção, mas de constrangimento e raiva. "Ah, mas que vergonha, tudo isso", gemeu. "Convidar pessoas e oferecer-lhes bebidas e lhes dar aquelas coisas aguadas. Estou morrendo de vergonha! Como você teve coragem de fazer uma coisa dessas? E você fez o juramento e prometeu não beber até completar 18 anos!"

Eu estava carrancuda, séria e calada. Abaixei a cabeça para esconder minha vergonha e minha fúria por ter sido apanhada.

Papai estava calado e triste.

Seguiu-se um expurgo. A bebida foi toda recolhida e encarcerada. Presa sem julgamento num armário seguro, do qual eles tinham a chave. Só mamãe sabia onde estava guardada e, como ela disse, preferiria sofrer os tormentos do inferno a revelar o local.

Naturalmente, era apenas uma questão de tempo até eu mesma ou uma de minhas irmãs descobrir como abrir o cadeado.

Seguiu-se uma espécie de guerrilha, com minha mãe sempre buscando novos esconderijos para o suprimento de bebida em rápido decréscimo. De fato, Helen jura que ouviu mamãe falando no telefone com tia Julia, que é alcoólatra, e pedindo-lhe para recomendar bons esconderijos. Mas isso nunca foi confirmado, então não acredite piamente.

Mas mamãe estava apenas um pequeno passo à nossa frente. Mal ela encontrava um novo lugar para seu esconderijo, e logo uma de nós o descobria. Da mesma maneira como novos antibióticos têm de ser constantemente inventados para combater novas e resistentes cepas de bactérias, assim mamãe tinha de inventar sem cessar novos lugares. Infelizmente para ela, esses lugares nunca permaneciam novos ou ocultos por muito tempo.

Ela até tentou sentar-se conosco e ter uma boa conversa. "Por favor, não bebam tanto. Ou, pelo menos, por favor, não bebam tanto da bebida de seus pais."

E a resposta que ela obtinha, em geral, devo dizer que proferida mais com dor do que com raiva, era algo do gênero: "Mas, mamãe, nós gostamos de beber. Somos pobres. Não temos nenhuma escolha. Acha que gostamos de nos comportar como ladrões vulgares?"

Embora Margaret, Rachel e eu tivéssemos saído de casa e pudéssemos pagar por quaisquer vícios que quiséssemos, Helen e Anna estavam ainda morando com nossos pais e completamente duras. Então, a batalha continuava.

E o que fora outrora uma imponente e nobre coleção de bebidas agora se limitava a algumas poucas garrafas, de gosto ruim, imperfeitas e meio vazias, viajando incansavelmente em torno dos guarda-roupas, baldes de carvão e por debaixo das camas, em busca de um refúgio seguro. Há muito haviam sumido as garrafas cheias e cintilantes, com marcas reconhecíveis. Tudo o que resta, em vez delas, é uma pegajosa garrafa de Drambuie, coberta de cotões, com cerca de um centímetro apenas sobrando no fundo, além de mais ou menos um centímetro de vodca cubana (juro, existe isso; óbvio, a bebida certa para o Camarada ideologicamente estável em Cuba) e da garrafa quase cheia de aguardente de banana, que Helen e Anna declararam ambas que preferiam morrer de sede a beber.

Continuei sentada no chão frio do hall escuro. Realmente sentia que precisava de uma bebida. Beberia até a aguardente de banana, se soubesse onde encontrá-la. Sentia-me tão insuportavelmente *solitária* que me veio a ideia de acordar minha mãe e lhe pedir para me dar uma bebida, mas fiquei cheia de culpa. Ela estava tão preocupada comigo e, se a pobre mulher conseguira dormir, eu, em sã consciência, não podia acordá-la.

Talvez Helen pudesse ajudar.

Cautelosamente, subi a escada. Mas, quando me esgueirei para dentro do seu quarto, a cama estava vazia. Ou ela passara a noite na casa de Linda, ou então algum rapaz tivera muita sorte. Se ela passara a noite com um homem, o corpo suicida do mesmo seria provavelmente encontrado de manhã, com um bilhete ao lado, dizendo algo como: "Consegui tudo o que sempre desejei fazer na vida. Jamais serei tão feliz assim novamente. Quero morrer nesse estado de êxtase. P.S. Ela é uma Deusa."

Depois, como se eu já não me sentisse suficientemente mal, fui de repente tomada por um pânico de que algo terrível tivesse acontecido com Kate.

Que ela tivesse morrido no berço. Ou sufocada no vômito. Ou sem conseguir respirar. Ou algo parecido.

Corri de volta para meu quarto e fiquei aliviadíssima ao descobrir que ela ainda respirava.

Estava apenas deitada ali, uma trouxa enrugada, cor-de-rosa, cheirosa, com os olhos bem fechados.

Enquanto eu esperava que minha respiração voltasse ao normal e o suor se evaporasse da minha testa, fiquei imaginando como as outras mães enfrentam essas situações. Como deixam seus filhos saírem para brincar com outras crianças? Não entram em pânico todas as vezes que ficam longe deles mais de cinco minutos?

Por enquanto, eu achava dificílimo. Como aguentaria, quando ela tivesse de ir para a escola? Do jeito como estava, eu não conseguiria afastar-me dela um só segundo. A escola teria de permitir que eu ficasse sentada nos fundos da sala de aula.

Agora, eu *de fato* precisava de uma bebida.

Talvez Anna estivesse em casa.

Arrastei-me até seu quarto e, calmamente, abri a porta.

O aroma me atingiu logo que abri alguns centímetros da porta.

Quero dizer, o aroma do álcool.

Na mosca!

"Graças a Deus", pensei. Eu viera ao lugar certo.

Anna estava enroscada na cama, com todo o seu comprido cabelo preto espalhado, e com o que parecia uma embalagem de Big Mac em cima do travesseiro a seu lado.

— Anna — sussurrei alto para ela e sacudi-a um pouco.

Não houve resposta.

— Anna! — sussurrei bem mais alto dessa vez e sacudi vigorosamente seu ombro.

Acendi o abajur de sua mesa de cabeceira e o fiz iluminar seu rosto no estilo da Gestapo. Acorde!

Ela abriu os olhos e me olhou fixamente.

— Claire? — falou com voz anasalada, sem acreditar.

Parecia realmente muito assustada, como se achasse que poderia estar tendo uma alucinação.

E, como se tratava de Anna, seria bem possível.

Que estivesse tendo uma alucinação, quero dizer.

Ela gostava das substâncias que alteram o estado de espírito, se entendem o que quero dizer.

Pobre garota. Pelo que ela sabia, eu estava a 800 quilômetros de distância, em outra cidade, em outra vida. Mas ali estava eu, manifestando-me em seu quarto, no meio da noite.

E, para piorar as coisas, pronta para dar uma de pedinte.

— Anna, desculpe incomodá-la desse jeito, mas será que você tem alguma coisa que eu possa beber? — perguntei-lhe.

Ela apenas me olhou, fixamente.

— Por que você está aqui? — perguntou, numa voz muito baixa, de susto.

— Porque procuro a merda de uma bebida — disse eu, exasperada.

— Você tem uma mensagem para mim? — perguntou ela, ainda me fitando com os olhos arregalados.

Ah, meu Deus, pensei, aborrecida.

Anna adora tudo o que tem a ver com ocultismo. Não havia nada de que ela mais gostasse do que ser possuída pelo demônio. Ou morar numa casa assombrada. Ou ser capaz de prever desastres. Estava obviamente esperando que eu fosse algum tipo de fenômeno paranormal. Ou isto: estava mais bêbada do que de costume.

Tive a boa ideia de lhe dizer algo terrível.

Como: "Sim, Anna, cuidado! Sua colheita vai se perder." Ou: "Sim, Anna, cuidado!" (essa parte do "cuidado!" é importante) "Seu balde está vazando e você perderá o leite que carrega para a feira." Ou: "Sim, Anna, cuidado! Não corte os ramos do pilriteiro."

O fato de Anna não ter nenhuma colheita, nenhum leite para carregar num balde furado para alguma feira, nem se encontrar a menos de 20 quilômetros de distância de um pilriteiro, não a incomodaria o mínimo. Mesmo assim, ficaria completamente deliciada com a minha visita sobrenatural.

— Sim, Anna — eu disse, decidindo animá-la, mas, ao mesmo tempo, sentindo-me um tanto tola. — Enviaram-me aqui. Eu preciso conseguir uma bebida.

— Na minha mochila — disse ela, com a voz fraca.

Sua mochila estava atirada no chão, junto com um pé de sapato (o que acontecera com o outro?), seu casaco, uma caixa de papelão com apenas algumas batatas fritas e uma lata de Budweiser. Tive dificuldade para abrir a sacola, pois dois balões de gás estavam presos ao cordão. Anna, obviamente, estivera em alguma festa.

Quase gritei de alívio, quando descobri uma garrafa de vinho branco em sua mochila.

— Obrigada, Anna — agradeci. — Amanhã lhe darei outra. — E parti.

Ela ainda parecia tonta e assustada. Fez um sinal afirmativo com a cabeça, com ar meio apatetado.

— Tudo bem — conseguiu gaguejar.

Dei uma olhada em Kate. Ainda dormia tranquilamente.

Eu ainda esperava que ela estivesse sentada em seu berço, de braços cruzados, querendo saber onde estava o pai que eu lhe prometera. Mas apenas dormia, tendo sonhos de bebê, com nuvens cor-de-rosa, camas quentes, lençóis macios que cheiram bem, muita coisa para comer, muito sonho e uma porção de gente que nos ama.

E nunca precisando entrar na fila para ir à privada.

Levei a garrafa de vinho para o andar de baixo, até a cozinha, e a abri cautelosamente. Sabia que me sentiria melhor depois de tomar uma bebida. Exatamente quando eu me servia de um copo do vinho, Anna apareceu na porta da cozinha esfregando os olhos, com ar confuso e ansioso, e o comprido cabelo negro espalhado em torno do rosto.

— Ah, Claire, é mesmo você. Não imaginei que fosse — ela disse, com um tom de voz que mesclava alívio e desapontamento. — Pensei que podia estar "viajando". E, depois, pensei que você podia ser uma visão. Então concluí que, se você fosse uma visão, apareceria vestida com alguma coisa mais bonita do que a camisola horrorosa de mamãe.

— Sim, sou eu mesma — sorri para ela. — Desculpe se lhe dei um susto. Mas estava louca para beber alguma coisa. — Aproximei-me dela, abracei-a. Era realmente maravilhoso vê-la.

Anna se parecia muito com Helen, rostinho pálido, olhos puxados de gato, uma graça de narizinho.

Mas a semelhança parava por aí. Para começo de conversa, eu não desejava matar Anna cerca de vinte vezes por dia. Anna era muito mais quieta, muito mais meiga. Ela era muito gentil com todos. Infelizmente, era também muito vaga e etérea. Mais de uma vez ouvi seu nome sendo mencionado na mesma frase em que aparecia a expressão "no mundo da lua".

Bem, acho que é melhor ser inteiramente franca com você. Não há como fugir ao fato de que Anna era um pouquinho... bem... um pouquinho hippie, eu acho.

Nunca teve um emprego estável. E sempre parecia estar partindo para algum festival de rock. A cada vez que eu telefonava de Londres e perguntava por Anna, minha mãe dizia alguma coisa do tipo: "Ah, Anna foi para Glastonbury", "Anna está em Lisdoonvarna" ou "Anna arrumou um emprego num bar em Santorini".

E havia dias — dias ruins, certamente — em que mamãe podia dizer: "Como é que vou saber onde Anna está, que diabo! Afinal, sou apenas a pobre da mãe dela."

Ela arranjava empregos de tempos em tempos. Em geral, em restaurantes de comida natural. Mas o trabalho jamais durava muito tempo. Os restaurantes também não, aliás, por algum estranho motivo.

Ela requeria o seguro-desemprego.

E, como mencionei, ela vendeu drogas. Mas apenas por pouco tempo. E da maneira mais simpática possível.

Não era sério.

Nunca ficava rondando portões de escolas tentando vender heroína pura a crianças de 8 anos.

Apenas passava pequenas quantidades de haxixe aos seus amigos e parentes. E, sem dúvida, saía perdendo.

Fazia bijuterias e, de vez em quando, até vendia algumas coisas.

Um tipo precário de existência, mas ela não parecia preocupada com sua instabilidade.

Papai se desesperava com Anna. Ele a chamava de irresponsável. E, claro, a culpa disso tudo era atribuída diretamente a mim, embora de forma não muito justa. Papai dizia que eu escapulira (a palavra é dele) para Londres num período em que Anna estava em idade muito sugestionável e que eu lhe dera a ideia de que era perfeitamente aceitável pedir demissão de um bom emprego, ir embora e ficar trabalhando como garçonete. Que tipo de exemplo eu era?, perguntou-me ele.

Papai tentou desesperadamente transformar Anna numa cidadã responsável, pagadora de impostos. Conseguiu um emprego para ela no escritório de uma construtora.

Aparentemente, alguém lhe devia algum favor.

Devia ser um favor muito grande.

Foi um erro tentar forçar Anna a trabalhar num escritório. Era como tentar empurrar uma cavilha redonda num buraco quadrado. Ou usar sapatos nos pés errados. Desagradável, desconfortável e quase certamente fadado ao fracasso.

Foi um desastre.

Anna era como uma flor exótica, acostumada com climas tropicais e lançada de repente num país frio e úmido. Como poderia sobreviver? Só poderia desbotar e secar, e suas belas pétalas, de cores vivas, ficariam murchas e marrons, e desapareceria seu perfume delicado.

Trabalho administrativo não era exatamente para o que ela tinha talento. Era imaginativa e criativa demais para trabalhar com afinco numa tarefa tão tediosa quanto arquivar papéis.

E vivia drogada demais para poder fazer aquilo direito.

Certa manhã, seu chefe, o Sr. Sheridan, jogou um cheque em cima da escrivaninha de Anna e ordenou: "Envie isso a Bill Prescot, com um cartão."

Felizmente, o chefe interceptou a correspondência antes que o cheque saísse com uma carta escrita por Anna, dizendo: "Caro Sr. Prescot, embora não o conheça, acredito que seja um homem muito agradável. Todo o pessoal do setor de construção fala muito bem do senhor."

O Sr. Sheridan, cansado, explicou a Anna que enviar um cartão para uma pessoa não significava derramar-se em amabilidades.

Ela perdia a noção do tempo a cada hora do almoço, porque encontrara um ninho de cisnes no canal perto do escritório e passava horas e horas observando apaixonadamente os pássaros e os ovos. (E enrolando e partilhando também vários baseados, se acreditarmos no que diziam os boateiros.)

Mas no dia em que sugeriu que fosse mudado o sistema de arquivamento para os trabalhadores da construção, de modo que, em vez de organizá-los por seus sobrenomes, ela fizesse isso por seus signos astrológicos, o Sr. Ballard, o gerente do escritório, decidiu que para ele bastava.

Apesar do favor que o diretor administrativo devia a Jack Walsh, aquela moça tinha de ser demitida.

Embora Anna protestasse que estava apenas brincando (disse, rindo, e sem dúvida piorando ainda mais as coisas para si mesma: "Honestamente, como poderíamos pensar em arquivá-los pelo seu signo astrológico, se nem sequer sabemos qual é o ascendente deles?"), sua demissão foi prontamente assinada. Anna ficou novamente sem trabalho remunerado.

Papai ficou furioso e mortificado de constrangimento. "O que se passa na maldita cabeça de Anna?", trovejou ele. "Sabe, eu quase juraria que ela estava drogada."

Vejam só, para um homem inteligente, havia vezes em que ele era espantosamente ingênuo.

E a outra única rápida passagem real de Anna por um trabalho formal fora quando ela ainda estava na escola e a professora responsável pela orientação vocacional perguntou-lhe o que ela queria fazer na vida. Anna disse-lhe que queria permanecer unida aos elementos. E então não conseguiu entender quando foi colocada num serviço de duas semanas numa empresa que fabricava revestimentos internos de chaleiras.

Quando constatou que eu não era um fenômeno psíquico, Anna, embora desapontada, decidiu tirar o melhor partido possível da situação.

— Sirva-me um copo disso também — disse, gesticulando em direção à garrafa de vinho. Eu assim fiz, e nos sentamos ambas à mesa da cozinha.

Eram mais ou menos 5 horas.

Anna não pareceu encontrar nada remotamente estranho em ser tão tarde ou, mais precisamente, tão cedo.

— Saúde — disse, erguendo sua taça para mim.

— Sim, saúde — respondi, num tom vazio. Esvaziei a taça num só gole. Anna olhou admirada para mim.

— Então, o que está fazendo aqui? — perguntou, puxando conversa. — Eu não sabia que você vinha. Ninguém me contou... Bem, *acho* que ninguém me contou... — disse ela, com alguma dúvida. — Há uma semana que não venho em casa.

— Bem, Anna, foi uma decisão meio repentina — falei, suspirando, enquanto me preparava para uma longa e tortuosa explicação das minhas trágicas circunstâncias.

Mas, quando comecei a falar, ela me interrompeu abruptamente.

— Ah, meu Deus! — disse, batendo de repente com a mão na boca.

— O quê? — perguntei, muito alarmada. Estaria o saca-rolhas pairando no ar? Será que o rosto de um espírito maligno aparecera na janela?

— Você não está mais grávida! — exclamou ela.

Sorri involuntariamente.

— Não, Anna, não estou. Já imaginou?

— Você teve um bebê? — perguntou ela, as palavras saindo lentas.

— Tive — confirmei, ainda sorrindo.

— Meu Deus! — ela gritou. — Não é fabuloso? — E atirou os braços em torno de mim. — É uma menina?

— É — confirmei.

— Ela está aqui? Posso vê-la? — perguntou Anna, toda animada.

— Pode, ela está no meu quarto. Mas está dormindo. E, se você não se importa, prefiro não acordá-la. Pelo menos até terminar esta garrafa de vinho — disse eu, preguiçosamente.

— É justo — concedeu Anna, servindo-me outro copo de vinho: de uma apreciadora de álcool para outra. — Ponha isso dentro de você. Acho que faz muito tempo que você não tem permissão para beber álcool. É por isso que engole tudo de uma só vez.

— Bem, faz muito tempo que não bebo nada. Mas não é por isso que estou tão desesperada para me embriagar — disse.

— Ah, não? — perguntou ela, perplexa.

Então, contei-lhe o que James fizera.

E ela foi tão gentil, tão solidária, tão neutra e, à sua própria maneira excêntrica, tão sensata, que eu, aos poucos, comecei a me sentir um pouco melhor. Um pouquinho mais calma. Um pouco menos cansada. Um pouco mais esperançosa.

Acho que a garrafa de vinho deve ser também mencionada nos créditos. Ela desempenhou uma parte pequena, mas não insignificante, na melhora do meu estado de espírito. Mas tudo aconteceu sobretudo graças a Anna.

Ela murmurou coisas como: "Se estava escrito que aconteceria, então ninguém pode evitar", "Estão cuidando de todos nós, mesmo quando não parece", "Existe um plano para todos nós" e "Tudo acontece por um motivo".

Conversa tipo hippie. Mas eu a achei muito confortadora.

E, por volta das 6 horas, exatamente quando os pássaros começavam a cantar, abandonamos a cozinha, deixando a mesa cheia de copos, a garrafa completamente vazia, a rolha, o saca-rolhas, um cinzeiro entulhado e a embalagem de um pacote de biscoitos (sim, Digestives. Mamãe ainda não comprava Jaffa Cakes para nós) que Anna comera.

Papai se levantaria dentro de uma hora para preparar o café da manhã para si mesmo e mamãe. Ele cuidaria da confusão, argumentamos. Gostava de fazer as coisas, concordamos. Precisava sentir-se necessário.

Vagarosamente, subimos as escadas, abraçando uma à outra, e caí na cama sentindo-me sonolenta, relaxada e calma. Anna passou alguns minutos contemplando Kate, maravilhada, e depois insistiu em pegar os dois balões de gás (dos quais se apropriara indevidamente, na festa onde estivera, junto com a garrafa de vinho) e amarrá-los no berço portátil de Kate. Depois, Anna deu-me um beijo de boa-noite e saiu do quarto na ponta dos pés. Mergulhei direto num sono profundo, sem sonhos.

Kate me acordou 15 minutos depois, gritando pelo seu "café da manhã".

Alimentei-a e, em seguida, voltei cambaleando para a cama.

Exatamente quando tornava a adormecer, ouvi papai levantando-se. Alguns minutos depois ouvi-o subir a escada, com passos fortes, gritando para minha mãe: "Suas filhas são um bando de bêbadas!" (Elas eram sempre filhas dela, quando perdiam empregos, não iam à missa, ficavam acordadas até tarde ou se vestiam indecentemente. Eram filhas dele quando passavam nos exames, obtinham diplomas, casavam-se com contadores e compravam casas.) "Bebendo a noite inteira e deitadas na cama o dia inteiro! Será que esperam que eu limpe aquela sujeira na cozinha?"

Papai, obviamente, descobrira os resquícios da nossa pequena festa matinal.

Mamãe lamuriou-se. "Ah, não, descobriram novamente a bebida. Pensei que nunca a encontrariam embaixo do tanque de óleo. Agora, terei de encontrar um novo lugar para escondê-la."

Depois de alguns instantes, essa agitação acabou. Exatamente quando eu esperava, contra toda a esperança, poder recuperar uma ou duas horas de sono, alguém começou a tocar a campainha da porta da frente. Naturalmente, era uma coisa alarmante, porque eram apenas 7h30. Ouvi papai abrir a porta e travar uma conversa com alguém com voz de homem. Esforcei-me para ouvir o que se passava. Não seria James? Senti tal ímpeto de esperança que quase doeu.

E então escutei o som de papai correndo escada acima. E gritou para minha mãe: "Há um louco na porta da frente, com um sapato. Quer saber se é nosso. O que faço?"

Houve um silêncio perplexo da parte de minha mãe.

— Vou chegar atrasado no trabalho com todas essas interrupções agora de manhã, sabe — disse-lhe papai, como se fosse culpa dela.

Comecei a chorar de desapontamento. Não era James na porta da frente. Eu sabia exatamente quem era.

— Papai — chamei, choramingando. — Papaiiii!

Ele enfiou a cabeça pela porta.

— Bom dia, amor — disse. — Estarei com você num minuto. Farei para você um pouco de chá. O caso é que há um lunático lá embaixo e é melhor eu me livrar dele primeiro.

— Não, papai — disse-lhe eu. — Não é um lunático. É um motorista de táxi. Acorde Anna. Aposto que é o sapato dela.

— Ah, então ela finalmente se deu o trabalho de vir para casa, não é? — gritou minha mãe de seu quarto.

Papai saiu e foi para o quarto de Anna, resmungando: "Devia saber que Anna estaria envolvida nisso."

Anna foi devidamente acordada. E o homem na porta da frente era realmente o motorista de táxi que a trouxera para casa nas primeiras horas da manhã. Quando terminara seu turno, ele encontrara um sapato na parte de trás do carro. E agora, como um príncipe encantado, viajava pelas casas para onde levara as jovens durante a noite, tentando casar o sapato com cada uma delas. Anna era, de fato, sua Cinderela.

Anna agradeceu efusivamente. O motorista de táxi partiu. Anna voltou para a cama. Papai foi para o trabalho. Fechei os olhos. Kate começou a chorar.

Eu também.

6

Úmido, ventoso e miserável. Durante as primeiras duas semanas que passei em casa, choveu todos os dias. Segundo parecia, era o mês de fevereiro mais chuvoso de que se tinha memória.

Eu sempre acordava de madrugada ao som das gotas de chuva estalando na janela e borrifando-a, tamborilando e batendo forte no telhado.

O tempo tornava a todos infelizes.

Felizmente eu já estava mesmo num estado de espírito suicida.

Na verdade, o tempo me fazia sentir ligeiramente melhor. Parecia a maneira de o destino igualar minha vida infeliz com a vida feliz de todos os demais, se entendem o que quero dizer.

Anna e Helen perambulavam a esmo pela casa, taciturnas, olhando nostalgicamente pelas janelas e imaginando se aquilo algum dia pararia.

Deprimida, mamãe falava sobre a construção de uma arca.

Papai tentou jogar golfe com água na altura dos joelhos, num campo alagado.

Era o único que não se importava com a chuva torrencial.

Ela combinava perfeitamente com meu estado de espírito.

Eu não me importava de não poder sair.

Ficaria feliz de não ter de sair nunca mais.

Passava horas deitada em minha cama, de olhos pregados no nada. E Kate, a meu lado, em seu berço, enquanto a chuva caía pesadamente do lado de fora, cobrindo as janelas de vapor e transformando o jardim num pântano.

Minha mãe dava um pulo no meu quarto todas as manhãs e abria a cortina para outro dia cinzento e encharcado, e dizia:

"Bem, o que temos para hoje na agenda?"

Eu sabia que ela estava apenas tentando me animar. E eu tentava ser alegre. Mas me sentia tão cansada o tempo inteiro.

Depois se oferecia para fazer meu café da manhã, mas logo que saía do meu quarto eu me arrastava até a janela e fechava novamente as cortinas.

Não negligenciei Kate. Não mesmo.

Bem, talvez sim.

Para minha vergonha eterna, mamãe levava-a ao pediatra. Mamãe ia de carro até o supermercado e comprava montes intermináveis de fraldas descartáveis, comida para bebê, creme para assaduras, talco, esterilizador de mamadeira e todas as outras coisas de que Kate precisasse.

Para ser justa comigo mesma, não abandonei inteiramente Kate. Cuidei dela, de fato, de várias maneiras. Eu a alimentava, trocava suas fraldas, dava-lhe banho e me preocupava com ela. Algumas vezes, eu até brincava com ela. Eu apenas não podia fazer nada que exigisse sair de casa.

Não porque não a amasse. Eu a amava mais do que qualquer outra coisa no mundo. Não havia nada que eu não fizesse por ela (a não ser, como eu disse, sair da casa). Mas minha impressão era de que toda a energia me abandonara.

Vestir-me exigia um esforço além de minhas possibilidades. Nas raras ocasiões em que realmente saía da cama, eu vestia um dos calções de golfe de papai por cima da camisola de mamãe e usava um par de meias de alpinismo. Sinceramente, pretendia vestir-me de forma adequada. Mas uma outra hora.

Logo que tivesse alimentado Kate, eu dizia.

Mas, depois disso, estava tão exausta que tinha de me deitar por algum tempo e ler algumas linhas de uma matéria da *Hello.* Dá para avaliar como eu estava deprimida pelo fato de chegar mesmo a considerar a possibilidade de morar numa casa onde havia um exemplar de *Hello.* Eu mal conseguia me concentrar o suficiente para ler. Olhava para as fotos de figuras da aristocracia totalmente obscuras e destituídas de importância, fotografadas em seus lares "suntuosos", e imaginava se eram felizes.

E como seria isso.

E, depois, refletia que ninguém poderia ser feliz morando numa casa com aquelas horríveis cadeiras barrocas, tapeçarias e quadros antigos. Ou estando casada com o Príncipe Fulano de Tal, que era gordo e careca, usava dentadura e tinha pelo menos 12 vezes a idade da "ex-dançarina exótica" que tomara como esposa. Ele batia na cintura dela!

Depois de ficar deitada algum tempo, eu talvez precisasse ir ao banheiro. Passava cerca de meia hora tentando reunir energia para ir. Era como se eu fosse feita de chumbo.

Depois de ir ao banheiro, o máximo que eu podia fazer era cambalear de volta para a cama.

Ficaria novamente deitada durante cinco minutos, prometia a mim mesma, e depois me vestiria de verdade.

Mas, a essa altura, já era hora de alimentar a Kate novamente.

E, depois disso, eu teria de me deitar novamente, só uns cinco minutos...

De alguma forma, eu nunca chegava lá.

Se pelo menos me deixassem sozinha, para eu poder dormir eternamente, tudo estaria bem. Era o que eu pensava. Mas as pessoas não paravam de me incomodar.

Eu estava deitada na cama, certa tarde (não sei por que digo "certa tarde", como isso não fosse um acontecimento regular), quando entrou no quarto um rapaz com aspecto neandertaloide, segurando um martelo.

Minha reação inicial foi a de que eu ficara ali fechada por tempo demais e começava a alucinar.

Logo depois, mamãe irrompeu no quarto, sem fôlego e ansiosa.

A verdade era que o rapaz tinha vindo instalar uma babá eletrônica para comunicar meu quarto e a sala de estar. Mamãe o vigiara como uma águia lá embaixo, mas, quando foi atender o telefone, ele escapuliu e dirigiu-se até meu quarto.

Mamãe veio correndo e me forçou a sair da cama, como se estivéssemos no meio da noite e ele pertencesse a um grupo da polícia secreta prestes a me levar e torturar. Ainda tenho as marcas dos dedos dela em meus braços. Meu Deus, mamãe seria letal, segurando um aguilhão elétrico para gado.

Entendam, ela pensou que eu poderia provocar pensamentos impuros no homem da babá eletrônica, se ele tivesse de trabalhar em minha íntima proximidade, enquanto eu ainda estivesse com minha camisola. Então, era questão de urgência extrema me tirar dali o mais rápido possível.

Além dos meus problemas de deslocamento, por causa do homem da babá eletrônica, Helen não me dava um só momento de sossego. Na maioria das manhãs, ela ficava em pé à porta do quarto, olhava para mim, ali prostrada em minha cama, e bradava: "Seu café da manhã está pronto. E quem chegar por último lá embaixo na escada é um grande porco gordo e fedorento!"

Num instante ela sumia, descendo a escada para a cozinha a passos ruidosos, enquanto eu tentava lhe dizer, sem forças, que eu era mesmo um grande porco gordo e fedorento. Portanto, seu desafio nada significava para mim.

Bem, eu estava grande e gorda, isso era um fato. Muito parecida com uma melancia. Bem, pelo menos estava, quando cheguei a Dublin. Não tinha certeza agora, porque não me olhara num espelho nem experimentara nenhuma roupa desde o dia em que saíra do meu apartamento em Londres.

Sem dúvida, estava fedorenta. A chance de me ver escalando o Monte Everest era tão grande quanto a de me ver lavando meu cabelo.

Tomava um banho de vez em quando, mas apenas porque minha mãe organizava a coisa toda.

Uma combinação de persuasão e coerção.

Ela enchia a banheira com água fumegante e cheirosa, cheia de espuma, de modo que eu ficasse com cheiro de kiwi e mamão. Aquecia imensas e macias toalhas para mim. Oferecia-me sua loção corporal de lavanda (ugh, não, obrigada). Ameaçava me denunciar às autoridades por ser uma mãe desnaturada. Kate, ela me dizia, seria posta num orfanato.

Assim, eu tomava um banho dia sim, dia não.

De má vontade.

Mas talvez eu não fosse uma porca. Honestamente, não conseguia me lembrar da última vez em que comera alguma coisa. Nunca sentia fome. Só pensar em comer me aterrorizava. Sabia que não seria capaz. Ficava gelada. Como se minha garganta estivesse bloqueada e eu não fosse mais capaz de engolir nada.

Não conseguia acreditar que aquilo estivesse acontecendo comigo. Porque eu sempre tivera um ótimo apetite. Quando estava grávida, era mais do que simplesmente grande, era gigantesco. Passei minha adolescência rezando desesperadamente para ser anoréxica. Não engolia aquele papo de que as anoréxicas eram pobres moças doentes e infelizes. Achava que tinham a maior sorte do mundo, com seus proeminentes ossos dos quadris, suas coxas esguias e seu ar de garotinha subnutrida.

Nunca perdia meu apetite, não importavam as circunstâncias. Nervosismo por causa de provas, entrevistas para empregos, tremores no dia do casamento, intoxicação alimentar — nada, a não ser a morte, faria a mínima diferença para minha capacidade de comer como um cavalo de corrida. Sempre que encontrava uma pessoa magra, que gorjeava: "Ah, mas sou mesmo uma tola, simplesmente me esqueço de comer", eu a olhava com mal disfarçada frustração e amargura, sentindo-me pouco glamorosa, inchada e bovina. Que sorte a dessas filhas da puta, pensava eu, como é que alguém pode se esquecer de comer? Eu tinha apetite — que coisa fora de moda e vergonhosa.

Porque, quando o mundo acabar e tivermos descartado nossas mortais perturbações e estivermos todos no céu, quando o tempo deixar de existir e formos puros de espírito e tivermos uma vida eterna, toda dedicada a contemplar o Todo-Poderoso, eu ainda vou precisar de uma barra de chocolate todas as manhãs, às 11 horas.

Mas eu me consolava com o pensamento de que essas pessoas magricelas estavam, com certeza, mentindo descaradamente. Sofriam era de bulimia, tomavam anfetaminas ou se submetiam a uma lipoaspiração todo fim de semana.

E agora, pela primeira vez em minha vida, eu não estava com fome. Na verdade, sentia horror diante da ideia de ter que comer.

Estava sem a menor vontade. Não tinha o menor impulso nesse sentido. Se pelo menos me sentisse assim quando tinha 17 anos. Pensaria que era uma das poucas privilegiadas.

Mas eu estava cansada e infeliz demais para desejar qualquer coisa.

Os dias se arrastavam. Algumas vezes, eu saía da cama e levava Kate para o andar de baixo, a fim de ver, com mamãe, uma novela australiana. Ou tomava uma xícara de chá com ela e depois voltava para o meu quarto.

Helen continuava a me atormentar. Três dias depois da instalação da babá eletrônica, ela entrou no quarto na ponta dos pés, muito sofisticada.

— Está funcionando? — perguntou por mímica labial, apontando para o aparelho.

— O quê? — perguntei, mal-humorada, erguendo os olhos do meu exemplar de *Hello.* — Não, claro que não está ligado. Por que diabo estaria? Kate está aqui e eu também.

— Ótimo — disse ela. — Ótimo, ótimo.

Dobrava-se de rir. Ficou sentada na cama, sacudindo-se com as risadas, lágrimas escorrendo por suas faces. Sentei-me e olhei-a atentamente, sem conseguir disfarçar meu desagrado.

— Desculpe — pediu ela, enxugando os olhos e tentando recompor-se. — Tudo bem, certo, desculpe.

— O que está acontecendo? — perguntei, enquanto Helen sentava-se, ereta.

— Vou mostrar a você, agora — prometeu. — Não faça nenhum barulho.

Aproximou-se do aparelho, ligou-o e começou a dizer coisas numa voz cantada, melodiosa:

— Anna — entoou com voz trêmula —, oooohhhhhhAaaannnnnaaaa.

Fiquei observando, fascinada.

— Que diabo você está fazendo? — perguntei.

— Cale a boca — sussurrou ela, com energia, enquanto desligava o aparelho. — Estou proporcionando a Anna uma experiência sobrenatural, entendeu?

— O que quer dizer? — perguntei, inteiramente perplexa.

— A Anna está na sala de estar e não sabe dessa babá eletrônica, então pensará que está ouvindo vozes — explicou Helen, impaciente. — Agora, cale a boca.

Começou novamente com sua cantilena. Disse a Anna que era seu espírito guia e que ela deveria ser especialmente simpática com sua irmã Helen e todo tipo de coisas. Passou uma boa meia hora ajoelhada no chão, gemendo e sussurrando no aparelho.

Por vários dias, depois disso, todas as vezes que alguém estava sozinho na sala de estar, Helen subia na mesma hora a escada para o meu quarto e passava um tempão dizendo à pessoa que ela era seu subconsciente, ou seu anjo da guarda, ou o que quer que fosse, e acrescentava que deveria ser especialmente simpática para com sua irmã/filha/amiga (assinale a alternativa desejada) Helen.

Continuou a fazer isso, mesmo muito tempo depois que todos já sabiam que a voz desencarnada era a de Helen e a ignoravam, rindo. Isso significava, porém, que eu não tinha um momento de paz. O desapontamento quase matou a pobre Anna.

A chuva ainda caía torrencialmente. As margens do canal estouraram. Estradas ficaram intransitáveis. Carros foram abandonados em becos alagados. Soube de todas essas coisas por outras pessoas. Nunca saía de casa.

Pensava em James o tempo inteiro. Sonhava com ele. Lindos sonhos, nos quais ainda estávamos juntos. E, quando acordava, esquecia, por alguns minutos, onde eu estava e o que acontecera. Estava inundada por um maravilhoso sentimento, cálido e aconchegante. E, depois, eu me lembrava. Era como levar um chute no estômago.

Não tivera nenhuma notícia dele. Absolutamente nada. De fato, pensara que, após mais ou menos uma semana, ele entraria em contato comigo. Apenas para saber como eu estava ou, pelo menos, como estava Kate. Não podia acreditar que não tivesse o menor interesse por Kate, mesmo que não tivesse por mim.

A coisa mais triste de todas era que ele sequer sabia que o nome da filha era Kate.

Telefonei para Judy quando fez uns cinco dias que estava de volta a Dublin. Perguntei-lhe se James sabia onde eu estava e prendi a respiração, esperando ansiosamente que ela dissesse que não, que ele não sabia. Isso pelo menos explicaria por que não entrara em contato comigo. Mas ela disse, tristemente, que sim, James sabia. E então, embora me partisse o coração, perguntei se James ainda estava com Denise. Mais uma vez ela disse que sim.

Senti que não chorava por dentro, agora eu sangrava. Sangraria até morrer.

Agradeci a Judy, desculpei-me mais uma vez por colocá-la numa posição tão constrangedora, e desliguei o telefone. Minhas mãos tremiam, minha testa suava, meu coração doía.

Havia ocasiões em que eu sentia que James, mais cedo ou mais tarde, voltaria. Que ele me amara tanto que, simplesmente, não podia parar de me amar da noite para o dia. Era apenas uma questão de tempo, até ele aparecer na soleira da porta, destroçado pelo remorso, fora de si de tanta culpa, imaginando se já não seria tarde demais para reivindicar sua esposa e sua filha. E, nesse caso, poderia ser uma boa ideia sair da cama, lavar meu cabelo, colocar um pouco de maquiagem e usar algumas roupas decentes, em homenagem à sua chegada iminente. Mas então eu me lembrava de que a Sorte é espírito de porco. Quanto mais horrorosa eu ficasse, maiores seriam as chances de que James surgisse de repente.

Então, ficava de camisola, com os calções de golfe e as meias de alpinista. Nem me lembrava mais do que era um batom.

Muitas vezes tinha vontade de telefonar para ele, mas sempre acontecia no meio da noite. Eu era dominada por um pânico terrível, diante da enormidade da minha perda. Mas não tinha a menor ideia de como entrar em contato com ele. Não fora capaz de me humilhar a ponto de pedir a Judy o número do telefone do apartamento onde ele morava com Denise. Poderia telefonar para ele no trabalho, durante o dia, mas a ansiedade e o desejo de conversar com ele nunca me chegavam no período diurno. Eu ficava muito satisfeita com isso. Que bem me faria telefonar para ele? O que poderia dizer-lhe?

Você ainda não me quer? Ainda ama Denise?

Ao que ele responderia:

Não à primeira pergunta, sim à segunda. Obrigado por querer saber. Adeus.

O tempo passava. Lenta, muito lentamente, meus sentimentos começaram a mudar. A paisagem do deserto muda muito gradualmente, enquanto leves brisas erguem grãos de areia e os movimentam, algumas vezes poucos centímetros, outras muitos quilômetros, de modo que, no fim do dia, quando o sol se põe, a face do deserto está completamente diferente da paisagem que havia de manhã, quando o sol se levantou sobre ele. Do mesmo modo, minúsculas mudanças ocorriam em mim.

Mas eram pequenas demais para que eu as notasse, enquanto iam acontecendo.

Não era tanto que o peso de chumbo da desesperança tivesse desaparecido. Mas outra coisa surgira. Senhoras e senhores, uma salva de palmas para a Humilhação.

Sim, comecei a me sentir humilhada.

Por que demorou tanto?, posso ouvi-lo perguntar.

Bem, sinto muito, cara, mas minha cuca estava entulhada de Perda e Abandono.

Uma pequena pontada de humilhação, inicialmente. Um estranho sentimento, um dia, quando imaginei por quanto tempo Judy já sabia sobre James e Denise. Esse sentimento expandiu-se como um balão, até a humilhação ser quase tudo o que eu sentia. E eu ardia por causa dela. Estava em carne viva por causa dela. Minha alma corava por causa dela.

Quem já devia saber que James tinha um caso?

Será que todas as minhas amigas sabiam e conversavam a respeito, entre si, torturando-se com a dúvida entre me contar ou não?

Será que diziam coisas como "Ah, não podemos contar a ela, agora que está grávida"?

Será que me olhavam com piedade?

Será que agradeciam a Deus por poderem, pelo menos, confiar em seus maridos ou namorados?

Será que diziam a si mesmas: "Uma coisa que Dave/Frank/William jamais faria é ter um caso. Ele pode não fazer qualquer serviço doméstico/me dar dinheiro suficiente/chegar algum dia a discutir um problema, mas pelo menos não seria infiel."

Será que me olhavam e soltavam grandes suspiros de alívio, e diziam, mesmo com sentimento de culpa: "Estou tão feliz por ser com ela e não comigo"?

Eu estava com tanto ódio. Queria gritar para o mundo: "Vocês estão erradas! Pensei que podia confiar em meu marido! Pensei que ele era preguiçoso demais, que diabo, para ter um caso. Mas teve. E o mesmo poderia acontecer com Dave/Frank/William. Talvez já estejam tendo. Ou talvez já tivessem tido e agora acabou. Talvez quando seu marido foi para a França assistir aos jogos de futebol tenha feito sexo lá com alguém. Você não sabe. Qualquer coisa é possível. Não pergunte por quem os sinos dobram. Porque, deixe que eu lhe diga: exatamente aqui e agora, dobram por ti."

Quando pensei em Denise, encolhi-me. Quando pensei nela e em mim, trocando amabilidades sobre o tempo, e eu cumprimentando-a por sua aparência e lhe dizendo como ia minha gravidez, e pensando que ela era tão meiga e boazinha, enquanto ela, o tempo inteiro, fazia sexo com meu marido e levava-o a se apaixonar por ela, desejei voltar no tempo, agarrar a mim mesma pelo colarinho e me arrastar, protestando, para longe de Denise e da conversa com ela, advertindo a mim mesma, como uma mãe a uma criança teimosa: "Não fale com essa mulher horrorosa." Depois, desejei agarrar Denise e surrá-la até a morte.

Estava profundamente mortificada e constrangida com a ideia de que todas as demais pessoas sabiam do caso entre James e Denise, enquanto eu, toda feliz, não tinha a menor consciência do que se passava.

Não queria que pensassem em mim como uma vítima. Mas me sentia tão patética. Tão tola. Tão profundamente humilhada.

Comecei a me sentir furiosa com James.

A humilhação chegou aos poucos. Foi chegando de mansinho e, um dia, me virei para trás e vi que ela estava ali, sorrindo para mim. "Olá", disse, toda bonomia e sem cerimônia, como se fôssemos velhas amigas. "Lembra-se de mim? E tenho certeza de que meu amigo Ciúme não precisa de nenhuma apresentação."

Não posso acreditar que levei três semanas para começar a sentir ciúme. Sempre pensara que, se um homem que eu amava dormisse com outra pessoa, o ciúme seria o sentimento imediato e esmagador. Mas ele estava no fim da fila, naquele caso particular, e veio manquejando devagar, atrás da Perda, da Solidão, da Desesperança e da Humilhação.

Não pensara tanto no fato de James estar com Denise e sim no fato de ele não estar comigo. Em minha perda, em vez de no ganho dela.

Da noite para o dia, isso mudou.

Eu estava com minha mãe, certa tarde, quando ela colocou um vídeo. Um filme que deveria ser romântico, mas que, na verdade, era pornografia disfarçada. Ela ficou absorta nele e manifestava sua impaciência a toda hora: "Vamos lá!", "Mas que coisa!". Tentei prestar atenção ao filme e ao mesmo tempo alimentar Kate. Mas perdia a continuidade do enredo.

— Com quem ele está fazendo sexo, agora? É aquela mulher do elevador?

— Não, sua boba — disse mamãe. — É com a filha da mulher do elevador.

— Mas eu pensei que ele tinha sido encontrado na cama com a mulher do elevador — disse eu, confusa.

— Sim, foi — explicou mamãe, gentilmente. — Mas está sendo infiel a ela, agora, com a filha dela.

— Pobre mulher do elevador — disse eu, pesarosa.

Mamãe me lançou um olhar penetrante. Ah, meu Deus, não! Senti que ela pensava isso, alarmada, naquele momento. Será que eu começaria a chorar? Tive certeza de que ela lamentava não ter escolhido na locadora alguma coisa bem inócua, como *A cidade do horror* ou *O massacre da serra elétrica*.

Observei as duas pessoas na tela fazendo sexo, divertindo-se à custa da felicidade da mulher do elevador. De repente, pensei em James e Denise na cama.

Eles fazem isso, você sabe, disse-me uma voz em minha cabeça. Vão para a cama juntos. Fazem sexo. Perdem-se na paixão de um pelo outro. Ela o toca. Ela dorme com o belo corpo dele e sua deliciosa pele e seu cabelo negro e macio. Ela pode acordar e observá-lo dormindo, seus cílios negros, pontudos, lançando pequenas sombras em seu rosto.

Como se sentirão juntos?, fiquei imaginando. De que maneira ele a tratará? Como será ele quando está com ela?

Será que roça suavemente a barba por fazer pelo rosto dela, de manhã, da maneira como costumava fazer comigo, e depois ri com meu grito de ultraje, mostrando seus dentes perfeitamente alinhados e brancos em seu belo rosto?

Será que ela vai dormir com a cabeça no peito musculoso de James, o braço atirado por cima do seu estômago, enquanto o braço viril dele estará em torno do pescoço dela, e Denise sentirá o leve cheiro de Tuscany na pele bronzeada dele, da mesma maneira como eu fazia?

Será que ele a acorda de manhã passando as mãos ao longo de suas coxas, como fazia comigo, e excitando-a instantaneamente, como acontecia comigo?

Será que ele a subjuga na cama, prendendo com as mãos os braços dela para trás, as pernas imobilizando as suas, sorrindo para ela, deixando-a deliciosamente indefesa enquanto se move lentamente contra seu corpo, enlouquecendo-a de desejo, como fazia comigo?

Será que ele a beija com um cubo de gelo na boca, tornando sua boca fria e seu corpo quente de desejo, como fazia comigo?

Será que ele morde com delicadeza a curva do seu pescoço e do seu ombro e provoca tremores de desejo através de todo o seu corpo, como fazia comigo?

Quando ela acorda de manhã — será que seu primeiro pensamento é: "Meu Deus, ele é lindo e está na cama comigo"? Porque o meu sempre fora esse.

Estava louca de ciúmes.

Ou será que eles fazem de forma diferente?, imaginei. Será que ela é diferente de mim na cama? Será que ela é melhor? Como será o corpo dela? Será que ela tem um bumbum menor, seios maiores, barriga mais lisa, pernas mais longas? Será que ela é realmente audaciosa e o deixa louco de paixão?

Imaginei tudo isso mesmo conhecendo Denise e podendo responder eu própria à maioria dessas perguntas. (Bumbum menor? Não. Seios maiores? Sim. Barriga mais lisa? Pouco provável. Pernas mais longas? Difícil dizer. Somos provavelmente da mesma altura.)

Ela não agia nem se comportava como nenhuma gatinha erótica. Sempre pareceu tão boazinha e, bem... comum, eu acho, mas agora em minha cabeça ela era Helena de Troia, Sharon Stone ou Madonna.

O ciúme me despedaçava.

Era como ter uma bola de fogo e espinhos em meu peito, que enviava raios verdes venenosos para todo o meu corpo, sufocando-me de tal modo que eu mal podia respirar.

Minha cabeça estava cheia de cenas imaginárias sobre a maneira como eles agiam juntos na cama.

Não podia suportar a ideia de que ele a desejasse. Isso me enchia de uma raiva poderosa e impotente. E que raiva. Tinha vontade de matar os dois. Tinha vontade de soluçar histericamente. Sentia-me feia de ciúme. Desfigurada pelo ciúme. Sentia que meu rosto estava retorcido e verde, por causa das minhas emoções.

Ah, que sentimento mais feio. E tão profundamente inútil. E sem qualquer sentido.

Se você deixa de ter alguém ou alguma coisa, sente sua perda e, depois, passado algum tempo, preenche o buraco que ficou em sua vida, a ausência, aos poucos, fica cada vez menor e, afinal, desaparece. Há um sentido na dor. Há um motivo e uma direção para ela.

Mas eu não ganharia nada em sentir ciúmes. E o pior é que o ciúme era causado por mim mesma. Era minha própria imaginação que me provocava a dor. Era o equivalente emocional a eu pegar uma navalha e dar um grande corte em meu braço, em meu estômago ou em minha perna. Ciúme era automutilação. Tão doloroso e inútil quanto.

E eu sentia a dor não porque algo acontecera comigo, mas porque deixara de acontecer. Por que algo que acontecia entre duas outras pessoas e não me envolvia me feria tanto?

Ora, que droga, eu não sabia.

Só sabia que feria.

7

O período que se seguiu ainda é chamado em nossa casa de O Grande Terror. Helen refere-se a ele, mesmo agora, dizendo algo como "Lembra-se do tempo em que você começou a se comportar como Adolf Hitler e todos a detestávamos e queríamos que voltasse para Londres?".

A mudança que se deu em mim foi terrível.

Era como se alguém tivesse acionado um interruptor.

Passei de tristeza, solidão e infelicidade para uma raiva e um ciúme explosivos e desejo de me vingar de Denise e James. Fantasiava sobre desastres terríveis que lhes aconteciam.

Eu não estava fazendo mal a ninguém, quando atravessei a fase em que passava todo o meu tempo deitada na cama, quase incapaz de criar forças para falar, porque minha dor era imensa. Eu era um tanto chata, suponho, e me negava a passar o aspirador de pó na casa e a fazer outras tarefas domésticas, mas, além disso, não poderiam me acusar de nada.

Mas agora eu era uma diva histérica. Estava tão cheia de raiva e ódio, e a pessoa que deveria estar pagando o pato por isso, ou seja, James, não estava ali. Então, os membros de minha família, inocentes que tentavam me ajudar, acabaram ouvindo os gritos e tendo suas portas explosivamente batidas, no lugar dele.

Logo que voltei de Londres, havia dignidade em meu sofrimento. Eu me sentia um pouco como uma heroína vitoriana que se desapontara com o amor e não tinha nenhuma escolha a não ser virar seu rosto para a parede e morrer de tanta dor, embora belamente cercada de sais aromáticos. Como Michelle Pfeiffer, em *Ligações perigosas.*

Agora, eu estava mais para Christopher Walken, em O *franco-atirador.* Psicótica. Enlouquecida. Um perigo para mim mesma e para os outros. Vagando pela casa inteira com uma expressão de loucura nos olhos. Aposentos onde havia muita conversa e que de repente ficavam silenciosos quando eu entrava. Mamãe e papai observando-me assustados. Anna e Helen saindo de quartos à minha chegada.

Eu não usava camuflagem de combate nem carregava uma cartucheira cruzada no peito, não tinha nenhum tipo de arma automática de aspecto temível, tampouco levava uma granada em meu bolso. Meu rosto não estava sujo de terra (embora, refletindo bem, talvez estivesse. Os banhos saíram inteiramente de cena, durante esse período terrível). Mas eu me sentia poderosa, como se tivesse todas essas coisas, e era tratada com um temor correspondente.

O Grande Terror começou no dia em que vi com mamãe aquela fita de vídeo. (Não vou entrar nos detalhes do que aconteceu ali. Tenho vergonha demais de mim mesma. E, de qualquer jeito, a locadora de fitas concordou em não cobrar nada. Era totalmente verdadeiro o que a atendente disse. Eles apenas estocavam as fitas. Não havia naquilo nenhum reflexo da opinião pessoal ou da moral deles. Eu apenas estava um pouquinho nervosa demais, na ocasião.)

O Grande Terror continuou durante vários dias de guerra insana. Qualquer coisa podia deflagrar um ataque de mau gênio em mim, sobretudo as cenas românticas na televisão. Minha cabeça passava incessantemente uma fita de vídeo com James e Denise na cama juntos. Quando eu via outros pares românticos na televisão, entrava em curto-circuito.

Felizmente, eu não via nenhum par romântico na vida real, pois, do contrário, talvez perdesse a cabeça. Mamãe e papai, sem a menor dúvida, não se comportavam como um par romântico. A coisa mais romântica que meu pai dizia a minha mãe, a cada semana, era: "Vamos ao Freezer Center na quinta-feira à noite?"

Helen tinha um fluxo firme de jovens pretendentes frequentando a casa, mas troçava cruelmente deles e de sua devoção canina. E isso me agradava, de uma maneira sombria e fria. Quanto a Anna, bem, aí já é uma outra história, para ser contada outro dia.

Eu chorava muito, durante esse período. E xingava. E atirava as coisas longe.

Como disse, a televisão em geral me perturbava. Eu via um homem inclinar-se e beijar uma mulher e imediatamente o fogo verde do ciúme passava rapidamente através de mim, e uma energia extremamente dolorosa me dominava. Eu pensava em James. E pensava em meu James com outra mulher. Durante um segundo seria apenas um pensamento abstrato, como se ele ainda estivesse comigo e aquilo fosse uma tolice minha, pintando "o cenário mais negro possível". E depois me lembrava de que *acontecera mesmo,* que ele *estava* com outra mulher. A consciência disso me magoava a cada vez com igual intensidade. A décima vez em que aconteceu foi tão terrível, tão chocante e tão nauseante quanto a primeira.

Minha reação era atirar um livro na televisão, alguns sapatos na parede ou a mamadeira de Kate pela janela. Qualquer coisa que estivesse à mão ou próxima seria atirada numa superfície adjacente. Depois eu praguejava como uma lavadeira e saía do quarto pisando duro. Batia a porta com tanta força que várias telhas provavelmente caíam do telhado. A situação ficou tão ruim que, quando eu entrava com meus passos ruidosos na sala de estar, e a televisão estava ligada, Anna, Helen ou quem quer que estivesse lá acionava o controle remoto e mudava rapidamente o canal do que quer que estivessem vendo para algo inofensivo como *A universidade aberta*, um programa sobre física aplicada, ou algum documentário sobre a maneira como as geladeiras funcionam, ou talvez um programa de auditório, com jogos, em que todos os concorrentes obviamente haviam sido lobotomizados.

— O que está acontecendo? — grunhia eu para elas.

— Ah... apenas isso — respondiam, nervosamente, apontando para a televisão com um frenesi de mãos.

Ficávamos sentadas ali em silêncio, fingindo ver qualquer programa que o controle remoto tivesse descoberto para nós, eu emitindo vibrações ostensivamente assustadoras, Anna, ou Helen, ou mamãe, ou papai, numa postura rígida, com medo de falar, com medo de sugerir uma troca de canais e esperando um intervalo decente para escapar, a fim de continuar vendo o programa deles na pequena televisão do quarto de mamãe.

E, quando se levantavam e começavam a escapulir em direção à porta, eu atacava: "Para onde vão?", perguntava. "Não podem sequer suportar ficar na mesma sala que eu, não é? Já é ruim demais meu marido ter me deixado, quanto mais minha própria família me tratando assim."

A pobre vítima ficava ali em pé, constrangida, sentindo-se culpada. Não saía, mas indubitavelmente não queria ficar.

E me detestava por causa disso.

— Ora, vão embora, então — eu lhes dizia, maldosamente. — Vão!

Como metia tanto medo em todos, ninguém, nem mesmo Helen, tinha coragem de me dizer que eu estava sendo incrivelmente egoísta e, em bom vernáculo, uma verdadeira filha da puta. Eu fazia toda a família de refém, com meus ataques de mau gênio e imprevisíveis mudanças de estado de espírito.

Kate era a única que eu tratava com algum respeito. E mesmo isso acontecia apenas ocasionalmente.

Uma vez, quando ela começou a chorar, gritei-lhe rispidamente: "Cale a boca, Kate!" Por incrível que pareça, ela parou na hora. O silêncio que se seguiu soou quase como que de pasmo. Por mais que eu tente, não fui capaz, desde então, de reproduzir aquele tom de voz. Pratiquei todos os tipos de entonações diferentes, desde "Cale a *boca,* Kate", a "Cale a boca, *Kate*" ou "*Cale* a boca, Kate", mas não fez diferença. Ela continuava a berrar, despreocupada, sem dúvida pensando: "Ha! Você pode ter me assustado uma vez, por uma fração de segundo, mas pode ter certeza de que não acontecerá de novo."

Eu tinha tanta energia. Meu corpo não era suficientemente grande para conter toda a energia que circulava por ele. Passei da falta de energia para excesso. Não tinha ideia do que fazer com aquilo. Sentia-me como se fosse explodir. Ou enlouquecer. Estava despedaçada, porque não queria sair de casa, mas me sentia capaz de sair dali correndo por uns 100 quilômetros. Sentia que ia enlouquecer se não fizesse isso. Tinha a força de dez homens. Durante aquelas poucas, mas terríveis semanas, eu poderia ter ganhado medalhas de ouro nos Jogos Olímpicos em qualquer modalidade esportiva que você quisesse mencionar.

Sentia que podia correr mais depressa, pular mais alto, atirar mais longe, levantar mais peso e socar com mais força do que qualquer pessoa viva.

Naquela primeira noite em que o ciúme se instalou, bebi meia garrafa de vodca.

Intimidei Anna para que me emprestasse 15 libras para comprá-la, e Helen para que fosse à loja de bebidas.

Anna, de boa vontade, iria à loja para mim.

E Anna, de boa vontade, traria tudo certinho da loja para mim.

Mas quando? Essa era a questão.

Ela podia reaparecer dali a uma semana, com alguma vaga história sobre como, a caminho da loja, tinha encontrado algumas pessoas numa van com destino a Stonehenge e como teria achado que seria interessante juntar-se a elas. Ou como tivera alguma estranha experiência em que saíra do próprio corpo e assim perdera uma semana.

Eu podia ter lhe dito que não havia nada de estranho nisso. Que se ela fosse ao apartamento do seu namorado Shane e tomasse uma porção de drogas era o que geralmente aconteceria. E que o nome correto para isso era experiência de saída da própria cabeça e não do próprio corpo.

Não que fosse um combate fácil de ganhar com Helen.

— Vou morrer afogada — ela resmungava, porque o tempo continuava inclemente.

— Não vai — garanti-lhe séria, entre dentes, enquanto meu tom de voz sugeria: "Mas isso não seria nenhum problema."

— Vai lhe custar dinheiro — disse ela, mudando de estratégia.

— Quanto?

— Uma de cinco.

— Dê a ela outra nota de cinco — ordenei a Anna.

O dinheiro mudou de mãos.

— São vinte que você me deve, agora — disse Anna, ansiosa.

— Já deixei de pagar minhas dívidas alguma vez? — perguntei a Anna, com frieza.

— Ah, não — disse a pobre garota, assustada demais para me lembrar de que eu ainda lhe devia aquela garrafa de vinho que lhe "tomara emprestada", na primeira noite que passara em casa.

— E para onde você vai? — perguntei a Helen, imperiosamente.

— Vou para cima, calçar minhas galochas.

Quando Helen voltou da loja, muito tempo depois, encharcada e pingando água por toda parte, e queixando-se em alto e bom som, entregou-me a garrafa de um litro de vodca que trouxera numa sacola ensopada.

Não foi pedido o troco das 15 libras.

Nem foi oferecido.

Quando descobri que a garrafa já fora aberta e faltava cerca de um quarto, Helen já tinha sumido há tempos.

Assim como suas chances de comemorar seu 19º aniversário.

Minha vingança seria um terrível e impressionante espetáculo para se contemplar, quando eu pusesse minhas mãos nela.

Eu não era mulher para ser enganada.

Apesar da vodca, não consegui dormir. Tarde da noite, vagueava pela casa, de quarto em quarto, quando todos os demais já estavam dormindo. Carregando minha garrafa e meu copo. À procura de algum lugar onde me sentisse segura. Na esperança de encontrar um lugar onde aquelas cenas horríveis parassem de passar pela minha cabeça. Mas meu ciúme e meu ódio me mantinham acordada. Aquilo continuava a mexer comigo e não me deixava sossegar em lugar algum. Não conseguia encontrar paz.

Em desespero, pensei que, talvez, se experimentasse uma cama diferente, ou um quarto diferente, pudesse dormir.

Fui para o antigo quarto de Rachel. (Você sabe, o quarto onde ficará, quando entrar em sua semana de fome.) Acendi a luz.

O quarto dava a mesma sensação fantasmagórica que o meu e de Margaret, logo que cheguei de Londres. A sensação de que ninguém dormia ali havia muito tempo. Embora as roupas ainda estivessem penduradas no armário, os pôsteres continuassem na parede e houvesse um prato debaixo da cama.

Deparei com a bicicleta ergométrica e a máquina de remar que papai comprara havia nove anos, numa tentativa entusiástica de entrar em forma, mas que durou pouco.

Ali estavam elas, no chão do quarto de Rachel, cobertas de poeira, com um aspecto de coisa antiquada, enferrujada e coberta de teias de aranha, algo bem distante das bicicletas ergométricas e máquinas de remo de hoje, com seus programas de computador, suas telas de vídeo e seus contadores eletrônicos de calorias.

Olhei-as com afeto, assim tão pré-históricas e o que mais fossem, e as lembranças jorraram em ondas.

Que entusiasmo, no dia em que a van as entregou!

Papai, minhas irmãs e eu ficamos animados.

Mamãe foi a única que não se impressionou. Disse que não conseguia entender o motivo de toda aquela euforia.

Que ela não tinha nenhuma necessidade de cortejar a dor e o sofrimento. Que já tivera um excesso deles em sua vida, sendo casada com papai e mãe de nós cinco.

O restante de nós estava fora de si.

Ficamos todos apinhados em torno, soltando "ohs" e "ahs", enquanto as máquinas de cromo e metal eram descarregadas e instaladas no jardim de inverno.

Todos tínhamos grandes esperanças e altas expectativas em relação a elas. Pensávamos que teríamos corpos como o de Jamie Lee Curtis (ela estava muito *in*, naquele período), mesmo através de um contato rapidíssimo com as máquinas, pois, naturalmente, a demanda para usá-las era alta.

Papai também disse que queria um corpo como o de Jamie Lee Curtis. Mamãe não falou com ele durante o restante da semana.

No início, todos nos acotovelamos e brigamos para usar as máquinas.

Como uma linha de produção de munições, em tempo de guerra, elas eram usadas em tempo integral.

Havia sempre filas.

E vamos apenas dizer que as pessoas nem sempre se comportam honrosamente e respeitam o sistema. Basta que percebam o interesse alheio, e não largam mais o osso.

Mais de uma lágrima foi derramada e mais de uma palavra dura, pronunciada, nos acirrados combates em torno de quem seria o próximo.

Amávamos especialmente a bicicleta. Margaret, Rachel e eu estávamos obcecadas com o tamanho dos nossos bumbuns e coxas.

Não havia tanto interesse assim na máquina de remar, porque éramos tão jovens que não tínhamos sequer percebido que as pessoas têm a parte superior dos braços gorda.

Margaret, Rachel e eu passamos a melhor parte da nossa adolescência em pé, de costas para espelhos grandes, quase quebrando nossos respectivos pescoços, enquanto tentávamos virar a cabeça para trás sem movimentar o corpo para ver como ficavam nossos bumbuns vistos de trás.

Perguntando uma à outra, ansiosamente: "Como é, de verdade, o meu bumbum? É grande, mesmo, ou apenas médio?"

Desperdiçávamos tanto tempo torturando-nos e nos preocupando com o tamanho dos nossos bumbuns.

Cada par de jeans que comprávamos ou experimentávamos tinha de ser avaliado com base em suas propriedades de reduzir o bumbum. Cada camisa, macacão ou suéter era avaliado da mesma forma, para ver até que ponto era bom para cobrir o dito bumbum.

A obsessão com o tamanho dos nossos bumbuns correspondia, em intensidade, apenas à obsessão com a pequenez dos nossos seios.

Que coisa mais triste!

Porque éramos lindas.

Tínhamos silhuetas maravilhosas.

E não fazíamos a menor ideia disso.

Rachel costumava dizer, frequentemente, que desejava ter vivido em tempos mais antigos. No tempo da Grande Fome,* para ser exata. Uma vez, ela me disse, nostalgicamente: "Imagine como seríamos magras, se tivéssemos de viver de sementes e capim, durante alguns meses."

Eu pagaria muito dinheiro, na verdade, para ter o corpo que tinha naquele tempo.

E, depois, isso me fez pensar, alarmada: "Meu Deus, será que chegará o dia em que, olhando retrospectivamente para o corpo que tenho hoje, desejarei ainda tê-lo?"

Talvez eu devesse começar a apreciar minha aparência, por pior que a achasse. Porque um dia desejaria ser assim novamente.

Embora não conseguisse me imaginar chegando a esse ponto de desespero.

Naturalmente, a novidade da bicicleta ergométrica e da máquina de remo se desgastou muito rapidamente. Uma combinação de acidentes e expectativas frustradas.

Embora Helen tivesse apenas 9 anos, decidiu que apenas ela sabia como funcionava a máquina de remo. Reuniu a todos nós para uma demonstração. Para nos impressionar, colocou peso demais e depois tentou puxá-los sem fazer quaisquer exercícios de aquecimento. Imediatamente, distendeu um músculo do peito.

E causou uma imensa confusão.

---

* Período entre 1846 e 1848 em que a Irlanda foi assolada pela fome, a que se seguiu uma epidemia de tifo, causando a emigração de aproximadamente dois milhões de irlandeses para os Estados Unidos.

As pobres criaturas que sofreram nas mãos dos inquisidores espanhóis não gritaram e se comportaram com tal horror como fez Helen.

Ela alegou que estava paralisada de um lado, e a única coisa que aliviou algum dos seus sintomas foram imensas quantidades de chocolate e atenção 24 horas por dia.

Helen já era Helen desde muito menina.

Segundo ela, a dor era insuportável. Ela pediu ao Dr. Blenheim para pôr fim à sua infelicidade. O restante de nós também achava sua dor insuportável e concordava que ela devia de fato se "poupada" de tanta infelicidade.

Mas o Dr. Blenheim disse que havia leis contra esse tipo de ação.

Assassinato, homicídio culposo ou algo parecido. Acho que foi assim que ele chamou a coisa.

Papai garantiu que preferíamos chamar aquilo de golpe de misericórdia.

Misericórdia para com o restante de nós, ele queria dizer.

E mais ainda, que não daria queixa dele. Mas, mesmo assim o Dr. Blenheim não se deixou persuadir.

E nenhuma de nós acabou se parecendo, ainda que remotamente, com Jamie Lee Curtis, apesar de todos os nossos esforços. Ficamos meio desanimadas e desapontadas, e decidimos nos vingar da bicicleta, ignorando-a.

Depois de algum tempo, até papai parou de fingir que usava os aparelhos. Resmungou vagamente algo sobre uma matéria que lera na *Cosmopolitan,* sobre o fato de que excesso de exercício é tão ruim quanto nenhum exercício.

Eu própria lera a matéria em questão. Na verdade, era sobre pessoas que fazem exercícios de forma compulsiva, pessoas realmente doentes, pessoas que não se pareciam nada com papai.

Mas, no que dizia respeito a papai, ele arrumara uma desculpa definitiva. Ele tinha a justificativa perfeita para abandonar a bicicleta e a máquina de remo.

Ele usava a defesa da *Cosmopolitan* sempre que mamãe fazia muito barulho em torno de quanto as máquinas haviam custado e de como nunca quisera que ele as comprasse, e de como previra exatamente que aquilo aconteceria etc.

Então as duas máquinas foram tristemente descartadas e ficaram tomando poeira, juntamente com as grossas meias cor-de-rosa e as faixas azuis retorcidas que compramos para ficar com boa aparência.

Na verdade, Margaret e eu até compramos para papai um par de meias grossas cor-de-rosa e uma faixa. Ele as usou uma vez, para nos divertir. Acho que ainda há uma fotografia disso por aí, em algum lugar.

Então, fiquei muito surpresa quando quase tropecei na bicicleta e na máquina de remo, no quarto de Rachel.

Fazia anos que não as via. Pensara que há muito haviam sido deportadas para a Sibéria, que é a garagem, juntamente com o Space-Hopper, os pula-pulas, os patins, os skates, o jogo de Ker-plunk!, o Trivial Pursuit, as raquetes de squash, as fitas de "Aprenda Espanhol Por Si Mesmo", o minibridge, a canoa de fibra de vidro e os milhares de outros brinquedos e diversões que gozaram de um período de breve, mas intensa popularidade, sem falar que causaram incontáveis brigas em nossa família, antes de caírem em desgraça, perderem sua atração e serem jogados na escuridão sideral, convivendo com o carvão, a máquina de cortar grama e as chaves de fenda.

Fiquei muito feliz de vê-las.

Embora um tanto surpresa.

Eram velhas amigas que eu não via há anos e que reencontrava agora de forma totalmente inesperada.

Percebo agora, olhando as coisas retrospectivamente, que o que eu realmente precisava era de um saco de pancadas. Para que pudesse ter posto para fora um pouco da raiva terrível que sentia de James e Denise.

Mas, na ausência de um saco desses e em razão de o fato de que a atual legislação me proibia de usar a cabeça de Helen, a descoberta da bicicleta e da máquina de remo foi uma bênção.

De alguma forma, percebi que um pouco de exercício físico poderia me impedir de ir além da medida e explodir de ciúme e ressentimento.

Isso ou imensas quantidades de álcool.

Então, coloquei minha garrafa e meu copo em cima da penteadeira de Rachel e subi na bicicleta, enfiando a camisola embaixo do meu corpo. Sim, eu ainda usava uma das camisolas de mamãe. Não a mesma que comecei usando na noite em que voltei. As coisas não chegaram a ser tão ruins. Eu não mergulhara tão fundo. Mas uma camisola que era farinha do mesmo saco.

Sentindo-me um tanto tola (mas não tão tola, afinal, eu tinha meia garrafa de vodca ali perto), comecei a pedalar. E, enquanto o restante da casa dormia, eu pedalava e suava. E, depois, por algum tempo, remei e suei. E, depois, voltei para a bicicleta novamente e pedalei e suei um pouco mais.

Enquanto James dormia pacificamente em alguma parte de Londres, com seu braço jogado protetoramente em cima de Denise, eu pedalava como uma louca no quarto que ainda tinha pôsteres de Don Johnson na parede, com lágrimas quentes de ódio jorrando pelas minhas faces arroxeadas.

Não pude deixar de sentir pena de mim mesma pela pungente justaposição.

Todas as vezes que imaginava os dois na cama juntos, pedalava com mais velocidade ainda, como se, usando força suficiente, pudesse me livrar da dor.

Pensava nela tocando no lindo corpo nu de James, tinha outra explosão de energia furiosa e forçava meu corpo com mais vigor ainda.

Tinha medo de matar alguém, se parasse de pedalar.

Eu não fazia exercício há meses, nada fizera de extenuante há séculos (além de dar à luz uma criança), mas não fiquei cansada e nem mesmo sem fôlego.

Quanto mais força eu usava nos pedais, mais fácil aquilo se tornava.

Sentia que os músculos das minhas coxas eram feitos de aço (e definitivamente não eram, posso garantir a vocês).

Os pedais zumbiam em círculo, formando um borrão. Sentia-me como se minhas pernas estivessem lubrificadas, pois trabalhavam com extrema facilidade. Era como se alguém tivesse posto óleo em minhas articulações.

Pedalava com velocidade cada vez maior, até que, finalmente, o duro e apertado nó em meu peito começou a se desatar. Uma sensação de calma se instalou em mim.

Fui capaz de respirar quase normalmente.

Quando afinal desci da bicicleta, com o guidom escorregadio por causa do meu suor, a camisola grudada em meu corpo, sentia-me quase exultante.

Voltei para meu quarto e me deitei.

Kate olhou para meu rosto escarlate e minha camisola encharcada, mas não pareceu particularmente interessada.

Coloquei meu rosto ardente no travesseiro frio e percebi que agora poderia dormir.

Acordei muito cedo, na manhã seguinte. Eu até ganhei de Kate nisso. De fato, numa clara inversão de papéis, eu a acordei com o som do meu próprio choro.

"Agora você sabe como é", pensei, enquanto soluçava. "Será que isso é maneira de começar o dia?"

Os espectros do ciúme e do ódio voltaram.

Estavam flutuando acima de mim, enquanto eu dormia, olhando-me lá embaixo. "Devemos acordá-la agora?", um consultou o outro.

"Sim", disse o Ciúme. "Gostaria de fazer isso?"

"Ah, não, por que você não faz?", ofereceu-lhe o Ódio, educadamente.

"Será um prazer", disse o Ciúme, com amabilidade. E então me agarraram grosseiramente pelo ombro e me sacudiram até eu acordar.

Acordei com a horrível imagem em minha cabeça de James na cama com Denise.

O amargo ódio estava de volta, circulando em meu corpo como um veneno.

Então, enquanto alimentava Kate, arrematei o restante da vodca, depois voltei para o quarto de Rachel e tornei a subir na bicicleta ergométrica.

Se houvesse alguma justiça no mundo, eu deveria estar rígida como um atiçador de brasas, após meus esforços da noite anterior. Mas uma coisa que eu aprendera nos últimos meses foi que não havia nenhuma.

Justiça, quero dizer.

Por isso, eu não estava rígida como um atiçador de brasas.

Passei mais ou menos a semana seguinte devorada pelo ódio e pelo ciúme. Odiava James e Denise. Aterrorizava minha família sem sequer perceber que fazia isso. E, quando as coisas iam longe demais para mim, embarcava na bicicleta e tentava me livrar, pedalando, de um pouco do meu terrível ódio. Também bebia demais.

Devia a Anna uma fortuna.

Helen cobrava-me somas extorsivas para fazer qualquer compra para mim.

E a lei da oferta e da procura ditava que eu não tinha escolha senão pagar-lhe.

Era uma compradora, num mercado de vendedores.

Estava num beco sem saída, por assim dizer.

Podia pagar a ela ou ir pessoalmente.

E, para mim, ainda era impensável sair da casa.

Portanto, eu pagava.

Ou, melhor dizendo, como eu própria não tinha dinheiro vivo, Anna lhe pagava.

Eu tinha toda a intenção de pagar a Anna o que devia, mas em meu próprio tempo. Não estava particularmente preocupada com o impacto que causava no fluxo de caixa de Anna.

Mas deveria estar.

Quero dizer, ela era a única que vivia de seguro-desemprego.

E tinha de sustentar um vício mais ou menos significativo em drogas pesadas.

Mas eu só me preocupava comigo mesma.

Estava meio bêbada, a maior parte do tempo. Achava que anestesiaria a dor e a raiva embriagando-me. Mas não ajudava, realmente. Apenas me sentia mais ou menos perdida e confusa. E depois, quando ficava sóbria, nos poucos minutos que demorava para tomar minha dose seguinte e os efeitos se fazerem sentir em mim, a depressão era terrível. Muito, muito ruim.

Nunca pensei que um dia diria isso, mas a bebida não é realmente a solução.

Drogas, talvez.

Mas não bebida.

Só quando ouvi, por acaso, uma conversa entre mamãe, Helen e Anna, percebi como estava sendo terrível.

Eu me preparava para entrar na cozinha, quando prendi a manga do meu macacão (quero dizer, do macacão de papai) na maçaneta do armário do corredor.

Enquanto me soltava, ouvi Helen falando na cozinha.

— Ela está maluca — queixava-se Helen. — Faz a gente ter medo de que apareçam na televisão pessoas se beijando, porque basta isso para ela ficar uma fera.

Sobre quem será que elas estavam falando, imaginei, já pronta para começar também a aderir ao massacre, não importava quem fosse a infeliz pessoa. A tal ponto me tornara mesquinha e amarga.

— Pois é — disse Anna, entrando na conversa. — Quero dizer, ontem, quando víamos televisão, ela atirou na porta o vaso que te dei no Natal, só porque Sheila disse a Scott que o amava.

— Atirou? — perguntou mamãe, parecendo ultrajada.

Percebi, com um choque, que falavam de mim. Bem, devia ser eu. Tinha sido eu quem jogara aquele vaso horrível na porta.

Mas que caras de pau!

Fiquei em silêncio atrás da porta e continuei escutando como a pessoa horrível que eu me tornara.

— Realmente, não consigo acreditar — prosseguiu mamãe, parecendo abalada até o mais íntimo do seu ser. — E o que Scott disse sobre isso?

— Ah, mamãe, você não consegue esquecer *Down Drongo Way* nem durante cinco minutos — disse Helen com uma voz de quem vai chorar de frustração. — Isto é sério. Claire se comporta como um monstro.

"Bem, talvez eu seja um monstro, mas aprendi com você tudo o que sei, querida", pensei, com azedume.

— É quase como se ela estivesse possuída pelo demônio! — prosseguiu Helen.

— Acha que talvez esteja? — perguntou Anna, com grande excitação, obviamente pronta para folhear seu livro de demonologia e dar a elas o nome de um bom exorcista. ("Ouvi dizer que ele é ótimo. Todas as minhas amigas recorrem a ele.")

— Escutem, meninas — disse mamãe, gentilmente —, ela passou um mau pedaço.

Sim, passei mesmo, concordei silenciosamente, em pé, congelada, à porta.

— Então, tenham um pouquinho de solidariedade. Tentem ter um pouquinho de paciência. Vocês não têm ideia de como ela deve estar se sentindo mal.

Não, sem dúvida vocês não podem, mudamente endossei.

Seguiu-se um silêncio.

Ótimo, pensei, isso as deixou envergonhadas.

— Ela quebrou seu cinzeiro Aynsley ontem à noite — resmungou Helen.

— Ela fez o quê? — perguntou mamãe, rispidamente.

— Quebrou, sim — confirmou Anna.

"Sua traidora!", pensei.

— Está bem — disse mamãe, em tom decidido. — Agora ela foi longe demais.

— Ah! — disse Helen, com um tom de triunfo na voz, sem dúvida falando com Anna. — Eu te falei que mamãe detestava aquela droga de vaso velho que você fez para ela. Sabia que só fingia gostar dele. Por que ela não ligou que a Claire o jogasse na porta, mas se importa quando é o cinzeiro Aynsley?

"É hora de eu dar o fora", pensei.

Silenciosamente tornei a subir a escada, sentindo-me abalada.

Um estranho sentimento tomara conta de mim.

Mais tarde procurei-o em meu livro de referências emocionais e o identifiquei.

Não poderia haver dúvida a respeito dele.

Era definitivamente Vergonha.

Mais tarde, naquela noite, deitada em minha cama bebendo sidra, recebi uma visita de papai.

Já esperava aquilo.

Era o que costumava acontecer, quando era mais nova, sempre que eu me comportava mal e mamãe descobria a falta, a indiscrição, o delito ou o que fosse.

Ela então recorria à artilharia pesada, contando a papai.

Ele bateu tranquilamente e depois enfiou a cabeça pela porta do meu quarto, com uma expressão claramente constrangida.

Há muito tempo que ele não fazia isso. Sem dúvida, mamãe estava atrás dele, no patamar, com um aguilhão elétrico para gado, rosnando: "Entre aí e diga a ela. Infunda nela o temor a Deus. Ela não me escuta, mas tem medo de você."

— Olá, Claire. Posso entrar? — perguntou.

— Sente-se, papai — disse, indicando a cama e apressadamente guardando a garrafa meio vazia de sidra extraforte no pequeno armário ao lado de minha cama.

— Olá, minha neta favorita — disse ele a Kate.

Não entendi a resposta que ela deu.

— Pois é! — disse ele, tentando ser jovial.

— Pois é — concordei, secamente. Não facilitaria as coisas para ele.

Sentia uma horrível confusão de sentimentos. Uma combinação de vergonha, mortificação, constrangimento por causa do meu comportamento infantil, atitude de defesa por ser repreendida, ressentimento por ser tratada como uma criança e a percepção de que era hora de parar de me comportar como uma egoísta horrorosa.

Papai sentou-se pesadamente na cama, esmagando uma lata vazia de cerveja que ele não notara, aninhada no edredom.

Ele a pegou e estendeu-a para mim, triste.

— Que é isso? — perguntou-me.

O que parece?, tive vontade de perguntar-lhe, sentindo-me cheia de culpa, como se tivesse outra vez 15 anos.

— É uma lata de cerveja, papai — resmunguei.

— Imagine como isso faz sua mãe se sentir — disse ele, partindo para a jugular da culpa. — Você deitada na cama e bebendo cerveja sozinha o dia inteiro.

Isso é o de menos, pensei, alarmada, esperando, pelo amor de Deus, que ele não se atirasse de repente no chão e notasse duas garrafas vazias de vodca debaixo da cama.

Eu estava dominada pelo pânico e pela vergonha. Louca para ele dar o fora dali. O pobre homem não sabia da missa a metade. Eu tinha de me livrar das garrafas antes que ele passasse o aspirador na casa, na sexta-feira. Então ele estaria fadado a se deparar com elas.

Ou talvez não.

Concisão parecia ser sua palavra de ordem, no que dizia respeito à aspiração do pó.

Nem pensar em deslocar objetos, como cadeiras, por exemplo, para limpar embaixo delas.

Ou mesmo objetos tipo livros ou sapatos, para ser honesta com vocês.

Ou até mesmo lenços de papel ou alfinetes de pressão, sendo aqui inteiramente franca.

Ele vinha da escola "Por que limpar embaixo, quando se pode apenas limpar em volta?"

Longe dos olhos de papai, longe do coração de papai.

O que o olho não via, o aspirador de pó não sentia, por assim dizer.

Então, talvez as garrafas vazias de vodca pudessem dormir pacificamente debaixo da cama e permanecer ali durante décadas.

Mas, apesar disso, decidi que as jogaria fora, de qualquer jeito.

Estava envergonhada e mortificada pela maneira como andava me comportando. Mostrava-me egoísta e irresponsável.

— Você está sendo egoísta e irresponsável — disse papai.

— Eu sei — resmunguei.

Sentia-me nauseada de tanta culpa.

E que tipo de mãe eu estava sendo para Kate?

— E que tipo de mãe você está sendo para Kate? — perguntou ele.

— Uma verdadeira bosta — murmurei.

Pobre criança, pensei, já basta ter sido abandonada pelo pai.

— Pobre criança — disse papai. — Já basta ter sido abandonada pelo pai.

Eu realmente desejava que esse eco mental parasse.

— Beber não afoga as mágoas de ninguém — suspirou papai. — Apenas as ensina a nadar.

Você poderia pensar que era uma coisa muito profunda e verdadeira o que ele acabara de dizer.

Eu pensei.

Das primeiras oitocentas vezes que ouvi isso.

Mas agora já sei exatamente do que se trata. É a primeira linha do parágrafo de abertura do sermão de papai, intitulado "Os Males da Bebida".

Ouvira-o tantas vezes em minha adolescência que já podia praticamente repeti-lo de cor.

"É uma coisa sem sentido", pensei.

— É uma coisa sem sentido — disse papai, tristonho.

E, pelo amor de Deus, eu não quero acabar como minha tia Julia.

— E, pelo amor de Deus, você não vai querer acabar como sua tia Julia — disse papai, cansado.

Pobre papai, tia Julia era sua irmã mais nova, e ele tinha que lidar com as crises alcoólicas dela.

Quando ela perdeu o emprego porque estava bêbada no horário de trabalho, a primeira coisa que fez foi telefonar para papai.

Quando foi derrubada por uma bicicleta porque estava perambulando bêbada pela rua, tarde da noite, para quem a polícia telefonou?

Exatamente.

Para papai.

É dinheiro jogado fora, pensei.

— E é dinheiro jogado fora — disse ele, enfático.

Dinheiro que eu não tenho.

— Dinheiro que você não tem — continuou ele.

E isso vai destruir minha saúde.

— E isso vai destruir sua saúde — ele advertiu.

Vai arruinar minha aparência.

— Não resolve nada — ele concluiu.

Errado! Ele se esquecera de dizer que arruinaria minha aparência. Seria melhor lembrá-lo.

— E arruinará minha aparência — lembrei-lhe, gentilmente.

— Ah, sim — disse ele, apressado: — E arruinará sua aparência.

— Papai, lamento muito por tudo — disse. — Sei que tenho sido muito má com todo mundo e uma preocupação para vocês, mas vou parar. Prometo.

— Boa menina — ele me deu um pequeno sorriso.

Senti-me como se tivesse novamente 3 anos e meio.

— Sei que não é fácil para você — disse ele.

— Mesmo assim, não é desculpa para eu me comportar dessa maneira horrorosa — admiti.

Ficamos sentados em silêncio por alguns minutos.

Os únicos ruídos eram os de Kate, ressonando, cheia de felicidade — talvez ela estivesse tão satisfeita como todos os demais por eu ter levado meu sermão —, e os meus, fungando para reprimir o choro.

— E você vai deixar as meninas verem seus programas de televisão? — perguntou papai.

— Claro — choraminguei.

— E vai parar de gritar com todos nós? — perguntou ele.

— Vou — disse eu, baixando a cabeça.

— E não vai mais ficar por aí atirando coisas?

— Não vou atirar mais nada.

— Você é uma boa garota, sabe, filha? — Ele me deu um meio sorriso. — Não importa o que digam sua mãe e suas irmãs.

8

Depois que papai me passou seu sermão na noite anterior, beijou-me — desajeitadamente, claro —, mas mesmo assim ainda era um beijo, e disse que gostava de mim, sem ser capaz de me olhar nos olhos.

Depois, gentilmente, sacudiu o pequeno pé macio e cor-de-rosa de Kate e saiu do quarto.

E eu fiquei deitada em minha cama um longo tempo, pensando no que ele dissera. E no que eu ouvira, escondida, minha mãe e minhas irmãs falarem mais cedo.

E uma mudança aconteceu comigo.

Algum tipo de paz entrou em minha alma.

A vida continua.

Até a minha vida.

Eu passara o último mês exonerando-me dos meus próprios compromissos para com a vida. Os excessos de sono, de bebida, de exercícios, o fato de não tomar banho. Tudo eram coisas que eu usara para manter a vida a distância.

Porque viver sem James, e com a rejeição, era terrível demais.

Eu não queria minha vida.

Não, pelo menos, aquela versão.

Então, decidira passar inteiramente sem uma vida.

Mas a vida era um tipo de criatura irreprimível e, por mais que eu tentasse fingir que não estava ali, ela continuava a enfiar a cabeça através de quaisquer brechas em minhas defesas e a me fazer brincar em sua companhia.

"Ah, aí está você", ela dizia, cheia de vida, tão saltitante quanto uma bola de borracha, enquanto eu ficava deitada em minha cama sozinha, bebendo vodca com suco de laranja, com o fiel exemplar da *Hello* do meu lado. "Procurei você por toda parte. Ei, isso não me parece lá muito divertido. Venha comigo e encontraremos outras pessoas. Vamos conversar e rir um pouquinho."

"Ah, dê o fora e me deixe em paz", respondia eu. "Estou bem assim. Não quero conversar com mais ninguém. Mas, já que estou conversando com você, será que podia conseguir para mim uma garrafa de Smirnoff, se passar por algum lugar que venda?"

Depois da conversa com papai, decidi que tinha de começar a viver novamente.

E tinha de parar de pensar apenas em mim mesma.

Precisava fazer isso.

E seria capaz de fazer isso.

Ainda amava muito James, ainda queria que ele voltasse. Ainda estava com o coração partido. Ainda sentia falta dele, como se sente a falta de um braço ou uma perna. Provavelmente, ainda choraria todas as noites, antes de dormir, durante o próximo século inteiro.

Mas não estava mais aleijada pela minha perda.

Meus tornozelos tinham sido quebrados pelo bastão de críquete da infidelidade e da traição de James. Isso me jogara no chão, arrebentada, e me deixara ali deitada, arquejando de dor, incapaz de me levantar.

Mas estava apenas machucada.

Muito, na verdade.

Mas, ao contrário das primeiras impressões, nada estava quebrado. Agora, eu tentava dolorosamente ficar de pé, vendo se ainda podia caminhar.

E, embora mancasse muito, descobri, para minha alegria, que podia.

Não digo que não sentisse ciúme. Que não estivesse com ódio.

Claro que sim.

Mas estava melhor. O sentimento não era tão intenso. Não era tão poderoso. Não era tão horrível.

Vamos colocar as coisas nos seguintes termos: eu ainda não recusaria a oportunidade de dar um soco no estômago de Denise nem de deixar James com um olho roxo, mas não alimentava mais fantasias de me esgueirar para dentro do seu secreto ninho de amor e despejar um imenso tonel de água fervendo sobre seus corpos adormecidos.

Acreditem, já era um progresso.

Ainda furiosa e deprimida, mas um pouco menos deprimida, decidi relançar-me ao mundo, com o mínimo de estardalhaço possível.

Na hora de dormir, contava minhas graças.

Bem, não é bem assim. Na verdade, não contava minhas graças. Não dizia a mim mesma: "Bem, tenho cinco graças. Agora, posso dormir feliz."

Mas pensava realmente nas boas coisas da minha vida. E essa foi uma mudança radical e importante na maneira como pensara durante o mês anterior.

Tinha uma filha linda.

Tinha uma família que me amava. Ou, pelo menos, tinha certeza de que voltaria a me amar, assim que eu parasse de me comportar como um anticristo.

Ainda era jovem.

Tinha um lugar para morar.

Tinha um emprego para o qual voltar, dentro de cinco meses.

Tinha saúde (bizarro — nunca pensei que me ouviria dizer isso antes de completar 90 anos).

E, acima de tudo, sem a menor ideia de onde vinha esse sentimento, tinha alguma esperança.

Dormi como um bebê.

Na verdade, não fiz nada disso.

Ou será que acordei de duas em duas horas, rugindo como um trem, exigindo ser alimentada ou que trocassem minhas fraldas? Não, não fiz isso.

Mas dormi muito pacificamente.

E já era o bastante para ir levando.

Adoraria poder dizer a você que, na manhã seguinte, quando acordei, a chuva tinha cessado, as nuvens tinham sumido e o sol saíra, num dia novinho de céu azul.

Um dia ensolarado refletindo meu estado de espírito solar, se quiser entender assim.

E nuvens negras indo embora exatamente como as nuvens negras da minha tristeza, por assim dizer.

Mas a vida real não é assim.

Ainda chuviscava.

Mas que droga.

Acordei ao amanhecer, como sempre, e alimentei Kate.

Devagarinho, testei meus sentimentos, da maneira como alguém, com a língua, testa a gengiva em torno de um dente dolorido. E fiquei encantada por descobrir que meu estado de espírito não mudara, era o mesmo da noite anterior. Eu ainda me sentia viva e esperançosa.

Foi uma grande emoção.

Voltei a dormir e tornei a acordar por volta das onze. Havia um pouco de confusão no banheiro. Aparentemente, Helen descobrira um caroço em seu seio e estava numa gritaria incrível. Mamãe subiu correndo a escada e, depois de uma conversa, ouvia-a dizer a Helen, zangada: "Helen, isso não é um caroço em seu seio, é seu seio propriamente dito."

Mamãe desceu de volta a escada, pisando forte e resmungando para si mesma: "Quase me mata de susto, fazer meu coração disparar desse jeito... Eu mato essa menina."

Helen se vestiu e foi para a universidade.

E eu tomei um banho de chuveiro.

Até lavei meu cabelo.

Depois, limpei meu quarto.

Puxei as duas garrafas vazias de vodca de debaixo da cama. E peguei também as latas vazias de sidra extraforte e as caixas de suco de laranja e coloquei tudo num saco plástico para jogar no lixo.

Em seguida, recolhi todos os copos que usara nas últimas duas semanas e juntei-os em formação militar, a fim de serem levados para baixo e lavados. Peguei os pedaços do copo que eu quebrara, atirando-o contra a parede, numa noite particularmente perturbada e bêbada, e embrulhei os fragmentos num jornal velho.

E, o mais simbólico de tudo, joguei fora todos os exemplares de *Hello* que havia no quarto.

Várias centenas de lares "suntuosos" condenados ao lixo, numa rápida operação de extermínio.

Senti-me limpa e purificada.

Não queria mais ler revistas baratas. Daquele momento em diante, adotaria uma dieta estrita de *Time*, *The Economist* e *The Financial Times*.

E, apenas ocasionalmente, daria uma olhada no exemplar da *Marie Claire* que papai comprava todos os meses, supostamente para Helen e Anna, mas que de fato era para ele mesmo.

Adorava a revista. Embora dissesse desprezá-la, como "lixo feminino". Frequentemente, ele era descoberto lendo escondido. Enquanto negligenciava suas tarefas domésticas, devo acrescentar.

Muitas vezes, era encontrado absorto em alguma matéria, talvez sobre circuncisão feminina, ou comportamento sexual compulsivo, ou os melhores métodos para remover os pelos da perna, enquanto os tapetes permaneciam sem ser aspirados.

Finalmente, após meditar sobre o assunto durante cerca de um mês, decidi que me arrumaria.

E, acreditem se quiser, quando experimentei o jeans de James que usara no avião ao vir de Londres, não coube mais em mim.

O que quero dizer é que estavam enormes.

É o que passar um mês numa dieta de vodca com suco de laranja faz com você.

(Mas não experimente fazer isso em casa.)

Então fui para o quarto de Helen fazer uma investida no guarda-roupa dela.

Porque, meu Deus, ela me devia.

Mais ou menos nas últimas duas semanas, ela me dava uma facada atrás da outra, com suas excessivas exigências para "despesas", a fim de ir à loja de bebidas.

Por mais que eu gostasse de Anna, não queria usar um dos seus blusões compridos e amorfos, cheios de sinos, espelhos e lantejoulas.

No quarto de Helen, em sua cadeira, juntamente com uma montanha de livros didáticos inteiramente intocados e caríssimos, encontrei uma linda legging.

Ficou muito bem. Fazia minhas pernas parecerem compridas e esguias.

Não apenas ficou bem.

Foi um verdadeiro milagre.

Se o homem que fez aquela legging quisesse um dia ser canonizado, eu consideraria suas chances muito boas.

No guarda-roupa dela, encontrei uma linda blusa de seda azul.

E, acredite se quiser, também ficou muito bem. Realçou minha pele clara e meus olhos azuis.

Olhei para mim mesma no espelho e tive um choque de reconhecimento.

"Ei, eu a conheço", pensei. "Sou eu. Estou de volta."

Pela primeira vez em meses, meu reflexo parecia normal. Não parecia uma melancia com pernas, porque não estava mais enorme de grávida nem gorda como uma porca. E não parecia alguma fugitiva de um asilo de loucos, com o cabelo sem pentear, uma camisola imensa e um aspecto perturbado.

Era apenas eu, da maneira como eu me lembrava de mim mesma.

Encharquei-me com o Obsession de Helen, embora o detestasse, e, depois de verificar que não havia nada mais dela de que eu pudesse me servir, voltei para meu quarto.

Até coloquei um pouco de maquiagem. Só um pouquinho.

Não queria que mamãe telefonasse para a polícia a fim de informar que havia uma intrusa na casa.

Depois, debrucei-me sobre o berço de Kate e apresentei meu novo eu (ou melhor, meu antigo eu) a ela.

— Olá, querida — sussurrei. — Diga olá para a mamãe.

Antes de eu poder me desculpar com ela pelo meu aspecto terrível e comportamento ainda pior durante o primeiro mês de sua vida, ela começou a chorar aos berros.

Obviamente, não tinha ideia de quem eu era.

Nem minha aparência nem meu cheiro eram, de forma alguma, os da pessoa com quem ela estava acostumada.

Fiz com que ela parasse de chorar e se acalmasse. Expliquei-lhe que aquela era a verdadeira eu, e a outra mulher, que cuidara dela no mês passado, era alguém muito malvado que fizera se passar por sua mãe.

Ela pareceu achar essa explicação bastante razoável.

Depois, fui para o andar inferior, ver mamãe, que estava diante da televisão.

— Oi, mamãe — disse eu, ao entrar na sala de estar.

— Olá, amor — disse ela, erguendo os olhos de *Home and Away.*

Depois, se voltou bruscamente, numa reação tardia, e quase caiu no chão.

— Claire! — exclamou. — Você se levantou! Está vestida! Está linda, que maravilha! — E levantou-se do sofá, aproximou-se de mim e me deu um grande abraço. Parecia tão feliz.

Abracei-a também, e ficamos as duas ali em pé feito idiotas, sorrindo, com lágrimas nos olhos.

— Acho que estou superando a situação — disse-lhe eu, com voz trêmula. — Pelo menos, acho que começo a superar. E lamento ter me comportado tão mal. Desculpe ter preocupado tanto todos vocês.

— Você sabe que não precisa se desculpar — disse ela, com doçura, ainda me abraçando, olhando-me nos olhos e sorrindo. — Sabemos que foi terrível para você. E só queremos que você seja feliz.

— Obrigada, mamãe — sussurrei.

— E então, o que vai fazer hoje? — perguntou ela, alegre.

— Bem, acho que vou acabar de ver a novela com você — disse eu, apontando para a televisão. — E depois vou preparar o jantar para todos nós, esta noite.

— É muita gentileza de sua parte, Claire — disse mamãe, com certo tom de dúvida. — Mas todos sabemos usar o micro-ondas.

— Não, não — protestei, rindo. — Quero dizer que vou mesmo cozinhar um jantar de verdade para todos vocês, ou seja, ir ao supermercado, comprar ingredientes frescos e fazer tudo desde o começo.

— Ah, é mesmo? — disse minha mãe, e uma expressão remota lhe veio aos olhos. — Faz muito tempo desde a última vez em que um jantar de verdade foi feito naquela cozinha.

Disse isso do modo como diria uma bruxa velha e sábia, em alguma lenda: "Ah, fazia longos e infelizes anos, desde que um alto e forte rapaz do clã McQuilty partiu o pão sob o mesmo teto que um rapaz do clã McBrandawn, que não ouvíamos o tinir do aço contra o aço e pelas ruas não corria o sangue de bravos jovens guerreiros"... ou algo parecido.

Quase me escapava que um verdadeiro jantar jamais fora feito naquela cozinha, pelo menos enquanto aquilo ali fora o lar ancestral do clã Walsh e enquanto mamãe estivera no comando da nau da alimentação, mas na hora H consegui calar a boca.

— Não será nada de mais, mamãe — disse-lhe eu. — Farei apenas um pouco de massa ou algo assim.

— Massa — ela respirou, ainda com a expressão distante em seus olhos, como se recordasse de outra vida, outro tempo, outro mundo. — Sim — fez um sinal afirmativo com a cabeça, com um sinal de reconhecimento aparecendo em seus olhos. — Sim, lembro-me de massa. (Ainda usava o tom de voz com que seria de esperar ouvi-la dizer "vós" em vez de "vocês".)

"Meu Deus!", pensei, alarmada. "Será que ela ficou tão traumatizada no passado por suas experiências com a cozinha que essa sugestão a desarticulou totalmente?"

— Então, posso pegar o carro e ir até o supermercado comprar alguma coisa? — perguntei-lhe, sentindo-me algo nervosa.

— Se você precisa — disse ela com voz fraca, resignada —, se você precisa, então...

— E você me empresta algum dinheiro? Só tenho libras — emendei.

— Eles aceitam cartões de crédito — respondeu depressa.

A menção a dinheiro a fizera voltar abruptamente daquele mundo de divagações, onde estivera durante os últimos minutos.

Não que ela seja sovina, você entende. Longe disso. Mas anos de luta para alimentar cinco filhas e dois adultos com um orçamento limitado promovem apurado bom senso de economia. Ser cuidadoso com dinheiro é um hábito difícil de mudar.

Ou, pelo menos, assim me disseram.

Na verdade, eu não tivera nenhuma experiência pessoal com isso.

Ela me deu as chaves do carro e colocamos Kate no banco de trás, em seu berço portátil.

Mamãe ficou em pé no degrau e me acenou dando adeus, como se eu fosse embora para sempre, em vez de apenas seguir pela rua até o Superquinn.

Mas era um pouco de aventura. Há semanas eu me recusava a sair da casa. Era um indício de que eu estava em vias de recuperação.

— Divirta-se — disse ela. — E lembre-se: se mudar de ideia quanto a fazer o jantar, não se preocupe. Não haverá problema. Você não deixará nenhum de nós sem comer. Podemos ter o jantar de costume. Ninguém se importará.

Por que será que fiquei com a impressão de que ela não queria que eu cozinhasse?, foi o que imaginei enquanto me afastava no carro.

Realmente, passei momentos maravilhosos no supermercado, caminhando pelos corredores, empurrando meu carrinho, com Kate em um canguru no meu peito. Comprando as provisões para mim mesma e para minha filha, fazendo o papel de família feliz, mesmo quando acontece de a família feliz ter apenas a mãe.

Comprei umas vinte toneladas de fraldas para Kate. Mamãe e papai tinham sido tão bons, comprando tudo para o bebê enquanto eu estava prostrada, fosse com o sofrimento ou com o álcool. Mas era tempo de eu me mostrar responsável. Seria eu quem tomaria conta de Kate dali em diante.

Atirei todo tipo de comida exótica e cara dentro do meu carrinho. Melões Gália? Sim, vou levar dois. Uma caixa de bombons artesanais recheados com chantili fresco? Por que não? Uma caixa de alfaces glamorosas e caras? Vá em frente, garota.

Eu me divertia loucamente.

A despesa ficaria pendurada. Porque eu ia pagar com cartão de crédito.

E para onde seriam enviadas as contas do cartão de crédito?

Correto. Para meu apartamento em Londres.

Então, quem teria a responsabilidade de pagar tudo aquilo?

Correto novamente.

James.

Sorri para outras mães, jovens e não tão jovens, que também faziam suas compras.

Eu devia parecer exatamente mais uma delas. Uma jovem mulher com um bebê. Sem absolutamente nada para se preocupar, a não ser, talvez, a possibilidade de não conseguir dormir uma só noite inteira, durante a próxima década. Não havia qualquer indício de que meu marido me deixara.

Eu não carregava mais minha humilhação como uma arma.

E não me ressentia da vida perfeita de mais ninguém. Não odiava todas as outras mulheres do mundo cujos maridos não as deixaram.

Como poderia ter certeza de que a mulher com quem eu trocava sorrisos tolos por cima dos abacates era felicíssima?

Como poderia saber se a mulher que empurrei de leve, ao pegar na prateleira um frasco de molho de mel e mostarda, estava inteiramente livre de todas as preocupações?

Todos tinham seus próprios problemas.

Ninguém era perfeitamente feliz.

Eu não fora escolhida especialmente pelos deuses para que a infelicidade recaísse sobre mim.

Era apenas uma mulher comum, com problemas comuns, fazendo suas compras entre outras mulheres comuns.

Passei pelo setor de bebidas e dei uma olhada nas fileiras sucessivas de garrafas de vodca, reluzindo e cintilando, a emitir um fulgor prateado. Foi quase como se elas estivessem me chamando: "Ei, Claire, aqui! Me pegue, me pegue! Podemos ir para casa com você?" Instintivamente, virei meu carrinho naquela direção.

E logo o virei para outra parte.

Lembre-se de tia Julia, disse a mim mesma, severamente.

E papai tinha razão. Ficar deitada na cama, bêbada, não era vida. Não resolveria nada.

Com um choque terrível, percebi que talvez eu tivesse afinal me tornado uma adulta.

Eu estava concordando com o sermão de papai "Os Males da Bebida" em vez de rolar de tanto rir e zombar dele.

Claro, eu fora avisada de que este dia poderia finalmente chegar, mas ainda não estava preparada para ele.

Se não me cuidasse, meu próximo passo seria olhar de viés para a televisão, quando passasse *Top of the Pops*, e perguntar sobre quem estivesse cantando: "É um rapaz ou uma moça?" Ou comentar: "Por que não podem mais escrever canções com melodias de verdade? Porque isso não é música, apenas barulho."

Um pouquinho abalada, atravessei o corredor das sobremesas geladas.

Quando estava grávida, eu costumava comer musse de chocolate congelada aos montões. Na verdade, isso realmente aborrecia James.

Então, pensei em pegar uma para mim, em memória dos velhos tempos.

E em sinal de desafio.

Ergui Kate para lhe mostrar as fileiras intermináveis de caixas de musse de chocolate.

— Conheça a família — disse eu.

Peguei uma caixa e segurei-a para ela ver.

— Veja isso — disse-lhe eu. — Sem isso provavelmente você não estaria aqui. — Ela olhou para a caixa com seus olhos azuis e redondos e estendeu seu gordo bracinho para tocar as gotinhas que a cobriam. Obviamente algo em seu sangue clamava por musse de chocolate, algo tão antigo quanto a humanidade, reconhecendo uma coisa que, em tempos difíceis, ajudara sua mãe.

Fui pagar, tendo um imenso prazer com a soma astronômica que seria cobrada de James no cartão de crédito.

E lá fomos para casa.

No caminho, paramos no banco e troquei minhas libras esterlinas por libras irlandesas. Logo que Anna chegasse em casa, eu lhe devolveria cada centavo que lhe devia. Pelo menos agora ela poderia pagar a seu traficante. E assim continuar a ter um par de rótulas intacto.

9

Tive de tocar a campainha da porta, quando voltamos para casa, porque saíra sem chave. Mamãe atendeu.

— Estou chegando — disse-lhe. — Nós nos divertimos muito, não foi, Kate?

Mamãe observou-me, enquanto eu carregava para a cozinha um saco plástico após outro.

Circulou em torno de mim, com um jeito suspeito, enquanto eu desempacotava as mercadorias em cima da mesa da cozinha.

— Você conseguiu tudo o que queria? — perguntou, com a voz algo trêmula.

— Tudo! — confirmei, entusiasticamente.

— Então ainda está com essa ideia de fazer o jantar para eles? — perguntou, parecendo à beira das lágrimas.

— Estou, mãe — disse. — Por que está preocupada com isso?

— Na verdade, eu preferiria que você não fizesse esse jantar — disse ela, cheia de ansiedade. — Vai encher o pessoal de ideias, sabe? Depois, vão passar a só querer jantares feitos na hora. E de quem esperarão isso? Não de você, com certeza. Porque, a essa altura, já terá partido em grande estilo para Londres. Quem enfrentará as reclamações deles serei eu.

Pobre mamãe, pensei. Talvez fosse uma insensibilidade minha exibir minha culinária sofisticada em sua cozinha.

Ela fez uma pausa, enquanto eu alegremente colocava um pouco de massa fresca numa prateleira da geladeira.

— Está ouvindo o que digo? — ela ergueu a voz, pois sua visão de mim estava bloqueada pela porta da geladeira. — Eles estão perfeitamente felizes com a comida do micro-ondas —continuou. — Você já ouviu a expressão "Se não quebrou, não conserte"? E o que é isso? — perguntou, agarrando um saco de celofane com folhas frescas de manjericão e cutucando-o, cheia de suspeitas.

— É manjericão, mãe — disse, passando por ela para guardar no armário algumas sementes de pinoli.

— E o que isso faz? — perguntou ela, olhando-o atentamente, como se fosse radioativo.

— É um tempero — respondi, paciente.

Pobre mamãe; entendi como ela se sentia insegura e ameaçada.

— Ora, não pode ser exatamente um tempero, se não puderam nem colocá-lo num frasco — declarou ela, em tom de triunfo.

Ela podia sentir-se insegura e ameaçada, mas mesmo assim devia ter mais cuidado com o que dizia, pensei, séria.

E logo me arrependi. Eu me sentia quase feliz. Não precisava ser mesquinha com ninguém. Não precisava zangar-me com ninguém.

— Não se preocupe, mãe — disse-lhe, em tom de desculpas. — Não vou fazer nada especial. Provavelmente não vão nem notar a diferença entre isso e um congelado.

— Talvez hoje você não faça a comida tão bem quanto faz geralmente — disse ela, lisonjeira.

— Talvez não — concordei, com amabilidade.

Comecei a abrir e fechar armários, procurando utensílios para fazer o molho *pesto.*

Logo se tornou evidente que, apesar de nosso freezer e de nosso micro-ondas, sob todos os outros aspectos nossa cozinha fazia jus ao título *A cozinha que o tempo esqueceu.*

Era como se eu tivesse atravessado, feito Alice, um espelho sombrio, ou sido carregada, por uma inesperada inundação, para dentro de algum vale perdido, inteiramente intocado pelo mundo exterior.

Num dos armários havia uma enorme e pesada tigela de cerâmica bege para misturas, com 2,5 centímetros de poeira dentro. Era provavelmente um presente de casamento das núpcias de mamãe trinta anos antes. E parecia ainda à espera de ser usada.

Havia um artefato encantador, uma batedeira de ovos manual, que poderia ser da Idade do Bronze ou ainda mais antiga. Estava em condições maravilhosas, considerando sua avançada idade.

Havia até um livro de cozinha publicado em 1952, com receitas que incluíam, na lista de ingredientes, ovo em pó e desbotadas fotos em sépia de bolos Sanduíches Victoria pesadamente enfeitados.

Positivamente pré-histórico.

Não me surpreenderia nem um pouquinho se alguns dinossauros atravessassem, arrastando-se, a porta da cozinha, comessem uma fatia de pão com manteiga e tomassem um copo de leite, em pé diante da bancada, colocando depois seu prato e copo na lava-louças, enquanto me cumprimentavam educadamente com a cabeça, terminando por arrastar-se novamente para fora.

Pensei, com uma pontada de dor, em minha bem suprida cozinha em Londres. Meu liquidificador; meu processador, que podia fazer tudo, menos contar piadas; meu espremedor de frutas, não apenas de frutas cítricas, vejam bem, mas um espremedor de verdade. Certamente ambos me seriam úteis naquele momento.

— Você não tem nada, nada mesmo, que eu pudesse usar para cortar? — perguntei a mamãe, exasperada.

— Bem — respondeu ela em tom de dúvida —, que tal isso? Será que ajudaria? — perguntou, ansiosa, oferecendo-me uma espátula que parecia um bandolim ainda em sua caixa.

— Obrigada, mãe, mas não. — Suspirei. — O que vou usar para picar o manjericão?

— No passado, eu normalmente descobria que uma dessas funcionava muito bem — disse ela, naquele momento, com um tom levemente sarcástico, obviamente um tanto saturada com minhas pretensiosas exigências. — Chama-se faca. Tenho certeza de que se dermos uns telefonemas, encontraremos aqui em Dublin uma loja que tenha um estoque delas.

Devidamente humilde, aceitei a faca e comecei a picar o manjericão.

— E o que, exatamente, você vai fazer? — perguntou mamãe, sentada, me observando, parecendo meio ressentida, meio fascinada, como se não pudesse acreditar que algo tão exótico quanto cozinhar estivesse ocorrendo em sua cozinha.

— Um molho para acompanhar a massa — disse, em pé, cortando. — Chama-se *pesto.*

Ela ficou sentada em silêncio, apenas me olhando, enquanto eu trabalhava.

— E o que vai nele? — perguntou, depois de algum tempo, obviamente detestando a si mesma por perguntar.

— Manjericão, azeite, pinoli, queijo parmesão e alho — falei, com calma e naturalidade.

Não queria que ela entrasse em pânico.

— Ah, sim — murmurou ela, fazendo sabiamente um sinal afirmativo com a cabeça, como se entendesse, como se convivesse com tais ingredientes todos os dias de sua vida.

— Antes de mais nada, corto o manjericão em pedaços muito finos — disse da mesma maneira que um cirurgião explica ao seu provável paciente como realizará o by-pass triplo.

Gentilmente, com todos os detalhes, deixando a mística de lado.

("Em primeiro lugar, quebro seu osso esterno.")

— Depois, acrescento o azeite — continuei.

("Depois, abro a caixa torácica.")

— Em seguida, esmago o pinoli, que está neste pacote aqui — continuei, sacudindo o pacote, com um ruído farfalhante.

("Em seguida, tomo emprestadas algumas veias de sua perna — dê uma olhada nesse gráfico aqui.")

— Finalmente, acrescento o alho esmagado e o queijo parmesão — terminei. — Simples!

("Depois, costuro você e, em um mês, estará caminhando quatro quilômetros por dia.")

Mamãe pareceu aceitar calmamente todas essas informações, sem nenhuma estranheza. Devo dizer que senti orgulho dela.

— Bem, vá com calma com o alho — disse ela. — Já é bastante difícil fazer Anna vir para casa nas condições atuais. Não queremos que a pobre vampirinha pense que a estamos perseguindo.

— Anna não é uma vampira! — disse eu, rindo.

— Como é que você sabe? — perguntou mamãe. — Ela, sem dúvida, quase sempre parece mesmo uma vampira, com todo aquele cabelo, aqueles horríveis vestidos compridos e roxos, e aquela maquiagem louca. Será que você não poderia conversar com ela e sugerir que se torne um pouquinho mais elegante?

— Mas o aspecto dela mostra o que ela é — disse eu a mamãe, colocando o manjericão picado numa caçarola. — É Anna. Não seria Anna se seu aspecto fosse diferente.

— Eu sei — suspirou mamãe. — Mas que roupas! Tenho certeza de que os vizinhos pensam que não vestimos nossas filhas. Ela parece uma sucateira ou algo parecido. E aquelas botas! Tenho vontade de jogá-las no lixo.

— Ah, não, mãe, por favor, não faça isso — disse eu, ansiosamente, pensando que Anna ficaria desesperada sem as Doc Martens que ela tão caprichosamente pintara com auroras e flores.

Devo admitir que também fiquei levemente preocupada quanto aos sapatos que Anna usaria se suas botas fossem jogadas fora.

Temi pelos meus.

— Vou pensar — ameaçou mamãe, sombria. — E agora, o que você está fazendo?

— Colocando o azeite — disse-lhe eu.

— Para que você comprou azeite? — perguntou ela, obviamente pensando que suas filhas eram um verdadeiro bando de idiotas. — Há uma garrafa do óleo que uso para as batatas fritas. Você poderia ter usado esse e economizado seu dinheiro.

— Ah... obrigada. Da próxima, vou lembrar — disse eu.

Realmente, não adiantava tentar explicar a diferença entre um azeite extra-virgem da Toscana, com as azeitonas prensadas a frio, e óleo Flora reciclado cerca de dez vezes, tendo já pequenos pedaços de batatas queimadas, escuras, flutuando dentro.

Talvez eu fosse pretensiosa demais em matéria de comida, mas que diabo, também não era necessário ir longe demais na outra direção.

— Certo! — disse. — Para meu próximo truque, sem a ajuda de uma rede de segurança, vou ralar o queijo parmesão.

Tirei da geladeira o naco de queijo, que obviamente aterrorizava tudo o mais que estava ali. Os pacotes de queijo fatiado, cada fatia envolvida em plástico, estavam encolhidos contra a parte de trás da geladeira, apavorados com o exótico recém-chegado.

Mas era mais fácil falar em ralar o queijo do que conseguir de fato fazer isso.

Procurei por toda parte, mas não havia nada parecido com um ralador.

Finalmente localizei uma espécie de ralador. Mal pertencia ao gênero “ralador”. Não era sequer um dos redondos que, pelo menos, ficam em pé sozinhos, quanto mais um elétrico. Era apenas um pequeno pedaço de metal com protuberâncias.

E seria preciso uma pessoa mais hábil do que eu para manobrar o naco de queijo e conseguir ralá-lo com aquela engenhoca.

Minhas mãos não paravam de escorregar, e eu ralava, junto com o queijo, boa porção das minhas juntas.

Mamãe fazia ruídos reprovadores quando eu blasfemava, e depois começou a farejar, alarmada, enquanto o característico aroma do queijo parmesão enchia a cozinha.

Irrompeu uma agitação no saguão, sons de vozes e risadas. Mamãe deu uma olhada no relógio pendurado na parede da cozinha.

Fez isso, embora os ponteiros do relógio permanecessem marcando 3h50 desde o Natal retrasado.

— Chegaram em casa — disse ela.

Papai trazia Helen da faculdade na maioria das noites, então chegavam em casa juntos. Ele fazia isso, apesar do fato de ter de dirigir cerca de 15 quilômetros fora do seu itinerário normal, só para pegá-la.

Helen irrompeu porta adentro. Estava lindíssima. Na verdade, ainda mais linda do que de costume, se isso era possível. Havia uma espécie de brilho em torno dela. Embora usasse simplesmente jeans e um suéter, estava elegantíssima. Seu cabelo comprido e sedoso, sua pele translúcida, seus olhos brilhantes, sua boquinha perfeita num sorriso sedutor.

— Olá, todo mundo, chegamos em casa — ela anunciou. — Ei, que cheiro horroroso é esse? Argh! Será que alguém vomitou?

Podíamos ouvir sons de pessoas conversando no saguão — papai e uma voz masculina.

Obviamente, tínhamos companhia.

De repente, meu coração teve um pequeno sobressalto involuntário. Eu ainda não parara de esperar que James aparecesse inesperadamente à porta. No entanto, aquela voz masculina provavelmente pertencia a um dos amigos de Helen.

Embora fosse mais exato chamá-los de escravos de Helen.

Mesmo sabendo que era uma tola ao pensar que James poderia aparecer sem mais nem menos, ainda assim senti uma pontada de desapontamento, quando Helen disse:

— Ah, trouxe um amigo para casa comigo. Papai está mostrando a ele onde pendurar o casaco.

Depois, ela olhou para mim.

— Vejam só! — gritou. — Pensa que tem o direito de usar minhas roupas? Tire-as agora mesmo.

— Desculpe, Helen — gaguejei —, mas não tinha outra coisa para usar. Comprarei novas e você poderá pegar todas emprestadas.

— Pode ter certeza de que vou pegar mesmo — disse ela, com um tom ameaçador.

Mas parou por aí.

Graças a Deus! Devia estar de bom humor.

— Quem é esse rapaz que você trouxe? — perguntou mamãe.

— O nome dele é Adam — disse Helen. — E sejam simpáticos com ele, porque vai fazer meu trabalho para a universidade.

Mamãe e eu começamos a organizar nossos traços faciais em expressões que eram ao mesmo tempo acolhedoras e compassivas. Outro pobre rapaz apaixonado por Helen. A vida dele estava acabada para todas as finalidades e todos os objetivos. Seu futuro inteiro maculado e arruinado.

Tudo o que ele tinha à sua frente, agora, era uma existência de infelicidade e desespero, que passaria definhando pela bela Helen.

Mamãe e eu trocamos olhares. Como um cordeirinho que vai para o matadouro, pensávamos ambas.

Voltei a ralar o queijo e as juntas dos meus dedos.

— Essa é mamãe — disse a voz de Helen, obviamente apresentando o condenado Adam a mamãe.

(Fuja! Fuja para salvar sua vida! Escape, Adam, enquanto ainda pode — tive vontade de dizer a ele.)

— E aquela ali é Claire — continuou Helen. — Você sabe, aquela de quem lhe falei. A que tem um bebê.

Obrigada, Helen, sua cretina, pensei, por fazer minha vida parecer algum tipo de monótono drama suburbano familiar.

Virei-me, disposta a sorrir para Adam, e estendi-lhe minha mão cheirando a parmesão e com as juntas em carne viva.

E levei certo choque.

Aquele não era um dos habituais jovens imaturos de Helen.

Aquele era realmente um homem.

Admito que jovem.

Mas, inegavelmente, um homem.

Mais de 1,80 metro de altura e muito sensual.

Pernas compridas. Braços musculosos. Olhos azuis. Maxilar quadrado. Belo sorriso.

Se tivéssemos um medidor de testosterona pendurado na parede da cozinha, o nível de mercúrio atravessaria o teto.

Eu me voltara exatamente a tempo de vê-lo dando a mamãe o aperto de mão mais firme da vida dela.

Ele então voltou sua atenção para mim. Pelo canto do olho, vi mamãe apertando sua mão esmagada e disfarçadamente examinando sua aliança, para ver se entortara com o forte aperto.

— Ah, olá — disse eu, sentindo-me nervosa e confusa. Fazia muito tempo que não encontrava uma concentração tão forte de masculinidade.

— Prazer em conhecê-la. — Ele sorriu para mim, segurando gentilmente minha mão sumida em sua mão imensa.

"Meu Deus", pensei, sentindo-me um pouco aturdida, "a gente começa a se sentir velha quando passa a notar como têm aspecto jovem todos os homens lindos."

Eu podia ouvir a voz de Helen, mas parecia vir de muito longe. Foi abafada pelo rugido do sangue em meu corpo, correndo para meu rosto e me fazendo corar como não acontecia desde os 15 anos.

— Falo sério — disse ela. — Há um cheiro terrível de vômito.

— Não é vômito — disse mamãe, com ar entendido. — É o cheiro do queijo *carnegão.* Você sabe, para o molho *pesto.*

10

O jantar foi meio esquisito; estávamos todos ligeiramente desconcertados por causa de Adam.

Helen tinha sempre multidões de homens (embora seja mais exato chamá-los de "garotos") apaixonados por ela. Não se passou um dia sem que o telefone tocasse, com algum jovem gaguejando do outro lado da linha, perguntando sobre suas chances de sair com Helen.

E a casa mantinha um constante fluxo de visitantes masculinos. O fato de serem convidados para o chá geralmente coincidia com a quebra do aparelho de som de Helen, ou com o desejo de Helen de mandar pintar seu quarto, ou, no caso em pauta, com a necessidade de Helen ter um trabalho escrito e sua ausência de intenção de fazer isso ela própria.

E o prometido chá raramente se materializava depois de completada a tarefa.

Mas nenhum deles fora como Adam.

Eram, em geral, um pouco mais como Jim.

Pobre Jim, para lhe dar seu título completo.

Ele era desengonçado e magricela, e circulava em toda parte vestindo preto o tempo inteiro e o ano todo. Mesmo no auge do verão, usava um sobretudo preto, quilômetros maior do que ele, e grandes botas negras. Seu cabelo cheio era pintado de preto e ele jamais me olhava nos olhos. Não falava muito e, quando o fazia, era geralmente para discutir métodos de suicídio. Ou para falar de cantores de bandas obscuras que haviam se matado.

Uma vez ele me disse "olá" e me deu uma espécie de sorrisinho simpático, e eu pensei que o julgara mal, porém mais tarde descobri que ele estava bêbado de cair.

Sempre carregava um decrépito exemplar de *Medo e Delírio em Las Vegas* ou de *O Psicopata Americano* no forro rasgado do seu sobretudo preto. Queria entrar para uma banda e se matar, quando completasse 18 anos.

Mas acabei concluindo que ele adiara o prazo final para o suicídio, porque completou 18 anos no Natal anterior e eu ainda não ouvira falar de sua morte, mas estou certa de que ouviria.

Helen definitivamente o detestava.

Ele lhe telefonava sempre e, todas as vezes que o fazia, mamãe falava com ele e mentia loucamente sobre o paradeiro de Helen. Dizia alguma coisa como: "Não, Helen está fora, supõe-se que bêbada", enquanto Helen estava sentada no saguão, olhando para mamãe, abanando os braços freneticamente e dizendo por mímica labial: "Diga a ele que morri."

Depois que mamãe desligava o telefone, gritava com Helen.

— Não vou mais mentir por você. Estou colocando em perigo minha alma imortal. E por que não fala com ele? É um rapaz simpático.

— É um babaca — respondia Helen.

— Ele é apenas tímido — dizia mamãe, em sua defesa.

— É um babaca — sustentava Helen, desta vez com voz mais alta.

Em ocasiões como o Dia dos Namorados ou no aniversário de Helen, pelo menos um buquê de rosas negras seria entregue, da parte dele. Cartões feitos à mão chegavam pelo correio, com desenhos muito vívidos de corações partidos e sangue, ou então uma única lágrima vermelha. Terrivelmente simbólico.

Houve um tempo em que não se podia entrar em nossa cozinha sem encontrar Jim lá dentro, ainda usando o comprido casaco preto e conversando com mamãe. Mamãe se tornara sua melhor amiga. Sua única aliada na luta para conquistar o coração de Helen.

A maioria dos candidatos a namorado de Helen passava muito mais tempo com mamãe do que jamais passara com Helen.

Papai o detestava. Possivelmente ainda mais do que Helen.

Acho que se desapontou com Jim.

Porque papai era tão ávido por companhia masculina que esperara estabelecer alguns laços viris com Jim, já que tinha o garoto como um elemento mais ou menos permanente na cozinha, juntamente com a máquina de lavar ou a cesta de pão.

Uma noite, ele chegou em casa do trabalho, como de costume, e encontrou Jim sentado na cozinha com mamãe. Helen foi direto para o quarto, logo que soube que Jim estava nas imediações. Papai sentou-se à mesa da cozinha, tentando conversar com ele.

Disse: "Você viu a partida?"

Jim limitou-se a olhar para papai com uma expressão inteiramente vazia. A única partida da qual Jim parecia saber alguma coisa era a de um suicida.

Então, esse foi o fim da história.

Agora, papai também pensava que Jim era um caso perdido.

Disse que Jim devia calar a boca, parar de só falar em se matar e, em vez disso, partir para o fato concreto.

Mamãe disse que Jim era realmente uma gracinha de pessoa, quando a gente o conhecia melhor.

E que era pecado encorajar alguém a acabar com a própria vida.

Minha impressão era de que Jim estava sempre ali. Todas as vezes que eu chegava em casa, vinda de Londres, ele parecia ter despencado em cima da mesa da cozinha, com uma pequena nuvem negra em cima de sua cabeça, carregando por toda parte seu ar de tragédia, como quem carrega uma pasta de documentos.

Mas eu sempre lhe dizia "Olá, Jim". Pelo menos era cortês.

Embora ele me ignorasse inteiramente.

Depois descobri o motivo.

Em meu segundo dia em casa, vinda de Londres, a campainha da porta tocou, atendi e descobri, em pé no degrau da entrada, um corte de cabelo usando um grande e comprido casaco negro.

Não tinha certeza se ele viera ver Helen ou mamãe, mas mamãe tinha saído, então chamei Helen.

— Helen, Jim está aqui.

Helen desceu a escada, parecendo confusa.

— Ah, olá, Conor — disse ela para o sombrio jovem no degrau.

Virou-se para mim.

— Onde está Jim? — perguntou.

— Bem... este aqui... não é ele? — perguntei, um pouco surpresa, apontando para o rapaz que usava o comprido casaco preto.

— Esse não é Jim, esse é Conor. Há mais ou menos um ano que não vejo Jim. Acho melhor você entrar, Conor — disse ela, de má vontade. — Ah, sim, esta é minha irmã, Claire. Está em casa, vinda de Londres, porque seu marido a deixou. Muito obrigada, Claire — rosnou ela para mim, zangada, enquanto levava Conor para a sala de estar. — Há um mês que estou evitando esse cara.

Não há dúvida de que ela arderá nas fogueiras do inferno.

Pelo menos isso explicava por que Jim me ignorava todas as vezes em que eu dizia: "Olá, Jim."

Não era Jim, de jeito nenhum.

Mas era a cara de Jim.

E depois, todas as vezes que eu via Jim, dizia: "Olá, Conor."

Só que continuava errada.

O nome do sujeito agora era William.

Mas era igualzinho a Jim e Conor.

Adam era uma proposta inteiramente diferente de Jim e dos seus clones.

Bonito, parecendo medianamente inteligente, apresentável... sabem, *normal*! Ele tinha algumas habilidades sociais, não parecia prestes a se desmanchar em poeira, se fosse apanhado diretamente por um raio de sol, e era capaz de fazer mais do que apenas ficar babando e olhando para Helen com os olhos vidrados.

Após apertar as mãos de todos nós, ele disse a mamãe, educadamente:

— Posso ajudar a senhora a pôr a mesa?

Mamãe ficou muito desconcertada. Não apenas pelo oferecimento de ajuda. Que já era notável por si mesmo.

Mas, pura e simplesmente, pela sugestão de que puséssemos a mesa.

Você percebe, as pessoas, em nossa casa, tendem a se virar sozinhas na hora das refeições e a comer seu jantar diante da televisão, vendo *Neighbours*, em vez de se sentar à mesa da cozinha.

— Ah, não é preciso; obrigada, Adam, eu mesma farei isso.

E, com um ar ligeiramente estupidificado, ela fez exatamente isso.

— Você merece ganhar um docinho esta noite — disse ela a Adam, com um tom infantil. Honestamente, foi muito embaraçoso. Uma mulher adulta se comportando como uma adolescente deslumbrada. — Claire fez o jantar para nós.

— Sim, ouvi dizer que Claire é uma grande cozinheira — ele sorriu para mim, lançando-me numa agradável confusão. Ele realmente não deveria sorrir para mim daquele jeito, enquanto eu estava escorrendo a massa, pensei, enquanto cuidava da minha mão escaldada.

Fiquei imaginando quem lhe dissera que sou uma grande cozinheira, porque tinha certeza de que certamente não fora Helen.

Talvez ele simplesmente estivesse sendo simpático.

Mas, ora, o que há de errado nisso?

— Muito bem, senhoras e senhores, por favor tomem seus assentos para o espetáculo desta noite — chamei, indicando que o jantar estava pronto.

Adam riu.

Fiquei pateticamente satisfeita.

Houve um arrastar geral de pés e ruído de cadeiras sendo movimentadas, e todos se sentaram.

Adam pareceu totalmente incongruente quando se sentou à mesa, grande demais para sua cadeira, com aquela sua ridícula beleza, de maxilar quadrado.

Era um pouco como ter o Super-Homem na cozinha ou Mel Gibson aparecendo para tomar uma xícara de chá.

Tirei meu chapéu para Helen; daquela vez ela pescara um bonitão.

A boa aparência de Adam era uma mudança agradável, diante da magra infelicidade de Jim/Conor/William.

Dentro de mais alguns anos ele seria inteiramente devastador.

Coloquei no centro da mesa a salada que havia preparado. Depois, coloquei a massa e o molho em pratos e levei para cada um deles.

A chegada da comida lançou mamãe, papai e Helen numa espécie de dilema. O fato de que fora feita em casa deixou papai e Helen desconfiados.

Com toda a razão.

Deus sabe que eles tinham todos os motivos do mundo para estarem assim, após tudo o que haviam passado. Acho que aquilo fazia lembrar demais todos os desastres de mamãe.

E, naturalmente, mamãe adorava fomentar problemas. Se ela os encorajasse a se recusarem de imediato a comer aquilo, significaria que eu não prepararia mais nenhum jantar, e a antiga ordem seria restabelecida, livrando-a do problema.

Quando o prato de Helen foi colocado diante dela, a moça fez ruídos como se fosse vomitar.

— Uuuughhhh! — disse, olhando fixamente o prato, com repugnância. — Que diabo é isso?

— Apenas massa e molho — respondi, calmamente.

— Molho? — gritou ela, em um tom estridente. — Mas é *verde*.

— Isso mesmo — confirmei, nem por um segundo negando que o molho fosse verde. — É verde. Molho pode ser verde, sabe?

Então Adam veio em meu socorro. Estava empanturrando-se de massa, com grande prazer.

Quem sabe ele era um desses estudantes sem um tostão que podem passar meses sem fazer uma refeição completa e que comeriam praticamente qualquer coisa?

Mas ele agia como se estivesse gostando da comida. E isso para mim bastava.

— Está uma delícia — disse, interrompendo de modo encantador as gracinhas de Helen. — Você devia experimentar, Helen.

Helen fulminou-o com o olhar.

— Não vou tocar nisso. O aspecto é repulsivo.

Papai, mamãe e Helen olhavam fixamente para Adam, enquanto ele engolia a comida, e prendiam o fôlego, os rostos gelados de horror, obviamente esperando que morresse.

E quando, após cerca de cinco minutos, ele ainda estava vivo e não rolando de um lado para o outro no chão, como uma vítima dos Bórgias, gritando para que pusessem fim à sua dor, papai aventurou-se a experimentar a massa.

Agora, eu adoraria poder contar a vocês que, um a um, todos os membros de minha família pegaram um garfo e, apesar de seu preconceito anterior, foram conquistados por minha culinária sofisticada. E que todos nos abraçamos, com sorrisos amarelos e acenos de cabeça autodepreciativos, admitindo francamente como estávamos errados. Mais ou menos como numa comédia americana.

Mas não posso fazer isso.

Helen, com grandes tremores e rosto contorcido, recusou-se ostensivamente a tocar na comida, embora o belo Adam lhe houvesse conferido seu selo de aprovação.

Fez para si mesma algumas torradas.

Déjà vu, ou sei lá o quê.

Papai comeu um pouquinho e declarou que, sem dúvida, era maravilhoso, mas que seus gostos eram humildes. Que ele não tinha possibilidade de apreciar uma comida tão exótica e sofisticada. Como disse:

— Sou um homem simples. Só provei torta de limão com suspiro aos 35 anos.

Mamãe também comeu um pouquinho, mas com um ar de martírio. Deixou muito claro que desperdiçar comida era pecado.

Mesmo comida horrível.

Assim sendo, comeu-a. Sua atitude parecia ser a de que fomos postos nesta terra para sofrer e que aquele jantar fora enviado para ela como alguma espécie de castigo. Mas que, dada a escolha entre escalar Croagh Patrick com uma perna quebrada ou terminar seu prato de massa, ela preferiria começar, qualquer dia da semana, a amarrar os cordões de suas botas de alpinismo.

Mas, ao mesmo tempo, tinha de esforçar-se para conter sua alegria pelo fato de papai e Helen recusarem-se a comer.

De vez em quando, captava meu olhar e obviamente era com dificuldade que mantinha o rosto impassível.

Embora preferisse morrer a admitir isso, estava exultante.

E então Anna chegou em casa.

Entrou perambulando pela cozinha, muito bonita, com uma espécie de beleza um tanto étnica, etérea, arrastando lenços e uma saia comprida de crochê, transparente, além de bijuterias coloridas. Obviamente já conhecia Adam.

— Ah, olá, Adam — disse, ofegante, obviamente encantada, corando de prazer.

Será que ele sempre faz corar todas as mulheres com quem entra em contato?, imaginei.

Ou seria apenas as da nossa família?

De alguma forma, suspeitei que não.

Que esperança poderia haver para um homem tão jovem que já provocava um efeito tão intenso sobre as mulheres? Só poderia acabar se transformando num completo filho da puta.

Esperando que as mulheres chorassem, desmaiassem, gritassem e se apaixonassem por ele tão facilmente como respiravam.

O fato de ser bonito demais não era bom para ele.

Um ou dois defeitos não lhe fariam mal, de jeito nenhum.

É de pequenino que se torce o pepino.

— Olá, Anna — sorriu-lhe ele. — Que bom vê-la novamente.

— Ah, sim — ela murmurou, corando ainda mais e derrubando uma xícara. A parte de dentro de suas pálpebras estava provavelmente vermelho vivo, neste estágio.

Solidarizei-me com ela. Provavelmente, eu não tinha mais um só vaso sanguíneo intacto em meu rosto, depois do rubor provocado anteriormente por Adam. Todos os capilares de minhas faces explodiram como bolhas que afloram à superfície de uma taça de champanhe.

À mesa do jantar, a conversa não foi exatamente brilhante. Helen, que nunca fazia o papel de anfitriã, mesmo nas melhores ocasiões (jamais dispensava a característica grosseria), pegara uma revista (era, na verdade, um exemplar da *Hello* — como foi que essa passou pelo pente fino?, imaginei eu) e a leu durante todo o jantar.

— Helen, guarde essa revista — disse-lhe papai com dureza, obviamente constrangido.

— Cale a boca, papai — disse Helen, com um tom monótono, sem sequer levantar os olhos.

Mas, de vez em quando, ela olhava para Adam e lhe dava um sorrisinho de feiticeira. Ele também a olhava, totalmente encantado e, depois de sustentar seu olhar por alguns momentos, retribuía-lhe o sorriso.

A tensão sexual era tão densa que podia ser cortada com uma faca de pão.

Anna, que nunca se mostrava brilhante, mesmo em ocasiões melhores, agora parecia inteiramente abestalhada diante de Adam, tal a sua reverência.

Todas as vezes que ele lhe dirigia uma pergunta, ela exibia um sorriso tolo e, depois, soltava umas risadinhas e baixava a cabeça, agindo como o idiota da aldeia.

Era muito aborrecido, para ser honesta com você.

Ele era apenas um homem, e, na verdade, muito jovem, pelo amor de Deus. Não algum tipo de deus.

Mamãe e papai remexiam sua comida, nervosamente. Também não falavam muito.

Papai fez uma rápida investida, tentando conversar com Adam.

— Rúgbi? — murmurou para ele, como se estivesse numa sociedade secreta e tentasse descobrir se Adam também era membro.

— Como? — perguntou Adam, olhando confuso para papai, numa desesperada tentativa de entender o que ele tentava lhe dizer.

— Rúgbi? Na escola, talvez?

— Ah, desculpe, mas o que o senhor quer dizer?

— Rúgbi? Você joga? — Papai decidiu pôr suas cartas na mesa.

— Não.

— Ah — papai suspirou, como um balão que murcha.

— Mas gosto de ver — disse Adam, corajosamente.

— Ora! — disse papai, praticamente virando as costas para ele, expressando seu desapontamento com uma ondulação depreciativa do braço.

E isso, suponho, foi o fim daquela incipiente amizade.

Por algum motivo, senti que era minha responsabilidade conversar com nosso visitante. Talvez fosse porque eu me acostumara a estar na sociedade civilizada, na qual os convidados eram tratados como convidados. Onde, se alguém convida você para jantar, não o atira no meio de um grupo de estranhos, ignorando-o por completo.

Talvez já tenha dito, ou devo ter dito, aliás, mil vezes, que não entendia como Helen livrava a cara, comportando-se do jeito como se comportava.

— Então, você está na turma de Helen, na universidade? — perguntei a ele com uma falsa animação, tentando, em desespero de causa, iniciar algum tipo de conversa.

— Sim — respondeu ele. — Estou na mesma turma de antropologia que ela.

E isso pareceu encerrar o assunto.

Ele continuou a comer.

Continuou a viver.

Papai continuou a se maravilhar.

Era um prazer observar Adam. Havia algo de tão saudável nele. Tinha um apetite enorme e era tão receptivo.

— A comida está realmente maravilhosa — disse, sorrindo para mim. — Será que posso me servir de um pouquinho mais?

— Claro — disse mamãe com um ar coquete, quase derrubando sua cadeira, na pressa de servi-lo. — Vou pegar para você. Gostaria de tomar outro copo de leite?

— Muito obrigado, Sra. Walsh — disse ele, educadamente.

Era tão simpático. E não digo isso apenas porque ele foi o único que comeu o jantar preparado por mim.

Tinha um jeito de menino, de uma forma bem masculina.

Ou talvez fosse muito viril, com um jeito de menino.

Bem, fosse lá o que fosse, era muito atraente.

Mas, apesar de sua alarmante boa aparência, senti-me muito descontraída com ele porque sabia que devia ter mais ou menos seus 18 anos. Embora seu aspecto e comportamento revelassem muito mais maturidade do que isso.

Para ser honesta, quase senti um pouco de inveja de Helen, por conseguir aquele pedaço de homem.

Lembrei-me vagamente do que era ser jovem e estar apaixonado.

Mas disse a mim mesma que não fosse tão tola. Eu ajeitaria as coisas com James. Ou então encontraria outra pessoa igualmente boa.

(Boa?!?, pensei, alarmada. Eu falei, exatamente, boa? Não era bem a palavra certa para descrever James, naquele momento.)

Mas Adam, o herói, salvou a conversa.

Mamãe perguntou-lhe onde ele morava.

Isto faz parte de um questionário de rotina: é a primeira pergunta de um conjunto de duas que mamãe infalivelmente faz aos visitantes do sexo masculino.

A segunda pergunta é para descobrir o que o pai do rapaz faz para ganhar a vida.

E assim avalia as condições financeiras da família, para o caso de Helen, eventualmente, passar a pertencer a ela, por meio de um casamento. E também para mamãe ter uma ideia aproximada de quanto se esperaria que ela gastasse no vestido de "mãe da noiva".

Mas Adam conseguiu driblar mamãe e evitar o pedido para apresentar uma cópia recente do contracheque do seu pai, divertindo-nos a todos com trechos isolados da história de sua vida.

Segundo disse, vinha dos Estados Unidos. Seus pais tinham voltado recentemente para Nova York, e então ele morava num apartamento em Rathmines.

Embora seus pais fossem irlandeses e ele tivesse vivido na Irlanda desde os 12 anos de idade, ainda parecia americano.

Deve ser alguma coisa no ar dos Estados Unidos, pensei. Fluoreto, ou algo parecido, que os faz ficarem assim tão grandes e fornidos.

Era definitivamente um grande balde de água fria na multidão dos que dizem que a genética tem precedência sobre o meio ambiente.

Se ele tivesse passado os primeiros 12 anos de sua vida em Dublin, em vez de Nova York, teria apenas 1,60 metro em vez de quase 1,90 metro. Teria pele branca e sardenta, em vez de ser moreno-claro. Teria um cabelo fino cor de rato, em vez de cabelos negros e lisos. Seu maxilar seria fraco e indefinido, em vez de ser quadrado, de granito.

Aquilo era obviamente o resultado de um estilo de vida que incluía comer carne de vaca com centeio, rosquinhas com creme de queijo e salmão defumado, beber refrigerante e cerveja, assistir futebol americano, chamar todo mundo de "Mac", mesmo quando não é esse seu nome, e ter portas de proteção contra tempestades e um deque em casa.

Adam divertiu todos nós com histórias sobre a sua vida logo que se mudou de Nova York para Dublin. Disse que as crianças irlandesas o receberam chamando-o de "fascista imperialista ianque" e agiram como se ele fosse pessoalmente responsável pela invasão americana a Granada. Elas desprezavam e zombavam de seu sotaque e seu vocabulário. Enquanto, como disse o pobre Adam: "Eu nem sabia que falava do jeito errado."

Já os outros rapazes diziam coisas que ele não entendia.

Motivo para furiosas gargalhadas.

E, quando ele tentou defender-se surrando algumas crianças, passou a ser chamado de brutamontes, porque era muito maior do que os outros meninos.

Todos sacudimos a cabeça, solidariamente, sentados ao seu redor, com nossos cotovelos na mesa da cozinha, olhando para Adam, nossos corações partidos pelo pobre e solitário menino de 12 anos, que não conseguia fazer nada certo. O silêncio era sepulcral. Nosso estado de espírito de repente passara de leve para sombrio.

Até papai parecia à beira das lágrimas.

Obviamente, pensava: "Ele pode não jogar rúgbi, mas essa não é a maneira correta de tratar o garoto."

Depois, Adam voltou toda sua atenção para mim.

Virou-se em sua cadeira e fixou em mim um olhar intenso.

De uma maneira engraçada, fez-me sentir como se eu fosse a única pessoa na sala.

Era ansioso e entusiasmado a respeito de tudo. Como um filhotinho de cachorro. Bem, na verdade, como um filhotão de cachorro.

Parecia não haver nele nenhum cinismo.

Então, isso que é ser jovem, pensei.

— Então, Claire, me fale do seu trabalho — pediu ele. — Helen contou que você tinha um emprego realmente importante, trabalhando para uma instituição de caridade.

Floresci sob o calor do seu interesse, como uma flor ao sol, e ia começar a falar a respeito.

Mas, antes que pudesse, Helen me interrompeu:

— Não disse que era importante — falou, com um tom azedo. — Disse apenas que era um emprego. E, de qualquer jeito, ela precisou se afastar, quando teve o bebê.

— Ah, o bebê — disse ele. — Posso vê-lo?

— Claro — disse eu, encantada, mas me perguntando por que Helen se mostrava tão maldosa.

Por que estava ainda mais maldosa do que de costume, quero dizer.

— Kate está dormindo, no momento, mas acordará daqui a meia hora mais ou menos e então você poderá vê-la.

— Ótimo — disse ele, olhando para mim.

Honestamente, ele era maravilhoso. Seus olhos eram de um tipo de azul-marinho. E ele tinha o corpo mais bonito do mundo.

Pensei isso de um ponto de vista puramente racional.

Ele é o namorado da minha irmã, então está certo que eu admire sua beleza, mas de um ponto de vista estético, por assim dizer.

Eu me sentia um pouco como uma sábia mulher velha admirando os belos jovens. Percebendo como eram lindos, enquanto reconhecia que meu tempo de namoro com eles há muito se fora.

Ele era alto e tinha um aspecto sensual, mesmo usando apenas um par de jeans desbotados e um suéter cinzento.

Para sobremesa, eu trouxe a musse de chocolate, que foi recebida com muito mais entusiasmo do que o jantar. O acotovelamento e o tumulto que irromperam entre Anna, Helen e papai, na luta pelo maior pedaço, foram quase vergonhosos — e nós com uma visita em casa.

Mas Adam apenas riu, com bom humor.

Depois de algum tempo, levei-o para ver Kate.

Entramos no quarto na ponta dos pés.

— Posso segurá-la? — perguntou ele, reverente.

— Claro — sorri, tocada com seu respeito.

Pensei que fora a coisa mais doce que eu já ouvira, o fato de um homem tão grande e durão querer ver meu bebê.

Como um imenso e corpulento motorista de caminhão chorando ao ouvir canções *country* e *western*. Incongruente e tocante.

Entreguei-lhe gentilmente Kate, que ele pegou e segurou cuidadosamente. Ela nem mesmo acordou.

A idiota!

Que tipo de filha eu estava criando?

Sendo carregada, pela primeira vez, por um belo homem, e dormindo o tempo todo.

Era um quadro lindo. O imenso rapaz segurando o perfeito bebezinho.

— De que cor são os olhos dela? — ele perguntou.

— Azuis — eu disse. — Mas todos os bebês primeiro têm olhos azuis e depois, em geral, mudam para outra cor.

Ele continuou a olhá-la atentamente, com uma expressão de deslumbramento em seu rosto.

— Sabe, se eu e você tivéssemos um bebê, seus olhos sem dúvida seriam azuis — disse, em tom sonhador, falando quase como para si mesmo.

Dei um pulo, com o choque.

Mal podia acreditar em meus ouvidos!

Será que ele estava flertando comigo?

Senti um impulso de raiva.

Pensara que era tão inocente e simpático. Um doce rapaz.

Mas que coragem a dele!

E não apenas eu tinha idade para ser sua mãe — bem, quase isso —, como ele estava ali com minha *irmã* e causava uma impressão muito boa como seu namorado.

Será que ele não tinha nenhum respeito?

Nenhum senso de decência?

Mas eu estava errada. Olhei para ele e seus olhos se fecharam com força, por um minuto. Pude perceber que ele estava, de fato, mortalmente constrangido.

Definitivamente, sabia que dera um passo em falso.

Parecia tão jovem e assustado.

Como um menino atrevido.

O quarto ficou coberto por uma atmosfera cheia de tensão e constrangimento.

— Bem, é melhor eu voltar para Helen e o trabalho dela — disse, às pressas, praticamente atirando Kate de volta ao berço e saindo rapidamente do quarto, sem olhar para trás.

Sentei-me na cama, sentindo-me meio esquisita.

Será que eu me achava uma tola pela reação exagerada?

Ou me sentia triste com meu cinismo, por partir precipitadamente para a conclusão errada?

Será que eu me sentia... Deus me livre... *desapontada*?

Não, decidi. Definitivamente, desapontada, não. Mas, sem dúvida, um pouco tola.

Você está afastada do contato com homens há muito tempo, disse a mim mesma severamente. É melhor voltar a circular. Assim, da próxima vez em que encontrar um homem atraente, não chegará na mesma hora a nenhuma conclusão ridícula.

Mas, ao mesmo tempo, devo admitir que fiquei ligeiramente irritada pela maneira como ele reagiu à sugestão de que tivéssemos um bebê. Não havia necessidade de que parecesse tão horrorizado.

Meu Deus, mas era típico.

Numa velha e honrada tradição feminina, eu passara da fúria pela possibilidade de que ele estivesse flertando comigo para a fúria de que ele não estivesse flertando comigo, tudo em trinta segundos.

A racionalidade nunca foi o meu forte.

Quero dizer, eu podia ser uma "mulher mais velha", mas não era exatamente A Noiva de Drácula. Faria com que ele soubesse que muitos homens me achavam atraente.

Bem, eu tinha certeza de que deveria haver alguns, em alguma parte, que achavam, sim. Há 3 bilhões de pessoas neste planeta. Nessa massa, tinha certeza de que poderia encontrar alguns poucos e pobres infelizes que gostassem da minha aparência.

A audácia daquele sujeito. Só porque era extremamente bonito, não tinha nenhum direito de me fazer sentir um horror.

Talvez eu não fosse tão bonita quanto Helen.

Na verdade, eu não era, sequer remotamente, tão bonita quanto Helen.

Mas sou uma boa pessoa.

Embora, na verdade, ninguém jamais queira transar com alguém pelo fato de ser uma boa pessoa.

Se fosse esse o caso, Madre Teresa teria tido de afugentar seus admiradores com um cajado.

E no entanto...

Alimentei Kate e coloquei-a de volta na cama.

Depois, fui para o andar inferior procurar mamãe.

A caminho, passei pelo quarto de Helen, cuja porta estava firmemente fechada.

Aquele par estava obviamente bem escondido ali dentro.

Mas que trabalho para a universidade, que nada!

Mamãe e papai podiam ter engolido aquela história, mas eu mesma a usara vezes suficientes para saber o que de fato significava.

Mas, ao mesmo tempo, se estivessem fazendo sexo, era muito silenciosamente.

Não que eu ficasse escutando à porta, é claro, ou algo parecido.

E não que tivesse algo a ver comigo, pelo amor de Deus.

Helen podia trepar com quem quisesse.

Da mesma forma que Adam.

Nada, como digo, a ver comigo, absolutamente.

Com grande determinação, fiquei vendo televisão com mamãe.

Muito mais tarde, ouvimos Helen e Adam na cozinha.

Depois, ouvimos quando os dois estavam se despedindo.

Ele enfiou sua cabeça pela porta e nos agradeceu pelo jantar maravilhoso, dizendo que esperava ver-nos novamente em breve.

Mamãe e eu nos despedimos dele com sorrisos.

— Rapaz maravilhoso, tão educado — disse mamãe com satisfação.

Não lhe dei resposta. Estava observando que ele não parecia muito desgrenhado para alguém que acabara de fazer sexo. E fiquei imaginando por que eu me importava com isso.

11

Depois que Adam saiu para a úmida e deserta noite de março, com destino a sua casa, em Rathmines, ela fechou a porta da frente, veio para a sala da televisão e se sentou conosco.

— Ele parece um rapaz maravilhoso — disse mamãe, com aprovação.

— É mesmo? — perguntou Helen, com voz distante.

— *Maravilhoso* — disse mamãe, enfaticamente.

— Ah, não me venha com esse papo de sempre — cortou Helen, cheia de irritação.

Houve uma pequena e constrangedora pausa.

Então eu falei:

— Quantos anos o Adam tem? — perguntei casualmente a Helen.

— Por quê? — perguntou ela, sem desviar os olhos da televisão. — Você se sentiu atraída por ele?

— Não — protestei, corando vivamente.

— Ah, é mesmo? — ironizou ela. — Todas as outras pessoas se sentem. A universidade inteira se sente. Mamãe se sente.

Mamãe pareceu um pouquinho desconcertada e surpresa, como se estivesse prestes a se defender acaloradamente. Antes de poder fazê-lo, porém, Helen começou novamente a falar comigo.

— E você demonstrou sua atração por ele. Dando risadinhas, sorrindo para ele. Você é pior do que Anna.

Eu estava mortificada.

— Estava sendo educada — insisti.

Sentia-me realmente aborrecida.

E constrangida.

— Você não estava sendo educada — disse ela, com um tom neutro, ainda olhando para a televisão. — Estava era se sentindo atraída por ele.

— Helen, pelo amor de Deus, você esperava que eu o ignorasse e não falasse com ele? — perguntei-lhe, cheia de raiva.

— Não — retrucou ela, friamente. — Mas não precisava ser tão óbvia quanto ao fato de se sentir atraída por ele.

— Helen, sou uma mulher casada — eu disse, erguendo minha voz para ela. — Claro que não me senti atraída por ele. E ele é muito mais jovem do que eu.

— Bravo! — ela me respondeu com um grito. — Então você realmente está atraída por ele. Está com medo porque ele é jovem demais. Bem, não se preocupe, porque a professora Stauton é casada e está apaixonada por ele. Ela se embebedou e ficou chorando no bar, dizendo que largaria o marido e tudo o mais. Todos tivemos acessos de riso. E ela é um *fóssil*. Mais velha até do que você!

Depois disso, Helen levantou-se de um salto e saiu da sala, batendo estrondosamente a porta. Sem dúvida deslocando as últimas telhas remanescentes no telhado.

— Ah, meu Deus! — suspirou mamãe, desanimada. — Isto aqui parece até um revezamento infernal. Nem bem uma filha para de se comportar como um anticristo a outra começa. Por que vocês todas são tão temperamentais? Parecem um bando de italianas.

— O que há de errado com ela? — perguntei a mamãe. — Por que ela está toda sensível com relação a Adam?

— Ah, acho que ela está apaixonada por ele — disse mamãe, distraída. — Ou, pelo menos, acha que pode ficar.

— O quê?! — perguntei, estupefata. — Helen apaixonada? Está louca? A única pessoa por quem Helen está apaixonada é ela mesma.

— É uma coisa muito dura para dizer sobre sua irmã — disse mamãe, olhando-me pensativamente.

— Bem, não tive intenção de ser dura — apressei-me a explicar. — Só quero dizer é que todos estão sempre apaixonados por ela. Nunca é o contrário.

— Há uma primeira vez para tudo — disse mamãe, com sabedoria.

Ficamos sentadas em silêncio.

Mamãe o quebrou:

— De qualquer maneira, ela tinha razão.

— Sobre o quê? — perguntei-lhe, imaginando a que se referia.

— Você se sentiu *mesmo* atraída por ele.

— Não é verdade — disse eu, indignada.

Mamãe virou-se para mim com as sobrancelhas levantadas e um ar de quem sabe das coisas.

— Não seja ridícula — zombou ela. — Ele é fantástico! Eu própria me senti atraída por ele. Se tivesse vinte anos menos, eu sairia correndo atrás dele.

Eu não disse nada.

Sentia-me um pouco perturbada.

— E, além disso — continuou mamãe —, ele também se sentiu atraído por você. Não é de admirar que Helen esteja aborrecida.

— Isso é uma tremenda babaquice! — protestei, em voz alta.

— Nada disso — disse mamãe, calmamente. — É óbvio que ele se sentiu atraído por você. Embora, repito — continuou ela, em tom de dúvida —, eu também tivesse pensado que ele se sentia atraído por mim. Talvez seja apenas um desses homens que fazem todas as mulheres se sentirem lindas.

Agora eu me sentia de fato muito confusa.

— Mas, mamãe — tentei explicar —, sou casada com James e o amo, e ainda espero ajeitar meu casamento com ele.

— Eu sei — respondeu ela. — Mas talvez um pequeno caso seja exatamente do que você precisa. Para recuperar sua autoconfiança. E colocar no devido lugar seus sentimentos por James.

Olhei fixamente para mamãe, com horror. Do que ela estava falando?

Aquela era minha mãe, pelo amor de Deus. Por que ela me encorajava a ter um caso, sendo eu uma mulher casada? Além do mais, logo com o namorado da minha irmã mais nova.

— Mamãe! — exclamei. — Que loucura é essa! Você está me assustando. Quero dizer, não tenho mais 18 anos. Não penso mais que a melhor maneira de esquecer um homem seja trepando com outro!

Tarde demais, percebi o que dissera.

Tive vontade de cortar minha língua com uma dentada.

Mamãe me olhou, com os olhos estreitos.

— Não sei onde você ouviu uma expressão vulgar como essa! — rosnou ela. — Mas com certeza não foi nesta casa. É assim que falam em Londres?

— Desculpe, mãe — murmurei, sentindo-me mortificada e envergonhada, mas pelo menos de volta a um território familiar.

Fiquei sentada no sofá ao lado dela, sentindo-me péssima.

Como poderia ter dito uma coisa tão grosseira?

Ou melhor, como poderia ter dito algo tão grosseiro ao alcance do ouvido de mamãe?

Mas que grande tolice.

— Bem — disse ela, depois de algum tempo, num tom mais conciliatório —, não diremos mais nada sobre o que você acabou de falar.

— Ok — disse eu, sentindo-me aliviada.

Graças a Deus! Eu já me preparava para começar a fazer minhas malas para voltar para Londres.

— De qualquer modo — tornou ela —, ele tem 24 anos.

— Como é que você sabe? — perguntei-lhe, pasma.

— Boa pergunta — e piscou para mim. — Tenho minhas fontes.

— Quer dizer que perguntou a ele — insinuei. Conhecia minha mãe há muito tempo.

— Talvez — disse, recatadamente, não revelando nada. — Então, como você vê, ele não é, de jeito nenhum, jovem demais para você.

— *Mamãe* — gemi, angustiada. — Qual o objetivo de tudo isso? De qualquer jeito, tenho quase 30 e ele apenas 24. Então, ele ainda é muito jovem para mim.

— Tolice — disse mamãe, bruscamente. — Todo mundo está fazendo isso. Veja Britt Ekland, sempre tirando fotografias com aquele sujeito jovem o bastante para ser seu neto. Embora talvez seja realmente seu neto. E aquela outra bem vulgar, que anda de um lado para o outro sem roupas? Como é mesmo o nome dela?

— Madonna? — arrisquei, cautelosa.

— Não, não, não é essa. Você sabe quem é. Aquela que tem uma tatuagem nas costas.

— Ah, você se refere a Cher — disse-lhe eu.

— Sim, é essa — disse mamãe. — Quero dizer, ela deve ser da minha idade e veja o jeito como se comporta. Nenhum dos seus namorados tem um dia a mais do que 16 anos. Acho que Ike deve ter sido o último homem com quem esteve e que era mais velho do que ela.

— Ike? — perguntei-lhe, com minha cabeça girando um pouco.

— Sim. O marido dela, Ike — disse mamãe com impaciência.

— Não, mamãe, não creio que Cher fosse casada com Ike. Cher era casada com Sonny. Ike era casado com Tina — disse-lhe eu.

— Quem é Tina? — perguntou-me, com a voz cheia de perplexidade.

— Tina Turner — expliquei-lhe, com delicadeza.

— O que ela tem a ver com tudo isto? — disse mamãe, num tom de voz ultrajado, olhando-me como se eu tivesse enlouquecido inteiramente.

— Nada, em absoluto — tentei explicar, sentindo que perdia rapidamente o pé naquela conversa. — Só que você disse que Cher e Ike... Ah, deixe para lá. Esqueça.

Mamãe, amuada, resmungou para si mesma que não tinha de se esquecer de nada. Que fora eu quem trouxera à baila o nome de Tina Turner.

— Acabe com essa zanga, mamãe — disse-lhe eu, em tom apaziguador. — Entendo o que quer dizer. Percebo o que está dizendo. Adam não é jovem demais para mim.

Dei uma olhada para a porta, nervosamente, logo que acabei de dizer isso. Acho que esperava que Helen entrasse num rompante e gritasse: "Sabia que você estava atraída por ele, sua velha hóspede horrorosa."

E em seguida tentaria me estrangular.

Não aconteceu nada disso. Mas o medo continuava.

— Mas, de qualquer jeito, mamãe — continuei —, deixando de lado a questão da idade, você não está esquecendo de alguns outros pontos vitais? Como o pequeno detalhe de que Adam é o namorado de Helen?

— Arrá! — exclamou ela, erguendo seu dedo indicador e jogando em cima de mim sua perspicácia e sabedoria de mulher mais velha. Só faltou amarrar um lenço preto na cabeça e envesgar os olhos: — Será que é mesmo?

— Bem, se não for, por que esteve aqui? — perguntei, judiciosamente, segundo pensei.

— Para ajudar Helen a fazer seu trabalho — disse mamãe.

— E por que faria isso, se não fosse seu namorado? Ou, pelo menos, se não estivesse fazendo uma fortíssima tentativa para ser? — perguntei outra vez, judiciosamente, segundo me pareceu.

— Não será porque ele é uma boa pessoa? — perguntou mamãe.

Mas havia um pouco de dúvida em sua voz.

— De qualquer jeito — eu disse —, é óbvio que ele realmente se sente atraído por ela.

— É mesmo? — perguntou ela, com um tom de autêntica surpresa na voz.

— É, sim — disse eu, com bastante ênfase.

— Mas, mesmo que ele seja o namorado dela, não será por muito tempo — previu mamãe.

— Por que diz isso? — perguntei, imaginando que outras informações teria ela recolhido do belo Adam.

— Por causa do jeito como Helen é — disse mamãe.

— Ah — disse eu, desapontada. Então, ela não tinha mais nenhuma novidade sobre Adam para me oferecer.

— Helen quer apenas fazer com que ele se apaixone por ela. Depois, ela o atormentará por algum tempo. E, em seguida, ela o jogará fora — disse mamãe. — Ela é sempre assim. Mesmo quando criança era assim. Durante meses, antes do Natal, ela nos atormentava querendo uma boneca e uma bicicleta. E ainda não tínhamos acabado de comer o peru e ela já quebrava tudo o que Papai Noel lhe trouxera. Só ficava feliz quando destruía tudo. Cabeças e pernas de bonecas e correntes e selins de bicicleta para todos os lados, ali mesmo. Quem tropeçasse neles quebraria o pescoço.

— Não é uma maneira muito simpática de falar sobre Helen — disse eu, fazendo eco ao que mamãe me dissera mais cedo.

— Talvez não — disse mamãe, com um suspiro. — Mas é a verdade. Eu a amo, e ela é na verdade uma boa menina. Só precisa amadurecer um pouquinho mais. Bem, amadurecer um bocado, eu acho.

— Mas você falou que Helen pode estar apaixonada por Adam — lembrei-a.

— Eu falei que Helen pode *pensar* que está apaixonada por ele, o que já são outros quinhentos — disse ela. — E, mesmo que esteja apaixonada por ele, se você me perguntar, direi que acho Helen imatura demais para ser capaz de se apaixonar, e não lhe faria mal nenhum ser tratada com um pouco de dureza pela vida. Ela tem tido tudo fácil demais. Um pequeno período com o coração partido tem seu valor. Quero dizer, veja como tem sido bom para você. Dá humildade à pessoa.

— Então você quer que eu tenha um caso com o namorado de Helen para ganhar de volta a minha autoconfiança e dar a Helen um pouco de humildade — disse eu, finalmente achando que tinha entendido o que mamãe me dizia.

— Meu Deus! — exclamou mamãe, aborrecida. — Você está pensando que falo como aquela personagem do seriado *Dinastia*. Fazendo o papel de Deus na vida das pessoas. Ouvindo você dizer isso, parece uma coisa muito fria. Não estou dizendo que quero que isso aconteça, exatamente — prosseguiu ela. — Mas, de fato, senti que Adam estava muito atraído por você. E que, se ele está, e se alguma coisa tiver de acontecer, e se você sobreviver aos atentados de Helen contra sua vida — meu Deus, há uma porção de "se", aqui —, então você simplesmente talvez deva deixar acontecer o que vai mesmo acontecer.

— Ah, mamãe — suspirei. — Você me deixou totalmente confusa.

— Desculpe, querida — disse ela. — Talvez eu tenha entendido tudo errado. Talvez ele não se sinta nem um pouco atraído por você. — Claro que não será surpresa para você saber que também não gostei de que ela dissesse isso.

Já chega, pensei.

— Bem, vou para a cama — disse.

— Durma bem — disse mamãe, apertando minha mão. — Vou até lá dar um beijo de boa-noite em Kate.

E lá fui eu.

Fui para meu quarto e me aprontei para dormir. Minha camisola estava obviamente zangada comigo. Ela não viu com bons olhos o fato de ter sido negligenciada e deixada em casa, enquanto eu usava a legging e a blusa de Helen para ir ao shopping. Levei uma bronca.

Eu era sua amiga, ela me disse. Cuidei de você quando as vacas eram magras, ela me lembrou. Você é volúvel e não passa de uma amiga da onça. Assim que chega a bonança e você começa a se sentir um pouco melhor, livra-se de mim e me joga fora.

Ah, cale a boca, pensei, ou jamais usarei você de novo. E então terá, de fato, alguma coisa de que se queixar.

Eu tinha coisas mais importantes em minha cabeça do que camisolas descontentes e suas queixas.

Enquanto permanecia ali deitada, percebi que não pensara em James durante cerca de três horas.

Era um milagre absoluto.

Não havia dúvida de que o dia fora extremamente diferente.

12

O dia seguinte amanheceu luminoso, frio e ventoso.

Sei disso porque estava acordada ao amanhecer.

Era um típico dia de março.

A chuva finalmente cessara.

Mas não há simbolismo nenhum no fato, absolutamente.

Vamos encarar a realidade: a maldita chuva tinha de parar, mais cedo ou mais tarde.

Depois de dar a Kate sua mamadeira, sentei-me com ela na cama, enquanto a fazia arrotar. Logo se tornou claro para mim que, embora eu tivesse sorte bastante para ser arrastada para longe do lodo da infelicidade, esta recém--descoberta liberação trazia consigo certas responsabilidades.

A véspera tinha sido muito boa.

Bom divertimento, de fato.

Mas, e o pensamento me veio espontaneamente, a vida é mais do que simples divertimento.

Um homenzinho que aparece sempre em minha cabeça, segurando um letreiro em que proclama: "O fim está próximo", naquele dia proclamava: "A vida é mais do que apenas divertimento."

Ele trabalha para o "departamento" da minha consciência.

Eu o detesto.

Esse miserável filho da puta.

Aparece sempre com seu letreiro e estraga as coisas para mim, especialmente quando estou fazendo compras e ele proclama coisas como: "Você já tem quatro pares de botas" ou "Como você justifica um gasto de 12 libras com um batom?"

Ele arruína minhas compras. Ou deixo de comprar o artigo em questão. "Desculpe", gaguejo, enquanto a balconista para e coloca os sapatos de volta na caixa, fixando em mim um olhar assassino. "Mudei de ideia."

Ou então compro mesmo, mas me sinto tão culpada que todo o prazer desaparece.

De qualquer jeito, hoje o miserável desmancha-prazeres lembrou-me de que eu tinha de fazer muito mais com minha vida do que andar me pavoneando num supermercado, enquanto apresentava a Kate caixas de musse de chocolate congelada. Que tipo de sistema de valores eu lhe transmitia?

Ou, então, fazendo o jantar para minha família. Ou nutrindo uma paixonite estranha pelo namorado da minha irmã.

Aproximei-me da janela com Kate nos braços e ficamos olhando para o jardim que Michael tão caprichosamente deixava de cuidar.

Eu me sentia um pouco como um condenado que está prestes a enfrentar um pelotão de fuzilamento.

Um pouco melancólica.

Era tempo, para mim, de enfrentar a realidade.

Tempo de ser adulta e responsável.

Algo em que eu nunca fora boa de jeito nenhum.

Ao primeiro sinal de qualquer problema em minha vida, a Responsabilidade vai e se tranca no banheiro do meu cérebro, recusando-se a sair. Não importa quanto o Dever e a Obrigação tentem bajulá-la e convencê-la. Ela permanece firmemente enfurnada lá, sentada no chão, toda curva, até o trauma e o drama passarem.

Eu tinha de fazer várias perguntas.

Do tipo horroroso.

Envolvendo dinheiro e a custódia de nossa filha e o lar conjugal.

E juro por Deus que era muito doloroso. Meu cérebro se encolhia, quando eu refletia sobre cada assunto.

Era a primeira vez, desde que eu vira James sair do quarto do hospital, que eu examinava os aspectos práticos da nossa separação.

Por exemplo: deveríamos, James e eu, nos encontrar para pensar na venda do nosso apartamento?

Deveríamos partilhar nossas posses igualmente?

Isso seria extremamente divertido.

Por exemplo, será que arrastaríamos nossas três peças de mobiliário para o meio da sala e serraríamos o sofá pela metade, levando cada um de nós um pedaço, com a espuma e o enchimento caindo, e mais uma poltrona combinando?

Você sabe, esse tipo de coisa.

Honestamente, eu não sabia como iríamos dividir a maioria dos nossos bens. Porque não pertenciam a mim e não pertenciam a James. Pertenciam a um ilusório terceiro personagem: "nós".

A pessoa ou a energia, ou como queiram chamar a isso, era formada pela união de James e eu. E isso era muito maior do que a soma das suas partes.

Como desejei poder encontrar o "nós" desaparecido!

Se pelo menos eu pudesse localizá-lo e atraí-lo de volta, com ofertas de todos aqueles maravilhosos bens. Como algum terrível animador de programa de auditório de terceira categoria, com jogos e competições.

Vejam essa maravilhosa televisão.

É de vocês.

Deem uma olhada na cozinha planejada.

Bonita, não é? Bem, pode ser toda sua, basta você voltar.

Embora eu suponha que não haveria prêmios do nível de uma cozinha planejada, num programa de auditório de terceira categoria.

A pessoa tem sorte se ganhar sua passagem de ônibus para casa.

Mas desejei que fosse assim fácil conseguir de volta o "nós" de James e Claire.

Ou que tudo o que eu tivesse de fazer fosse colocar um anúncio no noticiário noturno, dizendo algo como: "Será que o 'nós' de James e Claire, cuja última notícia é a de que estava viajando (digamos) pela área de Kerry, poderia entrar em contato com o Gardaí, em Dublin, para uma mensagem urgente?"

Mas parecia que o "nós" não estava apenas ausente. Estava morto. Assassinado por James.

E morreu sem deixar testamento.

Em teoria, o Estado herda todas as posses que pertencem ao "nós".

Na prática, claro, nada é tão surrealista e ridículo quanto o que aconteceria.
Agora, quer fazer o favor de me passar a serra?

Você percebe que eu acreditava firmemente na existência de apenas uma maneira de lidar com situações desagradáveis — e qual era minha atual situação, se não desagradável? E essa maneira era respirar fundo, encará-las com equilíbrio e sem subterfúgios, olhá-las de frente, de cima para baixo e mostrar-lhes quem é que mandava.

Faça a fineza de pegar o touro pelos chifres.

Tenha a bondade de engolir o sapo.

Se alguém fosse pedir meu conselho sobre a maneira de como lidar com alguma coisa da qual tivesse pavor, seria exatamente o que lhe diria para fazer.

Eu acreditava firmemente nisso.

E talvez um dia eu até aceitasse meu próprio conselho e de fato o seguisse.

Você vê, embora eu honestamente acreditasse que essa era a melhor maneira de abordar situações difíceis, jamais tivera a coragem de fazer isso.

Era mestra em driblar tarefas enfadonhas.

Eu poderia adiar para a Irlanda.

Capitã Claire Webster, nascida Walsh, Chefe do Adiamento, apresentando-se para o serviço, senhor!

Meu lema era: "Sempre deixe para amanhã o que está programado para hoje. E se puder evitar fazer isso até a próxima semana, então ainda melhor."

Um simpático e vigoroso pequeno lema, com muito conteúdo, era o que eu gostava de pensar.

Para resumir minha atitude, vou apenas contar que não creio que, em toda a minha vida, eu tivesse jamais lavado a louça na noite de um jantar.

Sempre prometia a mim mesma que sim.

Aquele despertar, com uma ressaca, diante de pratos sujos e de uma cozinha que parecia um campo de batalha, era um espetáculo horrível demais para contemplar.

Mas você sabe como é.

O fim da noite já passou, e a mesa está repleta de pratos meio cheios de sobremesa derretendo-se, que eu mais ou menos abandonara.

Agora, em minha defesa, devo dizer que até esse ponto em geral sou uma anfitriã modelo, uma verdadeira máquina de atender meus convidados, transportando pratos, travessas e talheres da cozinha para a sala e vice-versa, como se estivesse numa esteira rolante.

Mas meu senso de hospitalidade diminui em proporção direta ao número de copos de vinho que tomo.

Então, por volta da hora da sobremesa e do café, em geral estou descontraída em excesso (ah, está bem, bêbada demais, se você insistir em dar nome ao boi) e não sinto mais necessidade nenhuma de limpar a mesa.

Se a mesa caísse à minha frente, sob o peso da louça por tirar, eu simplesmente gargalharia.

Se meus convidados quisessem uma mesa limpa, sinto muito, mas teriam de limpá-la eles próprios.

Sabiam onde ficava a cozinha.

Esperavam por um convite com bordas douradas?

No meio da mesa havia sempre uma tigela de frutas inteiramente intocada.

E qual é o problema? Frutas são lindas.

Sempre comprava frutas e ninguém jamais as comia. Sobremesa protestante, como Judy as chamava. Meus amigos diziam que era muito desagradável da minha parte insultá-los oferecendo-lhes como sobremesa algo como uma banana ou laranja. Que a ideia deles de uma sobremesa decente, ou melhor, sua única ideia de uma sobremesa, era alguma coisa explodindo com gorduras saturadas, açúcar, creme de leite, álcool, claras de ovos e colesterol.

O tipo de sobremesa que faz as artérias da pessoa contraírem-se alguns centímetros, só de olhá-la.

Tinha certeza de que desenvolveram essas atitudes em suas infâncias carentes.

Provavelmente, foram obrigados a comer gelatina e creme após cada jantar, por mais ou menos 20 anos.

Deus sabe que eu era solidária com eles. Também passara por esse inferno da gelatina.

Mas esperar que descascassem e comessem o dito pedaço de fruta com uma faca e garfo equivalia a uma ordem minha para que saíssem de minha casa e não voltassem nunca mais.

Então o resultado final era que eu sempre comprava frutas e meus convidados jamais as comiam. Se entendem o que quero dizer.

E a visão da mesa era sempre obscurecida por uns mil copos, vários deles virados, com seus conteúdos, fosse vinho branco, gim e tônica, café irlandês ou Baileys, espalhando-se rapidamente, misturando-se e confraternizando uns com os outros na toalha de mesa, a formar pequenos mares em torno das ilhas de sal, que alguma pobre alma conscienciosa (em geral James) atirara em cima para deter a trilha de devastação provocada pelo alastramento das hordas de vinho tinto derramado.

E eu estaria em meu vigésimo-segundo Sambuca e recostada nas duas pernas de trás de minha cadeira, ou sentada no joelho de James contando, a todos quantos quisessem ouvir, como eu o amava.

Não tinha nenhum pudor.

Minha seriedade não chegava a ser judiciosa, mas eu estava de bem com o universo. E, de alguma forma, eu geralmente descobria que estava realmente relaxada e descontraída em excesso para pensar em limpeza.

— Não é incômodo nenhum — dizia eu, com voz pastosa, recusando pretensiosamente com um aceno bêbadas ofertas de ajuda e fazendo a cinza do meu cigarro voar para dentro da tigela de creme ou para a frente da camisa branca de James (eu geralmente começava a fumar nessa etapa da noite, embora tivesse deixado de fumar há muito tempo). — Amanhã de manhã faço isso no máximo em dez minutos.

E o mais triste de tudo era que, na ocasião, eu quase acreditava nisso.

E, louca que era, jamais parava de esperar que as fadas da lavagem da louça aparecessem no meio da noite e fizessem uma blitz no local. Podem ficar com o novo par de sapatos e o dinheiro que tenho debaixo do meu travesseiro. Basta que lavem o chão da minha cozinha.

Todas as manhãs, após uma festa, eu cambaleava até a cozinha e, por um segundo, fazia uma pausa, com minha mão na maçaneta da porta, tendo uma bela e cálida fantasia de que, quando a escancarasse, aquele lugar estaria reluzente, com o sol brilhando nas superfícies polidas, todos os copos, pratos, tigelas, caçarolas e panelas areadas e guardadas (nos armários corretos. Queria que aquelas fadas fossem tão inteligentes quanto diligentes).

Em vez disso, enquanto abria caminho, cautelosamente, através dos destroços, era difícil encontrar até um copo inteiro para minhas tão necessárias duas pílulas de aspirina, quanto mais um copo limpo.

E, já que falamos de jantares festivos, gostaria de ter a resposta para algumas perguntas.

Por que, nesses jantares, alguém sempre rasga e tira todo o papel dos rótulos das garrafas de vinho, de modo que, quando você desce de manhã, a mesa está coberta de pequenos e desagradáveis fragmentos grudentos de papel, que aderem a tudo?

Por que sempre uso a manteigueira como cinzeiro?

Por que pelo menos uma pessoa sempre diz, em geral bem tarde da noite, devo admitir: "Qual seria o gosto de Dubonnet com Guinness?" ou "O que acontecerá se eu acender meu copo de Jack Daniel's?"

E então tentam descobrir.

Apenas como registro: o Guinness faz o Dubonnet coalhar da maneira mais repugnante, e o Jack Daniel's explode como um poço de petróleo no Kuwait, do tipo que nem Red Adair consegue conter, e chamusca a pintura do teto da sala de jantar, causando bolhas.

Então, agora você sabe.

Realmente, não aconselho isso.

Mas, caso se sinta realmente compelido a fazer essas coisas, tente não fazê-las em sua própria casa.

Deixe que algum outro pobre idiota tenha de pegar a escada, os jornais para forrar o chão, os rolos e pincéis.

Para ser justa com James — embora nem devesse, é um filho da puta — ele era sempre muito bom em matéria de trabalho caseiro e especialmente para limpar tudo, depois dos mencionados jantares festivos. Nunca ficava tão bêbado quanto eu, então, no mínimo, estava em condições físicas de remover a maior parte da carnificina da mesa de jantar e levá-la para a cozinha, de modo que, de manhã, pelo menos a sala estava razoavelmente apresentável. A não ser, claro, quanto ao teto chamuscado pelo Jack Daniel's. Mas eu sabia, ao menos, que podia pintar tudo.

Mais uma vez.

Sobrara um pouco de tinta do último jantar.

E havia o inevitável par de corpos de gente com ressaca, em geral encontrados em estado de barba por fazer e cabelos desgrenhados (essas eram as mulheres) no sofá da sala de estar. De fato, era quase tão difícil livrar-me deles quanto do chamuscado no teto. Ou das queimaduras de cigarro no tapete.

Ficavam deitados ali metade do dia, gemendo e pedindo xícaras de chá e paracetamol, e dizendo que, caso se mexessem, vomitariam.

De qualquer jeito, eu estava fazendo tudo de novo.

Ou seja, adiando.

Eu me esforçava ao máximo para evitar fazer o que devia.

Tentar fazer-me pensar sobre os aspectos práticos de não estar mais com James era como tentar fazer-me olhar diretamente para o sol num dia muito claro.

Também era difícil.

Ambas as coisas faziam meus olhos lacrimejarem.

Acho que seria melhor eu pensar no problema da custódia de Kate. Mas será que era um problema? James não demonstrara o mínimo interesse por ela. E, afinal, ele era (buuuuuú!) o adúltero. E, por causa disso, sendo ele o malfeitor e tudo mais, supus que a custódia me seria automaticamente concedida.

Mas, em vez de me sentir triunfante com isso, não me sentia sequer aliviada.

Não era nenhuma vitória.

Queria que James gostasse de nossa filha.

Queria que minha filha tivesse um pai.

Preferiria muito que James me levasse ao tribunal, partisse para duras disputas em baixo calão e que me caluniasse, chamando-me de lésbica, de mulher de baixa moral (nenhum fundamento para calúnia aqui, lamentavelmente) ou o que fosse. Porque, tentando ficar com a custódia de Kate ao denegrir meu nome, ele pelo menos demonstraria que se importava com ela.

Abracei ferozmente Kate. Sentia-me tão culpada. Porque, de alguma forma, em alguma parte, sem que eu sequer soubesse o que fazia, eu cometera algum erro e, por causa disso, a pobre Kate, pequena espectadora inocente, tinha de passar sem seu pai.

Eu, simplesmente, não conseguia entender James.

Será que ele não tinha a menor curiosidade com relação a Kate?

Não fazia sentido para mim.

Seria pelo fato de Kate ser uma menina?

Se o bebê fosse menino, será que James teria tentado acertar as coisas comigo?

Quem sabe?

Eu apenas procurava entender uma situação sem sentido.

E nosso apartamento?

Nós o havíamos comprado juntos e estava em nome dos dois. Então, o que faríamos?

Vendê-lo e dividir a soma obtida?

Ou eu compraria a parte dele, e moraria lá com Kate?

Ou eu venderia minha parte a James e deixaria que morasse lá com Denise?

De jeito nenhum!

Fosse lá o que acontecesse, eu não deixaria James levar outra mulher para o lar que eu construíra.

Preferia, primeiro, destruir o prédio com um incêndio.

Bem, talvez não o prédio inteiro. Eu não tinha nenhuma disputa específica com as pessoas que moravam nos dois andares abaixo de nós. Por que perderiam seus lares? Só porque meu marido estava levando a amante, sua paixonite, para o lar do casal?

Mas, sem dúvida, pelo menos o apartamento todo eu incendiaria. Gillian e Ken, as pessoas que moravam diretamente abaixo de nós, teriam de suportar uma ou duas chamas lambendo seu teto.

Só passando por cima do meu cadáver.

Sabem, todas as vezes que eu ouvia pessoas dizerem apaixonadamente isso, achava que estavam sendo mediterrâneas, de sangue quente. Que só faziam uma cena, exagerando tudo.

E, até aquele momento, eu sabia que diria aquilo, eu própria, milhares de vezes, mas jamais falaria sério. Mas agora eu falava sério, realmente.

Só passando por cima do meu cadáver ele levaria Denise para meu lar.

E quanto ao dinheiro? Como, pelo amor de Deus, eu conseguiria sustentar Kate e a mim mesma com meu salário?

Mal sabia quanto ganhava.

Era praticamente nada, em comparação com o que James recebia.

O salário dele era o que segurava as pontas, desde que nos casamos.

Então, agora eu ficaria pobre.

Sentia-me como se saísse perambulando e percebesse, de repente, para meu horror, que não havia chão nenhum debaixo de mim. Apenas uma porção de espaço ilimitado, vazio, esperando pela minha queda.

A ideia de ficar sem dinheiro era aterrorizante.

Sentia-me como se não fosse nada.

Como se eu fosse apenas uma mulher sem rosto flutuando num grande e hostil universo, sem âncora nenhuma para me prender a alguma coisa.

Por mais que deteste admitir isso, sentia-me menos do que um ser humano, sem meu marido e seu gordo salário.

Detestei a mim mesma por ser tão insegura e dependente. Deveria ser uma mulher dos anos 1990, forte, atrevida, independente. O tipo de mulher que tem pontos de vista bem definidos, vai para o cinema sozinha, preocupa-se com o meio ambiente, sabe trocar um fusível, faz sessões de aromaterapia, possui um jardim de ervas, fala fluentemente o italiano, tem uma sessão de hidroginástica uma vez por semana e não precisa de nenhum homem para escorar seu frágil senso de autoestima.

Mas o fato é que eu não era assim.

Gostaria de ser.

Talvez me tornasse.

Parecia que eu não tinha escolha.

O que aconteceu foi que me vi diante de um fato consumado.

Mas, naquele tempo, eu estava mais para o tipo de esposa da década de 1950. Estava perfeitamente feliz por ser uma dona de casa, enquanto o marido saía para ganhar a grana.

E, se o marido estava preparado para partilhar as tarefas domésticas, bem como para ganhar a parte do leão da grana, melhor ainda.

Acho que queria, ao mesmo tempo, assoviar e chupar cana.

Mas, e aí, o que você faria com seu bolo, a não ser comê-lo?

Colocar numa moldura?

Usar como amuleto?

Colocá-lo dentro da gaveta das calcinhas, para perfumar?

Este deve ser com certeza um dos ditos mais idiotas que já ouvi.

Como James e eu iríamos separar os fundos de nossa conta bancária comum? Seria como tentar separar gêmeos siameses. Do tipo que tem unidos todos os órgãos vitais. Coração, pulmões e fígado. Seria impossível.

Eu quase desistiria de todos os direitos ao dinheiro para evitar a inevitável disputa. A única coisa que me impedia de abrir mão de qualquer dinheiro meu na conta bancária era a ideia de ver James gastando-o com Denise. Comprando flores para ela, entradas de teatro, roupa íntima cara. Eu lamentava, mas não via como poderia deixar dinheiro meu financiar um esquema desses. Opunha-me a ele por princípio.

Era moralmente errado.

Além disso, na véspera eu vira, no shopping, um par de sapatos lindos, e os queria para mim.

Não posso descrever a sensação de imediata familiaridade que circulou entre nós. No momento em que bati meus olhos neles, senti-me como se já os possuísse. Só poderia supor que haviam sido meus em outra encarnação. Que eram meus sapatos quando eu era uma criada na Bretanha medieval ou uma princesa no antigo Egito. Ou talvez eles fossem a criada ou a princesa, e eu fosse os sapatos. Quem pode saber? Fosse como fosse, estávamos destinados a ficar juntos.

E eu não tinha nenhum acesso imediato a dinheiro. Assim, precisava lançar mão do meu dinheiro na Inglaterra.

Por mais sórdido e desagradável que fosse.

Minha cabeça girava vagarosamente com tudo isso.

Mais ou menos como girara na noite da véspera, quando mamãe começou sua conversa sobre Cher e Ike.

Nem de longe imaginava eu, naquele dia quente de abril, três anos antes, quando me casei com James, que nossa união terminaria dessa maneira.

Que algo que começara como um divertimento tão bom, tudo tão cheio de alegria e entusiasmo, pudesse terminar em dor de cotovelo e disputas legais.

Que eu me veria diante de tantos clichês.

Discutindo sobre dinheiro e bens.

Sempre pensara que James e eu seríamos diferentes. Que, mesmo que nos casássemos, não haveria motivo para agir de forma previsível, que diabo!

Divertimento, amor e paixão sempre seriam as coisas mais importantes para nós.

Eu jurara que nunca chegaria o dia em que eu entraria num quarto e diria a James, sem sequer olhar para ele: "Os azulejos do banheiro estão se soltando. É melhor você dar uma olhada neles."

Ou, novamente, lançando-lhe apenas o mais apressado dos olhares: "Espero que você não esteja pensando em usar aquele suéter no jantar dos Reynold."

Da mesma maneira como jurara não ser o tipo de mulher que, cheia de determinação, saía correndo ao redor da mesa da cozinha, comendo o que sobrara das refeições dos seus filhos.

Ou o tipo de mulher que chamava o marido diretamente de "papai". Não no sentido: "Não, querido, deixe a navalha, essa é do papai." Embora eu também não seja lá muito observadora dessas coisas.

Mas, sim, no sentido: "Vamos tomar o sorvete agora, papai?" Como se seu marido e você tivessem cessado de significar qualquer coisa um para o outro por si mesmos. Como se não existissem mais como pessoas. Tudo o que eram, agora, limitava-se a pais e filhos. Seu amado não era mais seu amado. Era, simplesmente, o pai dos seus filhos.

Eu prometera a mim mesma que jamais me transformaria na mãe de todo mundo.

Por melhores mulheres que elas sejam, sem dúvida.

Estava espantada de ver como fora arrogante.

E ingênua.

O que, pelo amor de Deus, me fizera pensar que seria diferente?

Não percebera que milhares de mulheres, antes de mim, haviam feito um pacto consigo mesmas de não deixar nunca que se perdesse a magia do seu casamento?

Da mesma maneira como prometeram ferozmente a si mesmas que nunca deixariam seus cabelos grisalhos aparecerem, nunca deixariam seus seios caírem, nunca teriam rugas.

Mas, mesmo assim, aconteceu.

A vontade delas não era forte o suficiente para combater o inevitável, para fazer voltarem as ondas do tempo.

E nem a minha.

Tornei a deitar Kate em seu berço e fui tomar um banho de chuveiro. Na verdade, estava obviamente podendo enfrentar essa história de viver, pensei comigo mesma, orgulhosamente.

— A limpeza — disse a Kate, sentindo-me muito virtuosa aos meus próprios olhos, achando que era uma Boa Mãe — está próxima da Divindade. E lhe direi o que é Divindade quando você for um pouco mais velha.

No chuveiro, não conseguia parar de pensar em James. Não de uma maneira piegas ou amarga. Apenas lembrando como fora ótimo. Realmente, embora ele tivesse me magoado de uma maneira como nunca imaginei, não podia esquecer simplesmente como fora maravilhoso viver com ele.

Logo que conheci James e saíamos com outras pessoas, às vezes eu o observava, através de uma sala, conversando com alguém. Sempre pensava comigo mesma como ele era sensual e bonito. Especialmente quando estava com um aspecto muito sério, parecendo mesmo um contador. Isso sempre me fazia sorrir. Mas ele parecia não ser nada divertido.

Mas vou lhe contar que eu sabia que era inteiramente diferente.

E me dava uma emoção imensa saber que, quando a festa, ou o que fosse, tivesse terminado, meu homem voltaria para casa comigo. Queria que fosse sempre assim.

Vira um número suficiente de mulheres casadas engordarem e se tornarem pouco atraentes e falarem com seus maridos como se fossem um "faz-tudo". E isso me deixava muito triste.

De que adianta estar casada, quando toda magia se foi? Quando os únicos pontos de contato entre os dois são o estado de decadência e as coisas por consertar em sua casa? Ou quando seus filhos não vão bem na escola?

Nesse caso, tanto faz estar casada com uma furadeira Black and Decker, quanto com um livro sobre psicologia infantil.

De qualquer jeito, eu ainda não conseguia entender aquilo.

Eu o amava.

Desejara que desse certo.

Tentara profundamente tornar as coisas bonitas.

Para ser franca, isso não era verdade, em absoluto.

Não tive de me esforçar para tornar as coisas belas. Elas simplesmente eram belas sem que eu fizesse o menor esforço.

Bem, eu achava que eram.

Pensei que a busca da Pessoa Certa tivesse terminado para nós dois. Que eu encontrara um homem que me amava incondicionalmente. Ainda melhor do que o amor incondicional que minha mãe tinha por mim, porque infelizmente esse amor incondicional tinha certas condições.

E ele me fazia rir da mesma maneira que minhas irmãs ou amigas podiam fazer-me rir. Mas era ainda melhor, porque em geral eu não acordava na mesma cama que minhas irmãs e amigas.

Então as oportunidades para dar uma boa risada com James eram muito mais numerosas e em lugares muito melhores.

E sobre lugares muito melhores também, eu acho.

Sabe, pensava que, se alguém fosse ter um caso, esse alguém seria eu.

Não que eu achasse que *teria,* se entende o que quero dizer.

Mas era sempre eu quem falava alto, a desordeira considerada altamente divertida.

E a opinião popular considerava James o sensato e confiável.

Quieto, reservado, dono de uma férrea determinação.

Esse é o problema com homens que usam ternos e óculos para perto e que fixam em você um olhar sincero dizendo coisas como: "Bem, num período de inflação baixa, uma aplicação com taxa fixa é sua melhor escolha", ou "Eu venderia as ações do Tesouro e compraria títulos do Governo", ou alguma declaração parecida.

Somos ludibriados no sentido de pensar que eles são chatos de galochas totalmente inofensivos.

E acho que até eu caí um pouco nessa com James.

Achava que podia comportar-me bem ou mal, de qualquer jeito que me desse na cabeça, e ele sorriria com tolerância para mim.

Que ele se divertia comigo.

Não exatamente se divertia. Assim, parece que ele se colocava numa posição de superioridade e menosprezo.

Mas eu o divertia, com certeza.

Ele, sem dúvida, me achava ótima.

E, por outro lado, com James eu me sentia acobertada, segura e protegida.

O próprio fato de saber que podia dar um verdadeiro espetáculo e que ainda assim James continuaria a me amar garantia que eu não desse um verdadeiro espetáculo.

Não me embriagava mais tantas vezes.

Mas, mesmo nos tempos em que sim, quando acordava na manhã seguinte com uma dor de cabeça latejante e me encolhia diante dos poucos fragmentos do que podia me lembrar da noite anterior, ele se mostrava muito carinhoso.

Ria gentilmente, ia pegar copos d'água para mim, inclinava-se e beijava minha testa latejante, enquanto eu jazia como um cadáver na cama, e dizia coisas tranquilizadoras, como: "Não, benzinho, você não foi detestável. Foi muito engraçada." E: "Não, querida, você não foi arrogante. Deixou todo mundo às gargalhadas." E: "Sua bolsa vai aparecer. Provavelmente ficou debaixo de alguns casacos, na casa de Lisa. Vou telefonar para ela agora." E: "Claro que você pode tornar a encarar essas pessoas. Quero dizer, todo mundo estava alto. Você não era a mais bêbada, não imagine uma coisa dessas."

E, numa ocasião realmente terrível, a pior "manhã seguinte" que já tive, eu acho — as promessas de nunca mais tornar a beber foram abundantes, garanto-lhes — "Depressa, meu anjo, sua audiência é às 9h30. Não pode atrasar-se, porque o advogado disse que seu juiz é um completo filho da puta."

Agora escute, espere um minuto. Apenas me deixe explicar. Por favor, ouça tudo o que tenho para dizer.

Sim, fui presa uma noite, mas não porque estivesse fazendo algo ilegal. Eu estava simplesmente no lugar errado, na hora errada. Aconteceu que eu estava por acaso num lugar qualquer que era um clube sem licença de bebida. Eu não tinha a menor ideia de que as pessoas que administravam o lugar praticavam algum ato criminoso.

Além do preço que cobravam pelo vinho.

E dos casacos que os leões de chácara usavam.

Só os casacos já mereciam dez anos de confinamento na solitária.

Não sei como consegui me envolver naquilo. Tudo o que sei com certeza é que o pessoal bebia e a animação corria solta.

Quando vimos os policiais entrarem no clube e todos começarem a esconder suas bebidas debaixo de suas mesas, Judy, Laura e eu achamos aquilo divertidíssimo.

— Parece o tempo da Lei Seca — comentamos, às gargalhadas.

Decidi que contaria minha piada favorita a alguns dos policiais, que é a seguinte: "Quantos policiais são necessários para quebrar uma lâmpada?" A resposta, claro, é: nenhum. A lâmpada caiu pela escada abaixo.

Um dos policiais ficou muito ofendido com isso e me disse que, se eu não me comportasse, ele me prenderia.

"Prenda-me, então", sorri para ele, atrevida, e estendi ambos os pulsos para que me colocasse as algemas. Obviamente, não acreditava que fossem policiais de verdade, mas apenas *strippers.*

Por isso, ninguém ficou mais surpreso do que eu quando o policial fez exatamente isso.

Claro que percebi que ele estava apenas cumprindo seu dever.

Não guardei ressentimentos. Não fui amarga.

Que filho da puta!

Devo admitir que fiquei muito, mas muito surpresa mesmo.

Tentei dizer-lhe que eu era apenas uma jovem mulher suburbana, de classe média. Que tinha até conseguido um homem para se casar comigo e que ele era contador. Contei-lhe isso para que soubesse que eu estava do mesmo lado que ele. Reparando os erros, combatendo a injustiça e tudo o mais.

E que, prendendo-me, ele esculhambava o estereótipo que todos têm de uma pessoa bêbada e desordeira.

Então lá fui eu no camburão, espiando Laura e Judy pela janela, com lágrimas nos olhos.

"Liguem para o James", disse para elas, apenas com movimentos dos lábios, enquanto me levavam embora.

Tinha certeza de que ele saberia o que fazer.

E sabia. Pagou uma fiança para mim e me conseguiu um advogado.

E não creio que em toda, mas em toda a minha vida, eu tenha ficado tão assustada com alguma coisa.

Estava convencida de que me espancariam até me arrancarem uma confissão e eu seria condenada à prisão perpétua, jamais tornando a ver James, meus amigos ou minha família.

Jamais tornaria a ver o céu azul, a não ser do pátio de exercícios, pensei, sentindo uma pena imensa de mim mesma. Nunca mais tornaria a usar roupas bonitas. Teria de usar aqueles horríveis vestidos de saco da prisão.

E teria de me tornar uma lésbica. Teria de me tornar a namorada da Senhorita Grandalhona, para ela me proteger de todas as outras moças, com suas garrafas de Coca-Cola quebradas.

E eu tinha um diploma, mas isso não valia grande coisa.

E teria de começar a fumar novamente.

E eu não sabia imitar direito o sotaque australiano.

Estava desesperada.

Então, quando James chegou à delegacia e me tirou de lá, com a fiança, ou "me ajudou a fugir", como prefiro chamar aquilo, eu não consegui acreditar que não houvesse, do lado de fora, câmeras de televisão e multidões delirantes carregando faixas.

Mas apenas outro camburão, que parou cantando os pneus e raspando o meio-fio. Cerca de cinco bêbados saíram aos tropeços.

James me levou para casa.

Conseguiu com um amigo a indicação de um advogado e telefonou para ele.

Acordou-me de manhã, quando eu não podia abrir os olhos por causa da terrível sensação de desgraça iminente.

Ele limpou meu batom e me disse que poderia ser melhor, para meu caso, se eu não parecesse uma garota baladeira.

Fez-me usar uma saia comprida e uma blusa de gola alta, pelo mesmo motivo.

Sentou-se na sala do tribunal segurando minha mão, enquanto eu esperava que chegasse minha vez.

Ele cantarolava canções para mim, enquanto eu ficava ali sentada, pálida e cheia de náusea, com o choque e a ressaca.

Achei muito confortadoras as canções que ele cantarolava.

Até entender algumas palavras de uma delas.

Algumas coisas sobre quebrar pedras e estar numa leva de detentos acorrentados.

Virei-me para ele e lancei-lhe um olhar fuzilante e choroso, pronta para lhe dizer que fosse embora e tomasse no rabo, se achava minha aflição assim tão divertida.

Mas nossos olhos se encontraram.

E simplesmente não consegui evitar.

Comecei a rir.

Ele tinha razão.

Toda aquela situação era tão ridícula, que só mesmo rindo.

Os dois rimos feito colegiais.

O juiz nos lançou um olhar terrível.

— Isso vai custar mais dez anos em sua sentença — riu James, e nós dois tornamos a explodir em gargalhadas.

Saí com uma multa de 50 libras, que James pagou, rindo.

— Você mesma vai pagar, da próxima vez — ele sorriu para mim.

Eu não conseguia acreditar em sua atitude. Se alguém me acordasse às duas da manhã para me dizer que James fora preso, eu ficaria horrorizada. Tinha certeza de que não acharia a situação engraçada do jeito como ele achou.

Pediria a mim mesma, seriamente, que pensasse no tipo de homem com quem me casara.

Não seria indulgente, não daria um apoio tão completo e perdoaria tudo, como fez James.

Na verdade, ele sequer perdoara, porque em nenhum momento, nem por um segundo, agiu como se eu tivesse feito alguma coisa errada.

Então, agora, se fosse presa novamente, eu não teria ninguém para segurar minha mão no tribunal e me fazer rir.

Para não falar no fato de eu mesma ter de pagar a maldita multa.

Algumas vezes ele era tão carinhoso. Quando eu acordava no meio da noite, para me preocupar, como costumava fazer, ele era maravilhoso.

— O que há de errado, querida? — perguntava ele.

— Nada — dizia eu, incapaz de colocar em palavras aquela ansiedade horrível, sem nome, flutuando livremente.

— Não consegue dormir?

— Não.

— Quer que faça você dormir?

— Quero, por favor.

E eu, finalmente, caía num sono pacífico, com a canção de ninar que era, para mim, o som calmante da voz de James, explicando reduções de impostos por meio do uso de dinheiro em obras de caridade, ou a nova regulamentação do IVA estabelecida pela União Europeia.

Fechei a torneira do chuveiro e me enxuguei.

Melhor telefonar para ele, disse a mim mesma.

Voltei para meu quarto e comecei a me vestir.

Telefone para ele, ordenei a mim mesma, com rispidez.

Depois que tiver alimentado Kate, respondi, com um jeito vago e irresoluto.

Telefone para ele!, tornei a dizer a mim mesma.

Quer que a criança *morra de fome*?, perguntei, tentando fazer minha voz soar ultrajada. Telefonarei para ele depois que a alimentar.

Não, você não fará isso. Telefone para ele AGORA!

Eu estava usando novamente meus antigos truques.

Adiando, evitando responsabilidades, fugindo de situações desagradáveis.

Mas estava com tanto medo.

Sabia que tinha de conversar com James sobre dinheiro, o apartamento e tudo isso. Não estava negando essa realidade nem por um minuto. Mas sentia que, no momento em que realmente falasse com ele sobre essas coisas, elas se tornariam reais.

E, se fossem reais, isso significava que meu casamento tinha terminado.

E eu não queria isso.

— Ah, meu Deus — suspirei.

Olhei para Kate, deitada em seu berço, macia, gorducha e cheirosa em seu pequeno macacão cor-de-rosa.

E sabia que tinha de telefonar para James.

Eu podia ser fraca, pusilânime, servil e covarde quanto quisesse, desde que agisse por conta própria, mas devia aquele telefonema à minha bela filha, para definir seu futuro.

— Certo — disse eu, resignada, olhando-a. — Você me pegou. Vou telefonar para ele.

Fui para o quarto de mamãe a fim de usar o telefone lá.

Comecei a discar o número do escritório de James em Londres e fiquei completamente tonta.

Estava ao mesmo tempo excitada e assustada.

Em poucos instantes, ouviria a voz dele.

E não podia esperar.

Estava febril e trêmula pela expectativa.

Falaria com ele, com meu James, meu melhor amigo.

Só que, claro, ele não era mais, não é?

Mas algumas vezes eu me esquecia. Só por um segundo.

Tornou-se muito difícil respirar. Minha respiração não parecia capaz de ir até o fundo.

O telefone fez a conexão e começou a chamar.

Uma tal emoção me dominou que pensei que talvez vomitasse.

A recepcionista atendeu.

— Ah, posso falar com o Sr. James Webster, por favor? — perguntei, com voz vacilante. A sensação que tinha nos lábios era de ter tomado uma injeção para anestesiá-los.

Houve alguns cliques na linha.

Falaria com ele num momento.

Prendi a respiração.

De qualquer forma, minha respiração já não estava lá muito regular.

Outro clique.

Era a recepcionista de volta.

— Desculpe, o Sr. Webster está fora esta semana. Outra pessoa pode ajudar?

O desapontamento foi tão doloroso que mal consegui gaguejar:

— Não, está bem, obrigada.

E desliguei o telefone.

Fiquei sentada na cama de mamãe.

Realmente, agora não sabia o que fazer.

Fora um tremendo suplício telefonar para ele. Uma coisa muito dura de fazer. E também, involuntariamente, eu me entusiasmara com a ideia de falar com ele. E ele nem sequer estava lá.

Mas que decepção.

Eu tinha galões de adrenalina correndo pelo meu corpo, provocando gotículas de suor em minha testa, tornando minhas mãos molhadas e trêmulas, deixando-me tonta, e simplesmente não sabia o que fazer com isso.

E então a ideia me ocorreu: onde estava James?

Por favor, não me diga que saíra de férias.

De férias?

Como poderia sair de férias, quando seu casamento estava sendo destruído? Fora destruído, na verdade.

Talvez ele esteja num curso, pensei, desesperada.

Esbocei a ideia de telefonar novamente para a recepcionista e perguntar-lhe onde estava James.

Mas me detive. Não ia jogar fora o minúsculo pedacinho de orgulho que me sobrara.

Talvez ele esteja doente, pensei. Talvez esteja com gripe.

Provavelmente eu receberia bem a notícia de que estava com câncer terminal.

Qualquer coisa, menos ele ter saído de férias.

A ideia de que ele levava sua vida sem mim, a ideia de que ele, na verdade, aproveitava essa nova vida, era profundamente desagradável.

Por um lado, claro, eu sabia que ele levava uma vida sem mim. Quero dizer, todas as provas estavam ali. Ele morava com outra mulher, não entrara em contato comigo, nem mesmo para saber como a Kate estava. Mas, mesmo assim, acho que eu jamais parara de esperar que ele estivesse ansiando por mim, sentindo terrivelmente minha falta e que, finalmente, voltasse.

Mas, se tivesse saído de férias, então não seria este o caso.

Ele não deve preocupar-se com nada neste mundo, pensei, com minha imaginação disparando. Provavelmente, viajou com a amante para algum balneário exótico. Está bebendo piñas coladas no sapato de Denise. Sua vida ao som de rolhas de champanhe espocando e fogos de artifício explodindo, em meio a música e pessoas alegres, usando chapéus festivos enfeitados com bandeirolas, e que passavam por ele dançando conga, na maior algazarra.

Enquanto eu congelava naquele clima de março, estava convencida de que James vivia na maior curtição, em algum balneário muito caro do Caribe, onde dispunha de 14 valetes, uma piscina particular e um ar que cheirava a botões de jasmim.

Eu não tinha a menor ideia de como eram botões de jasmim. Sabia apenas que apareciam com regularidade nesse tipo de roteiro.

Ah, meu Deus, pensei, engolindo em seco. Certamente não esperara me sentir daquele jeito.

E agora, que fazer?

Mamãe entrou no quarto trazendo nos braços um monte imenso de roupas recém-passadas a ferro.

Parou, surpresa, quando me viu.

— Que há de errado com você? — perguntou, olhando para meu rosto pálido e infeliz.

— Liguei para James — disse-lhe, e explodi em lágrimas.

— Ah, meu Deus! — exclamou ela, colocando a pilha de roupas em cima de uma cadeira e aproximando-se para sentar-se a meu lado.

— O que ele disse? — perguntou ela.

— Nada — solucei. — Não estava lá. Aposto que saiu de férias com aquela cadela gorda. E aposto que voaram de primeira classe. E aposto que têm uma banheira de hidromassagem.

Mamãe me abraçou.

Algum tempo depois, parei de chorar.

— Quer que eu a ajude a guardar a roupa? — perguntei com minha voz meio lamurienta e chorosa.

Isso a fez parecer *realmente* preocupada.

— Você está bem? — perguntou ela, ansiosa.

— Claro — disse eu. — Estou ótima.

— Tem certeza? — perguntou novamente, ainda não convencida.

— Tenho — insisti, um pouco aborrecida.

Eu estava ótima.

Era melhor me acostumar a sentir essa perturbação, decidi.

Porque aconteceria muito. No mínimo, até eu aceitar o fato de que tudo estava realmente terminado com James.

Muito bem, eu me sentia péssima naquele momento.

Magoada e chocada.

Mas, dentro de algum tempo, esses sentimentos não me feririam tanto. A dor desapareceria.

Então, eu não iria para a cama por uma semana.

Levantaria a cabeça e tocaria as coisas para adiante.

E telefonaria para ele na segunda-feira.

Seria realmente uma boa ocasião para falar com James.

Ele estava destinado a se sentir mesmo infeliz nessa segunda-feira, de volta ao trabalho, com a tristeza de depois das férias e ainda atordoado com a diferença de fuso horário.

Eu tentava alegrar-me fingindo que ficaria satisfeita de vê-lo infeliz.

E, se eu não me aprofundasse muito na ideia, funcionaria por um tempinho.

— Tudo certo, mamãe — disse eu, com determinação. — Vamos guardar essas roupas.

Fui decidida até a pilha de roupas recém-passadas, em cima da cadeira. Mamãe pareceu um pouquinho espantada, quando comecei tão rapidamente a separá-las.

Peguei uma braçada e disse a ela:

— Vou colocar estas na cômoda de Anna.

— Mas... — começou mamãe.

— Nada de *mas* — disse-lhe eu, em tom tranquilizador.

— Não, Claire... — disse ela, com ansiedade.

— Mamãe — insisti, muito comovida por sua preocupação, mas decidida a me recompor e a ser uma filha zelosa —, estou ótima agora.

E saí do seu quarto dirigindo-me para o de Anna.

A porta do quarto de mamãe fechou-se atrás de mim. Por isso, a voz dela estava abafada quando ela me chamou.

— Claire, pelo amor de Deus! Como vou explicar a seu pai que as cuecas dele estão na cômoda de Anna?

Eu estava de joelhos em frente à cômoda de Anna.

Fiz uma pausa para ver o que estava fazendo.

Eu não estava colocando as cuecas de papai na cômoda de Anna, estava?

Estava, sim.

Percebi que era melhor tirá-las dali. Porque não havia nenhuma maneira de Anna não perceber que havia alguma coisa fora do comum, quando trocasse suas calcinhas e se descobrisse usando enormes cuecas samba-canção.

Supondo-se, claro, que ela de fato trocasse suas calcinhas.

Ou, afinal, pensando bem, que usasse mesmo calcinhas.

Tinha certeza de que já a ouvira falar sobre roupas — especialmente roupas de baixo — como sendo uma forma de fascismo. Uma vaga conversa sobre a necessidade de que o ar circulasse, o fato de a pele precisar respirar e os canais se sentirem liberados e sem restrições, levaram-me a suspeitar, consequentemente, de que calcinhas e seu uso talvez não figurassem em boa posição na lista de prioridades de Anna.

Com um suspiro martirizado, peguei de volta a pilha de cuecas.

13

Aquela noite, estava combinado que eu me encontraria com Laura para tomarmos uma bebida.

É melhor dar a você um pouco dos antecedentes deste caso.

Laura, Judy e eu fomos para a universidade juntas. E somos amigas desde então.

Judy morava em Londres.

E Laura em Dublin.

Eu não havia visto Laura desde que fugira de Londres sem um marido e com um bebê, mas falara com ela pelo telefone algumas vezes.

Disse-lhe que estava deprimida demais para vê-la.

E, como ela é uma boa amiga, não ficou aborrecida comigo. Disse-me que não me preocupasse, que eu acabaria por me sentir melhor e então nos encontraríamos.

Disse-lhe que nunca me sentiria melhor e jamais tornaria a vê-la, mas que fora maravilhoso conhecê-la.

Tinha a impressão de que ela telefonara para mamãe algumas vezes, no mês passado, para fazer discretas perguntas sobre o estado do meu coração (ainda partido, no último check-up), da minha saúde mental (ainda muito instável) e da minha popularidade (no pior estado de todos os tempos).

Mas ela não me incomodara e eu lhe era muito grata por isso.

Agora, sentia-me bem melhor, de modo que telefonei para ela e sugeri que nos encontrássemos na cidade, para tomarmos uma bebida.

Laura pareceu feliz com a ideia.

— Vamos encher a cara — disse, animada, pelo telefone.

Não tenho certeza se era uma sugestão ou uma previsão.

De qualquer forma, era um desfecho previsível.

— Acho que vai ser bom — concordei, tomando como parâmetro nossos encontros nos dez últimos anos.

Mas eu estava alarmada.

Esquecera-me de que Laura era uma hedonista desenfreada. Ela poderia ter ensinado algumas coisinhas àqueles imperadores romanos.

Mamãe disse que estava encantadíssima de ficar tomando conta de Kate.

Depois do jantar (pastelão de carne congelado, esquentado no micro-ondas, na verdade até gostoso), fui para o meu quarto, tentar me arrumar para minha primeira incursão social desde que meu marido me deixara.

Uma ocasião e tanto.

Um pouco como perder a virgindade, fazer Primeira Comunhão ou casar. Algo que só acontece uma vez.

Não tinha absolutamente nada para usar.

Comecei a lamentar muito e a me sentir muito tola, na verdade, com minha atitude de mártir ao deixar todas as minhas belas roupas em Londres. Comportando-me como um condenado a caminho das galés, chorando dramaticamente, dizendo que minha vida tinha terminado e que no lugar para onde eu ia não precisaria de roupas.

E ia apenas para Dublin.

Não para a vida após a morte.

Honestamente, fui patética.

Deveria ter imaginado que mais cedo ou mais tarde eu me sentiria quase normal novamente.

Não loucamente feliz, nada tão maravilhoso assim, veja bem.

Mas capaz de enfrentar a situação.

Diante do fato de que todas as minhas roupas boas estavam numa cidade diferente, eu não tinha outra opção a não ser me apropriar indevidamente de algumas das coisas de Helen.

Ela ficaria aborrecida.

Não havia como negar isso.

Mas ela já estava aborrecida comigo, de qualquer jeito, pela suposta atração que eu sentira por seu namorado; então, o que eu tinha a perder?

Pensamentos sobre castigos que vêm a galope.

Comecei a vasculhar freneticamente os cabides de Helen. Puxa vida, ela tinha algumas roupas realmente lindas.

Senti a seiva subir, os velhos humores começarem a fluir.

Adorava roupas.

Era como um homem que estivesse morrendo de sede no deserto e inesperadamente tropeçasse com uma geladeira cheia de 7 Ups supergelados.

Tinha passado tempo demais enfiada naquela camisola.

Descobri naquele seu armário um vestidinho de cor vinho tipo avental. Esse vai ficar muito bem, pensei, enquanto me enfiava febrilmente nele.

Voltei para meu quarto e me olhei no espelho e, pela segunda vez em dois dias, fiquei surpresa e deliciada com o que vi.

Parecia mais alta, mais esguia, mais jovem.

Nem um pouquinho uma mãe solteira.

Ou uma esposa abandonada.

Seja lá como se imagine a aparência delas.

Com umas meias de malha de lã e minhas botas, eu estava com um aspecto agradavelmente infantil (ah!) e inocente (duplo ah!).

E, se o vestido era um pouco curto demais para mim, expondo um trecho alarmante das minhas coxas, porque Helen era bem menor do que eu, isso era melhor ainda.

Mais pensamentos sobre males que não duram para sempre.

E, agora, sugestões da minha mãe, que entrara para conversar comigo, enquanto eu me aprontava, em torno de uma burra velha que estava pensando seriamente em comer capim novo.

Comentários alusivos, da minha parte, à mouquidão de certos ouvidos diante de palavras néscias.

Outra alusão da parte dela, com relação a paus que nascem tortos e à impossibilidade de endireitá-los.

Rapidamente, tentei me lembrar de outro provérbio, mas não consegui.

Basta, mas que merda!, disse-lhe eu.

Já houvera alusões suficientes para uma noite inteira. Agora, era preciso um pouquinho de conversa franca.

Depois, apliquei a maquiagem. Estava muito excitada porque ia sair. Tinha esquecido como era divertido.

Em geral, adorava sair.

Normalmente, era uma pessoa muito sociável.

Quando meu marido ainda não me deixara, era muito divertido circular.

Jamais rejeitava um convite.

Precisamos nos divertir enquanto podemos, sempre digo, porque ficaremos mortos por um longo período.

Haverá, na próxima vida, uma porção de tempo para ficar em casa e passar a ferro nossas roupas de trabalho para a semana seguinte.

Geralmente, eu era uma das primeiras a chegar a uma festa.

Invariavelmente, uma das últimas a sair.

Uma generosa porção de base energicamente esfregada em meu rosto tirou a branca palidez do inverno.

Eu era adepta da escola de aplicação de maquiagem que valoriza a quantidade tanto quanto a qualidade.

E, embora um bronzeado moreno seja considerado símbolo de status dos anos 1980 e inteiramente deslocado nos 1990, adeptos do natural e do fashion, envergonho-me de dizer que queria estar bronzeada mesmo assim.

Está bem, está bem, uma exposição tão excessiva ao sol pode nos provocar câncer de pele e, pior ainda, deixar-nos uma pele como a das australianas. Mas eu achava que um rosto macio e bronzeado parecia muito saudável e atraente.

E de que adiantava nos protegermos do câncer de pele, evitar obsessivamente o sol e andar por aí parecendo cadáveres, quando amanhã poderíamos ser atropelados por um ônibus?

De qualquer jeito, eu não estava morena. Simplesmente queria estar. Acho que é quase tão ruim quanto.

E me sentia perfeitamente à vontade para usar maquiagem, a fim de falsificar esse tom. Então, não se poderia descrever meu aspecto maquiada como pálido e interessante.

Interessante, talvez, mas não pálido.

Duas faixas de blush, uma em cada maçã do rosto.

Na verdade, isso ficou meio assustador, até eu esfumar tudo.

Tive certeza de ouvir mamãe resmungando qualquer coisa que soou como "palhaço de programa infantil" e dei uma brusca meia-volta, mas ela se limitou a ficar examinando suas unhas, com um ar inteiramente desinteressado.

Eu devia ter imaginado isso.

Um pouco de batom intenso para garantir que, embora eu estivesse usando um vestido infantil, não poderia ser confundida com nada que não fosse uma mulher.

Mulher.

Amava essa palavra.

Eu era uma mulher.

Tive vontade de dizê-la em voz alta. Mas, espantosamente, mamãe não saíra correndo do quarto quando falei "merda". Ainda estava sentada na cama, enquanto eu punha minha maquiagem, e senti que já a alarmara o suficiente, no decorrer do mês passado.

Mas era uma palavra tão evocativa.

Mulher.

Tão voluptuosa. Tão sensorial.

Ou seria sensual?

Sempre confundo as duas coisas.

De volta para as coisas mundanas.

Delineador cinza e rímel preto fizeram meus olhos parecerem realmente azuis.

E, com meu cabelo recém-lavado e brilhante, fiquei muito satisfeita com o efeito geral.

Claro que mamãe não ficou.

— Vai usar uma saia com essa blusa? — perguntou.

— Mamãe, você sabe perfeitamente bem que isso é um vestido, não uma blusa — disse-lhe eu, calmamente.

Nada que ela pudesse dizer ou fazer me impediria de me sentir bem com relação a mim mesma.

— Pode ser um vestido em Helen — ela reconheceu. — Mas é curto demais para ser outra coisa que não uma blusa em você.

Ignorei-a.

— E você o pediu a Helen emprestado? — perguntou ela, obviamente fazendo tudo para acabar com meu bom humor. — Porque quem vai ouvir os desaforos de Helen sou eu. Você nem vai ligar. Estará na cidade com seus barulhentos amigos, enchendo a cara de Malibu e Lucozade, ou seja lá o que você bebe. E eu estarei aqui, ouvindo os gritos da minha filha mais nova, me dizendo o que um cachorro não escuta. E, no momento, estamos na lista negra de Helen.

— Ah, cale a boca, mamãe — falei. — Vou deixar um bilhete para Helen explicando que peguei o vestido emprestado. E, quando estiver com minhas roupas de Londres, também posso emprestá-las.

Silêncio da parte de mamãe.

— Tudo bem? — perguntei a ela.

— Sim — sorriu.

E acrescentou de má vontade:

— E você está linda.

Pouco antes de sair do meu quarto e descer, um brilho em cima da penteadeira atraiu meu olhar. Era minha aliança. Tinha esquecido de recolocá-la no dedo, depois de tomar banho. Estava ali piscando para mim, obviamente louca para sair de casa um pouquinho. Então fui até lá e a peguei, mas não a pus. Meu casamento terminou, pensei, e talvez comece a acreditar nisso, se não usar mais minha aliança. Coloquei-a novamente em cima da penteadeira.

Claro que ela ficou furiosa — simplesmente não conseguia acreditar que eu não a usaria. E, depois, ficou perturbada. Mas não cedi aos seus desejos. Não podia permitir-me nenhum sentimentalismo. Decidi sair antes que começassem as recriminações.

— Desculpe — disse eu, sumariamente, virando as costas, apagando a luz e saindo do quarto.

Papai estava assistindo ao golfe na televisão, quando me aproximei dele para pedir seu carro emprestado.

Acho que lhe dei um pequeno susto, quando afinal consegui arrancar sua atenção dos homens que usavam as calças daquele urso do programa infantil, Rupert.

— Você está muito elegante — disse, com um ar espantado. — Onde você vai?

— Para a cidade, me encontrar com Laura — respondi-lhe.

— Bem, não deixem que depredem o carro — disse ele, alarmado.

Papai viera de uma pequena cidade a oeste da Irlanda e, embora vivesse em Dublin há 33 anos, ainda não acreditava nos dublinenses. Achava que todos eram criminosos e vândalos.

E parecia pensar que o centro de Dublin era como Beirute. Com a diferença de que Beirute era muito melhor.

— Não vou deixar que o depredem, papai — disse-lhe eu. — Vou parar num estacionamento.

Mas isso também não o acalmou.

— Não deixe de pegá-lo antes da meia-noite — disse ele, muito agitado. — Porque todos os estacionamentos rotativos fecham a essa hora. E, se você não o pegar, terei de ir a pé para o trabalho de manhã.

Não lhe disse, mas quase o fiz, que ele não teria de ir a pé para parte alguma de manhã, se eu deixasse o carro abandonado e as autoridades o levassem para o depósito municipal. Que nada o impediria de tomar emprestado o carro de mamãe ou de usar algum transporte público.

— Não se preocupe, papai — tranquilizei-o. — Agora, me dê as chaves.

Ele as entregou, relutante.

— E não mude a estação de rádio. Não quero ligá-la de manhã e ficar surdo com música pop.

— Se mudar, volto para a outra novamente — suspirei.

— E, se ajustar o assento para a frente, não deixe de movê-lo novamente para trás. Não quero entrar de manhã e pensar que ganhei uma porção de quilos de noite.

— Não se preocupe, papai — disse-lhe eu, pacientemente, enquanto pegava meu casaco e minha bolsa. — Até mais tarde.

É mais fácil um camelo passar pelo buraco de uma agulha do que tomar emprestado o carro de papai.

Enquanto eu fechava atrás de mim a porta da sala de estar, ouvi-o me chamando.

— Para onde você vai sem uma saia?

Continuei caminhando.

Foi terrível deixar Kate. Era a primeira vez que eu saía sem ela e foi verdadeiramente angustiante. Na verdade, eu quase a levei comigo, mas, quando me dei conta de que ela passaria tempo suficiente em *pubs* barulhentos e cheios de fumaça quando fosse mais velha, achei que não havia motivos para começar desde já.

— *Por favor,* dê uma olhada nela a cada 15 minutos — disse eu a mamãe, toda chorosa.

— Claro — respondeu ela.

— Cada *15* minutos — enfatizei.

— Pode deixar — ela disse.

— Não vai esquecer? — perguntei, ansiosa.

— Não — respondeu ela, começando a se mostrar um pouco impaciente.

— Mas, e se você estiver vendo alguma coisa na televisão e se distrair? — insisti.

— Não vou esquecer! — gritou ela, com uma voz que demonstrava claramente seu aborrecimento. — Sei tomar conta de uma criança, e você sabe disso. *Consegui* criar cinco filhos.

— Eu sei — disse a ela —, só que Kate é especial.

— Claire! — falou mamãe, irritada. — Mas que droga, quer fazer o favor de se mandar?

— Tudo bem, tudo bem — eu disse, rapidamente verificando se a babá eletrônica estava ligada. — Já vou.

— Divirta-se — disse mamãe.

— Vou tentar — disse eu, com o lábio inferior tremendo.

A viagem de carro até a cidade foi um pesadelo.

Você sabia que, se escutar com atenção suficiente, *tudo* soa como choro de bebê?

O vento nas árvores, a chuva no teto do carro, o zumbido do motor.

Eu estava convencida de que podia ouvir Kate chorando por mim, fracamente, a quilômetros de distância.

Era insuportável.

Quase dei a volta no carro e voltei para casa.

Se não fosse o Bom Senso aparecer de repente como convidado na minha cabeça, provavelmente era o que eu teria feito.

— Você está sendo ridícula — disse o Bom Senso.

— Obviamente, você não é mãe — repliquei.

— Não — admitiu o Bom Senso. — Não sou. Mas você precisa entender que não pode ficar com ela todos os momentos, durante o resto da vida dela. E quando você voltar para o trabalho e ela tiver de ficar com uma babá? Ora, como é que você vai enfrentar essa situação? Pense nessa saída como um bom exercício.

— Você tem razão — suspirei, acalmando-me por um momento. Depois, o pânico tornou a tomar conta de mim. E se ela morresse? E se ela morresse aquela noite?

Exatamente então, como um oásis no deserto, vi uma cabine telefônica. Dei uma guinada no carro, para grande aborrecimento dos motoristas atrás de mim. Buzinaram alto e gritaram coisas para mim, aqueles desgraçados sem coração.

— Mamãe — disse eu, com voz trêmula.

— Quem é? — perguntou ela.

— Sou *eu* — disse, sentindo-me prestes a explodir em prantos.

— *Claire?* — perguntou ela, com uma voz ultrajada. — Mas que diabo você quer?

— Alguma coisa aconteceu com Kate? — perguntei, sem fôlego.

— Claire! Pare com isso! Kate está ótima!

— É mesmo? — perguntei, mal ousando acreditar nisso.

— Está, sim — disse ela, com uma voz mais simpática. — Ouça, depois fica mais fácil, sabe. A primeira vez é a pior. Agora vá, divirta-se, prometo que ligo se alguma coisa acontecer.

— Obrigada, mamãe — disse eu, sentindo-me bem melhor.

Voltei para o carro, dirigi até a cidade e o estacionei (sim, num estacionamento rotativo) e segui até o *pub* para encontrar Laura.

Ela já estava lá quando cheguei.

Foi maravilhoso vê-la. Eu não a via há meses.

Disse-lhe que estava linda, porque estava mesmo. E ela me disse o mesmo. Embora eu não tenha certeza se era verdade.

Ela disse que parecia uma bruxa velha.

Eu disse que eu parecia um cachorro.

Eu disse que ela não parecia uma bruxa velha.

Ela disse que eu não parecia um cachorro.

Terminadas as amabilidades, fui pegar algumas bebidas para nós.

Havia milhões de pessoas no *pub.* Ou, pelo menos, era o que parecia. Mas Laura e eu tivemos bastante sorte e conseguimos sentar.

Acho que devo estar envelhecendo. Havia um tempo em que eu alegremente ficaria ali em pé, com uma caneca de cerveja na mão, no meio de todas aquelas pessoas, sendo arrastada de um lado para outro, como um sargaço pela maré. Sem me importar com o fato de que a pessoa com quem supostamente eu conversava achava-se agora a vários metros de distância, e que a maior parte do conteúdo da minha caneca estava sendo derramada em meu pulso.

Laura queria saber tudo a respeito de Kate. E fiquei felicíssima em contar.

Quando eu era mais jovem, prometi a mim mesma que jamais me transformaria numa pessoa que chateia todo mundo só falando de bebês. Você sabe, aquele tipo de pessoa que não para de falar sobre seu bebê, como ele sorriu pela primeira vez naquele dia, e como é lindo e tudo isso, enquanto as pessoas a seu redor mudam a toda hora de posição em suas cadeiras e se contorcem de tédio. Fiquei um pouco alarmada ao descobrir que era exatamente o que eu estava fazendo. Mas não podia deixar de fazer. É diferente quando o bebê é nosso.

A única coisa que posso dizer, em minha defesa, é que você saberá o que quero dizer quando tiver um.

Talvez Laura estivesse morrendo de tédio, mas deu uma impressão muito razoável de estar interessada em Kate.

— Estou louca de vontade de conhecê-la — disse ela. Corajosamente, pensei eu.

— Por que não vem no fim de semana? — sugeri. — Passaremos uma tarde juntas e você poderá brincar com ela.

E, depois, Laura quis saber como era dar à luz. Discutimos o assunto com sangrentos detalhes, durante algum tempo.

Até que Laura começou a parecer meio suada e fraca.

E então, claro, passamos para o principal item da agenda. O verdadeiro assunto da noite. A atração principal. O aparecimento do astro.

James.

James Webster, o Incrível Marido Desaparecido.

Laura já sabia de todos os detalhes.

Por intermédio de várias fontes — minha mãe, Judy e uma porção de amigos. Então, ela realmente não precisava saber o que acontecera. Estava mais interessada em saber como eu me sentia agora e o que planejava fazer.

— Não sei, Laura — disse-lhe eu. — Não sei se volto para Londres ou se fico aqui. Não sei o que fazer com meu apartamento. Realmente, não sei o que fazer a respeito de nada.

— Você precisa mesmo falar com James — sugeriu-me ela.

— Claro, eu sei, nem precisa dizer — falei.

Com um leve tom de amargura, devo admitir.

Então, por algum tempo, discutimos minhas responsabilidades. E arriscamos palpites quanto ao que seria meu futuro.

Mas fiquei infeliz de falar a respeito, então mudei de assunto e perguntei a Laura com quem ela estava transando, no momento.

Era muito mais divertido falar disso, permitam-me dizer.

O feliz beneficiário dos atuais favores sexuais de Laura era um estudante de arte de *19* anos!

— Dezenove?! — soltei um berro estridente, num decibel que fez os copos se espatifarem nas mãos de vários espantados bebedores num *pub* a cerca de um quilômetro de distância. — Dezenove?! Está falando sério?

— Estou — ela riu. — Mas é um desastre, realmente. Ele não tem um tostão; então, tudo o que podemos fazer é sexo.

— Mas você não poderia pagar para os dois saírem? — perguntei.

— Poderia, eu acho — disse ela. — Mas o aspecto dele é tão maltrapilho que eu teria vergonha de levá-lo a qualquer parte.

— Será que ele está sempre coberto de tinta? — perguntei.

— Está, sim — disse. — Mas não é apenas isso. Ele parece ter apenas um macacão. E nenhum par de meias. E quanto menos se falar sobre as cuecas dele, melhor.

— Ugh — eu disse. — Isso parece mesmo terrível.

— Ah, não, não é, realmente — Laura me garantiu. — Ele é louco por mim. Acha que sou linda. E meu ego fica nas alturas.

— Então, vocês realmente só fazem sexo? — perguntei, intrigada. — Quero dizer, não conversam, coisas assim?

— Na verdade, não — disse ela. — Honestamente, não temos nada em comum. Ele é de uma geração diferente. Ele aparece. Transamos, rimos um pouco. Ele me diz que sou a mais bela mulher que ele conheceu em toda a sua vida — provavelmente sou a *única* mulher que ele conheceu —, e vai embora de manhã. Em geral levando um par de minhas meias soquete, me pede o dinheiro da passagem de ônibus e se manda. É maravilhoso!

Deus do céu, pensei, olhando para Laura com franca admiração.

— Você é uma mulher tão anos 90 — disse-lhe eu. — Você é tão calma.

— Na verdade, não — disse ela. — Estou apenas tirando a barriga da miséria. A fome é a melhor cozinheira, como você sabe.

— Então ele é seu *namorado*? — perguntei. — Quero dizer, você andaria pela Grafton Street de mãos dadas com ele?

— Deus do céu, não! — disse ela, com uma expressão horrorizada. — E se encontrasse alguém conhecido? Não, não, o anjinho é apenas uma medida temporária. Está mantendo a cama quente até aparecer o Homem Certo. Embora eu não consiga imaginar por que este está demorando tanto.

Embora eu estivesse muito feliz de ver Laura, tinha muita consciência de que aquela era minha primeira saída social como mulher solteira, em cinco anos.

E era minha primeira saída social sem minha aliança. Eu me sentia vulnerável e nua sem ela. Apenas quando deixei de usá-la percebi como me sentia segura com ela. Vocês sabem, ela faz uma declaração, diz alguma coisa como: "Não estou desesperada por um homem, porque já tenho um. E, realmente, tenho. Basta olharem para minha aliança de casamento."

Laura rompera com seu namorado, Frank, mais ou menos um ano antes.

Então, apesar do amante adolescente de Laura, éramos, para todos os efeitos, duas mulheres solteiras bebericando vinho num apinhado *pub* do centro, numa noite de quinta-feira, em março.

Fiquei imaginando se os homens poderiam farejar o nosso desespero.

Fiquei imaginando se haveria desespero para ser farejado.

Será que eu estava dando a Laura minha atenção integral? Ou uma parte dela se voltava para a multidão, examinando-a, em busca de homens atraentes? Estaria eu tomando notas de quantos homens me haviam lançado olhares de admiração desde que chegara?

Nenhum, na verdade, só para ficar bem claro.

Mas óbvio que eu não os estava contando, nem nada.

Ri de alguma coisa que Laura me disse.

Mas não podia ter certeza se estava realmente rindo.

Talvez quisesse mostrar aos homens no *pub* que estava perfeitamente feliz e bem ajustada, e não me sentindo um quarto de pessoa, sem um homem.

Meu Deus, mas eu estava realmente começando a ficar deprimida. Sentia-me como se usasse um letreiro néon em cima de minha cabeça, dizendo: "Recentemente jogada fora", em tons brilhantes, de rosa e roxo, e depois: "Não vale nada sem um homem", em luzes laranja e vermelhas.

Toda a minha autoconfiança se fora.

Nunca pensara que me sentiria tão estigmatizada.

Quando James e eu éramos casados e felizes, eu frequentemente saía com amigas para tomar umas bebidas em *pubs* e não tinha nenhum pensamento maldoso a respeito.

Por que isso se tornara, de repente, um problema?

Laura notou que eu começara a murchar como uma planta morrendo e me fez as perguntas de rotina. Chorosa, tentei contar-lhe como me sentia.

— Não se preocupe — disse-me ela, compreensiva. — Quando Frank me deixou por aquela garota de 21 anos, senti-me tão *envergonhada*. Como se a culpa fosse toda minha por ele ter caído fora. E achei que, sem ele, eu não tinha o menor valor. Mas isso passa.

— Será que passa mesmo? — perguntei, com os olhos cheios de lágrimas.

— Honestamente, passa — ela me garantiu.

— Sinto-me tão rejeitada — tentei explicar-lhe.

— Eu sei, eu sei — disse ela. — E você tem a impressão de que todas as outras pessoas sabem disso.

— *Exatamente* — disse, sentindo-me satisfeita de não ser a única pessoa a ter, algum dia, sentido isso. — Está bem — disse eu, enxugando os olhos. — É hora de mais bebidas.

Abri caminho às cotoveladas através da feliz multidão e finalmente cheguei ao bar. Fiquei ali em pé, sendo empurrada e tendo cotovelos enfiados em meu rosto e bebidas derramadas em minhas coxas, enquanto tentava atrair a atenção do *barman*. Exatamente quando estava chegando à conclusão de que teria de abrir meu vestido e mostrar a ele meus peitos, para que me notasse, alguém colocou as mãos em minha cintura e a apertou.

Só faltava essa! Alguém se aproveitando de uma mulher solteira de certa idade.

Ultrajada, virei-me tão rapidamente quanto pude, no espaço confinado, pronta a prender alguém por assédio sexual.

E dei de cara, por assim dizer, com o peito de alguém.

Era o belo Adam.

Adam, que podia ou não ser o namorado de Helen.

O júri ainda não dera o veredicto.

— Olá — sorriu, simpático. — Vi você do outro lado do bar. Precisa de alguma ajuda?

— Ah, olá — disse eu, mantendo a compostura, mas sentindo-me feliz por ter me encontrado com ele. Que sorte Laura ter escolhido aquele *pub*, pensei.

— Adam, que bom encontrar você — disse eu. — Ainda nem fiz meu pedido. O *barman* me odeia.

Ele riu.

E eu ri. Esquecera inteiramente que devíamos estar nos sentindo constrangidos um com o outro, depois da pequena cena em meu quarto, em que ele praticamente sugeriu que fizéssemos bebês.

Adam disse:

— Vou pedir as bebidas para você.

Dei-lhe o dinheiro e pedi para pegar dois copos de vinho tinto e o que ele estava bebendo, fosse o que fosse.

Orgulhava-me de me lembrar de onde viera. Eu não me esquecera das minhas raízes. Também fora, no passado, uma estudante pobre. Lembrei-me de ter visto pessoas praticamente acendendo seus cigarros com notas de cinco libras e desejando com toda força que me pagassem uma caneca de Carlsberg, só uma caneca. Adam enfiou-se no bar. Minha face praticamente repousava em seu peito. Podia sentir seu tênue cheiro de sabonete. Ele tinha um cheiro tão fresco e limpo.

Ironicamente, disse a mim mesma para me controlar. Estava começando a me comportar como Blanche DuBois. Ou a louca velha alcoólatra de *Crepúsculo dos deuses,* seja qual for seu nome. Ou qualquer das incontáveis velhas bruxas que são a atração em qualquer história sobre Beverly Hills, mulheres com o rosto muitas vezes esticado, consumidas pela luxúria que sentem por homens muito mais novos. Triste e patético. E eu não queria ser assim.

Naturalmente, com a rapidez de um raio, Adam conseguiu as bebidas. Os *barmen* tratam com respeito sujeitos como ele. Não ligam é para mulheres como eu. Especialmente aquelas que levaram fora do marido.

Como todos os outros homens do mundo, o *barman* obviamente sabia que eu era uma perdedora.

Adam entregou-me dois copos de vinho e depois disse:

— Aqui está seu troco.

— Ah, não tenho mãos livres — disse, indicando os dois copos de vinho.

— Não tem problema — e deslizou sua mão para dentro de um bolso lateral do vestido que eu estava usando.

Apenas por um segundo sua mão repousou em cima do osso do meu quadril. Eu podia sentir seu calor através do tecido do vestido.

Prendi a respiração.

Acho que ele também.

Depois, ele soltou o dinheiro, que tilintou dentro do meu bolso.

O que você esperava que eu fizesse? Que lhe desse uma bofetada por tomar liberdades? Quero dizer, o rapaz tinha de me dar meu troco, e eu não tinha mãos livres. Ele fez exatamente a coisa certa.

Embora eu achasse que pessoas assim tão atraentes devessem carregar licenças. Deveriam passar por uma espécie de exame para provar que se pode confiar em seu comportamento responsável, mesmo sendo tão lindas.

E não era apenas por ele ser bonito. O que, inegavelmente, era. Mas também era tão grande e viril.

Ele fazia com que eu me sentisse uma frágil mulherzinha.

Era a reprise da síndrome da camisola grande demais.

Ele perguntou:

— Com quem você está?

E eu respondi:

— Com minha amiga Laura.

E ele perguntou:

— Posso ficar com vocês?

Eu disse:

— Claro.

Por que não?, pensei. Ele é divertido e simpático, e Laura gostará dele.

Embora ele talvez fosse um pouco velho para ela.

Ele me conduziu através do *pub* apinhado de gente. Devo dizer que as pessoas me tratavam com muito mais respeito tendo-o por perto.

Não creio que eu tenha tido mais de uma gota de álcool derramada em cima de mim, em minha viagem de volta do bar, ao contrário de uma cervejaria inteira, na viagem de ida.

Muito injusto, claro, mas assim são as coisas.

Passamos por um grupo de pessoas que pareciam conhecer Adam.

— Adam, para onde você vai? — perguntou uma das moças. Loura. Boca cor-de-rosa fazendo beicinho. Muito jovem. Muito bonita.

— Encontrei uma velha amiga — disse ele. — Vou tomar uma bebida com ela.

Rapidamente examinei o grupo para me certificar de que Helen não estava ali. Graças a Deus não estava.

Porém, notei uma mulher mais velha entre eles, com expressão muito ansiosa, enquanto Adam passava adiante do pequeno grupo que formavam. Será que era a pobre apaixonada professora Staunton?

Percebi vários olhares hostis. Todos das moças. Foi quase engraçado.

Fodam-se, pensei, bem-humorada.

Se soubessem que nada tinham a temer da minha parte.

Meu marido me jogou fora, tive vontade de contar a elas, e ele era apenas medianamente bonito. Não era como Adam. Então, que interesse poderia ter em mim um Adônis como Adam?

E, além disso, ainda amo meu marido.

Mesmo sendo infiel, como ele é.

Levei Adam até a mesa e o apresentei a Laura.

Ela corou.

Então, ele surtia esse efeito em todas as mulheres que conhecia, observei. E não apenas nas mulheres da minha família.

De alguma maneira, Adam encontrou um assento desocupado.

Ele era esse tipo de sujeito.

— Você é um mentiroso terrível— sorri para ele.

— Por quê? — perguntou ele, arregalando os olhos azuis e parecendo todo inocente, como um garotinho.

— Disse àquela pobre garota que sou uma velha amiga — falei.

— Bem, você é mesmo — disse ele. — Você é velha. Quero dizer, em "mais velha do que eu" tipo de "velha" — consertou ele, apressadamente, quando notou que meus olhos começaram a se estreitar. — E só sei disso porque perguntei a Helen quantos anos você tem. Pensei que fosse muito mais jovem.

Limitei-me a olhá-lo.

Tenho de admitir, pensei, que ele se redimiu.

— E muito embora — continuou ele — só tenhamos nos visto uma única vez eu a considero uma amiga.

Não resta dúvida, pensei: ele *realmente* se redimiu.

Foi nessa etapa que Laura, mais tarde, contou-me que ela tirou sua calcinha e levantou a saia, mas nenhum de nós dois notou. Não creio nisso nem por um segundo.

Mas acho que entendo o que ela queria dizer.

A noite deu uma melhorada radical com a chegada de Adam.

Sem dúvida eu me sentia muito mais feliz.

Envergonha-me admitir, mas eu me sentia muito mais confortável com um homem por perto.

Como se, de alguma forma, isso me valorizasse.

Honestamente, eu sabia como isso era triste e patético. E pretendia mudar de atitude.

Mas era ótimo estar perto de Adam.

Além de todo o resto, ele tinha uma boa conversa.

Laura perguntou-lhe como havia me conhecido. E Adam respondeu:

— Estou na universidade com Helen.

Laura me lançou um olhar que dizia muito. Alguma coisa como: "Ah, não, um estudante de merda. Teremos de fingir que estamos interessadas em qualquer assunto chato que ele esteja estudando."

Mas Adam a desarmou.

Ele parece ter o hábito de fazer isso.

— Tudo bem — ele sorriu para Laura. — Você não precisa me perguntar o que estou estudando.

— Ah — disse ela, um tanto constrangida. — Nesse caso, não perguntarei.

Houve uma curta pausa.

— Bem — disse Laura —, na verdade, estou curiosa, agora.

— Não era minha intenção — riu Adam. — Mas, já que você perguntou, estou no primeiro ano, fazendo inglês, psicologia e antropologia.

— Primeiro ano? — perguntou Laura, erguendo as sobrancelhas, obviamente aludindo ao comportamento dele, que, digamos, nada tinha de infantil.

— Exatamente — disse Adam. — Sou um estudante maduro. Pelo menos, é o que me dizem. Não me sinto nem um pouco maduro. Só quando me comparo com os colegas de turma, eu acho.

— São terríveis? — perguntei, desejando que ele dissesse que sim.

— Terríveis, não — disse ele. — Apenas jovens. Acho que alguém tem de ser. Quero dizer, todos têm 17 ou 18 anos, acabaram de sair do ensino médio e estão indo para a universidade apenas para adiar suas responsabilidades por mais alguns anos. Não que tenham grande interesse em aprender. Ou que amem os assuntos que escolheram.

Laura e eu ficamos visivelmente envergonhadas quando ele disse isso. Laura, Judy e eu tínhamos sido bons exemplos dos tipos preguiçosos, sem a menor vontade de estudar, mimados e indulgentes que ele descrevia.

— Que coisa terrível para você — murmurei.

Laura e eu trocamos um sorriso de cumplicidade.

— E por que você só foi para a universidade agora? — perguntei.

— Bem, nunca quis ir antes. Nunca soube realmente o que queria fazer quando deixei a escola. Então, fiz todas as coisas erradas — disse ele, misteriosamente. — E, recentemente, tornei a endireitar minha vida. Estava um pouco fora dos eixos — continuou ele, ainda mais misteriosamente. — E agora estou preparado para a universidade. Estou realmente adorando.

— É mesmo? — perguntei, impressionada com sua maturidade e determinação.

— É, sim — confirmou ele.

Depois, continuou, algo hesitante:

— Acho que foi sorte eu ter esperado. Porque agora posso realmente apreciá-la. Acho que todos deveriam ser obrigados a sair e trabalhar por alguns anos, antes de decidir se querem estudar mais.

— Foi isso que você fez? — perguntei. — Trabalhou?

— Mais ou menos — disse ele, abruptamente, sem querer, era óbvio, dizer mais nada.

Muito, muito estranho.

Então Adam, limpíssimo do jeito que é, tem um Passado.

Bem, era o que ele parecia dar a entender.

Aposto que está tentando mostrar-se bem misterioso e criar um mito em torno de si mesmo, pensei, impiedosamente. É provável que tenha trabalhado como funcionário público nos últimos seis anos. Provavelmente no departamento menos glamoroso do mundo, como o de licenciamento para criação de gado, se é que existe isso.

Laura fez a Adam a segunda pergunta que todos fazem aos estudantes. (A primeira é: O que você está estudando?)

— O que você quer fazer, quando tiver seu diploma? — perguntou a ele.

Esperei, com a respiração presa.

Por favor, meu Deus, ah, por favor, meu Deus, não deixe que ele diga que quer ser escritor ou jornalista, supliquei.

Seria um tremendo clichê.

Eu começava a gostar dele e a respeitá-lo, e isso poria tudo a perder.

Juntei as mãos, como em oração, e ergui os olhos em direção ao Céu.

— Gostaria de fazer alguma coisa com psicologia — disse ele. (Ufa!, pensei.) — Estou interessado na maneira como funciona a mente das pessoas. Talvez gostasse de ser algum tipo de conselheiro. Ou talvez de trabalhar com publicidade. E usar a psicologia dessa maneira — ele explicou. — De qualquer jeito, ainda há um longo caminho a percorrer, até chegar lá.

— E Inglês? — perguntei-lhe, nervosamente. — Não gosta dessa aula?

— Claro — ele disse. — É minha favorita. Mas não me imagino conseguindo um emprego através dela. A não ser que eu quisesse tentar tornar-me escritor ou jornalista. E uma entre duas pessoas quer isso.

Graças a Deus!, pensei.

Estou satisfeita de que ele goste de psicologia. Não aguentaria ouvir outra pessoa falando da sua vontade em escrever um livro.

Ficamos ali batendo papo agradavelmente. Laura foi até o bar pegar mais bebidas.

Adam virou-se para mim e sorriu.

— Isso é ótimo — disse. — Tão bom participar de um pouquinho de conversa inteligente.

Fiquei muito feliz.

Adam movimentou-se ligeiramente para mais perto de mim.

Então, posso não ter o corpo de uma garota de 17 anos, mas ainda posso divertir um homem, pensei, toda convencida.

Senti-me uma mulher madura e forte, segura de si mesma e do seu lugar no mundo. Confiante, com opiniões próprias, mas divertida, agradável. Espirituosa e sensata.

Tudo bobagem, claro.

Menos de meia hora antes eu estava em prantos porque tinha certeza de que todos no *pub* sabiam que eu era uma enjeitada.

Mas era tudo apenas uma questão de atitude.

Naquele momento, sentia-me bem.

Sentia-me bem porque Adam me fazia sentir assim.

Mas será que importava a identidade de quem fazia com que eu me sentisse melhor?

Por acaso não era melhor do que me sentir mal?

— Adam, já vamos. Você vem com a gente?

A loura bonita apareceu do lado de Adam.

— Não, Melissa, ainda não. Mas vejo você amanhã, tudo bem? — disse o rapaz.

Obviamente, tudo bem coisa nenhuma. Melissa parecia furiosa.

— Mas... pensei... Você não vem para a festa? — perguntou ela, como se não conseguisse acreditar no que ouvia.

— Não, acho que não — disse Adam, desta vez com um tom um pouco mais firme.

— Ótimo! — disse Melissa, deixando claro para Adam que na verdade era justamente o contrário de ótimo. — Aqui está sua bolsa — e ela deixou uma imensa bolsa esportiva cair no chão, com uma pancada.

Lançou olhares venenosos para Laura e para mim.

Perplexos, mas venenosos.

Ela não conseguia entender o que fazia Adam com duas velhotas como nós, quando podia escolher entre todas as garotas solteiras de 17 anos do lugar.

Com toda franqueza, eu também não entendia.

Melissa afastou-se, indignada, e Adam suspirou.

— Não aguento mais — explicou, cansadamente. — Outra festa de estudantes. Latas de Heineken quente. E não poder entrar no banheiro porque alguém está fazendo sexo lá dentro. E, se você deixa seu casaco na cama, alguém vomita em cima dele. As musiquinhas sensuais. Estou velho demais.

De repente, senti uma pena de verdade dele.

Achei que fora sincero, quando me disse que apreciava um pouco de conversa inteligente.

Não devia ser fácil estar cercado por animadas e sorridentes garotas de 18 anos, como Helen e Melissa, quando se é muito mais adulto do que isso.

E também podia não ser fácil, percebi, ter tantas garotas apaixonadas em torno. Isso, no caso de uma pessoa boa, como Adam parecia ser, e que não queria magoá-las nem chateá-las.

Algumas vezes, não que fosse o meu caso, ser bonito não é apenas sombra e água fresca. A pessoa tem de usar seu poder de modo sensato e responsável.

Durante os dez minutos seguintes, um firme fluxo de garotas aproximou-se para se despedir de Adam. Bem, era o pretexto delas. Melissa, obviamente, dera a notícia, e elas vinham, na verdade, para ver como Laura e eu éramos horrorosas.

Se a situação fosse invertida, eu seria uma das primeiras a criticar e ridicularizar os sapatos, roupas, maquiagem e cabelo das infratoras.

Na verdade, Laura estava linda, com seus cachos ruivos e sua pele de alabastro, não aparentando de jeito nenhum seus 30 anos. Também não acho que eu estivesse tão horrorosa assim. Mas tenho certeza de que isso não impediu ninguém de dizer que éramos caquéticas. E o que importava?

Alguém enfiou uma lata embaixo do meu nariz e a chacoalhou um pouco.

— Gostaria de dar uma contribuição para as crianças necessitadas? — perguntou um homem com um ar nervoso e um sobretudo molhado.

— Claro — eu disse, um pouco mais generosa do que o habitual, pelos efeitos do álcool, e enfiei uma libra na lata.

— E você? — perguntou ele, olhando para Laura.

Nem pediu a Adam para contribuir. Obviamente, reconhecia logo um estudante pobre.

— Ah, dou minhas contribuições diretamente — ela explicou ao homem.

— É verdade? — perguntei, confusa. Não sabia que Laura estava contribuindo para alguma organização de caridade voltada para crianças.

— Bem, transo regularmente com uma criança — declarou ela. — Considero isso uma contribuição bem direta.

O homem pareceu horrorizado e saiu correndo para a mesa seguinte.

Adam explodiu em risadas.

— Nunca conheci uma pedófila — disse ele.

— Só estou brincando. Na verdade, não abuso sexualmente de crianças — disse ela a Adam. — A criança em questão tem 19 anos.

Terminamos nossas bebidas, vestimos nossos casacos e nos preparamos para partir.

O *pub* começava a esvaziar.

Todos nas mesas em torno de nós pareciam muito animados, exceto os garçons, que estavam praticamente implorando às pessoas para irem embora.

— Trabalhei 13 noites seguidas — ouvi um garçom dizendo ao animado grupo de uma mesa particularmente barulhenta — e estou estourado. — Para lhe fazer justiça, ele parecia mesmo exausto, mas acho que perdia tempo apelando para o lado humanitário do pessoal.

— Estou com os olhos cheios de lágrimas por sua causa — disse um rapaz meio bêbado, com grave ironia.

— Termine essa caneca, senão vou tomá-la eu mesmo — ameaçou outro garçom, diante de outra mesa nas proximidades, obviamente acostumado a fazer o papel de taberneiro.

Então o cliente bebeu quase a caneca inteira de uma só vez, em meio aos comentários encorajadores de seus amigos: "grande homem", "não desperdice uma só gota", e vários outros gritos.

Até Laura gritou:

— Vire tudo!

Passamos por aquele cliente cerca de cinco minutos depois.

Ele estava bem em frente ao *pub*.

Alguns de seus amigos bêbados estavam olhando enquanto ele vomitava copiosamente.

Quando chegamos à porta do *pub*, descobrimos que a chuva começara de novo.

— Meu carro está estacionado do outro lado da rua — disse Laura. — Vou correr.

Abraçamo-nos todos.

— Estarei lá no sábado para ver Kate — ela disse. — Adorei conhecer você, Adam. — E lá se foi correndo para dentro da noite chuvosa, quase esbarrando no homem que vomitava.

— Desculpe — gritou-lhe, com sua voz flutuando de volta até nós no úmido ar noturno.

Adam e eu ficamos em pé à porta por um ou dois minutos. Não tinha certeza do que lhe dizer, e ele não disse absolutamente nada.

— Quer uma carona até sua casa? — perguntei.

Sentia-me um pouco constrangida de convidá-lo.

Como se eu fosse a rica mulher mais velha desesperada por amor e sexo comprando o belo rapaz pobre.

— Seria realmente ótimo — ele disse. — Acho que perdi o último ônibus.

Deu-me um belo sorriso.

Relaxei.

Estava lhe fazendo um favor. Não tentando aproveitar-me dele.

Caminhamos rapidamente pelas ruas molhadas, até chegarmos ao estacionamento.

E, acreditem em mim, não houve nada sequer remotamente romântico na caminhada sob a chuva. Profundo aborrecimento, isso sim. Minhas botas são de camurça. Terei de passar o resto da minha vida em pé, segurando-as em cima do vapor de uma chaleira para que recuperem a sua antiga beleza.

Entramos no carro. Ele atirou sua bolsa encharcada no assento de trás. Sentou-se no assento do carona e, juro por Deus, praticamente encheu a frente do carro inteira.

Lá fomos nós.

Ele começou a mexer na estação de rádio.

— Ah, não faça isso! — disse. — Papai me mataria.

Contei-lhe a conversa que tivera com papai, antes de sair, e ele riu com vontade.

— Você é uma boa motorista — ele disse, após alguns instantes.

Naturalmente, logo que ele disse isso fiquei toda atrapalhada, afoguei o motor e depois quase bati num poste. Ele me deu o endereço do seu apartamento, em Rathmines, e seguimos pela chuva.

Nenhum de nós dois falava.

O único ruído era o zunido das rodas do carro na rua e o guincho dos limpadores de para-brisa.

Mas era um silêncio agradável.

Parei na frente de sua casa e sorri para ele, em despedida. Tinha sido uma noite maravilhosa.

— Obrigado pela carona — disse ele.

— Ah, de nada — eu sorri.

— Ah, hum... você gostaria, quero dizer... posso oferecer-lhe uma xícara de chá? — perguntou ele, desajeitadamente.

— Quando... quer dizer... agora? — perguntei, com o mesmo ar desajeitado.

— Não, estava só pensando por volta de dezembro próximo — ele sorriu para mim.

Minha recusa foi automática.

Estava em minha boca antes mesmo de eu perceber.

Eu tinha várias desculpas. Era tarde. Eu estava encharcada. Era a primeira noite em que eu deixava Kate com outra pessoa. Helen me esfaquearia.

— Claro — disse, surpreendendo totalmente a mim mesma. — Por que não?

Estacionei o carro e lá fomos nós.

Eu estava morta de medo. E meu medo era bem fundado. Eu estivera em apartamentos de estudantes um número suficiente de vezes para esperar o pior.

Todos os tipos de arranjos estranhos. Você sabe, seis ou sete pessoas dormindo na sala, um casal de pessoas morando na cozinha, tendo de atravessar um quarto para chegar ao banheiro e tendo de atravessar o banheiro para chegar à sala de estar.

Quartos divididos por um tapete xadrez pendurado no teto, para dar um falso aspecto de privacidade. Armários no hall. Cômodas na cozinha. Caçarolas e baldes no banheiro. A geladeira no patamar da escada. A mesinha de centro da sala de estar consistindo de quatro engradados de leite azuis e uma prancha de compensado.

Você sabe, esse tipo de coisa.

Uma cozinha parecendo ter sido atingida por um raio, com tudo precisando começar outra vez da estaca zero, cortinas tortas, persianas quebradas pendendo das janelas, latas esmagadas de cerveja debaixo dos nossos pés, a cisterna sendo usada para se fazer cerveja artesanal.

Ah, sim, acredite, eu já tivera uma cota suficiente em minha vida dos apartamentos de estudantes deste mundo.

Então, fiquei imensamente aliviada quando Adam abriu a porta da frente e me introduziu num apartamento que parecia normal, eu diria até extremamente agradável.

— Venha para a cozinha — ele disse, tirando seu paletó molhado.

Entramos na cozinha e Adam colocou uma chaleira em cima de um aquecedor. Não um desses horrorosos aquecedores cor de laranja de duas barras, que parecem endêmicos na terra dos quartos alugados, mas um aquecedor normal a gás, como um que tínhamos no apartamento em Londres, acredite. A chaleira era de verdade e não uma lata de estanho em cima de um aro de gás.

Fiquei desconfiada.

— As outras pessoas que moram aqui — perguntei a ele — são também estudantes?

— Não — ele respondeu. — Ambos trabalham.

Bem, isso explicava muita coisa.

— Você está encharcada — disse ele, atencioso. — Gostaria que eu pegasse um casaco para você?

— Não, estou bem — disse eu, corajosamente. — Meu casaco me protegeu do pior da chuva.

Ele sorriu.

— Bem, vou pegar uma toalha para você secar seu cabelo — disse ele e saiu um momento.

Voltou quase imediatamente, com uma grande toalha azul na mão, e fico satisfeita de tranquilizar vocês, neste ponto, dizendo-lhes que não, ele não secou meu cabelo para mim.

O que pensam que isto é? Uma história de Mills e Boon, a dupla Água com Açúcar?

Sinto muito, mas se esse é o tipo de roteiro no qual estão interessados, então sugiro que leiam um livro diferente.

Não, ele me entregou a toalha e dei em meu cabelo alguns esfregões não muito fortes. Não queria terminar com ele todo arrepiado e secando em ângulos engraçados.

Com toda franqueza, preferia pegar pneumonia.

Tirei minhas botas e coloquei-as na frente do aquecedor. Adam me deu uma xícara de chá e nos sentamos à mesa, na agradável cozinha aquecida. Ele até encontrou um pacote de biscoitos.

— São de Jenny — explicou. — Direi a ela, de manhã, que tive uma visita especial na noite anterior. Ela entenderá.

Ele fazia parecer tão fácil ser encantador. Nunca dava a impressão de ser uma coisa interesseira ou falsa.

— Então, quanto tempo faz que você teve Kate? — perguntou ele, colocando o açúcar à minha frente.

— Faz mais de um mês — disse eu.

— Ouça, espero que você não se incomode — disse ele, desajeitadamente —, mas Helen me contou a situação entre você e seu marido.

— E...? — perguntei, preocupada.

— Bem, nada — apressou-se a dizer. — Quero dizer, sei que não é da minha conta nem nada, mas tenho certeza de que não é fácil para você. Passei, eu próprio, por uma coisa um pouco parecida, e sei como é terrível.

— É mesmo? — perguntei, intrigada.

— Bem, sim — ele disse. — Mas não estou tentando me meter em sua vida nem nada parecido.

Não se importe com isso, pensava eu, conte-me!

Se você me mostrar sua vida, eu lhe mostro a minha.

— E — continuou ele — sei que você tem uma porção de amigos em Dublin, mas pode conversar a respeito comigo, se algum dia sentir vontade.

— Você não está me usando para algum tipo de experiência em seu curso de psicologia? — perguntei, desconfiada.

— Absolutamente — ele riu. — É apenas porque gostei de você, desde o momento em que a vi. E gosto mais de você depois desta noite. E gostaria que fôssemos amigos.

— Por quê? — perguntei, ainda mais desconfiada.

Bem, eu tinha todo o direito de perguntar, não é mesmo? Quero dizer, não entendia aquilo. Eu era perfeitamente comum. Por que Adam decidira que eu era especial e que valia a pena ser meu amigo?

Não estava fazendo pouco de mim mesma. Eu tinha uma porção de boas qualidades, sabia disso. Não estava exatamente sendo a Rainha da Autodepreciação. Mas uma porção de pessoas têm boas qualidades. Não havia nada particularmente *incomum* em mim. Adam, por outro lado, devia ter conhecido milhões de mulheres, engraçadas, bonitas, inteligentes, divertidas, ricas, perdidas no mundo, bonitinhas, sensuais, interessantes.

Por que me distinguiu?

— Por que você é legal — ele disse.

Legal! Pergunto a você: quem desejaria ser escolhida por um belo homem como Adam por ser legal?

— E você é muito engraçada. E inteligente. E interessante — ele continuou.

Assim fazia mais sentido, pensei.

Alguma chance de sensual ou bonita?

Eu me conformaria até com atraente.

Mas, nada feito.

Sensual, bonita ou atraente não vieram à baila.

Mas deixa pra lá, droga. Era agradável conversar com ele. Eu estava me divertindo.

Não me sentia atraída por ele.

Embora provavelmente tivesse me sentido, se as circunstâncias fossem diferentes.

Ele não se sentia atraído por mim.

Éramos apenas dois adultos que, por acaso, apreciávamos a companhia um do outro.

Eu era uma mulher casada.

Na segunda-feira, telefonaria para James.

Adam estava comprometido. Se não com minha irmã Helen, então com alguma outra mulher, eu não duvidava.

Então, não havia nada de mais.

— O que você vai fazer amanhã? — perguntou.

— Bem, não sei — respondi. — Não estabeleci nenhuma rotina, desde que voltei de Londres. Acho que apenas tomo conta de Kate.

— Bem, foi por isso que perguntei há quanto tempo você teve Kate. Estava imaginando se você gostaria de ir à academia comigo.

— EU?! — exclamei, horrorizada. — Por quê?

— Não porque ache que você precisa — disse ele, ansioso. — Mas porque acho que você poderia gostar.

Eu, com meu corpo despencando, fora de forma, fazer ginástica com Adônis. Será que ele estava brincando?

Mas, por outro lado, meu corpo continuaria despencado e fora de forma, se eu não tomasse alguma providência.

E eu costumava e gostava de ir à academia, antes de ter Kate.

Talvez fosse a melhor sugestão que eu recebera em muito tempo.

— Bem... — disse eu, cautelosa. — Estou muito fora de forma.

— Você vai ter de começar em algum momento — ele foi logo dizendo.

— E quem tomará conta de Kate?

— Será que sua mãe não pode fazer isso? Seria só por algumas horas.

— Talvez — disse eu, pouco convencida. Tudo aquilo estava indo um pouco depressa demais para mim.

Que diabo, só tinha ido tomar uma bebida com Laura. Agora, comprometia-me com um programa para entrar em forma, com uma pessoa que acabara de conhecer na véspera.

E, aliás, na véspera à noite.

— Ouça, vamos amanhã. Aposto que você vai gostar. O que você tem a perder? — perguntou ele.

Pensei a respeito.

O que eu tinha a perder?

Além da minha vida, se Helen descobrisse?

— Ok, eu vou.

Combinei encontrar-me com ele no dia seguinte, na cidade, às três da tarde, embora eu mal conseguisse acreditar que fizera esse trato. Terminei meu chá. Ele me acompanhou até meu carro.

Ele fechou a porta para mim e ficou em pé no portão — na chuva, devo acrescentar — enquanto eu me afastava dirigindo.

Comecei a me sentir culpada antes mesmo de chegar ao fim da rua.

Culpada por negligenciar Kate.

Culpada por me relacionar com o namorado da minha irmã mais nova, por mais inocente que aquilo fosse.

Culpada com a ideia de perder tempo na ginástica, quando deveria estar conversando com um advogado e resolvendo o problema das minhas finanças e tudo mais.

Logo que cheguei em casa, subi correndo a escada para ver Kate. Foi um alívio imenso ver que ela estava viva e bem. Sentia-me tão culpada que estava convencida de que algo de terrível tinha de acontecer.

Abracei-a com tanta força que pensei que a sufocaria.

— Senti falta de você, querida — disse-lhe, enquanto ela lutava para respirar. — Na segunda-feira vou telefonar para o papai e tentarei resolver as coisas para nós. Vou conseguir. Tudo ficará ótimo, prometo.

Eu tivera uma noite tão maravilhosa.

Só não conseguia entender por que me sentia tão deprimida.

14

Eu planejara telefonar para o Sr. Hasdell, o advogado que Laura me indicara, logo que ele chegasse ao escritório, às 9 horas do dia seguinte.

Mas não consegui forçar-me a fazer isso.

Alimentei Kate.

Brinquei com Kate.

Preocupei-me com o que usaria para ir à ginástica.

Preocupei-me com o que aconteceria, se Helen descobrisse que eu ia fazer ginástica com Adam.

Preocupei-me com a possibilidade de estar negligenciando Kate.

Preocupei-me com a possibilidade de mamãe se negar a tomar conta dela, sob a alegação de que assim se tornaria cúmplice de meus encontros com Adam.

Preocupei-me com tudo, menos com a coisa mais importante.

Sabia que tinha de telefonar para meu banco. Praticamente não tinha dinheiro nenhum.

Mas estava muito mais preocupada com o aspecto do meu bumbum na malha e nas leggings que descobrira no quarto de Rachel.

Minha filha crescia sem um pai, mas, em vez de pegar o telefone e ligar para um advogado de direito de família e tentar resolver alguma coisa, fiquei em pé na frente de um espelho, contraindo meu estômago, verificando meu perfil e, finalmente, embora os anos tivessem passado, como se ainda tivesse

15 anos, torcendo minha cabeça para trás, tentando ver qual era o aspecto do meu bumbum no espelho.

Mamãe ficou altamente desconfiada, quando lhe perguntei se ela tomaria conta de Kate para mim, de tarde.

— Novamente? — perguntou ela.

— Sim, mas apenas por algumas horas — murmurei.

— Por quê? — perguntou ela. — O que você está aprontando?

— Nada, mamãe. Apenas quero ir à academia e começar a ficar em forma novamente — disse-lhe eu. Não queria mentir para ela. Mas também não era lá muito confortável contar toda a verdade.

— Ah, a academia — disse ela, com um tom de voz que revelava bastante satisfação. — Ah, isso é bom. Preocupe-se apenas em, você sabe, não repuxar nenhum... você sabe... não causar nenhuma lesão em si mesma. Não faz tanto tempo assim que você teve Kate, não se esqueça.

— Obrigada, mamãe — disse eu, divertida com sua discrição. — Mas acho que minhas entranhas estão em ótimas condições. Ansiosas para ir, para ser inteiramente honesta com você.

Não devia ter dito isso.

Ficou novamente desconfiada.

Sei que ela me encorajara a ter um caso com Adam, mas me sentia tão culpada de me encontrar com ele que não queria que ninguém soubesse.

Então lá fui eu dirigindo para a cidade, sentindo-me doente de culpa e de medo de ser apanhada, além do medo de que alguma coisa acontecesse com Kate.

Mais ou menos no meio do caminho, decidi que não era talhada para essa vida de engano, intriga e abandono de filho, e que daria a volta e iria para casa.

Mas o trânsito estava tão ruim que, quando tive a oportunidade de fazer o retorno, estava me sentindo culpada apenas por deixar Adam lá plantado. Então, decidi que entraria, me encontraria com ele, lhe diria que não podia encontrá-lo, se estão acompanhando meu pensamento, e voltaria diretamente para casa.

Infelizmente, não consegui encontrar uma vaga para o carro. Praticamente tive de tomar um ônibus do ponto onde estacionei o carro até onde tinha de me encontrar com Adam.

Então cheguei atrasadíssima ao encontro. Corria pela rua, quando o vi em pé em frente à loja onde havíamos combinado nos encontrar. Olhava a rua de um lado e de outro, com uma expressão ansiosa no rosto, totalmente alheio a todos os olhares de admiração que recebia das mulheres que passavam.

Cada vez que o via, levava um choque.

Esquecera o quanto ele era bonito. Aquele homem alto e belo, com suas longas pernas musculosas, está esperando por *mim*, pensei, sentindo-me um pouco sufocada.

Por quê?

— Claire! — exclamou ele, olhando-me, feliz em me ver. — Pensei que não viesse.

— Não venho — gaguejei.

— Então, simplesmente mandou um holograma de si mesma ou o quê? — perguntou ele, sorrindo.

— Não, quero dizer, Adam... veja, não tenho certeza se isso é uma boa ideia — gaguejei. — É porque... — minha voz falhava de infelicidade.

— O que não é uma boa ideia? — perguntou, com doçura, enquanto eu me desviava de pedestres que se aproximavam.

— Encontrar você e tudo isso... você sabe, sou casada, essas coisas — disse eu, desviando meus olhos dos dele.

Depois ergui os olhos para ele e não consegui acreditar em como ele parecia magoado.

— Eu sei que você é casada — disse ele, tranquilamente, olhando bem dentro dos meus olhos. — Não ousaria fazer nenhuma suposição. Não tenho a intenção de dar em cima de você. Quero ser seu amigo.

Eu estava mortificada. Absolutamente mortificada.

Quase morri de constrangimento.

Claro que ele não estava num jogo de sedução.

Que coragem a minha, pensar que sim.

Por que eu era tão cínica?

Ou por que era tão convencida?

O que, pelo amor de Deus, me levara a dizer aquilo a ele?

Está bem, então eu me sentia culpada por encontrá-lo. Mas não seria esse um problema meu? Por que deveria atribuir quaisquer motivos impróprios a ele? Apenas porque eu mesma tinha alguns?

Ah, meu Deus, eu não sabia!

— Ouça, é melhor você ir para casa — disse Adam.

Ele não estava sendo frio nem se mostrando zangado, mas foi como se não quisesse que eu o tocasse ou algo assim.

— Não! — disse eu.

Meu Deus, será que algum dia eu tomaria uma decisão?

— Não — disse eu, de modo não tão frenético. — Desculpe. Não deveria ter dito o que disse. Fui uma tola e exagerei tudo.

Estávamos atraindo todos os tipos de olhares curiosos e interessados de pessoas que entravam e saíam pela porta, em sua passagem a caminho das compras.

— Que maravilha — entreouvi uma jovem mulher dizer alegremente ao seu companheiro. — Não há nada de que eu mais goste do que ver outras pessoas discutindo.

Sua voz chegava até mim, vinda da rua.

— Isso me faz sentir que não sou a única pessoa infeliz do mundo.

Ah, não se preocupe, você não é, não.

Adam olhou-me fixamente e suspirou, impaciente.

— O que você quer?

— Nada — disse. — Será que podemos esquecer que isso aconteceu e simplesmente ir para a academia, como planejamos?

— Está bem — ele disse. Mas não de uma maneira muito amistosa.

— Ah, tenta ser legal com ela. Dá um beijo nela — gritou um velho maltrapilho, com várias garrafas de cerveja abertas projetando-se para fora do bolso do seu sobretudo rasgado, e que estivera nos espiando com grande interesse. — Ela já pediu desculpas. Você não está apaixonado?

— Vamos — sussurrei para Adam.

Não queria que começasse a se formar uma aglomeração.

— Dá uma prensa nela — gritou o velho atrás de nós, que parecia de repente ter-se tornado um tanto agressivo. — É a única linguagem que elas entendem.

Seguimos apressadamente pela rua, e os gritos do velho se tornaram um pouco mais fracos.

— Deus do céu — disse eu, aliviada, quando dobramos uma esquina e não pudemos mais ouvir o que ele dizia.

Adam sorriu brevemente, mas as coisas ainda estavam tensas e desagradáveis.

Fomos para a academia e ele sucintamente me inscreveu. Afastei-me e fui para o vestiário das mulheres e, afinal, saí furtivamente, tão constrangida quanto uma noiva virgem, com minha malha e legging, agarrando-me à parede com medo de que alguém pudesse captar uma visão completa, cinematográfica, do meu bumbum.

Mas eu não precisava ter me preocupado.

Ele mal me lançou um olhar.

— As bicicletas estão aqui — disse, apontando. — E os pesos estão naquela sala ali. O restante dos aparelhos, ali adiante.

E ele me deixou para eu fazer as coisas sozinha.

“Que maravilha”, pensei, cheia de ressentimento. “Eu podia estar puxando músculos para a esquerda, a direita e o centro, que ele não ligaria a mínima”.

Fiquei em pé por um momento esperando que ele voltasse e me mostrasse como fazer tudo.

Para ser honesta, acho que eu alimentara todos os tipos de belos pensamentos, embora cheia de culpa, imaginando Adam curvado sobre mim, enquanto eu ficava deitada de costas, bem esticada na prancha de levantar pesos, para ajustá-los ou algo parecido. E, de repente, perceberíamos que estávamos suficientemente próximos para um beijo.

Esse tipo de tolice romântica.

Adam me ignorou por completo e, então, a contragosto, decidi que podia perfeitamente conter minha imaginação desenfreada e fazer um pouco de exercício.

Fiz meus exercícios de aquecimento e alongamento.

E, antes mesmo de pensar no assunto, percebi que me divertia.

“Não estou de fato feliz”, garanti a mim mesma. “É a satisfação artificial que as pessoas obtêm do exercício. Feromônios ou algo parecido. Não, são endorfinas, não?”

Meu Deus, eu estava virando Helen.

Relancei um olhar furtivo para Adam.

(Upa! Isso foi bem coisa de Romance Água com Açúcar. Os olhares sempre são “furtivos” nesse gênero.)

Está bem, não furtei nada.

Não fui culpada de nenhum tipo de apropriação indébita.

Embora eu conhecesse um sujeito num *pub* que tiraria das minhas mãos, por um preço decente, uma caixa de olhares. Não me faça nenhuma pergunta.

Mas na verdade eu olhava para Adam, quando ele não percebia que eu estava fazendo isso.

Ele empurrou e ergueu uma grande quantidade de pesos.

Sua aparência era maravilhosa.

Muito austero, sério e bonito.

Um homem que levava seu corpo a sério.

E por bons motivos.

Embora estivesse usando apenas calças de moletom e uma camiseta, sua aparência era espetacular.

Lindos braços fortes, com um brilho de suor.

E um bumbum realmente perfeito.

Desculpem. Eu não devia ter dito isso.

Mas ele tinha, mesmo.

Depois de mais ou menos uma hora, decidi que já era o bastante para mim.

— Ok — Ele sorriu. — Vá tomar uma chuveirada e encontrarei com você no café.

Ele estava realmente sentado no café, quando apareci, depois de gastar tempo demais fazendo minha maquiagem.

O cabelo dele estava todo molhado e brilhante, e ele tinha diante de si uns vinte copinhos de papelão, de leite.

— Finalmente — disse ele, quando me viu. — Bem, você gostou?

— Foi ótimo — eu disse.

— Está satisfeita de ter vindo? — perguntou ele, com uma falsa expressão de seriedade.

— Estou — disse eu, olhando-o bem nos olhos.

— Que bom — e começou a rir.

Eu também.

Graças a Deus! Eu estava tão aliviada por ele não parecer mais chateado comigo.

Peguei para mim uma xícara de café e me sentei com ele.

Éramos as duas únicas pessoas na cafeteria.

Era um fim de tarde de sexta-feira, e acho que a maioria das pessoas sensatas tinha coisas melhores para fazer.

Como ir para o *pub* embriagar-se, eu estava convicta.

De repente, as coisas estavam novamente muito simpáticas com Adam. A tensão desaparecera.

Não falamos sobre nada desagradável nem sério.

Eu não lhe perguntei se Helen era sua namorada, e ele retribuiu o favor não me perguntando nada sobre James.

Eu não lhe perguntei sobre suas aulas, e ele muito decentemente também retribuiu a gentileza não me perguntando sobre meu emprego.

Ele me perguntou qual era meu animal favorito.

E eu lhe perguntei qual era sua primeira lembrança.

Ele falou sobre o tempo em que íamos às discotecas, aos 15 anos.

E discutimos que habilidade escolheríamos, se pudéssemos escolher uma.

— Gostaria de ser capaz de voar — ele disse.

— Bem, por que não aprende? — perguntei.

— Não, queria *eu próprio* voar — respondeu ele, rindo. — Sem avião, sem nada. E você, do que gostaria?

— Algumas vezes gostaria de poder ver o futuro — respondi. — Não tudo, não anos adiante, nada disso. Apenas algumas horas adiante.

— Isso seria ótimo — disse Adam. — Pense em todo o dinheiro que você poderia ganhar com os cavalos.

Ri.

— Ou queria poder ficar invisível. Isso seria muito divertido. Aposto que você pode descobrir mais sobre uma pessoa quando ela não sabe que você está ali.

— Tem razão — ele disse.

Houve uma pequena pausa.

— Gostaria de ser capaz de viajar no tempo — ele disse, após alguns instantes.

— Ah, isso seria ótimo — disse eu, entusiasmada. — Imagine ir ao futuro. Ou imagine voltar para tempos fascinantes, como os do antigo Egito. Embora, com a sorte que eu tenho, fosse terminar como algum velho gladiador.

— Não tenho muita certeza de que havia gladiadores no antigo Egito — disse ele. Mas de forma simpática.

Acho que ele estava acostumado a corrigir Helen.

— De qualquer jeito — continuou ele —, tenho certeza de que você seria uma princesa. Talvez não Cleópatra. Sua cor é clara demais — disse ele, tocando de leve em meu cabelo. — Mas certamente seria uma princesa.

— Ah, é mesmo? — murmurei.

Espirituosa e graciosa, assim sou eu.

Sou a Genialidade e a Resposta Pronta em pessoa.

— Que época você gostaria de visitar? — perguntei-lhe, ansiosa para a conversa voltar a um tom menos íntimo, a fim de que minha respiração se normalizasse.

— Bem — ele disse —, algumas vezes eu gostaria de poder voltar ao meu próprio passado. Você sabe, voltar para um tempo em que eu era realmente feliz. Ou voltar e mudar as coisas. Endireitar as coisas erradas que fiz. Ou fazer coisas que deveria ter feito.

Fiquei extremamente intrigada.

O *que* se passara em sua vida que parecia tão traumático?

Mas, antes de poder sondar alguma coisa, notei de repente a hora.

Eram sete e dez.

— Meu Deus! — exclamei, dando um pulo, alarmada, numa agitação completa. — Veja a hora. Pensei que fossem cinco horas.

Peguei minha bolsa e me dirigi para a porta.

— Tenho de ir. Obrigada por me trazer. Até logo.

— Espere — disse ele. — Vou acompanhar você até seu carro.

— Não, não precisa — disse.

E saí correndo.

Estava em pânico total.

Como não notara o tempo passar?

Como podia ter negligenciado Kate daquela maneira?

Deus me castigaria. Alguma coisa com certeza devia ter acontecido com ela.

Dirigi para casa em alta velocidade, as estradas sem o trânsito da hora do *rush,* porque já era tão tarde.

Mamãe estava com os lábios apertados e cheia de suspeitas, quando cheguei.

— Que horas você acha que são? — perguntou ela.

— Desculpe — arquejei. — Perdi a noção do tempo.

— Dei a comida da Kate — ela me disse.

(Graças a Deus! Isso deve significar que ela ainda está viva.)

— Obrigada, mamãe.

— Cinco vezes.

— Obrigada, mamãe.

— E troquei as fraldas dela.

— Obrigada, mamãe.

— Três vezes.

— Obrigada, mamãe.

— Espero que esteja agradecida.

— Estou, sim, mamãe.

— Ela não é minha filha, você sabe.

— Eu sei, mamãe.

— Meu tempo de criar filhos já passou.

— Eu sei, mamãe.

Então ela ficou realmente desconfiada.

Por que eu me mostrava tão boazinha?

Imediatamente, ergui minha voz para ela.

— Ela também é seu sangue, você sabe — disse eu.

Mas foi um esforço sem grande valia.

Eu, simplesmente, não conseguia me concentrar o bastante para ficar aborrecida com ela. Pensava comigo mesma: "Meu Deus, ela está sendo particularmente irritante", mas, justo quando começava a botar fumacinhas pelo nariz, meu pensamento deslizava na direção de Adam e de repente eu me sentia feliz.

Bem, mais ou menos feliz.

Minha cabeça estava sem rumo. Comportava-se de forma totalmente fora do comum.

Um grande batalhão de pensamentos marchava determinado a caminho do Aborrecimento, mas se distraía, dobrava a esquina errada na direção de Adam e descobria, para sua surpresa, que havia terminado no local, inteiramente diferente, do Contentamento Sonhador.

O que provocava uma confusão e consternação sem fim entre meus pensamentos, garanto a você.

Uma porção de pensamentos desconcertados, andando de um lado para o outro, com seus casacos de operários, procurando seu líder sindical, na esperança de que ele lançasse um pouco de luz sobre a situação.

"Rapazes, que diabo estão fazendo aqui?", "Quem está pilotando?", "Estamos perdidos!" "Isto não fazia parte do nosso tipo de trabalho", "Demarcação!", e várias outras queixas.

Subi correndo a escada para ver Kate.

Ela estava em seu berço, alimentada, de fraldas trocadas e dormindo.

Nada a incomodava.

Que anjinho.

Fungava toda contente em seu sono, movimentando as gordas perninhas cor-de-rosa.

Com um choque, percebi como eu tinha sorte.

Aquela linda miniatura de ser humano era minha filha.

Eu a parira.

Ela era minha filha.

Pela primeira vez, percebi, *realmente* percebi, que meu casamento não havia sido um fracasso.

James e eu podíamos não estar juntos, mas havíamos criado aquela maravilhosa pessoazinha.

Aquele milagre vivo.

Eu não estava amaldiçoada.

Não estava perdida na escuridão.

Tinha muita, muita sorte.

15

Passei a noite de sexta-feira vendo televisão com mamãe. Senti que tinha badalado um bocado nos últimos dias. E estava totalmente exausta. Tomar conta de um bebê é uma tarefa extenuante. Mas como é que você sabe?, ouço você perguntar.

Está bem, está bem, admito que tive muita ajuda dos meus pais, mas mesmo assim me sinto exausta.

Como enfrentaria uma volta ao trabalho eu nem conseguia imaginar.

Como é que as pessoas conseguem?

Isso me fazia sentir tão deficiente.

Especialmente quando pensava em mulheres na... será na China? Você sabe, elas estão lá cavando os campos com suas mãos nuas e, de repente, dizem: "Ah, desculpem um momento", como se fossem ao toalete numa recepção elegante, e então levantam a saia e cai um bebê recém-nascido num sulco lavrado ou em cima de um saco de sementes ou seja o que for.

"Ah, que alívio", elas diriam.

E continuam cultivando e arando, a arrancar pelas raízes, com uma mão, enormes carvalhos, o filho recém-nascido preso aos seus seios.

E, ao crepúsculo, estão grávidas outra vez.

A criança recém-nascida recebe uma muda de roupas e é posta para trabalhar dirigindo um trator.

Enquanto eu via televisão com mamãe, meus pensamentos não cessavam de se desviar para Adam. E, como uma adolescente de verdade, eu tinha um pequeno formigamento todas as vezes que pensava nele.

Passara momentos tão maravilhosos em sua companhia.

E ele era tão simpático.

Tão jovem, ansioso, interessante e interessado.

Era por ser tão destituído de cinismo que eu gostava tanto dele.

Fazia-me lembrar de como era pensar positivamente.

O fato de ser tão lindo tornava ainda mais agradável sua admiração indisfarçável.

Quase não há nada pior do que uma admiração indisfarçável de um medo absoluto.

Eu preferiria passar inteiramente sem a admiração indisfarçável.

Mas esqueçam o fato de que Adam era lindo.

Não era por isso que eu gostava de estar com ele.

Se não amasse James, poderia me sentir atraída por Adam.

Não quero dizer que não houvesse em mim atração por ele.

Porque ele era muito atraente.

E eu tinha um par de olhos.

Você sabe, sou apenas humana.

Hipoteticamente falando, é possível estar amando um homem, no meu caso, James, e ter uma paixonite por outro, e aqui me refiro a Adam.

Não significava que uma paixonite fizesse mal.

Não significava que eu fosse uma pessoa volúvel.

Era bom para mim.

Porque eu não precisava permitir que essa paixonite tivesse consequências.

E mesmo que, Deus me perdoe, *tivesse* de fato, não seria o fim do mundo, seria?

Sim, se Helen descobrisse, podia muito bem ser o fim do mundo.

Mas isso era supor que Adam estivesse atraído por mim.

Eu achava que ele estava.

Será que era muita presunção minha?

Talvez ele usasse esse truque com todas as mulheres.

Você sabe, chegando assim, cheio de sinceridade, vulnerável, encantador, de modo que as mulheres pensassem que ele era o melhor homem que haviam conhecido em suas vidas, alguém realmente diferente.

E, num piscar de olhos, estariam na cama de Adam, com suas calcinhas atiradas para um dos quatro cantos do quarto, e Adam estaria por cima delas, declarando, simplesmente: "Quando te disse, esta manhã, que a respeitaria, menti."

E, exatamente três dias depois, ele lhes telefonaria e diria: "Ah, a propósito, a camisinha estourou. Você disse que estava ovulando, não foi?"

Sim, pensei, zangada, aposto que ele é um completo babaca que simplesmente sai por aí aproveitando-se de pobres mulheres abandonadas como eu. Está bem, não sou uma mulher abandonada, mas estou numa posição muito vulnerável.

Como ousava ele? Fazer sentir-me bela e especial. Mas que cara de pau!

Bem, se ele pensa que agora vou transar com ele, então lamento, mas tenho notícias muito ruins para dar.

Adam, querido, mudei de ideia!

Levei alguns segundos para perceber que falava comigo mesma como se tivesse um caso completo com Adam, apaixonando-me por ele, sendo rejeitada e ficando furiosa.

Opa, pensei. É uma situação muito ruim. A Insanidade Temporária está de volta.

— O que há de errado com você? — perguntou mamãe, desviando com esforço sua atenção do Inspetor Morse. — Você parece muito aborrecida.

— Nada, mamãe — disse, com minha cabeça girando um pouco. — Estou apenas pensando.

— Talvez você pense demais — disse-me ela.

Desta vez concordei com mamãe.

Mas, antes que ela pudesse expor os males de uma formação universitária e os perigos de abrir a mente da pessoa, o telefone tocou.

— Vou atender — gritei e saí correndo da sala, interrompendo-a no meio da frase.

— De que adianta ser intelectual? — ela me gritou, de longe. — Aposto que James Joyce não sabia consertar uma tomada.

— Alô — disse eu, ao pegar o telefone.

— Helen? — perguntou uma voz de homem.

— Não, Helen não está aqui — eu disse. — Está desaparecida, acredita-se que bêbada.

A voz riu.

— Adam? — perguntei, vacilando um pouco.

O choque de ouvir a voz dele me desestabilizou rapidamente.

Mal podia acreditar que ele tivesse passado a tarde comigo e agora telefonasse para Helen, minha *irmã*.

Que tipo de doente era ele, brincando de jogar uma contra a outra?

Eu *sabia.*

Ele era um filho da puta, como todos os outros.

— Claire — disse ele. — Sim, sou eu.

O que você quer, pensei, friamente, uma maldita medalha por ser você?

— Ah, é? — perguntei, gelidamente. — Bem, direi a Helen que você telefonou.

— Não, espere — disse ele. — Liguei para falar com você.

— É engraçado — continuei, com grande altivez. — Porque meu nome é Claire, não Helen.

— Sei disso — ele continuou, num tom de voz sensato. — Mas achei que poderia ser um tanto constrangedor, telefonando para falar com você, se Helen atendesse e eu não a reconhecesse.

Fiz uma pausa.

— Quero dizer — continuou ele, com delicadeza — que Helen também é minha amiga. Se não fosse Helen, eu nunca teria conhecido você.

Ainda assim, eu não disse nada.

— Está chateada? — perguntou ele. — Fiz alguma coisa errada?

Agora, eu me sentia tola.

Histérica e mulher.

— Não — eu disse, num tom muito mais suave. — Claro que não estou chateada.

— Muito bem, então — continuou ele —, se você diz...

— Pode acreditar.

— Espero que não se importe por eu lhe telefonar — disse ele. — Mas você saiu correndo com tanta pressa, hoje, que não tive uma chance de lhe perguntar se, talvez... quero dizer... se você não se importa... se eu poderia vê-la de novo. Você sabe, se tiver tempo.

Alívio e felicidade me percorreram toda.

Como dizem, cada minuto é diferente do outro.

— Claro — respondi-lhe, sem fôlego. — Adoraria.

— Passei momentos tão agradáveis — disse ele.

Senti um calor de felicidade e orgulho.

— Eu também — disse.

— O que vai fazer amanhã? — perguntou ele.

Amanhã, pensei eu.

Meu Deus, mas ele era rápido como um raio.

— Vou à cidade comprar algumas roupas — falei.

Isso era novidade para mim.

A primeira vez em que ouvia falar do assunto.

— Então, você pode se encontrar comigo para tomar café, se quiser — falei. — Mas terei de levar Kate.

— Isso é ótimo — disse ele, entusiasmado. — Kate é linda. Por favor, não deixe de trazê-la.

— Ok, então — disse eu, um tanto confusa diante do entusiasmo dele.

Então, refleti, um tanto maldosamente, se ele gosta tanto de Kate, talvez eu possa recrutá-lo como babá, da próxima vez em que quiser sair e me embriagar com Laura.

Mas devo admitir que a coisa mais agradável na noite em que saí e me embriaguei com Laura foi Adam estar lá.

Então combinamos nos encontrar na cidade, no dia seguinte.

Voltei para junto de mamãe.

— Quem era? — perguntou ela, olhando para meu rosto corado e feliz.

Abri a boca para contar a ela, mas lamento dizer-lhes que fui detida no salto final.

Simplesmente não consegui contar nada.

E não sabia de fato o motivo.

Ou talvez soubesse.

Talvez porque aquilo não fosse mais uma coisa inocente.

Talvez nunca tivesse sido.

16

O dia seguinte trouxe-me a percepção clara e definida (não que eu já não tivesse notado) de como minha vida se alterara para sempre, por ter tido Kate.

Principalmente uma das áreas mais importantes da minha vida.

Falo, claro, da área das compras.

Minha antiga vida de consumidora fora-se para sempre, como o orvalho matinal ao sol do meio-dia.

Fim daquela história de entrar correndo numa loja de roupas, escolher nos cabides mais ou menos trinta peças e depois, calmamente, passar seis horas ou mais experimentando tudo na cabine, admirando-me.

Nada disso!

Você ficaria de queixo caído com a diferença que faz ter uma criança amarrada à sua frente.

A facilidade de movimentos fica bastante reduzida.

Para não mencionar o medo terrível que eu tinha de que alguém esbarrasse em Kate e a machucasse.

Ou, pior ainda, a acordasse.

Não fora tão ruim naquele dia no supermercado, onde mães civilizadas e serenas andavam através dos espaçosos corredores. Confiava que elas não me dariam encontrões nem esbarrariam em Kate.

Mas agora tratava-se de um sábado à tarde, numa loja de roupas, pelo amor de Deus.

Aquelas moças que estavam ali comprando com certeza eram mercenárias de folga do serviço de derramamento de sangue e tumulto, em algum lugar como a antiga Iugoslávia.

Barra pesada, sabe.

Uma loucura.

Eu não podia relaxar e simplesmente procurar alguma coisa para usar.

Tinha tanto medo de que Kate levasse uma pancada na cabeça, ou uma cutucada em suas frágeis costelinhas, de algum demônio de consumidora tentando, por todos os meios possíveis, alcançar um vestido.

De qualquer jeito, eu mal sabia o que procurava, já que perdera tão inteiramente minha identidade.

Fiquei em pé à porta de uma loja, um pouquinho aturdida, desviando-me e me abaixando repentinamente diante das clientes que passavam, imaginando se eu fazia o tipo jovem, de jeans e suéter, ou adulto, o tipo de saia até o tornozelo e colete.

Quero dizer, quem era eu, agora?

Fazia tanto tempo que não comprava roupas de verdade.

Que não fossem macacões de gravidez, quero dizer.

Ou que não tivessem cinturas extensíveis e ajustáveis, de velcro. Ou quilômetros e quilômetros de tecido.

De fato, fazia apenas uma semana desde que eu voltara a usar calcinhas normais.

Deixe-me explicar.

Talvez você não saiba, mas não se volta à vida normal e, o que é mais importante, às roupas normais, no momento em que se dá à luz.

Não, de jeito nenhum!

Demora muito tempo, antes que cessem certos processos corporais. Não quero usar um tom desnecessariamente sangrento aqui, mas basta dizer que lady Macbeth é pinto.

Não venha falar *comigo* de sangue em toda parte, dona!

E, por causa disso, precisei usar aquelas engraçadas calcinhas descartáveis. Eram horríveis e imensas.

Mas estou feliz de anunciar que, semana passada, voltei às calcinhas normais. É isso aí, repito: voltei às calcinhas normais.

E o restante das minhas roupas?

Eu não era mais uma mulher grávida.

Era apenas uma mulher.

Então, o que usaria?

Tinha tão pouca coisa para me definir, agora.

Demoraria séculos até eu voltar ao emprego, então não precisava comprar roupas para trabalhar.

Não tinha sequer isso para me guiar.

Fazia compras apenas para mim mesma.

Quem quer que eu fosse.

Peguei alguns vestidinhos num cabideiro e fui empurrando as hordas de pessoas para chegar ao provador, praticamente curvada por cima de Kate, para protegê-la.

Um novo choque me aguardava.

Onde, pelo amor de Deus, poria Kate?

Ela não era exatamente uma sacola de academia, que você apenas atira no chão e não se incomoda se alguém ficar em cima dela.

Uma rápida meia-volta e retornei para o lugar de onde havia saído, abrindo caminho através da massa com a cabeça abaixada e investindo para a frente, de maneira que parecia um pouquinho com um touro.

Comprei uma porção de coisas, de qualquer jeito, mesmo sem ter experimentado nada. Eu *precisava* comprar alguma coisa.

Afinal, tinha uma reputação a manter.

Houve um tempo em que meu nome era uma lenda entre as Mulheres Que Compram.

Um tempo em que não havia coisas como escolher entre o par preto e o par verde. Não existiam coisas como ficar em pé, angustiada, com o indicador pressionado contra meu rosto, a testa franzida, numa consternação infantil.

Nada disso, eu comprava os dois pares.

E, além da questão de manter minha reputação, eu não tinha absolutamente nada para usar. E precisava impressionar um homem.

Paguei tudo com o cartão de crédito.

Ou suponho que deveria dizer que James pagou.

Fiquei inteiramente pasma porque o alarme não disparou, quando a funcionária me entregou os pacotes, passando-os sobre o balcão, nem policiais e cães enormes entraram correndo na loja e me arrastaram para fora.

Porque tinha certeza de que gastara quilômetros acima do limite.

Depois da minha compra um tanto desanimada, embora prolífera, saí para me encontrar com Adam, que era, afinal, meu verdadeiro motivo para vir à cidade.

Para ser perfeitamente honesta, as compras foram apenas um pretexto.

Uma astuta manobra.

Fui seguindo com dificuldade pela rua, os braços protetoramente em torno de Kate.

Ondas sucessivas de transeuntes vinham em minha direção.

Toquem em minha filha e mato vocês, pensei ferozmente, olhando com raiva para todos.

Que, em sua inocência, pareciam muito surpresos e assustados.

Além da ansiedade quanto à possibilidade de Kate se machucar, tomei consciência de outra sensação engraçada em meu estômago.

Indigestão?

Com um curioso choque, percebi que a sensação engraçada era de borboletas.

Borboletas que dançavam uma quadrilha em minhas entranhas. Obviamente, tinham empurrado para trás as mesas e cadeiras e faziam tudo em grande estilo. Dando os braços, rodopiando, levantando as pernas para o alto, soltando gritos de alegria e trocando de par, revivendo, em suma, uma euforia de antigamente.

Ah, meu Deus, pensei, com a percepção tornando-se clara, então é oficial.

Estou interessada em Adam.

Ou deveria dizer: ESTOU INTERESSADA EM ADAM!!!!!!!!!

Será que as trombetas celestiais deveriam ter tocado? Deveria eu ver o mundo, de repente, cor-de-rosa? Deveria eu ter de caminhar ou na verdade correr pelo restante do caminho e, no fim, encontrá-lo em câmera lenta? E ser lentamente abraçada por ele, nós dois girando interminavelmente e sorrindo como alegres idiotas?

Mas não: sendo eu, tinha de marchar direto para a preocupação. Relutante, arrastei os pés pelo restante do caminho, com a cabeça trabalhando em alta velocidade.

Por que tinha de sentir essa paixonite por ele?

Que tipo de pessoa era eu?

Eu amava James e fazia apenas seis semanas, bem, quase sete, desde que tínhamos rompido, então não deveria eu ainda me manter fiel a ele?

Eu me sentia muito desleal.

Mas por que deveria me sentir?

James divertia-se; por que eu não deveria fazer o mesmo?

Mas não era assim tão simples.

Nunca consegui fazer sexo sem me envolver emocionalmente.

Mas, novamente, quem falou alguma coisa sobre fazer sexo?

Ah, meu Deus!

Estava tão perturbada.

Não conseguia entender tantos sentimentos diferentes.

Tão confusa.

Estava, sim, atraída por Adam. Mas me sentia muito culpada a respeito, porque isso, a meu ver, me tornava uma pessoa muito fútil, quando se supunha que eu continuasse apaixonada por James.

Mas estaria eu apaixonada por James?

Tinha medo de pensar nisso. Era um assunto sério demais para minha cabeça naquele momento.

E então me senti zangada com James. Por que eu não podia flertar com Adam e me divertir um pouco?

Mas, então, sentia-me novamente culpada, porque Adam era uma pessoa, uma boa pessoa, e merecia coisa melhor do que ser tratado por mim como uma espécie de bálsamo para o ego.

Um pouco como ir ao cabeleireiro.

Ou depilar as pernas.

E, depois, fiquei novamente zangada, porque não pensava em Adam dessa maneira. Sentia uma emoção verdadeira ao conversar com ele e estar em sua companhia. Embora só o conhecesse há poucos dias.

O que me levava claramente de volta à pergunta de como eu poderia estar com uma paixonite por alguém que só conhecia há poucos dias, quando ainda amava James.

Ah, mas que droga, pensei, desesperada.

Tinha de esvaziar minha cabeça desses pensamentos inquietantes. Não poderia lidar com eles, naquele momento. Estava prestes a me encontrar com o homem pelo qual me sentia atraída, portanto tinha de me preocupar com coisas inteiramente diferentes.

Por exemplo: será que estava com boa aparência?

Ou será que ele se sentia atraído por mim?

E o que faria eu, a fim de levá-lo para a cama?

Coisas *importantes*.

Endireitei os ombros e me preparei para Adam.

Vi-o em pé na frente do café onde eu deveria encontrá-lo.

Meu estômago deu um pequeno salto.

Ele estava tão bonito.

— Olá — ele sorriu. — Você está apenas 15 minutos atrasada. Obviamente, está desenvolvendo uma tendência para isso.

— Cale a boca — sorri. — Desculpe.

Era maravilhoso estar com ele.

— Olá, anjo — disse ele, olhando para Kate, acomodada no canguru.

Embora eu preferisse pensar que ele apenas usava isso como desculpa para olhar meus peitos.

Kate não disse nada.

E entramos para tomar café, abrindo caminho a cotoveladas através das hordas de gente agitada.

Era sábado à tarde e a loucura estava à solta.

Era como se as pessoas sofressem de algum tipo de doença mental.

A síndrome das compras ou algo parecido.

Tenho certeza de que existe um complicado nome médico para isso.

Suponho que deva ser algo parecido com o Mistral que desce de vez em quando sobre as vilas de... será da Itália? Todos os homens batem em suas mulheres, os cães uivam, as galinhas não põem ovos e as mulheres gritam e choram (bem, muito justo — afinal, estão sendo espancadas pelos maridos) e se recusam a fazer qualquer trabalho doméstico.

Como se toda a vila de repente sofresse de TPM e um estranho veneno destruísse as colheitas.

A loucura do Mistral é café pequeno, em comparação com o alvoroço daquela particular tarde de sábado.

Certa vez, li que as compras surtem um imenso efeito sobre os níveis de adrenalina.

Fazem subir o nível da pressão e provocam oxidação excessiva do sangue, os olhos das pessoas se projetam para fora, além de todos os tipos de outros efeitos.

Fazia completo sentido para mim — toda aquela excitação!

Aparentemente, os níveis de açúcar no sangue também são afetados.

É por isso que todos precisam de um chá forte e doce ou café e um Club Milk (ou coisa parecida) depois ou até mesmo durante a orgia de compras.

Um pouco como o cigarro depois do sexo, eu acho.

Como resultado das compras excessivas, Dublin estava cheia de loucos com excesso de oxidação no sangue, olhos projetados para fora, faces vermelhas (em consequência da alta pressão arterial), com centenas de sacolas de compras presas às mãos e aos punhos, e carteiras cheias de cartões de crédito, assanhados e irrequietos depois de tanta atividade.

Então, se é uma xícara de café que você está procurando, como Adam, Kate e eu estávamos, espere sentado. Ficamos no meio do apinhado café, enquanto lamentáveis criaturas de olhos fundos perambulavam de um lado para o outro carregando bandejas com café e rosquinhas. Obviamente estavam ali há várias semanas e ainda não tinham conseguido uma cadeira.

Mas Adam, sendo Adam, encontrou a única mesa que fora desocupada nas últimas três semanas aproximadamente. Era uma das muitas vantagens de ter por perto um homem alto.

E, depois de se certificar de que Kate e eu estávamos confortavelmente sentadas, saiu para pegar o café.

Que herói!

Voltou em tempo recorde, com uma bandeja superlotada de pãezinhos doces.

— Não sabia de que tipo você gostava — explicou. — Então peguei um de cada.

— Ah, Adam — disse eu. — Você não devia ter feito isso! Você é um estudante pobre.

Estava tão comovida que me sentia à beira das lágrimas.

Ele provavelmente gastara, em pãezinhos para mim, sua bolsa de estudos para o período de verão inteiro.

— E jamais conseguiria comer todos — menti.

— Bem, não se preocupe com isso — disse ele, sorrindo, e com uma aparência realmente linda. — Tenho certeza de que comerei tudo o que você deixar.

Depois, sentou-se e voltou toda a sua atenção para mim.

— Como vai você? — perguntou. E conseguiu fazer a pergunta soar como se ele estivesse realmente interessado.

— Ótima — disse eu, sorrindo com timidez e me sentindo inteiramente tola e infantil.

O que era aquilo?

No momento em que a gente percebe que está com uma paixonite por alguém, logo se transforma numa completa idiota.

Bem, pelo menos isso acontece comigo.

— Quer que eu segure Kate para você um pouquinho? — perguntou ele.

— Se quiser — disse, tirando-a do canguru e passando-a para os braços carinhosos de Adam.

Cachorrinha de sorte!

Que pena que ela ainda não pode falar, lamentei. Se falasse, eu poderia, depois, interrogá-la detalhadamente sobre como era, exatamente, estar nos braços de Adam.

Ficamos ali sentados, conversando ociosamente, enquanto as marés de humanidade, com seus níveis flutuantes de açúcar, remoinhavam, fluíam, enchiam e vazavam em torno de nós. Adam, Kate e eu éramos um oásis de calma no caos de Dublin.

Como se nós três estivéssemos em nosso pequeno mundo.

Na verdade, não falamos muito. Apenas ficamos sentados num silêncio descontraído, bebendo café, comendo os pãezinhos, minhas compras espalhadas por toda parte em torno de nós.

Adam estava ocupado brincando com Kate, admirando-a, examinando seus minúsculos dedinhos e tocando seu rostinho bonito.

Ele tinha no rosto uma expressão de deslumbramento tão intenso, quase de ânsia, que fiquei ligeiramente alarmada.

Que Laura, que nada, pensei, quem assedia crianças é Adam!

— Você já se deu conta — disse ele, pensativo, falando comigo, mas ainda olhando para Kate — de que, se as pessoas não soubessem, pensariam que sou o pai da Kate? Sabe, somos exatamente uma família nuclear típica, como dizem meus compêndios de antropologia, fazendo compras numa tarde de sábado.

Ergueu os olhos para mim e sorriu.

E, embora eu própria estivesse pensando quase a mesma coisa, senti-me um pouco, não sei, estranha, sim, estranha e triste, por Adam dizer isso.

Desleal, foi como me senti.

Estava satisfeita porque Adam parecia gostar muito de Kate.

Mas Adam não era o pai de Kate.

James sim.

E James não estava ali.

Era tudo tão curioso, confuso, estranho e triste.

Por que Adam não poderia ser o pai dela?

Ou por que o pai dela não poderia dar atenção à filha?

— Gostaria de ter filhos? — perguntei a Adam. — Não quero dizer agora, mas, você sabe, algum dia.

Ele parou o que estava fazendo e ficou sentado, imóvel, por um minuto. Depois, virou-se e olhou para mim.

Havia uma expressão tão estranha em seu rosto.

Parecia triste. Quase desnorteado.

Mas, antes que ele me respondesse, fomos interrompidos por vozes de moças.

"Ei, vejam só, é Adam." "Que ótimo, onde?" "Adam, como vai você?" "Ah, oi, Adam, onde você se meteu a noite passada?"

Três belas jovens, obviamente colegas de classe de Adam, haviam chegado à mesa e se aglomeravam em torno dele.

Como as mulheres costumavam fazer.

Eram como belos pássaros exóticos.

Muito coloridos e barulhentos.

Soltaram altos "ohs!" e "ahs!" para Kate e depois perderam completamente o interesse por ela, quando descobriram que não era filha de Adam.

Mas por que deveria ser?, me perguntei.

Adam nos apresentou a todas.

— Esta é Kate — disse ele, levantando sua pequena mão cor-de-rosa e fazendo-a acenar para as moças.

Era uma coisa tão linda, minha menininha e aquele belo homem, que pensei que meu coração fosse partir-se.

Por que James não poderia estar aqui para fazer isso?, pensei.

Mesmo quando estou feliz, a tristeza fica apenas a um segundo de distância.

— E esta é Claire — continuou.

— Oi — sorri corajosamente para as garotas, com sua pele jovem e translúcida e suas roupas avançadas, tentando não me sentir uma velha bruxa.

— E essas são...

E ele disse três nomes que poderiam ter sido Alethia, Koo e Freddie. Ou talvez Alexia, Sooz e Charlie.

Ou, quem sabe, Atlanta, Jools e Micki.

Nomes estranhos. Nomes maneiros.

E eu juraria que eram inventados.

Nomes que traziam uma porção de letras a mais.

Nomes que, eu tinha total certeza, não constavam de suas certidões de nascimento.

Sabia que seus nomes verdadeiros eram algo como Mairead, Dymphna e Mary. Vocês sabem, nomes simpáticos e comuns.

Nomes saudáveis.

Mas, com o risco de ofender Maireads, Dymphnas e Marys, nomes não muito glamorosos.

Aquelas belas garotas que haviam caído em cima de Adam pareciam precisar de nomes glamorosos para combinar com suas glamorosas aparências.

As três, de certa forma, pareciam a mesma pessoa.

Todas tinham cabelos curtos.

E quero dizer cabelos muito curtos mesmo.

Sooz/Koo/Jools era quase totalmente careca.

E Atlanta/Alexia/Alethia parecia um patinho nada feio, com sua pequena mecha de cabelos louros e fofos.

Para ser honesta, ela se parecia um pouco com Kate.

O que significa que Adam, o suspeito pedófilo, é provavelmente louco por ela, pensei, amarga.

Eu sentia um pouco de ciúme.

E tanto ele quanto elas falavam de uma festa qualquer onde haviam estado na noite da véspera.

Desejei que elas fossem embora para poder ter Adam novamente todo para mim e Kate.

Tentei ser crescida e adulta com relação àquelas três lindas jovens reivindicando a atenção de Adam.

Meu rosto doía, de tanto eu tentar fingir que também me divertia com aquilo, que não me importava de ser ignorada, enquanto elas conversavam e riam com simpatia e naturalidade.

Parecia que as três se instalavam para uma longa estada.

Meu coração afundou até minhas (novas) botas, quando todas as três puxaram cadeiras e se reuniram em torno de nossa minúscula mesa, cada uma praticamente sentando-se no joelho de Adam.

Elas sequer tinham trazido uma xícara de chá para tomar.

Mas, realmente, eu não estava julgando ninguém.

Sabia como era ser um estudante pobre.

Eles precisam economizar seu dinheiro para a cerveja e as drogas.

Claro que eu entendia.

Mas, quando Freddie/Charlie/Micki começou a comer um dos pãezinhos, um dos *meus* pãezinhos, quase explodi em prantos.

Queria bater o pé e gritar histericamente, como uma criança num acesso de mau gênio: "Este pãozinho é *meu*. Adam comprou-o para mim."

Engoli em seco, com raiva.

Eu estava totalmente deslocada ali.

Era tolice pensar que alguém como eu poderia ter qualquer lugar na vida de uma pessoa como Adam.

Ele era jovem e bonito e tinha uma vida plena e feliz.

Senti-me cansada, velha, tola e idiota.

Enquanto Adam continuava a conversar animadamente com as moças, levantei-me e tornei a colocar o canguru onde carregava Kate.

Depois, inclinei-me e tirei-a um tanto bruscamente dos braços de Adam (Quero minha filha de volta!), interrompendo uma animada conversa sobre alguém chamada Olivia Burke que, aparentemente, fizera sexo oral em Malcolm Travis na festa da noite anterior, bem diante dos convidados.

Apesar da minha compaixão por mim mesma e da minha infelicidade, fiquei satisfeita de ouvir que Adam não condenava o comportamento de Olivia Burke. Reservou sua censura para Malcolm, porque este, segundo parecia, tinha uma namorada firme, chamada Alison. E Olivia não sabia de sua existência.

— Aquele sujeito é tão baixo — disse Adam. — Está desrespeitando as duas mulheres ao mesmo tempo, comportando-se dessa maneira.

É isso aí, cara!

Kate começou a chorar, quando a tomei dos braços de Adam. Não tirei sua razão.

Adam virou-se e me olhou com uma expressão de surpresa no rosto.

— Você não vai embora, vai?

— Sim, acho que vou — eu disse, tentando falar com um tom casual. — Kate está cansada e logo precisará trocar a fralda.

Virei-me para as lindas moças.

— Tchau. — Fiz um aceno com a cabeça. — Prazer em conhecer vocês.

Pelo menos, eu não poderia jamais ser acusada de grosseira, pensei, hipocritamente.

— Tchau — disseram elas, em coro. — Tchau, Kate.

Depois, senti-me envergonhada.

Eram moças boazinhas. Eu era a única com o problema.

Ciumenta e insegura.

Infantil, hipersensível e mimada.

Lá fui eu, com dificuldade, sobrecarregada com um bebê, sacolas e imensas quantidades de sentimentos maltratados, tentando manter um aspecto digno e despreocupado, enquanto abria caminho através das multidões implacáveis.

Pude sentir os olhos de Adam em mim, mas recusei-me a olhá-lo de frente.

Ele me alcançou antes de eu ter percorrido dois metros.

Para ser inteiramente honesta — nem sempre uma coisa fácil —, era exatamente o que eu queria que ele fizesse.

— Claire — disse ele, num tom surpreendido. — Para onde você vai?

— Para casa — murmurei.

Esperava, ansiosamente, que ele não tivesse percebido quanto eu estava enciumada.

— Ouça, desculpe — disse ele, olhando dentro dos meus olhos. — Elas irritaram você?

— Não — protestei. — Não, elas foram simpáticas.

— Você não precisa ser educada — disse ele, olhando-me com uma expressão preocupada. — Sei que devem ter parecido garotinhas tolas para uma mulher como você.

— Não, Adam, honestamente, elas são ótimas — insisti.

Eu me sentia *realmente* péssima.

Não gostara de estar com Alexandria, Zoo e Gerri, ou quaisquer que fossem seus malditos nomes, porque estava com *ciúme* delas, não porque fosse muito madura e desdenhosa.

Ali estava Adam atribuindo-me todos os tipos de motivos nobres.

Rotulando-me de inteligente quando, na realidade, eu era uma fedelha imatura e mimada que exigia atenção da maneira mais infantil.

— Honestamente, elas são uns amores — disse ele. — Eu queria ficar apenas com você e Kate, mas não sabia como impedi-las de se sentarem conosco sem ser grosseiro — explicou.

— Não tem problema — insisti. — Ouça, é melhor eu ir — disse, enquanto outra pessoa com uma bandeja esbarrava em mim e dava sinais de irritação, por eu estar em pé no meio de uma passagem.

— Tem certeza? — perguntou ele, muito próximo de mim.

— Tenho — garanti-lhe.

Mas não me movi.

Queria ficar ali, perto dele.

Apenas por um momento.

Queria que ele me beijasse.

Mas havia muito pouca chance de que isso acontecesse, com milhares de pessoas movimentando-se em torno de nós. Para não falar no fato de que Kate provavelmente sufocaria, em seu canguru, se Adam masculamente me arrebatasse em seus braços.

— Quer que eu vá com você até seu carro? — perguntou ele.

— Não, Adam, realmente não precisa.

— Vejo você em breve — disse ele, gentilmente.

— Certo — dei-lhe um pequeno sorriso.

Um sorriso simpático.

Verdadeiro.

E ele colocou suas mãos em meus ombros e me puxou para si (porém, com o maior respeito pelo conforto de Kate), e deu o mais leve dos beijos em minha testa.

Fechei os olhos, rendendo-me ao momento.

E prendi a respiração, porque mal podia acreditar que aquilo estivesse acontecendo.

Sua boca era quente e firme.

Ele cheirava a sabonete, e a pele era macia e quente.

Em meio ao burburinho de vozes que nos cercavam no café, ouvi alguém dizer:

— Vejam, são aqueles dois novamente.

Uma voz disse:

— Que dois?

— Você sabe, os dois que estavam brigando em frente à Switzer, ontem.

As vozes eram das moças que tinham adorado testemunhar o pequeno diálogo entre Adam e eu, na véspera.

Meu Deus, tinha sido mesmo só ontem?

Elas continuaram a conversar sobre nós em voz alta.

— Ah, sim, eles. Bem, parece que fizeram as pazes.

— Ah, mas que merda!

Abri os olhos e olhei para Adam. Ambos começamos a rir.

— Só falta agora o sujeito da cerveja — disse ele.

— Nesse caso, agora vou mesmo — disse.

Passei pelas moças a caminho da saída.

— Tenho certeza de que ela não estava com um bebê ontem — disse uma delas.

— Você acha que é dele? — A outra queria saber.

Continuei a caminhar.

Minha testa não parou de formigar até eu chegar a uns cem metros de casa.

Sim, sim, eu sei.

Um beijo na testa dificilmente pode ser classificado como sexo ardente.

Não posso citar para você nem mesmo um único filme sueco que tenha sido feito sobre um beijo na testa.

Mas aquele foi tão cheio de desejo e ternura, e, à sua casta maneira, tão erótico que acabou sendo muito melhor do que sexo ardente.

Bem, acho que, pelo menos, tão bom quanto.

17

Laura veio no domingo à tarde e relaxamos bebendo chá, comendo biscoitos de chocolate recheados (os de Michael) e brincando com Kate.

Brincar com Kate consistia, principalmente, em alimentá-la, botá-la para arrotar e trocar suas fraldas.

Laura usava uma camiseta suja e manchada de tinta que supus pertencer ao seu amante adolescente.

Ela parecia jovem, contente e feliz.

Tinha bons motivos.

Fizera sexo quatro vezes na noite anterior, histórias com as quais ela tentava divertir-me, mas não parávamos de ser interrompidas por mamãe ou papai.

— Alguma notícia de James? — perguntou, tendo desistido da ideia de passar a tarde falando de coisas picantes, após papai sair da sala pela vigésima vez.

Ele entrou, fez um cumprimento com a cabeça para Laura e começou a tirar as almofadas do sofá e arredar as poltronas, resmungando alguma coisa sobre o fato de não ter lido o *Independent* — se Helen o tivesse levado, ele a mataria.

E já que era ele quem pagava os jornais, então por que era o único que não conseguia lê-los?

Voltou cerca de três minutos depois para ver se o fogo acendera direito e teve uma grande discussão, principalmente consigo mesmo, sobre os méritos do carvão fóssil.

("Aquece melhor, embora custe mais caro.")

Laura e eu apenas ficamos sentadas ali, enroscadas no sofá, Kate no colo de Laura, e todas nós, até Kate, com um ar entediado, enquanto esperávamos que ele terminasse sua explanação e saísse.

Logo que saiu, chegou mamãe, em teoria para nos oferecer chá, mas na prática para ver se eu tinha trazido escondido os Jaffa Cakes.

Perguntou pelo pai de Laura.

— Geoff Prendergast é um homem maravilhoso — disse a Laura. — A quem você terá puxado?

Depois, mamãe saiu, levando os Jaffa Cakes.

— Alguma notícia de James? — perguntou Laura novamente, enquanto a porta da sala de estar tornava a se fechar.

— Ele está fora — disse eu, sumariamente. — Mas vou ligar para ele amanhã.

Não queria falar sobre James.

Pelo menos, não naquele momento.

Estava cheia daquilo.

De esmiuçar repetidas vezes toda a história, tentando entendê-la, preocupando-me com o que fazer.

Como dizem em Nova York: "Supere isso e, se não puder superar, supere o vício de falar a respeito."

Sábio conselho.

Laura estava ali há mais de uma hora, antes de abordar o assunto Adam.

Fiquei pasma por ela ter demorado tanto.

— Então, qual é a história entre você e o jovem Lochinvar?* — perguntou ela, de modo totalmente casual, enquanto massageava as costas de Kate em movimentos circulares.

— Quem? — perguntei. Deliberadamente confusa.

— O lindo Adam — disse ela, com leve irritação.

— Que é que tem ele? — perguntei.

— Bem, antes de mais nada, ele é louco por você e, depois, é absolutamente lindo. Se fosse uns cinco ou seis anos mais jovem, talvez eu mesma me interessasse.

— Laura, ele não é louco por mim — protestei.

* Galã mencionado no poema *Marmion*, do autor escocês Sir Walter Scott (1771-1832).

Claro que só disse isso para que Laura insistisse que Adam era de fato louco por mim, para eu poder ter novamente aquela quente e deliciosa sensação em meu estômago.

— Ele é louco por você — repetiu ela. — E, além do mais, você sabe disso muito bem.

— Mas, e daí? — perguntei. — Mesmo que ele seja louco por mim, se bem que não temos nenhuma prova disso, o que acha que devo fazer?

— Coma ele! — disse ela.

Aquela não tinha um pingo de vergonha.

— Laura! Pelo amor de Deus, sou casada! — berrei para ela.

— Ah, sim? — perguntou ela, com ar de superioridade. — E onde está seu marido?

Fiquei calada.

— Claire — disse ela, afetuosa, após ficarmos sentadas em silêncio durante cinco tensos minutos. — Tudo o que estou dizendo é que ele é um belo homem e parece realmente gostar de você. Você passou por um período difícil e, mesmo que as coisas voltem a funcionar com James, talvez, enquanto isso, você devesse se divertir um pouquinho.

— O que está acontecendo por aqui? — perguntei. — Todo mundo me encoraja a ter um relacionamento com Adam. Até minha própria mãe!

— Sua mãe lhe disse para *comer* Adam? — gritou Laura, pasma.

— Bem, não exatamente com essas palavras — disse eu. — Mas foi o que ela quis dizer.

— Então, o que está impedindo você? — perguntou Laura, encantada. — Você tem a bênção de sua mãe. É um excelente presságio.

Pensei, por alguns momentos.

— É — suspirei. — Acho que devia.

— O quê?! — bradou Laura. — Está falando sério?

— Pelo amor de Deus — ergui minha voz para ela. — Não é exatamente isso que você me diz para fazer?

Eu *sabia* que isso aconteceria. Tinha *certeza.*

As pessoas estão sempre encorajando-se mutuamente a fazer coisas que sabem que a outra pessoa não fará. E, depois, levam o maior choque quando a pessoa realmente faz.

Eu mesma sou culpada disso.

Anos a fio, encorajei papai a comprar para ele uma calça jeans.

— Honestamente, papai, ficaria linda em você — dizia eu, muitas vezes.

E papai respondia:

— Ah, deixe disso, estou velho demais.

— Não, papai, não está.

No dia em que papai apareceu usando uma Wrangler azul-marinho, dura como uma tábua, com a bainha uns 20 centímetros dobrada para cima, sorrindo entre tímido e orgulhoso, o choque quase me matou.

— Sim, eu sei — disse Laura, parecendo um pouquinho aborrecida. — Mas é que parece que isso combina muito pouco com você. Quero dizer, você é sempre tão leal.

— Laura, dificilmente eu estaria sendo desleal com James se transasse com Adam, não é? — perguntei, amável.

Pude ver como ela estava chocada.

Embora eu tivesse um verniz de avançada, fora sempre Claire, a Constante.

Meu verniz de devassidão era fino como uma folha de papel, praticamente transparente, na verdade.

Fiz o jogo do "vamos nessa" mais vezes do que desejo mencionar, mas meu coração não tomava parte.

Sempre quis ser a chata, sossegar com um homem, mas fiz o maior esforço possível para esconder isso, porque era considerada a coisa mais insultante que se pode dizer de alguém — que ela só quer mesmo sossegar com um homem.

Poucas pessoas sabiam meu vergonhoso segredo.

— Claire, você gosta desse tal de Adam? — perguntou ela, preocupada.

Eu me divertia notando que Adam passara de "o lindo Adam" para "esse tal de Adam" numa questão de minutos.

— Claro que tenho uma paixonite por ele — disse, rindo do seu horror. — Ele é delicioso, ou você não notou?

— Bonito, concordo — disse ela, cautelosamente. — Mas o que você sabe a respeito dele?

— Sei que ele é legal e me faz sentir inteligente, bonita e desejável.

— Claire, não se esqueça de que você está muito vulnerável neste momento. Você está se recuperando.

— É mesmo? — perguntei. Achei que eu soava bem esperta. — De qualquer jeito — perguntei novamente, com grande curiosidade —, o que você está fazendo? Primeiro, me encoraja a ter um caso com ele e, depois, quando digo que sim, começa a criticar meu comportamento?

— Desculpe, Claire — disse ela, com humildade. — É isso mesmo que estou fazendo. Foi apenas porque pensei que podia ser bom para seu ego saber que ele se sente atraído por você. Mas não pensei, nem por um segundo, que você tomaria mesmo qualquer atitude. Você é tão "mulher de um homem só" que me choquei um pouco.

— Laura, no momento sou mulher de homem nenhum — lembrei-lhe.

— Eu sei, mas você ama tanto James que... Não sei... Não imaginei que pensasse em qualquer outra pessoa.

— As coisas mudam, as pessoas mudam — disse. — Não sei mais como me sinto a respeito de James. Só sei que é maravilhoso estar com Adam.

Laura recompôs-se, de repente.

— Bem, se é assim, você não poderia escolher melhor pedaço de homem para ter um caso. Ele é tão bonito. E tão simpático. Inteligente também — acrescentou, pensando melhor.

Isso era bom, vindo de Laura, que geralmente está mais preocupada com o órgão entre as pernas do homem do que com a massa entre suas orelhas.

— E é melhor começar a treinar — sorriu ela. — Não lhe prescreveram exercícios para melhorar o tônus muscular? Ginástica pélvica ou coisa parecida. Sexo com Adam não deve ser brincadeira.

— Obrigada, Laura — disse eu, secamente. — Você me faz parecer um peixe na rede.

Depois que Laura foi embora, não consegui sossegar.

Não havia ninguém por perto.

Anna fizera outro dos seus números de desaparição.

Helen, aparentemente, estava na casa de Linda.

Embora eu estivesse satisfeita com isso.

Sentia-me tão culpada com relação a Adam que não creio que pudesse encará-la.

Tinha a convicção de que Adam não era seu namorado.

Mas talvez fosse uma boa ideia tentar certificar-me disso, por via das dúvidas.

Mas sentia que não aguentaria enfrentar o fato de que ele era mesmo namorado dela. Porque, o que pensaria eu dele, se fosse verdade?

Que era algum tipo de maluco que se divertia destruindo lares, colocando uma irmã contra a outra e separando famílias?

Se Adam fosse namorado de Helen e ela descobrisse que eu me encontrava com ele, nós dois combinando tudo, e não apenas uma vez, mas duas, então o maior massacre da história da Irlanda pareceria uma manhã de Natal, em comparação com o banho de sangue que sem dúvida se seguiria.

E eu me sentia desleal com Helen por me encontrar com Adam?

Sim, claro que sim.

Mas não muito.

Se Adam fosse o namorado de Helen, então eu recuaria imediatamente e não teria mais nada a ver com ele.

Esse detalhe era fácil de decidir.

Mas, e se Adam não fosse o namorado de Helen, e ela o desejasse?

Bem, se Adam a desejasse também, então se aplicaria o mesmo princípio de antes: eu recuaria imediatamente e nada mais teria a ver com ele.

Mas, se Helen desejasse Adam e Adam não desejasse Helen e se, delicioso pensamento, Adam me desejasse, então, como seria?

Essa era difícil.

Eu amava Helen.

Sabe Deus o motivo, mas amava.

E não queria fazer nada que a magoasse.

Não, realmente não queria.

E não apenas porque eu tinha medo dela.

A melhor coisa que eu podia fazer era conversar com ele a respeito de tudo isso.

Simplesmente perguntar-lhe, de forma direta, o que havia entre ele e Helen.

E, se houvesse uma história, passar então para uma nova fase de preocupação.

A conclusão final foi a de que, se eu não me arriscasse, nunca saberia.

Jamais me imaginara dizendo isso, mas a vida realmente é curta demais.

Devemos agarrar nossas oportunidades com as duas mãos.

E era isso que eu faria com Adam.

É isso mesmo, você me ouviu direito, o duplo sentido está aí — vou agarrá-lo com as duas mãos.

— Meu Deus, Claire — mamãe reclamou, quando mudei mais uma vez o canal da televisão. — O que há de errado com você? Não pode ficar sentada quieta? Parece até que está com uma pulga na calcinha.

— Desculpe, mamãe.

Exatamente naquele momento, o telefone tocou.

— Meu Deus, Claire, meu pé! — ganiu papai, como um cachorro com a cauda presa numa porta, quando corri para atender e esmaguei vários dos seus metatarsos.

— Alô — arquejei para dentro do fone.

— Alô, seu pai está aí? — perguntou uma voz arrastada do outro lado do fio.

— Papai — chamei. — Papaaai! É a tia Julia, para você.

Droga, pensei.

Isso significava que papai ficaria ao telefone durante horas.

Era impossível tirar tia Julia do telefone, quando ela ligava bêbada.

Geralmente, ela ligava para se desculpar por ter feito algo como trapacear num jogo de beisebol — um jogo que ocorrera há mais ou menos uns 45 anos.

Por que estaria eu querendo tanto o telefone livre, imaginei, desviando-me lepidamente de papai, que passou por mim manquejando, mal-humorado, a caminho do fone?

Alguém dissera que me telefonaria?

Estaria eu esperando algum telefonema?

Não, definitivamente não.

Mas um cálido brilho de esperança dentro de mim pensava que talvez, apenas talvez, Adam telefonasse.

Ele não disse que o faria.

Mas eu sentia que talvez o fizesse.

Sentei-me no hall para bisbilhotar sem a menor vergonha a conversa de papai com tia Julia.

Em geral, era uma escuta interessante, embora levemente bizarra.

Quanto tempo demoraria aquela conversinha?

— Agora, Julia, escute o que digo — falou papai, agitado.

Ah, meu Deus, deve ter sido um jogo muito importante, para ele ficar tão perturbado.

— Molhe uma toalha e jogue em cima imediatamente! — ele rugiu ao telefone.

Ah, Deus do céu, pensei, ao perceber que tia Julia estava apenas tentando destruir sua casa com um incêndio e não telefonava para uma longa conversa à toa, cheia de remorso e desculpas.

— Não, debaixo da torneira, Julia, debaixo da torneira! — berrava papai.

Com que intuito teria ele proposto molhar a toalha?

Melhor não pensar a respeito.

— Agora, Julia, vou desligar o telefone, e você vai fazer a mesma coisa — disse papai, lenta e cuidadosamente, como se falasse com uma criança de 4 anos. — E vai discar 999 e chamar o corpo de bombeiros. E depois me ligará novamente, e me dirá o que fez, e se eles já estão a caminho.

Bateu violentamente o telefone e se apoiou na parede.

— Meu Deus — disse, com um aspecto exausto.

— O que ela fez agora? — perguntou mamãe, que aparecera no hall.

— De alguma forma, incendiou uma das bocas do fogão e o fogo se espalhou — suspirou papai. — Meu Deus, será que isso vai terminar algum dia?

O telefone tocou.

— Deve ser ela ligando novamente — disse papai, enquanto mamãe atendia.

— Alô — disse mamãe.

E então seu rosto mudou.

— Sim, ela está aqui. Quem quer falar, por favor? É Adam, para você — disse ela, entregando-me o fone com o rosto sem nenhuma expressão.

— Ah — disse eu, pegando o fone de sua mão, cheia de alívio.

Era *isso* que eu estivera esperando a noite inteira, sem ter consciência.

— Alô — disse eu, feliz, mas tentando esconder isso, na frente de mamãe e papai.

— Claire — disse ele, com sua linda voz. — Como vai você?

— Estou ótima — disse eu, um tanto desajeitada. Mamãe e papai ainda estavam em pé no hall, ambos olhando para mim.

— Sumam! — sussurrei para eles, agitando meu braço livre.

— Estamos diante de uma maldita emergência! — bradou papai. — Saia desse telefone!

— Dentro de um minuto — disse.

— Mas só um minuto — respondeu ele, ameaçador.

E então os dois saíram.

— Desculpe — disse eu a Adam, enquanto mamãe e papai voltavam a contragosto para a sala de estar. — Uma pequena crise em família.

— Estão todos bem? — perguntou ele, ansioso.

— Ótimos — disse eu.

Quem se sentia ansiosa agora era eu.

Estaria ele preocupado por causa de Helen?

De sua *namorada* Helen?

— Claire — continuou ele —, espero não estar incomodando você com meu telefonema. Quero dizer, não quero que você sinta que estou incomodando o tempo todo. Se for o caso, basta me dizer que eu paro.

Me incomode quanto quiser, pensei.

— Não, Adam, claro que não me incomodo que você me telefone. Gosto de falar com você.

— Ótimo — ele disse. Podia ouvir o sorriso em sua voz.

Sentei-me no chão e comecei a me preparar para uma hora, aproximadamente, de conversa agradável.

Quando fiz isso, ouvi o ruído da chave de alguém na porta da frente.

— Ah, meu Deus — eu disse, quando ouvi Helen berrar:

— Estou em casa. Quero comida! Senão denuncio vocês por negligência.

— Que é isso? — perguntou Adam.

— Helen está aqui — eu disse.

— Ah, é ela? Diga que mandei lembranças.

— Não vou dizer, não — disparei eu.

— Por quê? — perguntou ele, com voz chocada.

Helen passou por mim no hall. Piscou o olho e me deu um sorriso encantador.

— Oi, Claire, suas botas são lindas — disse ela, e seguiu em frente.

Algumas vezes, em geral quando menos espero, ela pode ser tão doce e encantadora que eu tenho vontade de matá-la.

— Por quê? — perguntou Adam, novamente.

Agora é hora de esclarecer essa coisa de uma vez por todas, decidi.

Se Adam está colocando a mim e a minha irmãzinha no mesmo saco, então é minha chance de acabar com isso.

Estava começando a soltar fumaça pelo nariz.

Aquela maldita cara de pau dele.

Só porque é extremamente bonito acha que pode sair por aí tirando casquinhas de todas nós, pensei, recorrendo a um dito favorito meu, e que rapidamente me levou a uma fúria hipócrita.

— Ouça, Adam — disse eu, bruscamente, logo que pude ouvir Helen, mamãe e papai discutindo na sala de estar e sabia que era seguro falar. —

Não sei realmente como perguntar isso. Na verdade, nem mesmo sei o que deveria dizer.

— Pelo amor de Deus, o que é? — perguntou ele, veemente.

Vá em frente, fale com ele, encorajei a mim mesma.

Você tem todo o direito de saber.

Mas eu já começava a perder minha coragem.

— Ouça, talvez não seja da minha conta, mas você é namorado da Helen? — consegui, finalmente, perguntar.

Seguiu-se um silêncio.

Ah, meu Deus, pensei. Ele está mesmo saindo com Helen. E estava apenas sendo bonzinho comigo porque sou a irmã mais velha rejeitada de Helen. E agora ele sabe que estou interessada nele.

Droga, droga, droga. Deveria ter mantido minha boca idiota fechada.

Arruinei tudo, porque não tenho nenhuma paciência.

— Claire — ele disse, finalmente, com a voz cheia de pasmo —, do que você está falando?

— Você sabe — falei. Sentia-me uma perfeita idiota, porém bem mais aliviada.

— Não — ele disse, com uma voz um tanto fria. — Eu não sei.

— Ah — disse eu, *realmente* constrangida agora.

— Então, você acha que sou namorado de Helen? — perguntou ele, impassível.

— Bem, achei que podia ser... — respondi, mortificada.

— E exatamente o que você pensava que eu fazia, perguntando se podia me encontrar com você? — continuou ele, agora quase com desprezo na voz. — E então? — cobrou, enquanto eu permanecia em silêncio. — Ou você pensa que sou extremamente estúpido ou extremamente cínico — disse ele. — E não tenho certeza com qual das duas coisas estou mais ofendido.

Mesmo assim, eu não disse nada.

Principalmente porque não sabia o que dizer.

Sentia-me terrível.

Adam tinha sido sempre tão decente e respeitoso comigo.

Eu não tinha nenhuma prova de que ele tivesse o que quer que fosse a ver com Helen.

Eu o magoara por duvidar das suas intenções.

— Claire — disse ele, parecendo exausto. — Claire, Claire, Claire, ouça. Não sou agora, nem jamais fui, no passado, namorado de sua irmã Helen. E também não quero ser. Ela é uma garota ótima — ele acrescentou, apressadamente —, mas não é para mim.

— Ouça, Adam — gaguejei. — Sinto muito, realmente, mas não sabia...

— Também sinto — disse ele. — Esqueço o tempo todo o que você passou. Você foi muito magoada. Quem poderia culpá-la por pensar que somos todos um bando de babacas, com duas caras?

Meu herói, pensei, derretendo-me toda.

Eu estava com essas frases na ponta da língua. Ele me salvara do suplício de dizê-las a ele e me arriscar.

Que cara!

Como podia estar tão identificado com o que eu sentia?

Talvez ele seja um transexual, pensei, alarmada. Provavelmente, este é seu grande segredo sombrio. Que ele nasceu mulher. Ou é uma mulher aprisionada num corpo de homem — e que corpo de homem!

— Claire — ele continuou, arrancando-me da especulação sobre sua sexualidade. — Não sei que tipo de impressão você formou de mim, mas, obviamente, não é a que eu esperava.

— Não... Adam... — protestei fracamente. Tinha tanta coisa para dizer e não sabia por onde começar.

— Dê-me apenas um minuto — disse ele. — Apenas ouça o que vou dizer. Está bem?

Sua voz soava tão honesta e juvenil, como poderia eu resistir?

— Claro — disse eu.

— Tenho uma porção de amigas mulheres, mas não entro muitas vezes nessa de romance. Praticamente nunca, na verdade. Bem, praticamente nunca, em comparação com as outras pessoas da minha idade, mas talvez, apenas, elas sejam especialmente prolíficas.

— Isso é ótimo — eu disse, ansiosa para que ele agora calasse a boca.

Você não precisa explicar nada para mim, quis falar.

Eu sabia agora que ele não era namorado de Helen, e isso já era o bastante para me animar a ir em frente.

Sentia-me mortificada por causa das minhas maneiras teatrais e das acusações anteriores. Agora, queria apenas esquecer aquela coisa toda.

Tadinho!

Só me conhecia há alguns dias e já tivemos várias briguinhas.

Que diabo o fazia pensar que eu era digna de tanto incômodo?

Mas, antes que eu começasse a pensar nisso, papai reapareceu no hall, com um rosto que parecia uma tempestade.

— Claire! — gritou. — Saia do telefone, AGORA!

— Você tem de desligar? — perguntou Adam.

— Tenho — eu disse. — Sinto muito.

Não queria terminar a conversa até saber que tudo estava bem. Que Adam não estava aborrecido comigo por eu pensar que ele era algum tipo de Lotário, destruidor de lares.* Também não deixaria de me agradar algum tipo de indicação de que, além de não desejar um romance com Helen, como ele tão delicadamente colocara, ele poderia desejar ter um romance comigo.

Como diria mamãe, eu queria ficar numa boa.

— Ah, quase me esqueci de por que liguei para você — ele disse.

— Por que foi? — perguntei eu.

Diga-me que você realmente se sente atraído por mim. Vá em frente, diga, diga, eu o instiguei, silenciosamente.

— Vai passar um filme ótimo às onze. Tenho certeza de que você vai gostar. Não deixe de assistir, se não estiver muito cansada.

— Ah — eu disse, perdendo inteiramente o pique. — Bem, obrigada.

Um maldito filme!

Pelo amor de Deus!

— Vejo você em breve — disse ele.

Não, espere, desejei gritar, não desligue. Converse comigo por mais um minuto. Dê-me seu número de telefone, para eu poder ligar para você. Posso vê-lo amanhã? Ou melhor, amanhã, não, posso vê-lo esta noite?

— Claire! — papai rugiu ameaçadoramente da sala de estar.

— Ok, tchau — disse eu, desligando.

Sentindo-me, entre outras coisas, completamente exausta.

Houve um surto de desordem na sala de estar, no momento em que o telefone foi desligado.

Papai e Helen brigavam à porta.

Papai queria falar logo com tia Julia, para ver se o incêndio estava sob controle.

---

* Lotário [Lothario]: libertino que seduz a heroína Calista em *The Fair Penitent*, do poeta e dramaturgo inglês Nicholas Rowe (1674-1718).

Enquanto Helen tinha outros planos para o telefone.

— Tenho de telefonar para Anthony — ela gritou. — Preciso de uma carona para Belfast, na terça-feira.

— Bem, o incêndio da tia Julia é mais importante — insistia papai.

— Deixe a casa dela ser destruída pelo fogo — disse Helen. — Isso vai servir de lição para ela. O álcool.

Caridosa até o fim, Helen é assim.

Afastei-me da batalha pelo telefone.

Fui para o andar de cima e levei o berço de Kate para o quarto de mamãe. Sentei-me para ver o filme recomendado, na pequena televisão que havia ali.

Era o mínimo que eu poderia fazer, depois de ter sido tão má com Adam.

E seria capaz de discutir o filme com ele, da próxima vez em que o encontrasse.

Se houvesse uma próxima vez.

18

O tempo tinha ficado mais lento, até parar, enquanto eu era a Mãe Alcoólatra do Inferno (e a Filha Alcoólatra do Inferno e a Irmã Alcoólatra do Inferno, para ser perfeitamente exata). Mas, agora que eu começava novamente a viver, o tempo também começou a trotar depressa e entrou em plena disparada, antes mesmo que eu percebesse.

Os dias agora passavam voando, como acontece nos filmes em que o diretor quer transmitir a ideia de uma passagem rápida do tempo, por exemplo, com as páginas de um calendário sendo viradas rapidamente por um vento forte. Então elas se soltam e são sopradas para longe. Folhas marrons são sopradas junto com as páginas, indicando os dias do outono, e depois entra com o vento um pouco de neve, mostrando a chegada do inverno.

O fim de semana terminou antes que eu percebesse.

Não, claro, que conceitos como a diferença entre o fim de semana e a semana de trabalho fizessem a mínima diferença para uma pessoa ociosa como eu.

Todo dia era feriado.

Mas de repente era segunda-feira de manhã. James teria voltado do Caribe. Ou de Mustique. Ou de uma pequena ilha, de propriedade particular, bem próxima da costa do Paraíso. Ou para onde quer que aquele infiel babaca tivesse ido.

Então, eu tinha de telefonar para ele.

Mas me sentia perfeitamente calma a respeito. O que deve ser feito, deve ser feito.

Claro que era muito fácil estar calma com relação a James, quando estava doente de preocupação em relação a Adam.

Seria difícil estar perturbada ao mesmo tempo pelos dois.

Transferência afetiva etc., uma salva de palmas para o Dr. Freud.

Mas, antes de chegar a telefonar para James, eu tinha outra maravilha reservada para mim, na manhã de segunda-feira.

Meu *check-up* pós-parto das seis semanas, com o médico.

Os divertimentos pareciam não cessar jamais em minha vida.

Esse era um acontecimento simbólico, como um divisor de águas.

Era uma forma de reconhecimento de que o parto fora um sucesso. Como uma festa de lançamento dada quando um novo filme é lançado. A diferença é que, na festa de lançamento do filme, os integrantes do elenco e a equipe não têm de sair colocando seus pés em estribos, enquanto homens estranhos examinam suas partes íntimas.

A não ser que realmente queiram, claro.

Kate também tinha hora marcada na Clínica para Bebês.

E lá fomos as duas no carro.

Eu estava orgulhosa de mim mesma. Todo dia em que conseguia me arrancar da cama e funcionar ainda era um pequeno milagre.

A vida, com todos os seus deveres e suas responsabilidades a serem cumpridos, começava novamente a ser agradável.

Kate já fora levada à clínica algumas vezes.

Não era nenhuma novidade para ela. Mas eu não estava realmente preparada para a cacofonia de choros que nos saudou na chegada. Parecia haver ali vários milhares de bebês berrando, com mães atormentadas e confusas na sala de espera.

Na verdade, algumas mães choravam mais alto que seus filhos.

— Se, pelo menos, ele parasse de chorar — disse uma mulher, com voz lamurienta, sem se dirigir a ninguém em particular. — Só cinco minutos.

Meu Deus, pensei, horrorizada. Percebi, de repente, como tinha sorte.

Não apenas Kate parecia ser um bebê anormalmente plácido, mas eu tinha mamãe e papai e, acho, Helen e Anna, para partilhar o encargo de cuidar dela.

Mamãe e papai levaram-na a suas consultas de rotina, quando eu me comportava como um demônio.

Meu Deus, não consigo nem dizer a você como me senti envergonhada, naquele momento.

Como podia ter negligenciado minha linda filha de maneira tão terrível?

Jamais aconteceria de novo.

E nenhum homem jamais tornaria a me arrasar da maneira como deixei que James fizesse.

Senti meu estômago revirar só de pensar que não cuidara de Kate da maneira correta, porque sofria por causa de um homem.

A consulta de Kate foi antes da minha.

Eu a carreguei em seu berço portátil até a sala de exames.

A enfermeira era uma jovem e glamorosa ruiva do condado de Galway.

Por que as enfermeiras são sempre bonitas e sensuais?

Tenho certeza de que existe alguma antiga lenda que explica isso.

Há muito, muito tempo, havia uma tribo de mulheres excessivamente belas.

Os homens ficavam enlouquecidos de desejo por elas e todas as outras mulheres sentiam-se inferiorizadas e horrendas.

Houve tumultos e rebeliões violentas de todos os tipos.

Lares eram destruídos, quando homens, anteriormente bem casados, apaixonavam-se por essas garotas.

Mulheres feias, de outras tribos, se suicidaram, porque não poderiam nunca competir com aquelas sereias.

Algo precisava ser feito.

Então Deus decretou que todas as mulheres bonitas tinham de se tornar enfermeiras e usar sapatos de cadarço, verdadeiramente horrorosos, além de medonhos uniformes que se alargavam na direção da bainha, fazendo seus bumbuns parecerem imensos, de modo que, com isso, o poder de atração delas diminuísse bastante.

E assim, até os tempos atuais, as mulheres bonitas têm de se tornar enfermeiras, para que os perigos de sua beleza sejam diluídos pelos uniformes horrendos.

Só não sei explicar como é que essa minha pequena fábula se ajusta às top models e suas roupas reveladoras e lindas.

Ora, deixe pra lá.

A enfermeira fechou a porta com firmeza. Mas o barulho das crianças que rugiam na sala de espera ainda era perfeitamente audível, entremeado, vez por outra, com gemidos de: "Apenas cinco minutos; é tudo o que eu peço."

— O barulho não a deixa louca? — perguntei, com curiosidade.

— Absolutamente — respondeu ela. — Nem o ouço mais.

Começou a examinar Kate.

Kate era tão boazinha. Ela sequer chorou.

Estava muito orgulhosa da minha filhinha.

Tive vontade de abrir a porta e dizer, com um jeito de professora de escola elementar, para todas as crianças ali fora: "Vejam, é assim que vocês deveriam se comportar. Observem esse modelo de criança, aqui dentro, e imitem o que ela faz."

Observei a enfermeira, enquanto examinava Kate e seus sinais vitais.

Seria bem feito para mim, se houvesse alguma coisa terrivelmente errada com ela, pensei, com o terror tomando conta de mim.

Mas não, tudo estava ótimo.

A parte culpada de mim estava quase desapontada.

— Ela está engordando bastante — disse a enfermeira.

— Obrigada — disse eu, exultante e orgulhosa.

— É um bebê perfeitamente saudável — sorriu a enfermeira.

— Obrigada — tornei a dizer.

Abri a porta para ir embora e uma nova onda de gritos agudos me deixou tonta.

Abrimos com dificuldade o caminho de volta, em meio à multidão de crianças com rostos vermelhos de tanto berrar.

Pelo que pude entender, um grupo delas tomava vacina BCG, e isso contribuía para a perturbação geral.

Segui meu caminho com cuidado, através da aglomeração ensurdecedora, carregando Kate em seu berço portátil.

Quando, dando graças a Deus, fechei a porta sobre a algazarra atrás de mim, a última coisa que ouvi foi aquela pobre mulher gemendo: "Pode ser três minutos. Eu me conformaria com três."

Então, tivemos de esperar um instante até chegar minha vez de ser atendida pelo médico.

Li um exemplar de *Woman's Own* que datava de algum momento na virada do século (crinolinas estão definitivamente *out* este outono). Kate dormiu um pouquinho.

Que gracinha de menina.

O médico era um velhote simpático. Terno cinzento, cabelos grisalhos, maneiras vagamente gentis.

— Olá, ah, sim, Claire, sim, Claire e bebê, ahn, Catherine — disse ele, lendo as anotações em sua escrivaninha. — Entre e sente-se.

Após um momento, ergueu os olhos para a cadeira diante de si e, como se eu não estivesse lá, seu olhar percorreu ansiosamente a sala, imaginando para onde eu fora.

Eu colocara o berço de Kate no chão e já estava na mesa de exames, sem calcinhas e com meus pés nos estribos, tudo com uma velocidade que fez a cabeça do médico girar.

Velhos hábitos custam a ser abandonados.

Da próxima vez em que eu fosse ao médico, não importa quais os sintomas, fosse dor de ouvido ou uma luxação no pulso, teria de fazer um esforço para me conter, não arrancar as calcinhas e subir na mesa de exames.

O médico fez o que costumava fazer, fosse o que fosse, envolvendo aquela velha amiga minha: a luva lubrificada.

Lamento se estou sendo repugnante.

Realmente, tenho toda solidariedade pela maneira como você se sente.

Houve um tempo em que eu me sentia prestes a desmaiar só com a ideia de fazer um exame preventivo.

Agora, após ter engravidado e dado à luz, acho que poderia submeter-me a uma histerectomia apenas com anestesia local e ainda ficar sentada, alegremente conversando com o cirurgião sobre o que assistira na televisão, na noite anterior.

Que diabo, por que me preocupar com a anestesia?

Mas esqueço que os outros não tiveram as mesmas experiências sofridas que eu tive.

— Você se recuperou maravilhosamente — disse-me ele, como se isso fosse uma grande realização.

— Obrigada — eu disse, satisfeita, sorrindo-lhe por entre minhas pernas.

Sentia-me como se tivesse 5 anos e todas as minhas contas de somar estivessem certas, na escola.

— Sim, nenhuma complicação, absolutamente — ele continuou. — O sangramento já parou?

(Desculpem, não vou continuar muito tempo falando disso.)

— Sim, parou há cerca de uma semana — disse.

— E os pontos cicatrizaram perfeitamente — disse ele, continuando a examinar e cutucar.

— Obrigada — sorri novamente.

— Muito bem, pode descer agora — disse-me ele.

— Então, todo o resto está bem? — perguntou, enquanto eu me vestia.

— Ótimo — respondi. — Ótimo.

— Ahn, quando posso tornar a fazer sexo? — deixei escapar de repente.

(Ora, por que perguntei isso?)

— Bem, suas seis semanas passaram, então a qualquer momento que quiser — disse ele, cordialmente. — Poderia começar agora mesmo.

Atirou a cabeça para trás e gargalhou alto, depois parou abruptamente, enquanto visões do Conselho de Medicina e ações de cassação passavam pelo seu pensamento.

Há uma linha divisória muito fina entre um comportamento aceitável por parte do médico para com sua paciente e uma insinuação obscena.

Talvez o Dr. Keating ainda não tivesse captado inteiramente a diferença.

— Hum, hum — disse ele, acalmando-se. — Sim, a qualquer momento que quiser.

— Vai doer? — perguntei, ansiosa.

— A sensação, de início, pode ser um pouquinho desconfortável, mas não deve causar propriamente *dor.* Peça a seu marido para ser especialmente cuidadoso com você.

— Meu *marido?* — perguntei ao médico, surpresa.

Eu nem sequer pensara em meu marido.

— Sim, seu marido — disse ele, com igual surpresa na voz. — A senhora é casada, não, Sra. ah, Sra. Webster? — perguntou ele, consultando suas anotações.

— Sim, claro, sou — disse eu, corando. — Mas estava, ah, sabe, apenas fazendo perguntas de ordem geral. Não planejava, de fato, ter relações sexuais com ninguém.

Pensei que, se dissesse a expressão "relações sexuais", em vez da palavra "sexo", isso poderia ajudar a neutralizar aquela embaraçosa e constrangedora atmosfera que parecia de repente ter-se criado.

— Ah — disse ele, com esforço.

Silêncio. A perplexidade do Dr. Keating pairava pesada no ar.

É hora de ir embora, pensei.

Vamos, Kate.

Fomos para casa.

— Como foi? — perguntou mamãe, quando abriu a porta para nós.

— Tudo ótimo — eu disse. — Ótimo. A enfermeira disse que Kate está ganhando um bocado de peso.

— E como vai você? — ela perguntou.

— Aparentemente, não poderia estar melhor — eu disse. — Estou em ótimas condições. Tenho uma vagina de causar orgulho.

Mamãe me lançou um olhar de reprovação.

— Não precisa ser vulgar — repreendeu-me.

— Não estou sendo vulgar — protestei.

Meu Deus, se era vulgar, ela tinha muita prática no assunto.

— Venha tomar uma xícara de chá comigo, antes que *Neighbours* comece — disse mamãe.

— Hã, alguém me ligou enquanto eu estava fora? — perguntei-lhe, muito casualmente, enquanto caminhava atrás dela até a cozinha.

— Não.

— Ah.

— Por quê? Quem você estava esperando que ligasse? — perguntou ela, olhando-me atentamente.

— Ninguém — disse eu, pondo o berço de Kate sobre a mesa da cozinha.

— Então por que perguntou? — insistiu ela, com um tom de voz que me lembrou que, embora agisse como tal, não era nenhuma tola. — E tire a criança de cima da mesa! — disse ela, batendo com força em meu braço com um pano de prato. — A gente tem de comer aí em cima.

— Ela está limpinha! — protestei, ultrajada.

Como ela ousava?

Eu estava sempre lavando Kate.

Ela era inteiramente asséptica.

Não se conseguiria encontrar nela uma só bactéria.

Minha filha era uma zona livre de germes.

Então, Adam não me telefonara, refleti, enquanto bebia meu chá. Fiquei imaginando se ele ainda estava aborrecido comigo.

Talvez não me telefonasse nunca mais.

Eu não o culparia.

Com aquele comportamento meu, tão neurótico, discutindo tudo.

E eu não tinha seu número de telefone, então não podia ligar para ele.

Assim, aquilo, provavelmente, era o fim de tudo.

O caso que nunca aconteceu.

A história da paixão que não se consumou.

As almas gêmeas separadas pelas circunstâncias.

Os amantes que se amavam a distância.

Embora, pensando bem, ainda não fosse sequer a hora do almoço.

Vamos dar uma chance ao cara.

Mas ele não telefonou.

Fiquei perambulando por ali a tarde inteira, sentindo-me entediada e insatisfeita.

Não queria fazer nada.

Ler, nem se fala.

E Kate lamuriava-se e chorava, e eu não me sentia lá muito paciente com ela.

De má vontade, cuidei do banho da tarde com mamãe, porque não consegui encontrar um bom motivo para apresentar a ela, a fim de não fazer isso.

Acho que preferiria sentar-me e ver vários dramas de terceira classe, com os mesmos atores reaparecendo em cada programa sucessivo, a entrar em outra conversa com mamãe sobre como minha formação universitária provocara em mim delírios de grandeza.

E ela sabia que algo estava errado.

— Você está com um ar triste — disse.

(Embora suas palavras verdadeiras fossem: "Claire, você é como uma árvore sobre uma fonte abençoada.")

— Por que diabo não deveria estar? — respondi asperamente.

— Desculpe — disse ela. — Sei que não é fácil para você.

Bem, ela estava inteiramente certa, não é mesmo?

Mas referia-se, obviamente, à minha situação com James. E não à minha falta de situação com Adam.

— Não, desculpe — disse, sentindo-me horrorosa, por deixá-la preocupada.

Eram seis da tarde e a chave de papai estava na porta, quando percebi, com horror, que não ligara para James.

Droga, droga, droga.

Tivera realmente a intenção de telefonar, mas, por causa de todas as coisas que estavam acontecendo — o grande evento de ir ao médico e o evento principal de Adam não telefonar —, eu simplesmente esquecera por completo.

Resolvi que na manhã seguinte seria minha primeira providência.

O desastre que foi a hora do jantar afastou meus pensamentos das coisas por algum tempo.

Helen veio para casa com papai e queria comida do McDonald's.

— Não, Helen! — gritou papai. — McDonald's só em feriado.

— Ora, que estupidez! — ela gritou em resposta. — Outras famílias, famílias *normais*, recorrem a ele em dias comuns.

Como ela podia ser cruel.

Então, o resultado final foi que Helen acabou conseguindo o que queria, e papai saiu dirigindo como um piloto do Long Prix, com uma longa e complicada lista de pedidos para o McDonald's.

Helen rugiu atrás dele:

— Diga para não colocarem picles no quarteirão!

Mas ele já partira.

Desavergonhadamente, grudei-me a Helen a noite inteira, com a esperança de que ela dissesse alguma coisa sobre Adam.

Claro, eu pegaria o touro à unha e simplesmente perguntaria o número do telefone dele, desde que ela não estivesse saindo com Adam nem nada parecido.

Mas, mesmo assim, não tive coragem de fazer isso.

Acreditara que ele não tinha nenhum interesse por ela.

Mas não estava totalmente segura de como Helen se sentia em relação a ele.

Após o jantar que, a propósito, o coitado do papai trouxera todo errado — picles na torta de maçã da mamãe, cheeseburgers em vez de quarteirão com queijo (o que, claro, deu lugar à acusação de "sovinice"), Coca-Cola normal, em vez de diet —, ele mandou Helen ir para o quarto estudar.

Pobre papai.

Ele devia estar fazendo algum tipo de curso de autoafirmação.

O que foi bastante surpreendente, porque Helen obedeceu, com o mais superficial dos protestos.

Chamou papai de canalha e fez alusões a uma semelhança entre o regime da casa e o da Alemanha nazista.

Mas, assim mesmo, foi para o quarto.

Quase um milagre.

Dei-lhe alguns minutos e, depois, peguei Kate e ambas subimos e batemos em sua porta.

Houve uma grande confusão. Ela parecia estar enfiando alguma coisa na lateral da cama.

— Ah, meu Deus, Claire, não faça isso! Pensei que fosse papai! — exclamou ela, com seus olhos grandes e arregalados no rosto pálido.

Recuperou uma revista chamada *Crimes verdadeiros,* ou algo parecido, do espaço entre sua cama e a parede.

— Você estuda qualquer coisa, algum dia de sua vida? — perguntei-lhe, curiosa.

— Nããããão... — respondeu ela, com desdém.

— E se você perder o ano? — perguntei, sentando-me na cama.

— Vamos, deixe-me segurá-la — disse Helen, tomando Kate dos meus braços. E disse: — Não vou perder.

— Como sabe?

— Simplesmente sei — ela me garantiu.

Ah, meu Deus, se no meu tempo eu tivesse sua confiança.

— Então, como está a universidade? — perguntei, desejando que ela falasse sobre Adam.

— Ótima — ela disse, parecendo surpresa com meu interesse.

Não disse nada, absolutamente nada, sobre Adam.

E, de fato, eu não podia, simplesmente não podia perguntar.

Então ouvi o telefone tocar.

Era a primeira vez naquele dia.

Saí da cama e desci a escada como um relâmpago.

Graças a Deus não perguntei a Helen o número de Adam, parabenizei-me, aliviada. Eu teria aberto o jogo inteiramente, e agora não havia nenhuma necessidade!

— Alô — disse eu, tentando dar à minha voz um tom agradável, não-neurótico e de quem se desculpa, tudo ao mesmo tempo.

Desculpe, Adam, jamais tornarei a ser má com você.

— Sim, alô, posso falar com Jack Walsh? — perguntou uma voz.

Meu primeiro pensamento foi: por que, pelo amor de Deus, Adam queria falar com papai?

Mas, depois, percebi que não era Adam, absolutamente, quem estava ao telefone.

Desgraçado!

Como ousava?

Fazer-me praticamente quebrar meu pescoço, descendo aquela escada apenas para não ser ele, absolutamente.

— Sim, aguarde um pouco, Sr. Brennan. Vou chamá-lo para falar com o senhor — disse eu.

E subi de volta a escada, arrastando-me, no auge da infelicidade.

Muito mais devagar do que descera.

Voltei para o quarto de Helen.

Com o rabo entre as pernas, como era o caso.

Ainda tinha a maior necessidade dela.

Ela brincava com Kate e não parecia inclinada a comentar meu voo de desafio à morte pela escada abaixo.

Era uma das melhores coisas de se estar com alguém tão egoísta quanto Helen.

Era muito raro ela notar alguma coisa que não estivesse acontecendo consigo mesma.

Exatamente naquele momento Anna chegou e entrou no quarto, uma mistura de cabelos flutuantes, saia longa e aspecto distraído.

Fiquei feliz em vê-la.

Não nos cruzávamos desde algum dia da semana anterior.

Ela caminhou pelo quarto cor-de-rosa e fofo de Helen com as botas que partiam o coração de mamãe e sentou-se ao nosso lado na cama.

De sua bolsa (bordada, coberta de espelhos e contas), tirou cerca de cem barras de chocolate e começou eficientemente a comer tudo.

Eu nunca vira nada igual àquilo.

Só poderia supor que, de alguma maneira, tinha relação com as drogas.

— Anna, você está com... hã... "larica"? — perguntei, sentindo-me uma velha careta e certinha.

Estava constrangida por usar uma gíria como "larica".

— Humm — ela fez um sinal afirmativo com a cabeça, emitindo o som através de uma boca entulhada o máximo possível de chocolate com passas e biscoitos. — Hummmffff — ela gesticulou iradamente, quando Helen começou a rasgar os papéis das barras e praticamente a cheirar tudo. — Consiga os seus próprios, Helen — ela conseguiu afinal dizer, quando sua boca ficou momentaneamente vazia.

— Dê-me apenas este Bounty e uma barra de Mintcrisp e não vou pegar mais.

Mentia, claro.

Anna concordou.

Pobre Anna.

Passei o resto da noite atirada na cama de Helen, comendo chocolate, ouvindo pela metade a briga bem-humorada entre Helen e Anna, esperando que Adam telefonasse.

Mas, adivinhe só o que aconteceu: ele não ligou.

Não importa, disse a mim mesma, ele não disse que me telefonaria.

Com certeza ligará amanhã.

Sem dúvida, telefonará dentro dos próximos dias, tentei confortar a mim mesma.

É óbvio que ele realmente gosta de você.

Mas, por baixo de toda a minha bravata, eu sabia que ele não me telefonaria.

Não sei como, mas simplesmente sabia.

É óbvio que minha capacidade para pressentir coisas negativas melhorara levemente desde que James me deixara.

O pouquinho de prática que eu adquirira deve ter ajudado.

19

Na manhã seguinte, a casa parecia a Grande Estação Central.

Helen ia para Belfast passar dois dias numa viagem da universidade e obviamente acreditava que seus preparativos não apenas deveriam ser uma questão de último minuto, mas também um grande acontecimento familiar.

Em vez de ser acordada por Kate choramingando, acordei com o som de um furtivo farfalhar ao pé de minha cama.

Alguém estava no meu quarto e com más intenções.

Sentei-me na cama, sonolenta.

— Quem é? — bocejei.

Era Helen.

Eu devia ter adivinhado.

Ela caminhava para a porta com uma braçada das minhas roupas novas.

— Ah, Claire! — disse ela, pulando, cheia de culpa, enquanto deixava cair no chão uma das minhas botas novas. — Achei que você estivesse dormindo.

— É, estou vendo — disse eu, secamente. — Agora, ponha tudo de volta no lugar.

— Maldita — resmungou Helen, atirando no chão uma grande pilha das minhas roupas. Estavam obviamente destinadas a Belfast.

— Lamento, queridas. Levarei vocês uma outra vez.

Ouvi-a descer para a cozinha e, pouco depois, houve o indefectível começo de altercação.

O que havia com ela?

Tem de levar irritação para onde quer que vá.

Kate estava acordada em seu berço, simplesmente deitada ali, olhando para o teto.

— Por que você não chorou, querida? — eu a provoquei, carinhosa. — Por que não me acordou e me disse que a enjoada titia Helen estava roubando minhas roupas?

Peguei-a e levei-a para a cama comigo, segurando em meus braços seu corpinho quente e macio.

Ficamos deitadas na cama algum tempo, alternando sono e vigília, ouvindo pela metade os sons de uma discussão na cozinha. Na verdade, eu deveria levantar-me, pensei. Talvez Helen fale em Adam, antes de ir embora.

Apenas apertei Kate com mais força. Minha preciosa e bela filha.

Mas então ela começou a pedir para ser alimentada. Saí da cama e me vesti rapidamente, tropeçando, na correria, na pilha de roupas que estava no chão. E descemos.

Lá, uma pequena briga se desenrolava.

Anna, mamãe e Helen estavam sentadas em torno da mesa, cercadas por restos de café da manhã — tortas compradas prontas, bules de chá, pacotes de cereais e embalagens de leite por toda parte.

Mamãe e Helen discutiam em voz alta.

Anna sorria beatificamente e fazia algo esquisito com uma margarida e um clipe de prender papel.

— Não sei nada sobre nenhuma echarpe e luvas verdes — mamãe disse a Helen, acaloradamente.

— Mas eu as deixei em cima da geladeira — protestou Helen. — Então, o que você fez com elas?

— Ora, se você não as tivesse deixado em cima da geladeira, se as colocasse no lugar certo, saberia onde encontrá-las — respondeu-lhe mamãe.

— Em cima da geladeira é o lugar certo — replicou Helen. — É onde sempre deixo minhas coisas.

— Bom dia — disse eu, amável.

Todas me ignoraram completamente.

Sem qualquer razão óbvia, a porta dos fundos estava aberta, balançando-se, e rajadas de gélido ar matinal sopravam pela cozinha.

Aquilo era ridículo.

Eu tinha uma criança pequena em casa.

Todas morreríamos de pneumonia.

Caminhei rapidamente até lá e, segurando Kate com uma das mãos, consegui fechar a porta e trancá-la firmemente com a outra.

— Você não devia ter feito isso — disse Anna, misteriosamente.

Olhei-a, surpresa.

Eu acharia que era cedo demais, até no caso de Anna, para se mostrar mística e etérea.

— Por quê? — perguntei com brandura e afeto, preparada para dançar conforme a música. — Será que a Deusa da Manhã vai me punir, por barrar sua entrada em nossa cozinha?

— Não — disse Anna, olhando-me como se eu tivesse enlouquecido por completo.

Exatamente nesse momento houve uma agitação abafada e frenética do lado de fora da porta dos fundos.

Alguém ou algo estava muito aborrecido por encontrar a porta trancada.

Usava um linguajar, para a Deusa da Manhã, que nem te falo.

Anna suspirou, caminhou pesadamente até a porta e abriu-a.

Papai ficou em pé no degrau, quase inteiramente oculto pela imensa pilha de roupa lavada que segurava nos braços.

— Quem trancou essa maldita porta? — rugiu, através de sua braçada de jeans e casacos. — Devia logo saber que você tinha algo a ver com isso — disse entre dentes para a pobre Anna, enquanto ela mantinha a mão na maçaneta da porta.

— Não, papai, fui eu — disse-lhe, apressadamente. O lábio inferior de Anna começara a tremer e ela parecia à beira das lágrimas. — Foi porque estávamos com *frio* — expliquei, enquanto papai fixava em mim um olhar magoado. — Não porque eu *quisesse* trancar você do lado de fora.

Meu Deus, que bando de neuróticos!

Eu era tão normal, comparada com o restante da minha família.

— Certo — declarou papai, atirando todas as roupas em cima da mesa, sem se preocupar com as torradas meio comidas e as tigelas de cereais abandonadas que ainda estavam em cima dela. — Quais dessas roupas você quer?

— Ah, Helen, você é tão difícil — suspirou mamãe. — Há um quarto cheio de roupas lá em cima, mas o que você quer tem sempre de estar na máquina de lavar ou no varal.

Helen sorriu como um gatinho.

Adorava que lhe dissessem que era difícil.

Isso a fazia sentir-se poderosa.

O que de fato era.

Com um sorriso afetado, escolheu algumas peças de roupa do monte em cima da mesa e entregou-as a papai.

— O que tenho eu a ver com isso agora? — perguntou ele, surpreso.

— Elas precisam ser passadas — disse Helen, com uma voz igualmente surpresa.

— Passadas? — perguntou papai. — Por mim?

— Vai me mandar para Belfast com as roupas amassadas? — perguntou Helen, ultrajada. — Você sabe, sou uma embaixatriz do Estado Livre. Não posso ir a Belfast parecendo uma mendiga. Pensarão que todos os católicos são sujos e repugnantes.

— Certo, certo, certo! — gritou papai, erguendo os braços para se defender do seu apelo inflamado.

Pobre homem.

Nunca teve a menor chance.

As coisas se acalmaram.

As torradas começaram a ser comidas, o café a ser tomado, a conversa — e estou usando essa palavra de forma muito livre — recomeçou.

— Adivinhe com quem ficarei em Belfast? — perguntou Helen com um tipo de voz inocente e melodiosa. Soava por demais casual e *blasé*.

Eu conhecia esse tom.

Pressenti problemas.

— Com quem? — perguntou Anna.

— Com um protestante — disse Helen, em tom sigiloso e reverente.

Mamãe continuou bebericando seu chá.

— Mamãe, você ouviu o que eu disse? — perguntou Helen, com petulância. — Disse que vou ficar com um protestante.

Mamãe ergueu os olhos, calmamente.

— E daí?

— Mas não odiamos todos os protestantes?

— Não, Helen, não odiamos ninguém — disse-lhe mamãe, como se falasse com uma criança de 4 anos.

— Nem mesmo os protestantes?

Helen estava decidida a conseguir uma briga, de uma forma ou de outra.

— Não, nem mesmo os protestantes.

— Mas, e se eu cair sob a influência deles e começar a ficar esquisita e a fazer arranjos de flores?

Em algum momento da vida Helen tinha se decidido por uma vaga e confusa generalização sobre como deveriam ser os protestantes.

Uma mistura curiosa de Belzebu e Miss Marple.

Tinham chifres, claro, e cascos fendidos, e preparavam suas armadilhas.

— Bem, e daí, se você fizer isso? — perguntou mamãe, amavelmente.

— E se eu não for mais à missa? — arquejou Helen, com fingido tom de horror.

— Mas você já não vai mesmo — disse Anna, com um tom perplexo.

Seguiu-se um silêncio um tanto tenso e desagradável.

Felizmente, Kate, sentindo, é óbvio, uma atmosfera desagradável, amenizou as coisas começando a chorar como um espírito maligno.

Senti que ela tinha um grande futuro diante de si, como embaixadora, ou trabalhando para as Nações Unidas.

Houve uma grande corrida para preparar sua mamadeira, e Anna e Helen quase tropeçaram para ajudar.

Papai ocupava-se pegando a tábua de passar roupa e fazendo tudo em grande estilo, enchendo a cozinha com o vapor do ferro até que ficasse parecendo uma sauna.

Mamãe permaneceu sentada como se fosse feita de pedra.

Mas, depois de algum tempo, até ela despertou para a atividade. Começou a limpar a mesa e, resoluta, jogou algumas torradas frias e duras na lata de lixo.

O que foi uma pena, porque eu mais ou menos gostava de torradas frias e duras. Mas não era boba de deixar minha mãe zangada, pouco depois de ela ter sido informada do não comparecimento à missa por parte de uma de suas filhas.

Mesmo quando a filha em questão não era eu.

As coisas voltaram ao normal.

Sendo, claro, *normal* um conceito inteiramente subjetivo.

A normalidade para um homem é, para outro homem, um ambiente doméstico que não funciona, anárquico, fragmentado, profundamente insalubre.

Helen nunca foi do tipo que deixasse qualquer passo em falso derrubá-la por muito tempo.

A tagarelice vazia recomeçou dentro de alguns momentos.

— Como será em Belfast? E se eu for assassinada? — cogitou ela. — Quero dizer, qualquer coisa pode acontecer comigo. Posso levar um tiro ou ser atingida por uma explosão de bomba. Esta pode ser a última vez que vocês me veem.

Todas a olhamos fixamente, paralisadas pela emoção. Até Kate ficou em silêncio.

Claro, *claro* que não teríamos tanta sorte assim.

— Ou talvez eu seja sequestrada — disse ela, em tom sonhador. — Poderá acontecer comigo o mesmo que com Brian Keenan. E ele também tem duas irmãs feias! — disse ela, triunfante, encantada por encontrar uma semelhança entre si mesma e uma vítima de sequestro. — A diferença é que tenho quatro irmãs feias — disse, pensativa. — Ora, esqueçam.

— Elas *não* são feias — disse mamãe, no auge da indignação.

— Obrigada, mamãe — sorri para Helen, com ar superior.

— Obrigada, mamãe — disse Anna.

— *Vocês* não — disse mamãe, aborrecida. — Estou falando das irmãs de Brian Keenan.

— Ah — disse eu, abatida.

Helen ainda falava sobre ser sequestrada.

Meu coração confrangeu-se de pena do imaginário sequestrador.

Qualquer pessoa que sequestrasse Helen ficaria convencida de que caíra numa armadilha. Que ela era algum tipo terrível de arma secreta enviada pelo outro lado para destruí-los.

Nada a assustava.

Podia estar acorrentada em algum porão sujo, com um magro jovem fanático de rosto pálido, com músculos fortes e olhos ardentes, carregado de armas, que ainda assim puxaria conversa com ele sobre o local onde o dito-cujo comprara seu suéter.

Ou sobre nada, realmente.

— Acho que terá de me torturar um pouco — diria ela, de improviso. — O que fará? Acho que poderia cortar minha orelha e mandá-la pelo correio, para receber o dinheiro do resgate. Não me importaria tanto com isso. Quero dizer, para que preciso de minha orelha se ouço com a parte de dentro do ouvido? Não com o pedaço que fica do lado de fora. Embora surgisse um pequeno problema, se eu quisesse usar óculos. Se tivesse apenas uma orelha, eles, claro, ficariam inteiramente caídos para um lado. Mas eu ainda poderia usar lentes de contato. Sim! Poderia fazer papai comprar para mim algumas daquelas lentes de contato coloridas. Que tal castanhas? Acha que eu ficaria bem de olhos castanhos?

E o pobre terrorista ficaria exausto e horrorizado com ela.

"Cale a boca, sua vaca", poderia dizer.

E ela talvez ficasse calada uns rápidos instantes, antes de começar a falar novamente.

— Essas algemas são lindas. Tenho algemas também, mas são apenas uma velharia ordinária de plástico. Acho que este deve ser um dos atrativos desse trabalho: ter permissão para pegar emprestado as boas algemas. Algemar sua namorada, coisas assim, sabe? Embora deva ser um problema quando você tem um prisioneiro. Mas eu não me importaria. Você pode tirá-las esta noite, e prometo que não tentarei fugir...

E continuaria sem parar, até os terroristas terem um colapso.

Homens adultos chorando, descontroladamente:

— Ela é horrível, horrível! Faço tudo o que você quiser, mas simplesmente obrigue essa mulher a parar de falar.

Helen chegaria novamente sã e salva em casa, não apenas com o dinheiro do resgate devolvido intocado, mas com um chicote e um bilhete de solidariedade para sua família, da parte dos terroristas.

De qualquer jeito, ela finalmente partiu. Algum pobre idiota chamado Anthony, de sua turma, teve o dúbio prazer de sua companhia nas três horas de viagem de carro até Belfast.

Lá se foi ela, sentada na frente, usando uma expressão devota e estreitando uma garrafa de água-benta.

Não mencionou Adam, antes de partir.

Aquela vaca.

Talvez ele também estivesse indo para Belfast.

Talvez já estivesse lá.

Talvez todas as linhas telefônicas em Rathmines estivessem com defeito e fosse esse o motivo para ele não ter ligado, à minha procura.

Talvez ele tivesse caído de bicicleta e estivesse no hospital com vários ferimentos.

O importante era que ele não me ligara.

E não ia ligar.

Então, agora, o que eu deveria fazer?

O que eu realmente achava peculiar era o fato de mal ter dedicado um único pensamento a James nos últimos dias.

Minha cabeça estava cheia de Adam, Adam, Adam.

Da mesma maneira como os camareiros do *Titanic* estavam mais preocupados com os cinzeiros não esvaziados do bar do que com o enorme buraco do lado do navio, que deixava entrar milhões de litros de água, eu também estava preocupada apenas com o que não tinha importância, e ignorava, assim, o que era vital.

Algumas vezes, é mais fácil dessa maneira.

Porque, embora eu não pudesse fazer droga nenhuma com relação ao enorme rombo, ainda estava ao meu alcance esvaziar um cinzeiro.

Bela analogia.

Mas a consequência prática de eu me sentir desse modo foi que passei a terça-feira vagando pela casa.

No mundo da lua, mas sem sonhos agradáveis.

No pior sentido da palavra: sentindo-me infeliz, com um ar trágico.

Telefonei para James?

Sinto muito, mas não o fiz.

Estava com um caso grave de autopiedadite.

Fora atacada por uma forma particularmente virulenta de pobre-de-mim-zite.

Não há desculpa, percebi.

Deus sabe que eu não tentava me justificar.

Mas estava, estava... estava *deprimida,* que droga.

20

O dia seguinte não foi muito melhor.

Meu Deus! Você já conheceu alguém que se compadeça tanto de si mesma quanto eu?

Era ridículo e precisava parar.

Então, arrastei-me para fora da cama e cuidei de Kate. Depois, cuidei de mim mesma.

Ah, não se preocupe, não vamos ter uma reprise do roteiro de embriaguez e falta de banho.

Não, as coisas não foram assim tão ruins.

Atravessei o dia.

Para ser justa, não realizei nada fora do comum.

Não encontrei a cura para o câncer.

Não inventei a meia-calça que não desfia.

Estou envergonhada de dizer a você que sequer telefonei para James.

Eu sei, eu sei! Lamento. Sei que deveria ter feito isso. Sabia que estava evitando minhas responsabilidades.

Mas me sentia tão vazia e solitária.

Triste e solitária e todas as outras emoções que se enquadram no gênero “Perda”, subespécie “Rejeição”.

Mesmo assim, não era desculpa para deixar tudo abandonado.

Mesmo quando, na verdade, você não tem tudo o que desejaria ter.

De qualquer jeito, eu *realmente* me levantei na quinta-feira.

Não apenas isso, mas telefonei para James.

E não estava nem mesmo nervosa.

E era a Adam que devia agradecer por isso.

Porque encarei o telefonema para James com uma atitude de: "Ora! Não pense que você é especial, porque não é. Você não é o único homem que pode fazer com que eu me sinta triste, solitária e rejeitada. Ah, não! Há *milhões* de outros que podem fazer exatamente o que você fez. Não se julgue grande coisa!"

Talvez não fosse uma atitude ideal, do ponto de vista do amor-próprio, mas mesmo assim funcionava.

Disquei o número de Londres e minhas mãos ficaram firmes e minha voz não tremeu.

Que interessante, pensei.

James não tinha mais o poder de me reduzir a um destroço trêmulo.

Não vamos perder a cabeça, neste caso.

Com voz segura e confiante, perguntei à recepcionista do seu escritório, em Londres, se podia falar com ele.

Minha impressão era a de que Londres estava a um milhão de quilômetros de distância. Tão remota quanto outro planeta. Não dava para imaginar que eu a via todas as noites, no noticiário. A recepcionista parecia estar muito distante, muito estrangeira.

Espelhando a maneira como eu me sentia. Minha vida com James se tornara muito distante, muito estrangeira.

Ou talvez fosse pelo fato de a recepcionista ser grega.

De qualquer jeito, eu estava perfeitamente calma, enquanto esperava para falar com ele.

Quero dizer, o que era, afinal, assim tão importante?

Que tinha eu a perder?

Nada.

Como disse alguém certa vez — alguém infeliz, sarcástico, um misantropo: "Liberdade é apenas mais uma palavra para definir a situação de quem não tem mais nada a perder."

Até ouvir isso eu pensava que liberdade era ser capaz de ir nadar menstruada.

Como estava mal informada.

Claro que a gente acredita em tudo, quando se tem mais ou menos 12 anos.

Você sabia que não vai ter um bebê se fizer sexo em pé?

Honestamente, é verdade.

Mas você sabia que *vai* ter um bebê se chupar a coisa do homem?

Mas eu tinha certeza de que isso nunca aconteceria comigo, porque eu nunca faria nada tão repugnante quanto chupar a coisa do homem.

E não acreditava por um só momento que alguém, em alguma parte, fizesse algo tão repugnante e estranho.

Eu não ouvira a expressão "Ato Antinatural", aos 12 anos, mas, se tivesse ouvido, eu a abraçaria como a uma irmã que não se vê há muito tempo.

Senti vontade de chorar pela criança inocente que eu era, pela idealista menina de 12 anos que eu fora um dia.

Mas, ao mesmo tempo, não sabia o que estava perdendo.

Ah, desculpe, desculpe, você quer saber como foi a conversa com James.

Não contei ainda?

Ele não estava.

Estava numa reunião, ou algo parecido.

E, não, não deixei meu nome.

E, sim, você tem razão, se suspeitar de que fiquei um pouco aliviada por não ter de conversar com ele.

Eu estava numa posição irrepreensível.

Telefonara para ele, não?

Desafio qualquer um a dizer que não.

Era minha culpa ele estar ocupado?

Não, de fato não era.

Mas isso significava que eu podia parar de me sentir culpada, por algumas horas.

Então, o estado de ânimo estava elevado por volta da hora do almoço, na quinta-feira.

Toda feliz, tirei Kate de seu berço e rodopiei com ela.

Que belo quadro deveríamos compor, pensei.

A bela criança sendo amorosamente carregada por sua mãe dedicada.

Kate pareceu assustada e começou a chorar, mas não me incomodei.

Minha intenção era boa.

Meu coração estava no lugar certo.

Mesmo que o centro de gravidade de Kate não estivesse.

"Vamos lá, querida", disse eu. "Vamos vestir nossa melhor roupinha e ir à cidade ver as pessoas."

E, assim, Kate e eu fomos à cidade.

Eu não podia, em sã consciência, comprar mais roupas para mim.

Não depois da minha loucura de sábado.

Mas *podia* comprar roupas para Kate.

Ah! Não perca tempo tentando fazer sentir-me culpada quanto a isso.

Eu tinha um álibi indestrutível.

A cada dia descobria mais coisas boas sobre Kate. Ela continuava a enriquecer todos os aspectos da minha vida.

Comprei para ela a mais minúscula e linda jardineira de brim.

Mesmo a menor de todas era grande demais para ela, mas Kate cresceria e caberia nela.

Era *maravilhosa.*

E comprei para ela o mais fofo macacãozinho azul-claro, com bolinhas azul-marinho e — vejam só que coisa — um pequeno casaco combinando, com um zíper na frente e um capuz.

E as meias soquete!

Eu poderia falar durante horas sobre as meias que comprei para minha filha.

Tão diminutas, fofas, aconchegantes e macias, e tudo para cobrir seus minúsculos, minúsculos, minúsculos pezinhos cor-de-rosa.

Algumas vezes, eu tinha um tamanho surto de amor por ela e queria apertá-la com tanta força que chegava a temer por sua segurança.

Depois, perambulamos por uma livraria durante algum tempo.

Minha adrenalina começava a bombear todas as vezes que eu chegava a cem metros de distância de uma livraria.

Amava os livros.

Quase tanto quanto amava roupas. E olhe que já é muito.

O toque deles e seu cheiro. Uma livraria para mim era como uma Caverna de Aladim. Mundos e vidas inteiros podem ser encontrados logo atrás das capas lustrosas. E tudo o que você precisa fazer é olhar.

Então o mundo e a vida inteiros que escolhi para penetrar pertenciam a alguém chamada Samantha, que aparentemente "tinha tudo". Um *palazzo* em Florença, uma cobertura em Nova York, um refúgio vizinho ao Palácio de

Buckingham, um sem-número de joias valiosíssimas, uma ou duas editoras, um Lear Jet, a carona de um namorado, algum conde ou duque, ou algo parecido, e um segredo sombrio, absolutamente essencial, bem como um passado trágico e inconfesso.

Eu apostava que ela fora uma prostituta lésbica, antes de sua sorte mudar.

Não bastava apenas ter sido uma prostituta. Não há nisso nenhum impacto.

Precisa-se de um toque a mais. Algo que sirva de gancho.

O lesbianismo ainda não fora exaustivamente explorado. As pessoas ainda ficavam meio excitadas com isso.

E o que iria acontecer quando as pessoas parassem de se surpreender com o lesbianismo?

Eu tinha horror de pensar nisso.

Pessoas fazendo sexo com animais?

Pessoas fazendo sexo com cadáveres?

Pessoas fazendo sexo com publicitários?

Perspectivas, todas, muito desagradáveis e chocantes.

Eu podia ter comprado um livro "educativo", acho.

Algo do grupo das Brontë. Ou talvez uma coisinha qualquer de Joseph Conrad. Ele era sempre bom para uma risada.

Mas eu queria algo que não fosse muito sério.

Assim, para não ter erro, comprei algo bem ruim.

Depois que saí da loja, apertando minha filha e meu best-seller com letras douradas em relevo, aconteceu de eu passar pelo café onde tinha ido com Adam no sábado anterior e, por acaso, eu tinha uma hora ou duas para ocupar. Então, simplesmente, aconteceu de me sentar ali e — adivinhe o que aconteceu? — aconteceu que Adam entrou, apenas uma hora e meia depois que eu chegara.

Que coincidência!

Bom demais para ser verdade, hein?

A que poderia isso ser atribuído, se não à Providência Divina?

Explique, se puder.

Eu não era uma pessoa muito espiritual, mas sabia quando estava na presença de Deus.

Não estou convencendo você, não é?

Bem, acho melhor explicar tudo direito.

Tinha, eu acho, mais ou menos alimentado uma pequena esperança de que talvez, apenas talvez, se eu fosse à cidade, seria possível, apenas possível, que deparasse com Adam.

E, se ele estivera naquele café, especificamente, no sábado, e várias de suas colegas de turma também, havia mais do que uma vaga chance de que ele pudesse passar por ali numa tarde de terça-feira.

Qualquer um sabe que o que todos os estudantes fazem quando não estão se embriagando e tomando drogas é sentar-se durante várias horas às mesas dos cafés, repartir entre si uma xícara de café frio e ficar brincando com o açúcar.

E talvez eu tivesse demorado com meu Kit Kat e bule de chá por mais tempo do que era estritamente necessário.

Algumas pessoas podiam até ter dito que eu parecia estar esperando por ele.

Acho que, quando ele finalmente entrou, eu não poderia chamar a isso de fenômeno espiritual ou metafísico.

Poderiam até dizer que eu tramara nosso encontro.

Embora, que droga, não seja justo.

Deus ajuda àqueles que ajudam a si mesmos.

E Deus não pode dirigir um carro estacionado.

Se eu tivesse ficado em casa, na cama, com o chocolate e a *Marie Claire,* será que o encontraria?

A resposta só pode ser não.

Eu estava sentada ali, com um olho em Samantha no controle da empresa e o outro na porta. Embora esperasse que ele fosse aparecer, não estava preparada para o que senti quando ele realmente chegou.

Ele era tão, ele era tão... tão *lindo.*

Tão alto, parecendo tão forte. Mas, ao mesmo tempo, com um jeito de menino bonito.

— Calma, calma — disse a mim mesma. — Respire fundo.

Resisti ao impulso de jogar Kate em cima da mesa e correr para me atirar em cima dele.

Lembrei-me de que já gastara toda a minha cota de neuroses com ele e que podia ser uma boa ideia comportar-me como uma mulher normal e equilibrada.

Que diabo, depois de um pouco de prática, eu até poderia tornar-me uma delas.

Então fiquei empoleirada ali, mantendo a pose, tentando parecer calma, equilibrada e sadia.

Finalmente, ele me viu.

Prendi a respiração.

Esperei que recuasse e relinchasse como um cavalo assustado e depois se dirigisse para a porta, como se tivesse visto uma assombração.

Esperei que corresse feito um coelho através do café, derrubando mesas e cadeiras, derramando bules de chá e xícaras de café em cima de inocentes espectadores, com o cabelo em pé, os olhos arregalados e fixos, e gritasse para qualquer pessoa que se dispusesse a ouvir, apontando como um louco o dedo em minha direção e na de Kate: "Ela é louca, aquela ali, sabem? Doida de pedra. Não se envolvam com ela."

Mas ele não fez nada parecido.

Sorriu para mim.

Tenho de admitir que era um sorriso desconfiado.

Mas era um sorriso.

— Claire! — gritou, e veio para a mesa. — E Kate — acrescentou.

Correto em ambas as avaliações.

Notava tudo.

Beijou Kate.

Não me beijou.

Mas eu podia suportar isso.

Estava simplesmente eufórica de vê-lo, e mais eufórica ainda que ele quisesse falar comigo. Realmente, não estava preocupada com qual de nós ele beijou.

— Por que não se senta conosco? — perguntei, amável.

Cheia de pose. Cortês. A maior das anfitriãs, essa era eu.

Boas maneiras impecáveis. As emoções, se na verdade eu tinha alguma que assim se pudesse considerar, controladas e mantidas em seu devido lugar com mão de ferro.

Meu queixo estava erguido, meu lábio superior rígido, minha expressão era inescrutável.

Não havia nada à mostra que pudesse assustá-lo e afastá-lo.

— Está bem — ele disse.

Desconfiado. Cauteloso. Observando-me cuidadosamente. Talvez esperando que eu o acusasse de ter atração sexual por minha mãe.

— Só vou pegar um café — ele disse.

— Ótimo — falei, dando um sorriso magnânimo, irradiando equilíbrio e descontração por todos os meus poros.

Lá se foi ele.

E eu esperei.

E esperei.

Ah, meu Deus, pensei, triste, ele deve ter escapulido. Não devia querer nada comigo, absolutamente. Eu parecia estar desenvolvendo uma forte tendência a passar por essas coisas.

Ele estava provavelmente imprensado contra a minúscula janela do banheiro masculino, lutando para sair, entre as fedorentas latas de lixo, folhas de repolho e garrafas vazias de conhaque que são encontradas do lado de fora das saídas dos fundos de restaurantes e cafés.

Coloquei meu livro dentro da bolsa — sabe que fiquei tão alegre de vê-lo que esqueci inteiramente de esconder a capa do romance barato? — e tornei a ajeitar Kate no canguru.

Pelo menos, tentei.

E fiquei satisfeita.

Não conseguira o que queria, mas pelo menos assumira a responsabilidade pela minha vida. Tentara ajeitar alguma coisa, tentara fazer algo acontecer.

Não me comportara como uma vítima passiva apenas deixando que a vida acontecesse comigo.

Assumira o controle.

Não funcionara, mas e daí?

O importante era tentar.

E da próxima vez que eu encontrasse um homem simpático não iria para cima dele toda derretida e com jeito de colegial, pensando nele como um namorado e suspeitando de que todas as outras mulheres o cobiçavam.

Eu mal acabara de me organizar para a partida quando ele alegremente surgiu em um canto com uma bandeja com café e pãezinhos.

Maldição!

Eu fora tão adulta, madura e sensata para absolutamente nada, droga.

Sentia-me tão *bem* com relação a mim mesma, triste mas enriquecida pelos erros que cometera, e ele voltara e destruíra totalmente isso para mim.

Lá se ia meu contentamento otimista, introspectivo, meditativo.

Maldito egoísta!

Tive vontade de lhe dizer para ir passear e me deixar em paz. Eu acabara de aceitar, não fazia nem cinco minutos, a sua perda, e, agora, o que se esperava que eu fizesse com ele?

Apreciar sua companhia?

Você enlouqueceu?

— Desculpe ter demorado tanto — disse ele. — O caixa teve um acesso e... ei!... pra onde você vai?

Ele parecia realmente surpreso.

E, depois, pareceu aborrecido.

— Desculpe — murmurei, sentindo-me mortificada.

Se ele, algum dia, tivera razão de pensar que eu era histérica e neurótica, aquilo só poderia convencê-lo de que eu era uma completa maluca, dada a acessos de mau gênio.

— Para onde você vai? — perguntou ele, com uma voz que demonstrava ao mesmo tempo raiva e mágoa. — Lamento ter demorado tanto tempo. Mas pensei que você esperaria.

— Pensei que você tivesse ido embora — murmurei.

— Mas por quê? — perguntou ele, em total exasperação. — Por que eu iria embora?

— Não sei — disse, sentindo-me nauseada, de tanto constrangimento.

Ah, dessa vez você estragou tudo de uma vez, disse a mim mesma.

— Ouça — disse ele, e bateu com sua bandeja na mesa, fazendo o café respingar por toda parte.

Dei um pulo de medo.

— Sente-se — disse ele, zangado. Pôs as mãos em meus ombros e me empurrou novamente para minha cadeira, sem a menor hesitação.

"Meu Deus!", pensei em estado de choque. "Acalme-se."

— Ah, desculpe, Kate — interpôs ele, em tom mais ameno. O rostinho dela deve ter registrado surpresa com a abrupta mudança. — E agora — disse, de volta ao estado de espírito anterior —, que merda está acontecendo?

— O que quer dizer? — perguntei, com um fio de voz.

Ele, obviamente, tentava manter sob controle uma grande raiva, e era assustador.

— Por que me trata dessa maneira? — perguntou, ainda zangado, com o rosto muito próximo do meu.

Não conseguia acreditar que aquilo estivesse acontecendo.

Onde fora parar o simpático, agradável e compreensivo Adam?

Quem era aquele homem furioso no lugar dele?

— Dessa maneira, como? — perguntei, hipnotizada. Estava com medo dele, mas, como um coelho apanhado pelos faróis de um carro que se aproxima, não conseguia fugir do azul zangado dos seus olhos.

— Como se eu fosse algum tipo de canalha.

— Não estou fazendo isso — protestei, surpresa.

Não estava, certo?

— Mas que droga, está sim! — ele gritou para mim, com os dedos enterrando-se em meus ombros. — Está, praticamente desde a primeira vez em que nos encontramos. Conheci você, gostei realmente de você, queria vê-la, o que há de errado nisso? — perguntou, furioso.

— Nada — sussurrei.

— Então, por que você se comporta como se eu fosse algum babaca tipo Casanova? Por que pensou que eu estava brincando com os sentimentos da sua irmã? Por que imaginou que iria embora e deixaria você sentada aqui? Simplesmente me diga por quê.

As pessoas das outras mesas começavam a lançar olhares para nós, cheias de interesse, mas Adam não notou e não pensei que fosse exatamente sensato apontá-las para ele, pelo menos em seu atual estado de espírito.

— Não percebe como é ofensivo? — disparou ele para mim.

— Não — disse eu, quase com medo de olhar para ele.

— Pois fique sabendo que é!

Não sabia o que dizer. Fiquei apenas sentada ali, olhando para ele, seus olhos azuis penetrando os meus.

De repente, tomei consciência de como eu estava próxima dele.

Nossos rostos estavam separados apenas por centímetros.

Eu podia ver, um a um, os pelos de sua barba por fazer, a pele ligeiramente bronzeada e bem esticada sobre as belas maçãs do rosto, a regularidade dos seus dentes brancos, a sensualidade de sua boca...

De repente, ele ficou muito quieto.

Toda a raiva e a violência pareceram deixá-lo.

Ficamos sentados ali como estátuas, suas mãos em meus ombros. Olhamos atentamente um para o outro.

Eu estava tão fixada em sua presença, sua força e sua vulnerabilidade.

Havia tensão entre nós, vibrando levemente na imobilidade.

Então, ele se afastou de mim. Esgotado, com um cansaço muito profundo, ficou sentado ali, com os braços a penderem moles dos lados do seu corpo.

— Adam — arrisquei.

Ele sequer me olhou.

Permaneceu sentado, com a cabeça baixa.

Proporcionando-me uma vista de seus lindos cabelos escuros.

— Adam — tornei a dizer, com um breve toque em seu braço.

Ele se enrijeceu levemente, mas não foi embora.

— Não é você, sou eu — disse eu, sem jeito.

Houve uma pausa.

— Que quer dizer? — perguntou ele.

Bem, pelo menos achei que fora o que ele dissera. Era difícil ouvi-lo, porque sua voz estava toda abafada, já que ele praticamente repousava a cabeça em seu próprio peito e falava para dentro do suéter.

— Quero dizer que o problema é meu — falei. Achava muito difícil expressar-me.

Mas precisava dizer aquilo.

Devia aquilo a ele.

Eu o aborrecera, e o mínimo que podia fazer era contar o que se passava na minha cabeça.

Ele disse outra coisa.

— Adam, desculpe, mas não entendi direito — disse, com um tom de quem se desculpa.

Ele ergueu a cabeça e me olhou.

Até mal-humorado ele era bonito.

— Eu perguntei, qual é o seu problema? — repetiu ele, com irritação.

Outro calafrio de medo correu pelo meu corpo.

Eu tinha de fazer aquilo direito.

Mas era muito difícil falar com ele, quando Adam se mostrava tão intimidante.

— É porque sou insegura e desconfiada — disse.

Ele não disse nada.

Apenas ficou ali sentado, olhando mal-humorado para mim.

— Você não fez nada errado — continuei, gaguejando.

Ele fez um pequeno e triste aceno afirmativo com a cabeça, ouvindo minhas palavras.

Bem, achei que fosse afirmativo.

Parecia-se muito com um aceno afirmativo.

Muito embora fosse muito pequeno e muito triste.

Claro que ele podia apenas estar endireitando a posição de sua cabeça no pescoço.

Mas foi o suficiente para me encorajar a continuar.

— Achei que você tinha ido embora porque não queria falar comigo — disse a ele.

— Entendo — disse ele, sem qualquer emoção aparente.

Tive vontade de dar-lhe um soco.

Reaja, pelo amor de Deus!

Diga-me que estou sendo ridícula, diga-me que você sempre quer me ver.

Ele não o fez.

Talvez não gostasse de ser manipulado a me elogiar.

Bastante justo.

Talvez fosse hora de eu parar de manipulá-lo.

Ou a qualquer outra pessoa, aliás.

Mas, algumas vezes, era tão instintivo quanto respirar.

Não que eu me orgulhasse disso ou coisa parecida, veja bem.

Tentei explicar-lhe.

— Achei que você não queria falar comigo, depois de eu ter sido tão pouco razoável no domingo à noite.

— Você não foi nada razoável — ele concordou.

— Mas estou assustada — disse eu, triste.

— Com o quê? — ele perguntou, com a voz não tão furiosa.

— Com, com, com... tudo, realmente — disse eu. E, para meu horror, meus olhos encheram-se de lágrimas.

Não fiz de propósito, *juro* que não.

Fiquei tão chocada com minha inesperada umidade ocular quanto ele.

— Desculpe — funguei. — Não estou fazendo isso para que você seja simpático comigo.

— Ótimo — disse ele. — Porque não funcionaria.

Cretino sem coração, pensei brevemente, mas depois bani da minha mente o pensamento indigno.

— Só respondo a mulheres chorando quando têm menos de 2 anos de idade — ele continuou, meio sorrindo, enquanto tocava o rosto de Kate.

— Ah — disse. Fiz uma valente tentativa para rir, embora ainda estivesse chorando.

— E então, o que a assusta e faz com que seja má comigo? — perguntou ele. Dessa vez sua voz soava quase gentil.

— Ah, o de costume — disse eu, tentando recompor-me.

— Como o quê? — insistiu ele.

— Gostar das pessoas e depois perdê-las, fazer papel de tola, ser magoada, assustar as pessoas e fazer com que fujam, ser atirada demais ou muito distante... — disparei. — Quer que eu continue? Poderia fazer isso durante horas.

— Não, está bem — ele disse. — Mas todos temos medo dessas coisas.

— Temos? — perguntei, surpresa.

— Claro — ele me garantiu. — Por que você pensa que é tão especial? Você não é a única que se sente assim, sabe? E, de qualquer jeito, de que forma estou assustando você?

— Pensei que você estivesse me jogando contra Helen, numa espécie de brincadeira — eu disse.

— Mas eu lhe *disse* que não — falou ele, exasperado. — E lhe *disse* que podia entender por que você se sentia assim, embora não gostasse disso.

— Então, por que você é tão sensível a respeito desse assunto? — perguntei, momentaneamente desviada de minha própria infelicidade. — Pensei que todos os homens gostassem de ser vistos um pouco como meninos.

— Bem, definitivamente, eu não gosto — ele disse. Parecia triste e pensativo. Eu sabia que ele não estava apenas pensando em mim e em Helen.

O que acontecera com ele?

Que tipo de dor carregava?

Eu tinha de chegar ao fundo daquilo.

Mas, primeiro, precisava solucionar nossas presentes dificuldades.

Continuei esforçando-me valentemente.

— E, depois que falei com você, no domingo à noite, senti que tinha parecido uma histérica e que exagerara minha reação, e que o assustara e, por causa disso, você não me ligaria mais — fui soltando tudo aos arrancos e depois observei-o, com cuidado, sob meus cílios, para ver como ele reagia.

— Bem... — disse ele, vagarosamente.

Ah, apresse isso, pelo amor de Deus, pensei, desesperada, meus nervos não aguentam.

— Eu não ia mesmo ligar para você — continuou.

— Ah — eu disse.

Então, estava certa.

Nota dez para meu instintos.

Nota zero para meu bem-estar.

Sentia-me como se tivesse levado um coice de cavalo no estômago. De fato, não é verdade, porque jamais levei um coice de cavalo no estômago. Acha que estaria sentada aqui agora, conversando com você, se fosse a feliz recebedora de um coice de cavalo no estômago? A resposta só pode ser não.

Mas eu me sentia do mesmo jeito que me senti quando tinha mais ou menos 10 anos e caí de um muro e aterrissei de barriga para baixo, em cima do meu estômago, sobre um gramado que fora inteiramente cozido pelo sol de verão, e estava tão duro quanto concreto. Houve aquela horrível sensação de choque e náusea, enquanto o ar foi abruptamente forçado para fora do meu corpo.

Era o jeito como eu me sentia agora.

— Não porque não quisesse ligar para você — continuou ele, sem perceber como eu sofria. — Mas porque achei que seria o melhor para você.

— Que quer dizer? — gritei, sentindo-me infinitamente melhor.

— Porque você passou por muita coisa, ultimamente. Eu não queria perturbá-la de nenhuma maneira, nem agravar seus problemas.

Que anjinho!

— Você não me perturba — disse.

— É óbvio que sim — disse ele.

— Mas não fazia de propósito — protestei.

— Eu sei — ele falou. — Foi por isso que perdi a cabeça antes, aliás, me desculpe por isso, mas só estar em contato com você já parecia deixá-la chateada, perturbada, ou seja lá o que for.

Ondas de alívio me envolviam.

— Desculpe ter sido difícil — disse eu. — Mas...

E aqui respirei fundo.

Eu me arriscava um pouco.

Colocando em cena meus sentimentos.

— Prefiro ver você a não vê-lo — consegui finalmente dizer-lhe.

— É mesmo? — perguntou ele, com um tom de esperança, excitação, infantilidade.

— É.

— Tem certeza?

— Tenho.

— Você confia em mim?

— Ah, Adam — disse eu, meio rindo, meio chorando. — Eu disse que queria vê-lo. Ninguém mencionou nada a respeito de confiança.

— Ok — disse ele, rindo também (nenhum sinal de lágrimas). — Mas será que confia em mim quando digo que quero ver você e não Helen?

— Confio — disse eu, solenemente.

— E se o caixa tiver uma briga com alguém por causa do troco, tiver um acesso e sair correndo, de modo que eu precise esperar horas para pagar um café, você não vai pensar que dei o fora pelos fundos?

— Não — concordei. — Não pensarei.

— Então, somos amigos? — perguntou ele, de forma muito atraente.

— Somos — concordei com um aceno afirmativo. — Somos amigos.

Embora meu cérebro me dissesse "Com licença, com licença: *amigos,* você disse *amigos*?" Não creio que simples amigos se comportam da maneira como você quer fazer com Adam. Laura é sua amiga e você não arranca suas roupas toda vez em que a vê, e corrija-me se estiver errado, mas não é isso precisamente o que você deseja fazer com Adam?

— Cale a boca — resmunguei para ele.

— Como? — perguntou Adam, olhando-me alarmado, obviamente pensando: "Ah, meu Deus, aí vem ela novamente."

— Nada — sorri para ele. — Absolutamente nada.

— Bem — disse ele. — Agora que esclarecemos todo esse mal-entendido, quando posso vê-la?

— Ah, realmente não sei — disse eu, de repente toda tímida e infantil com ele.

— Vai fazer alguma coisa no domingo à noite? — perguntou.

— Acho que não — respondi, fingindo pensar no assunto. Embora minha agenda social se estendesse à minha frente tão vazia quanto o deserto de Gobi.

— Bem, posso preparar um jantar para você? — perguntou ele.

— Claro, seria maravilhoso — eu disse.

— Ótimo — disse ele. — Jenny e Andy viajaram para passar o fim de semana fora, então temos a casa só para nós.

— Ah — eu disse.

Eu era uma mulher do mundo.

Sabia muito bem que ir para a casa de um homem, da qual todos os outros moradores estavam ausentes, e aceitar um jantar especialmente feito para a pessoa significava que algo mais estava sendo oferecido, além de costeletas de porco e uma torta Floresta Negra.

Que maravilha, pensei.

Não conseguia acreditar em tanta sorte.

— Perfeito, Adam, vai ser ótimo.

E assim marcamos um encontro para domingo à noite. Ele acompanhou a mim e a Kate até o carro e lá fomos nós para casa.

21

Os preparativos para domingo.

Ingredientes:

Uma mulher de 29 anos que recentemente dera à luz, negligenciada, abandonada e rejeitada.

Uma generosa dose de culpa.

Uma pitada de expectativa.

Um pacote de insegurança sobre a aparência do seu corpo.

Um raminho de excitação (selvagem, se possível).

Uma colher cheia de desespero profundo, condensado.

Um pequeno pânico de estrias.

Duas meias 7/8, pretas, com renda na barra.

Uma calcinha preta interessante.

Um sutiã preto, da espécie milagrosa, em vez de apenas maravilhosa.

Uma garrafa de vinho tinto.

Um vestido.

Um par de sapatos.

Decoração:

Batom vermelho-prostituta.

Várias camadas de rímel escuro.

Modo de preparar:

Deixar de lado as meias, as calcinhas e o sutiã, para usar mais tarde.

Pegar a mulher.

Verificar seus olhos e sua pele para se certificar de que ela não passou de seu prazo de validade.

Acrescentar culpa, expectativa, insegurança, excitação, desespero e pânico.

Misturar tudo.

Deixar cozinhar alguns dias.

Num banheiro de tamanho médio, preparar a mulher, raspando suas pernas, colorindo seu cabelo e pintando as unhas dos seus pés.

Cerca de uma hora antes de começar, despejar generosamente uma cara loção corporal, espalhando bem.

Acrescentar as meias, o par de calcinhas pretas interessantes e o sutiã preto milagroso. Praticar um pouco os atos de sedução, deixando seu cabelo cair sobre o rosto e lançando olhares sugestivos.

Verificar se ela ainda pode arquejar, arquear as costas e dizer frases como: "Ah, querido, isso foi maravilhoso" ou "Pelo amor de Deus, não pare", mantendo ao mesmo tempo um rosto normal.

Recrutar compulsoriamente uma irmã, de preferência Anna, para cuidar da já mencionada criança.

Acrescentar uma dose generosa de batom vermelho-prostituta, várias camadas de rímel preto, um vestido curto, todo abotoado, roxo (é, afinal, a cor da paixão), sapatos pretos com tiras de camurça no tornozelo e uma garrafa de vinho tinto.

Evitar começar a beber uns goles da garrafa de vinho tinto antes de chegar ao seu destino.

Como extra opcional, camisinhas na bolsa são sempre um toque simpático.

Se não for possível consegui-las — por exemplo, podem estar fora de época —, ajeitar-se com grandes quantidades de autocontrole. Nem sempre ideal, mas funciona.

Servir numa cama, com um homem bonito.

Segui as instruções ao pé da letra. Tive sorte suficiente de encontrar camisinhas — cortesia de Laura. Que mulher!

Sentia-me muito bem.

Nem sequer me perturbei quando descobri que, graças à minha tintura de cabelo (é um *intensificador* da cor do cabelo, queridas, não precisamos pintar nossos cabelos, apenas *intensificamos* sua luz e cor naturais), pois é, graças ao meu *intensificador* da cor do cabelo, minhas orelhas e meu cabelo estavam agora com a cor combinando.

Mas suponho que, se tivesse de ter orelhas coloridas, poderia ficar bem pior do que com uma cor viva, brilhante, reluzente, num tom castanho.

Nada do seu "Ébano" ou "Bombom" para minhas orelhas. Nada disso!

Por volta das 19h30 de domingo, preparei-me para sair.

Pronta para pecar e nem estava ligando.

Dei um beijo de boa-noite em Kate.

Enquanto me encaminhava furtivamente para a porta da frente, com meu casaco abotoado praticamente até as sobrancelhas, para o caso de mamãe me flagrar com um aspecto tão imoral, o telefone tocou.

— Claire, é para você — gritou Helen.

Ah, meu Deus!

Mas era apenas Laura.

Telefonando para me desejar boa sorte e querendo saber se eu praticara colocar uma camisinha com os dentes, segundo suas instruções.

— Não, não pratiquei! — disse.

Estava louca para desligar o telefone e sair de casa, porque sentia pavor de ser apanhada.

— Por que não? — perguntou ela. — Você não pode simplesmente ir chegando e esperar que ele fique feliz com o tedioso sexo de sempre. Tem de ser um pouco criativa.

— Mas você só me deu duas! — disse eu, alarmada. — Não queria desperdiçá-las. E, de qualquer jeito, onde acha que eu poderia praticar?

— Bem, vamos apenas esperar que você tenha um desempenho adequado com a primeira. Se não, não terá uma chance de usar a segunda — disse ela, misteriosamente.

— Ah, pare com isso, Laura, já estou nervosa demais!

— Ótimo — ela disse. — É muito melhor quando a gente está nervosa.

Prometi ligar para ela no dia seguinte e contar todos os detalhes picantes.

— Ou, se chegar cedo o bastante esta noite, ligo e conto tudo — prometi, ansiosa.

— Se chegar cedo o bastante esta noite para me contar tudo, não haverá nada para contar — disse-me ela.

— Ah — eu disse.

Laura tinha razão.

— Ouça, já vou — disse eu, aborrecida, e desliguei o telefone na cara dela, enquanto Laura estava no meio de uma explicação sobre uma espécie de atividade sexual complicada que ela disse ter visto num show em Bangcoc. Fosse lá o que fosse, só poderia ser feita por uma mulher que tivesse uma flexibilidade muito maior do que a minha.

Eu sabia fazer sexo, ora essa. Dera à luz uma criança. Como é que ela achava que isso acontecera?

Quanto ao assunto de excentricidades sexuais, tenho uma confissão a fazer.

Espere só e ouvirá.

Lá vai.

Gosto de papai e mamãe.

Pronto! Já disse.

As pessoas me fazem sentir tão *envergonhada* de mim mesma por isso. Como se eu fosse terrivelmente tediosa e reprimida.

Mas não sou. Honestamente.

Não estou dizendo que seja a *única* posição de que gosto.

Mas, realmente, não faço qualquer objeção a ela.

Naturalmente, claro, esta não é a hora para discutir posições sexuais favoritas.

Só vou dizer a você, muito rapidamente, que acho *cunnilingus* a coisa mais chata que Deus já criou. Preferiria passar um dia trabalhando com arquivos do que suportar uns meros cinco minutos disso.

E, quando eles encerram seus poucos minutos chupando, agem como se você devesse ser muito *grata* por isso. Ficam à sua frente, radiantes, como se merecessem uma medalha. E, depois, agem como se fizessem jus a um ano de felação sem choro ou reclamações.

Claro, algumas mulheres juram que sim, mas... desculpem, desculpem.

Saí, afinal, e segui dirigindo o carro para a casa dele.

22

Estacionei o carro diante de sua casa e, sentindo uma estonteante mistura de excitação e vergonha sórdida, caminhei até a porta da frente. Depois, lembrei-me de que deixara a garrafa de vinho no carro e rapidamente corri de volta para pegá-la.

Não iria a parte alguma sem ela.

Coragem de bêbado. Ou de holandês, como dizem os ingleses.

Ou de chilena no caso...

Adam abriu a porta quase imediatamente.

Se não soubesse que não devia ter sido assim, juraria que ele estava escondido no hall, espreitando por trás da cortina, à espera de minha chegada.

Ora, na verdade talvez estivesse mesmo.

Ele fazia um bom trabalho, aparentando estar tão animado e nervoso com tudo aquilo quanto eu.

Parecia um pouco ansioso.

Com medo?

Novo ânimo.

Nervosismo antes dos jogos amorosos?

Mas, depois, ele recobrou as forças.

— Olá — sorriu. — Você está linda.

— Olá — eu disse. Sorri para ele, apesar do meu nervosismo.

Que maravilha, pensei, com forte emoção.

Eu sentia todo o perigo de minha sofisticada produção.

Num encontro com um belo homem.

Será que algum dia já me sentira tão atraída por alguém quanto me sentia por Adam?, questionei.

Provavelmente sim, pensei, suspirando.

Apenas sendo realista por um instante.

Mas, naquele exato momento, parecia que eu jamais me sentira atraída por outra pessoa.

Quanto tempo demorará para irmos juntos para a cama?, imaginei.

Por quanto tempo posso resistir, se ele não tomar a iniciativa?

E se não tomar, mesmo?, pensei, com horror.

Ou se for um total desastre?

Talvez ele me ache horrenda, com meu corpo pós-parto.

Talvez seja eu quem vá achá-lo horrendo, porque ele não é igual a James.

Ah, meu Deus!

Eu devia ter ficado em casa. Ver *Coronation Street* não provoca todas essas terríveis suposições e esses dilemas.

Antes que eu pudesse arremessar-me em direção à porta, gaguejando que tudo fora um erro terrível, ele pôs seu braço (e que braço!) em torno dos meus ombros e me guiou em direção à cozinha.

— Tire seu casaco — disse. — E tome uma bebida.

— Mas... Ah, está bem. Quero meio litro de vinho — disse eu, enquanto me sentava à mesa da cozinha.

Ele riu.

— Nervosa, querida? — perguntou ele, carinhoso, enquanto me servia uma taça.

Meu Deus, pensei, alarmada, não me pergunte coisas nesse tom suave.

Eu já estava suficientemente assustada. Se ele começasse a se comportar como um sedutor irresistível, eu cairia fora.

Só faltava agora ele trocar seus jeans e suéter por um robe de lã de seda escocesa e desfilar de um lado para o outro com uma piteira de ônix.

— Não estou nervosa! — explodi. — Estou aterrorizada, droga.

— Por quê? — ele perguntou, com fingida surpresa. — Minha culinária não é assim tão ruim.

Ah, então é desse jeito que você quer fazer o jogo, pensei.

Falsa casualidade, não é?

Então está ótimo.

Dei-lhe um sorriso desenvolto.

E atirei todo o conteúdo da minha taça de vinho pela minha garganta abaixo, antes de perceber o que fizera.

— Relaxe — ele disse, ansioso, aproximando-se para se sentar ao meu lado à mesa e segurar minha mão. — Não vou morder.

Ah, não, pensei, então definitivamente vou para casa.

— Vamos apenas comer alguma coisa e conversar um pouquinho — disse ele, gentilmente. — Não há nada com que se preocupar.

— Está bem, então — eu disse, fazendo um valente esforço para relaxar. — A propósito, o que vamos comer?

— Queijo *stilton* feito em casa com sopa de uva moscatel, bife *bourguignon* com batatas *dauphine* e minha própria receita de zabaione de sobremesa.

— É mesmo?

Não imaginara Adam como um cozinheiro requintado.

Mais como um tipo de sujeito acostumado a coisas simples.

E mais quantidade do que qualidade.

— Não — ele sorriu. — É brincadeira. Você terá espaguete à bolonhesa e tem sorte de eu saber fazer pelo menos isso.

— Entendi — ri.

Ele era tão simpático.

Não havia nada de tolo nele, absolutamente.

— E, se você for muito boazinha... — a essa altura, ele fez uma pausa e me lançou um olhar significativo. — Quero dizer, *muito*, então pode comer um pouco de musse de chocolate.

— Ah — disse eu, toda excitada, com a combinação do olhar significativo e da novidade da musse de chocolate. — Isso é ótimo. Adoro musse de chocolate.

— Eu sei — ele disse. — Por que acha que a comprei? E — ele continuou, em tom brincalhão — se você for muito, *muito* boazinha, pode comer o musse no meu abdômen.

Explodi de rir.

Ele era mesmo um anjo.

Não pude eliminar um calafrio de luxúria ao imaginar seu abdômen musculoso e achatado.

Embora, é provável, esse fosse exatamente o tipo de reação que ele esperava.

Às pressas, servi-me de outra taça de vinho, mas, desta vez, forcei-me a bebê-lo em pequenos goles.

Ele serviu o jantar, e era óbvio que aquilo não era o tipo de coisa que costumava fazer. Parecia inteiramente deslocado ali em pé, junto ao fogão. Correndo da pia para o fogão e de volta para a pia, enquanto a massa fervia a ponto de a água transbordar e a salada visivelmente murchar.

Embora aquilo me desse uma bela visão do seu bumbum.

Cozinhar, ao contrário da maioria das outras coisas, não estava entre seus dons.

O que tornava tudo ainda mais tocante, pelo fato de ele ter chegado a se incomodar tanto por minha causa.

Ele parecia tão inseguro, ao levar os pratos para a mesa e colocar o meu, cheio de reverência, à minha frente.

— Beba um pouco mais de vinho — disse, servindo-me outra taça.

Isso representava uma mudança na sua maneira de agir, menos de dez minutos antes, parecendo a filial local dos Alcoólicos Anônimos.

— Está tentando me embriagar para se aproveitar de mim? — perguntei-lhe, tentando dar à minha voz um tom aborrecido.

— Estou tentando embriagar você para que não sinta o gosto da comida, se estiver horrível — ele riu.

— Tenho certeza de que está maravilhosa — garanti-lhe.

Lamento informar de que não pude comer mais do que algumas garfadas. Não porque estivesse horrível ou algo parecido.

Embora talvez estivesse.

Eu realmente não sei dizer.

É que eu me sentia tão nervosa, e a atmosfera estava tão carregada de tensão e expectativa, que eu tinha vontade de dizer a ele: "Ouça, Adam, querido, ambos sabemos por que estou aqui, então vamos passar logo à caça."

Ele também não conseguiu comer nada.

Mas isso pode ter sido por causa da comida, não dos seus nervos.

Ficamos sentados um diante do outro, à mesa da cozinha de Adam, fazendo o espaguete deslizar pelos nossos pratos, a salada totalmente intocada em sua tigela, com um aspecto triste e abandonado.

A conversa não tinha tema fixo.

De vez em quando, eu erguia os olhos para ele e surpreendia-o observando-me.

E a expressão do seu rosto me fazia sentir excitada e envergonhada.

Acabava com todas as chances de eu comer o que quer que fosse.

Temia que, se comesse alguma coisa, meu estômago ficasse cheio e proeminente.

E que tipo de estômago era esse para se mostrar na primeira noite com um homem?

Temia também que, se jogasse em direção à boca um garfo cheio de comida, o espaguete batesse em meu rosto, como um chicote, sujando-me de molho vermelho.

A maneira como reajo à comida, quando estou perto de um homem, é um barômetro seguro de como me sinto em relação a ele.

Se não puder comer, significa que estou louca por ele.

Quando consigo tomar suco de laranja e algumas torradas de manhã, é o Fim do Começo.

E, na ocasião em que termino de comer a comida deixada no prato dele, já acabou tudo.

Isso, ou então me caso com ele.

Bem, o modelo era esse, até aquele momento.

— Você só vai comer isso? — ele perguntou, finalmente, olhando para o monte de comida em meu prato.

Parecia desapontado, e me senti terrível.

— Adam — disse eu, constrangida —, desculpe. Está tudo ótimo, mas não consigo comer. Não sei o motivo. Realmente sinto muito — olhei-o com ar de súplica.

— Não se preocupe — disse ele, levando os pratos.

— Você nunca mais cozinhará outra vez para mim? — perguntei, triste.

— Claro que sim — ele disse. — E, pelo amor de Deus, não fique com um ar tão infeliz.

— É só que eu estou nervosa — disse. — Não é por que a comida estivesse ruim.

— Nervosa? — Ele veio para meu lado da mesa e se sentou junto de mim. — Você não tem motivo nenhum para ficar nervosa.

— É mesmo? — perguntei, olhando-o bem nos olhos.

Não tive a menor vergonha.

Seria a primeira a admitir isso.

Mas, que diabo, eu já desperdiçara bastante tempo aquela noite.

— Não — ele murmurou. — Você não tem motivo nenhum para ficar nervosa.

E, suave, muito suavemente, pôs seu braço em torno do meu ombro e sua mão em minha nuca.

Fechei os olhos.

Não posso acreditar que estou fazendo isso, pensei, enlouquecida, mas não vou parar.

Aspirei o cheiro de sua pele, enquanto seu rosto se aproximava.

Esperei seu beijo.

E, quando veio, foi lindo. Doce, gentil e firme.

O tipo de beijo no qual a pessoa que beija é muito boa nisso, mas você não sente que ele aprendeu a beijar tão bem praticando com milhares de outras.

Ele parou de me beijar e olhei-o, alarmada.

Qual era o significado disso?

— Foi bom? — ele perguntou, tranquilo.

— Bom? — arquejei. — Foi melhor do que bom.

Ele sorriu, levemente.

— Não, quero dizer, está certo beijar você? Sabe que não quero ultrapassar nenhum limite.

— Tudo bem — disse eu.

— Sei que você foi magoada — ele disse.

— Mas você é meu amigo — disse eu. — Está tudo bem.

— Quero ser mais do que seu amigo — continuou ele.

— Tudo bem, também — falei.

— Sério? — perguntou ele, olhando-me em busca de confirmação.

— Estou sendo sincera — respondi.

Ah, meu Deus, eu não deixara para mim mesma muito espaço para manobra, naquele momento.

Não que eu quisesse isso.

Começara, então tinha de terminar.

Ele me beijou novamente e foi tão bom quanto da primeira vez.

Ele se afastou de mim e eu o puxei de volta.

Ele me olhou, quase espantado, e disse:

— Meu Deus, você é tão bonita.

— Não, não sou — disse eu, sentindo-me um pouco constrangida.

— Ah, você é, sim.

— Não — eu disse. — Helen é bonita.

— Ouça — disse ele, sorrindo. — Com o risco de parecer meio californiano, digo que você é uma pessoa bonita.

— Sou?

— É.

Pequena pausa.

— *E* você é uma gata.

— Obrigada — ri. — Que pena que você seja tão horroroso.

Então, ele riu.

Não havia absolutamente nenhuma vaidade naquele homem.

Talvez, quando se é tão bonito assim, não haja necessidade disso.

A admiração dos outros lhe serve de espelho.

Ele tornou a me beijar.

E, sinceramente, foi maravilhoso.

Eu me sentia tão protegida quando estava com ele, em seus braços. Mas também sentia que cuidava dele. Que ele precisava de mim tanto quanto eu dele.

— Você se dá conta de que nos conhecemos há menos de duas semanas? — perguntou-me ele.

Ah, não, pensei, será que isso significa que ele ainda não irá para a cama comigo? Será que vai impor algum tipo de limite de tempo? Que não podemos fazer sexo até nos conhecermos por três meses ou coisa parecida?

— Sim — disse eu, cautelosamente. — Na verdade, faz dez dias.

— Mas parece muito mais tempo — ele disse. — Muitíssimo mais tempo.

Graças a Deus!

— Estou tão contente de ter conhecido você — continuou ele. — Você é tão especial.

— Não sou — protestei. — Sou muito comum.

— Você é especial para mim.

— Mas, por quê?

— Ah, não sei — ele disse. Recostou-se em sua cadeira e me olhou. — Porque você é interessante e tem opiniões sobre as coisas, e também é muito engraçada. Mas, principalmente, por ser tão boa pessoa... Tipo, resumindo, você é uma pessoa decente.

— Nem sempre — disse. — Quero dizer, você devia ter-me visto há algumas semanas. Parecia uma louca varrida.

Ele riu.

E eu fiquei aborrecida comigo mesma.

Ali estava eu, com um homem lindo dizendo-me coisas lindas sobre mim, e eu tentava convencê-lo de que nenhuma delas era verdadeira.

Em geral, era o contrário. Eu diria a eles coisas maravilhosas sobre mim, e eles passariam o restante do tempo tentando convencer-me de que nada daquilo era verdade.

Ele se inclinou em minha direção e me beijou de novo.

Era simplesmente a felicidade.

Eu queria entregar-me a ela.

Estar com ele sem nenhuma culpa, preocupação ou constrangimento.

Estar com ele parecia uma coisa tão *certa*.

Você está sob o impacto de uma rejeição, adverti-me severamente.

E daí?, respondi a mim mesma. Não é como se eu fosse casar com o sujeito. Não posso divertir-me um pouco?

Bem, sim, acho que posso sim.

Mas, ao mesmo tempo, não posso sair por aí dormindo com qualquer homem que me pedir para fazer isso.

Bem, novamente, não é o caso, não se trata de qualquer homem.

Este é um homem simpático e doce, que gosta de mim. Bem, pelo menos ele *parece* gostar de mim, e eu gosto dele.

Com um pequeno choque, percebi que, na verdade, gostava dele.

Ou seja, não estou dizendo que o amava, nem nada parecido, porque isso não seria verdadeiro. Mas havia algo nele que me tocava.

E eu não queria magoá-lo.

Mas será que magoaria?

Será que dormir com ele implicava um compromisso?

Ele sabia, na verdade, que eu era casada.

Tinha plena consciência dos meus sentimentos por James.

E talvez não quisesse um compromisso.

Talvez quisesse estar comigo porque sabia que eu, na verdade, tinha outra pessoa em minha vida, e isso o exonerasse de qualquer obrigação.

Ah, meu Deus!

Quantos traumas!

Momento de decisões.

Levantei-me e o segurei pela mão.

Ele me olhou, inquisitivamente.

— Você está bem? — perguntou. — Quer alguma coisa?

— Quero — murmurei.

— O quê?

— Deitar.

Mas disse isso num sussurro. Não queria que ele pensasse que eu era *extremamente* vulgar.

Porque realmente não era.

Não o tempo todo, pelo menos.

Comecei a me movimentar em direção à porta da cozinha, ainda segurando a mão dele.

Sentia-me tão liberada e libertina.

— Para onde vamos? — perguntou ele, fingindo inocência.

— Sair pela estrada, para tomar uma bebida — disse eu.

Olhei-o e o desapontamento estava estampado em seu rosto.

— Estou brincando, seu bobo. — Sorri para ele. — Vamos subir.

Então, subimos a escada, eu seguindo à frente, ainda segurando a mão dele.

A cada passo que eu dava, convencia-me cada vez mais de que era a coisa certa a fazer.

Chegamos ao topo da escada e ele me puxou para seus braços e me beijou.

Foi maravilhoso. Ele era tão grande e tão forte. Eu sentia a pele macia de suas costas através do seu suéter. Ele me fez dar a volta e me encaminhou para uma porta.

— Meu quarto — disse. — Acho que você não me trouxe aqui para cima para conhecer a casa toda.

— Isso pode esperar um pouco — eu disse, mal conseguindo falar, por causa da excitação e do nervosismo.

O quarto dele era simpático.

Estava tão arrumado que eu soube, instantaneamente — não que em algum momento tivesse qualquer dúvida —, que ele meticulosamente planejara levar-me para a cama.

Os quartos dos homens só são arrumados da primeira vez em que dormimos com eles. Depois dessa primeira vez, o lugar vira imediatamente um inferno.

É como se, no instante em que a relação é consumada, o homem gritasse: "Muito bem, rapazes, podem aparecer, agora!"

E, de debaixo da cama, aparecem exércitos de cuecas sujas, meias fedendo a suor, xícaras, pratos, revistas sobre automóveis, suéteres horrorosos, uniformes de futebol manchados, canecas de cerveja, calendários sexistas, livros de Stephen King, toalhas molhadas, potes de Wintergreen, todos se acotovelando, clamando e se queixando em voz alta sobre a quantidade de tempo que tiveram de passar no esconderijo, enquanto se espicham e espanejam a poeira, para em seguida disporem-se artisticamente em cima do tapete do quarto, encantados de voltar para o seu lugar. "Por que demorou tanto tempo?", pode uma meia gritar alegremente para o sedutor bem-sucedido. "Ela ofereceu alguma resistência, não foi?"

"Pensamos que ficaríamos enfiados aí dentro para sempre", poderia brincar, bem-humorado, um sujo par de calças de críquete. "Você deve estar perdendo o jeitinho."

Adam facilitou minha passagem por cima do chão antigo até a cama, beijando-me para eu não ter de caminhar até lá e me sentar nela com um aspecto de expectativa e constrangimento.

Não, ele mais ou menos me beijou e me guiou através do quarto e, bem, vocês sabem, simplesmente chegamos à cama e, lá estando, achamos que poderia ser uma boa ideia nos deitarmos, pois de outra forma só nos restaria contorná-la.

Depois de algum tempo, ele começou a desabotoar meu vestido, e eu coloquei minhas mãos sob seu suéter, em cima da pele nua do seu abdômen e do seu peito.

Muito gentil e lentamente, ele desabotoou meu vestido até embaixo e começou a tirar minhas roupas.

Era bom, mas estranho. Estranho, mas bom.

Fazia muito, muito tempo, desde que eu fora pela primeira vez para a cama com alguém, se é que você me entende.

Era engraçado que ele não fosse James.

Não horrível, nem desagradável.

Apenas, como digo, um pouco engraçado.

Senti-me um pouco constrangida com meu corpo e com o fato de Adam vê-lo.

Eu não era exatamente desinibida, mesmo nas melhores ocasiões. Não tinha muito jeito para dançar sem roupas, coisas assim.

Tudo bem quando era com James. Eu não tinha problema algum com ele. No fim, quero dizer. Mas, mesmo com ele, eu fora muito tímida por um longo tempo.

Adam não parava de me dizer que eu era linda. Ele parecia tão satisfeito por eu estar ali e me acariciava, enchendo-me de abraços e beijos. Depois de algum tempo, relaxei por completo. Podem chamar-me de antiquada, se quiserem, mas não existe maior elemento de excitação, para mim, do que alguém dizer que sou bonita e me fazer sentir bonita.

Pode guardar para si qualquer complicado trabalho com a língua ou difíceis reviravoltas com os quadris. Cinco minutos de palavras lisonjeiras funcionam muito melhor para mim.

Depois de muitos outros beijos e de nos conhecermos melhor, se é assim que você gostaria de chamar a isso, tornou-se óbvio que a noite se encaminhava numa direção definida.

Adam afastou-se de mim.

— Meu Deus — disse. — Você é uma feiticeira, você me deixa louco, você é linda.

Sentei-me um pouco na cama e olhei para ele, enquanto suas mãos passeavam pelo meu estômago.

Estava tão satisfeita por não ter comido nada.

Ele era lindo. Um corpo tão bonito. Um rosto divino.

E um cara tão bom.

Que fizera eu para merecer isso?

Meus olhos viajavam pelo seu peito, admirando seu abdome retesado, mas desviei a vista, quando olhei um pouco mais para baixo.

Como descrever o estado em que Adam se encontrava, abaixo da cintura, sem ser bem explícita ou bem tímida?

É muito difícil falar sobre fazer sexo sem ser tão crua que minhas palavras soem como as de um livro pornográfico ou sem ser tão discreta que soem como as de uma reprimida e rígida romancista vitoriana, que sofre regularmente de vaginismo e ainda chama seu marido de Sr. Clements, após 27 anos de casamento.

E se eu apenas citar o provérbio que diz que "grandes carvalhos desenvolvem-se a partir de pequenas bolotas"?

Não é bom? Discreto, porém simbólico?

Não ofende ninguém, mas, ao mesmo tempo, não deixa dúvidas para ninguém de que Adam tinha uma ereção que poderia cortar diamantes.

Ops!

Vulgar, vulgar, vulgar!

Embora, já que estamos falando do assunto, eu talvez possa dizer-lhe que era grande o bastante para me fazer temer pela integridade dos abajures, se ele fizesse algum movimento súbito.

O que, naturalmente, de todo coração, eu esperava que acontecesse.

Não, estou apenas brincando. Não era tão grande assim.

Apenas de tamanho médio.

Nem grande de causar alarme nem pequeno de causar depressão.

Do tamanho certo.

Claro, há mulheres inescrupulosas que dizem a qualquer homem com quem estão que ele tem o maior pênis que já viram.

Encolhem-se contra o colchão, fitam atentamente, de olhos arregalados, com fingido horror, o homem em questão, e soltam um grito agudo: "Ah, meu Deus! Você não vai chegar nem perto de mim, com esse monstro de coisa. O que está tentando fazer? Transar comigo ou arrombar a porta?"

Táticas furtivas.

Porque claro que o homem em questão fica encantado.

Acreditando estar de posse de um membro que parece uma arma, ele se sente invencível, dono de uma poderosa virilidade.

E não esquecerão depressa a impressão que isso lhes causa.

Mas você não me pegaria fazendo isso.

Não, de jeito nenhum!

Bem, apenas muito raramente.

E também não posso contar o que se passava abaixo da cintura de Adam, porque não consigo encontrar uma palavra que me deixe à vontade para descrever seu, bem, vocês sabem, seu...

Como posso descrever-lhe o que não posso descrever, se não tenho uma palavra para descrevê-lo?

Quero dizer, a palavra correta, claro, é pênis.

Mas soa tão clínico.

Não creio que eu gostasse se alguém me dissesse: "Ah, que bela vagina você tem aí."

Não é exatamente evocativo ou romântico, não é?

Não se poderia considerar isso a linguagem dos corações e das flores.

E, pelo mesmo motivo, acho que pênis lembra muito as aulas de biologia na escola, nas quais uma professora substituta com o rosto escarlate explica, de forma apressada e parca, o sistema reprodutivo humano, a uma sala cheia de adolescentes gargalhando.

Não é uma descrição suficientemente humana.

Mas de que outra maneira posso chamá-lo?

Sei que há centenas de palavras, mas nenhuma parece apropriada.

Que tal "pau"?

Atualmente está muito na moda.

Beeeem, não sei.

Para mim, soa um pouquinho funcional demais.

Embora, novamente, por que não deveria soar?

Que tal "cacete"?

Também não gosto dessa.

Por algum motivo, acho que faz lembrar astros envelhecidos do rock, com sotaques londrinos, horríveis calças jeans desbotadas e cabelo comprido e grisalho.

E, pior ainda, há as situações em que o homem batiza seu membro com um nome. Você já passou por uma dessas?

Sorriso afetado e oblíquo do homem, seguido por ruídos de adulação.

— Acho que George está acordando.

Sorriso significativo e adulador.

— Acho que George quer sair e brincar.

Olhos nos olhos e expressão esperançosa.

— George quer brincar de esconde-esconde.

Sorriso artificial e amarelo.

Ugh!

Bem, George pode sair e procurar outra pessoa com quem brincar.

Esse tipo de comportamento basta para me fazer desejar continuar solteira.

Bem, na ausência de uma denominação de que goste, vou recorrer à linguagem de Mills e Boon e chamá-lo de sua Pulsante Virilidade.

Mas Adam, felizmente, não me apresentara à sua Pulsante Virilidade pelo seu nome.

Embora eu não soubesse se estava preparada ainda para fazer amizade com sua Pulsante Virilidade.

De certa forma, eu me habituara à Pulsante Virilidade de James. Não que fosse um desempenho especialmente duro (se me perdoam o trocadilho) de acompanhar, mas me convinha.

Eu não tinha nada *contra* a Pulsante Virilidade de Adam (além da minha coxa, claro), mas me sentia nervosa quanto a travar conhecimento com ela.

Como se sentisse isso, Adam pegou-me pelo braço. (Não, Adam, não meu *braço,* pelo amor de Deus. Ele não tem um só átomo erógeno.) E disse, com urgência: "Não precisamos fazer nada, Claire. Podemos apenas ficar aqui deitados, se você quiser."

Ora, se eu tivesse ganhado um centavo cada vez em que ouvi a promessa de "apenas ficarmos deitados ali", feita por um homem, seria de fato uma mulher muito rica. Não posso contar o número de vezes em que me prometeram isso, quando tive de passar a noite com um homem porque perdi o último ônibus e não tinha dinheiro para um táxi.

— Você pode ficar em minha casa. É logo ali depois da esquina — ele dizia.

— Dormirei no sofá — eu respondia, depressa.

— Bem, você pode, da mesma forma, ficar na cama comigo. É muito mais confortável.

— Ah, não, o sofá está ótimo.

— Escute, não vou tocar em você. É com isso que está preocupada?

— Bem, hã, sim.

— Não precisa se preocupar. Não tocarei um dedo em você.

E então aquelas palavras proféticas: "Podemos apenas ficar deitados lá."

E, claro, não dormia um segundo, porque tinha de passar a noite em luta contínua com o homem. Ou esmagada com o rosto contra a parede, numa vã tentativa de fugir dele, descobrindo que era quase impossível respirar, que droga, por causa do pênis ereto pressionado contra minhas costas.

Com medo de que, se eu expirasse e, assim, movimentasse a parte inferior da minha coluna vertebral, de forma, claro, inteiramente involuntária, cerca de um décimo de milímetro para cima do seu membro quente, isso fosse tomado como sinal de encorajamento e aquiescência.

E depois, claro, se eu não cumprisse o papel, por assim dizer, havia a chance altamente provável de que o cavalheiro em questão fosse falar mal de mim de alto a baixo em toda a Irlanda, chamando-me de provocadora que foge da raia, lésbica frígida e os mais variados epítetos, terríveis e totalmente infundados.

Dizendo coisas como: "Ah, ela veio para cima de mim a noite inteira. Não enganou ninguém com aquela história de não ter dinheiro para um táxi."

Até hoje ainda tenho uma leve marca, com a forma de um pênis, em minhas costas.

Mas acreditei em Adam.

Sabia que ele falava sério.

Confiei nele.

Sabia que, se ele havia dito que podíamos apenas ficar deitados ali, suas palavras eram verdadeiras.

Mas era isso o que eu queria?

Com inteira franqueza, não.

Sim, eu estava nervosa.

Mas, que diabo, queria transar com ele.

Se ele viesse todo respeitoso para cima de mim, eu gritaria.

— Não quero parar — sussurrei-lhe.

Não queria exagerar o comportamento de menininha excitada.

Muito bem, então, era hora de ser provocativa.

— Hã — eu disse, cheia de constrangimento. — Deixei minha bolsa lá embaixo.

— Para que você precisa de sua bolsa? Sua maquiagem está perfeita. — E sorriu para mim.

— Não é por causa de minha maquiagem, seu bobo.

— Então para que é?

Mas ele estava brincando.

— Claire, quer fazer o favor de relaxar? — disse ele, exasperado, fazendo-me rolar e ficar de costas. — Acho que você se refere a camisinhas, não?

— Ah, sim — disse eu, sentindo-me um tanto mortificada.

— Bem, não precisa se preocupar; tenho algumas aqui.

— Ah.

Não tinha certeza de que outra coisa poderia falar.

A franqueza dele me deixara inteiramente desarmada.

Ele tinha inteira razão, claro.

Qual o motivo para estar constrangida?

Tudo com que eu tinha de me preocupar, agora, era se eu seria boa.

Ele tornou a me beijar.

E as coisas se tornaram muito mais sérias.

Aquele beijo sem dúvida colocou um ponto final em qualquer travessura leve.

Olhei-o e seus olhos estavam escuros, quase negros, de desejo.

— Claire — ele sussurrou (agora era ele quem sussurrava). — Há muito tempo que não vou para a cama com ninguém.

É mesmo?, pensei, surpreendida.

Eu pensaria que, para alguém tão sedutor e bonito quanto Adam, todos os dias de sua vida seriam um verdadeiro festival de sexo.

Mas, novamente, ele parecia mesmo ser muito exigente. Mais de uma vez eu testemunhara sua luta para afastar mulheres lindas.

E ele me escolhera, pensei, com o coração derretendo.

Ele, que podia praticamente ter qualquer uma, escolhera-me.

Tinha de haver alguma coisa errada.

A qualquer momento, ele se ofereceria para me mostrar sua coleção de facas, ou puxaria uma serra e me reduziria a pedacinhos

— Tudo bem — sussurrei-lhe, em resposta. — Tem séculos também que não transo com ninguém.

— Ah — disse ele.

E depois perguntou, em voz mais alta:

— Por que estamos sussurrando?

— Não sei — dei risadinhas.

Segue-se então o ritual da camisinha. Sabem, remexendo numa gaveta à sua procura, o ruído do papel da embalagem sendo amassado, ele dizendo: "É este o lado certo? Ou será que é o outro?" e, afinal, conseguir fazer tudo apenas para testemunhar a ereção desaparecer.

Só que a de Adam não.

Ou seja, não desapareceu.

Graças a Deus.

Agora, a essa altura, temo que vá me tornar um pouquinho mais vaga.

Lamento desapontar você, mas não vou dar detalhadas descrições técnicas das minhas transas com Adam. (Sim, espero que tenha notado o plural "transas".)

Claro que eu *poderia* dar-lhe uma descrição que pareceria mais um livro escolar pertencente a um estudante de primeiro ano de anatomia.

E *poderia* fazer a coisa toda soar como uma carta para a página epistolar numa revista pornográfica, cheia de arquejos, costas recurvadas e ginástica exótica.

Mas isso realmente não faria justiça à beleza da coisa (bem, todas as três coisas, na verdade) e como me senti *feliz*.

Poderíamos dizer apenas que momentos maravilhosos foram vividos por todos.

Bem, por todos, ou seja, por todos os dois.

Não tive queixas.

Ele não teve queixas.

Inteiramente prazeroso.

Não há dinheiro que pague uma coisa dessas.

Com certeza repetiremos a dose etc.

Eu ficaria constrangida demais de contar a você que ele me beijou em toda parte, e quero dizer: em toda parte mesmo. E que, quando não fazia isso, cobria-me com deliciosas e trêmulas mordidinhas.

E não há como me obrigar a contar a você o momento em que ele estava finalmente dentro de mim. E como eu tive tanto medo de que pudesse doer e como ele foi gentil comigo. Não doeu e foi lindo.

E se pensa que vou contar como ele sussurrava desesperado coisas para mim, enquanto estava em cima do meu corpo, coisas maravilhosas, que sou linda, que minha pele tem um gosto delicioso e como ele estava excitado, lamento, mas está muito enganado.

Você terá de usar sua própria imaginação para visualizar o momento em que passei minhas pernas em torno das costas dele, a fim de puxá-lo mais profundamente para dentro de mim e pensei que morreria se ele parasse, e que morreria se não parasse.

E você realmente não precisa que te conte que, quando ele, hã, quando tudo acabou, que ambos respirávamos forte, arquejando, e estávamos escorregadios de suor, que ele olhou para mim, sorriu, deu uma pequena risada e disse, com admiração: "Meu Deus, você é uma mulher e tanto."

Terei de recorrer a um eufemismo para descrever o quadro.

Que tal a canção de Branca de Neve, "Um dia meu príncipe chegará"?

E o gozo foi duplo.

Há também outra coisa.

Antes de ter Kate, eu ouvira rumores, nada mais do que vagos relatos, sem comprovação, de que, após ter um filho, o sexo em geral fica muito melhor.

Por causa das várias comoções, convulsões e traumas, no, hã, canal do nascimento, incluindo os temidos pontos, certas mudanças se realizam.

Essas mudanças resultam em, hã, maior sensibilidade e maior percepção das zonas erógenas da pessoa, se entende o que quero dizer.

E, de modo geral, sob todos os aspectos, o sexo é mais excitante e prazeroso.

E estou feliz de informar que isso foi mesmo verdadeiro.

Sexo com Adam foi diferente, muito diferente da maneira como eu me lembrava do que era com James.

Quando superei a sensação inicial de constrangimento, foi realmente maravilhoso.

Na verdade, melhor do que eu me lembrava de que era com James.

Então, esse é um efeito colateral de dar à luz, que não tem a boa divulgação que merece.

Embora, claro, exista uma chance de que eu esteja falando uma porção de tolices.

E de que o suposto sexo melhor não tivesse a ver com nada mais que o fato de Adam ter uma Pulsante Virilidade maior do que a de James.

Nunca acreditei nessa bobagem de que "tamanho não é documento".

Da mesma forma como você jamais verá uma pessoa rica dizendo "dinheiro não traz felicidade", acho que as únicas pessoas que dizem que tamanho não é documento são os homens com pênis muito pequenos.

Mais tarde, quando tudo acabou...

Acabou pela terceira vez, quero dizer, simplesmente ficamos deitados na cama, conversando e rindo.

— Lembra-se do dia na academia? — perguntou Adam.

— Mmmmmmmmm — disse eu, quase incapaz de falar, de tão descontraída e contente.

— Aquilo foi terrível — ele disse.

— Por quê? — perguntei.

— Porque eu me sentia tão atraído por você.

— É mesmo? — perguntei, surpresa e encantada.

— É, sim.

— Não diga, é verdade? — tornei a perguntar, como uma verdadeira neurótica.

— Sim — insistiu. — Eu não podia nem olhar para você, para não ir em cima.

— Mas você estava todo sério e mal-humorado e apenas mexendo com seus pesos — lembrei-lhe. — Você me ignorou completamente.

— É verdade — disse ele, secamente —, e quase distendi todos os músculos do meu corpo. Eu não conseguia concentrar-me em nada, a não ser em você. Você estava tão bonitinha com a roupa de ginástica.

— Ah — disse eu, emocionada, aconchegando-me para mais perto dele.

Por volta de uma e meia da manhã eu disse:

— É melhor eu ir para casa.

— Ah, não — ele disse, apertando-me com força, com seus braços e suas pernas. — Não vou deixar. Vou manter você acorrentada aqui dentro. Você será minha escrava sexual.

— Adam — disse eu, suspirando —, você diz as coisas mais simpáticas do mundo.

Depois de mais alguns instantes, eu disse, com relutância:

— É realmente melhor eu ir.

— Se você precisa mesmo, então vá — disse ele.

— Você sabe que sim.

— Você ficaria, se não fosse por Kate?

— Ficaria.

Ele se sentou na cama e me observou, enquanto eu me vestia.

Enquanto abotoava meu vestido, olhei para ele e descobri que sorria para mim, mas de um jeito triste.

— Alguma coisa errada? — perguntei.

— Você está sempre fugindo de mim — ele disse.

— Adam, não é verdade — falei, cheia de indignação. — *Preciso* ir.

— Desculpe — ele disse, dando-me um sorriso verdadeiro, desta vez.

Ele pulou da cama.

— Vou descer até a porta com você.

— Assim, sem nenhuma roupa, não — disse eu. — E se alguém vir?

Não havia dúvida. Eu tinha puxado a minha mãe.

Ele me beijou demoradamente na porta da frente.

E foi um verdadeiro feito eu conseguir ir embora.

— Fique — ele murmurou, cheirando meu cabelo.

— Não posso — disse-lhe eu num tom severo, embora tivesse vontade de tornar a subir direto a escada e voltar para a cama com ele.

— Ligo amanhã — ele disse.

— Tchau.

Outro beijo.

Mais persuasão.

Corajosa resistência da minha parte.

Relutância em me deixar ir.

Finalmente, segui para o carro.

Não foi um feito pequeno.

Dirigi até minha casa.

As ruas estavam escuras e vazias.

Eu me sentia muito feliz.

Nem mesmo me sentia culpada por ter deixado Kate por tanto tempo.

Bem, não *muito* culpada.

23

Estacionei o carro e enfiei minha chave na porta. Havia uma luz na sala da frente. É estranho, pensei, porque todos, a essa hora, em geral estão dormindo profundamente.

Por favor, meu Deus, não deixe que seja Helen. Por favor, não deixe que ela tenha percebido onde eu estava e em que andava metida.

Estava certa de que minhas atividades recentes estavam escritas na minha cara.

Talvez fosse Anna quem estivesse acordada.

Sacrificando um bode na cozinha ou algo parecido.

Você sabe, dançando pelo jardim embrulhada em lençóis encharcados de sangue, cantando para a lua, arrancando a dentadas cabeças de morcegos vivos, esse tipo de coisa.

Entrei no saguão. A sala da frente abriu-se e mamãe apareceu, com papai em pé atrás dela. Ambos estavam com seus trajes de dormir. Mamãe usava seu robe cor-de-rosa acolchoado e tinha alguns rolinhos enfiados na parte da frente do cabelo.

Ambos estavam pálidos e pareciam chocados, como se algo terrível tivesse acontecido.

O que, de fato, era verdade, eu acho, se você quiser encarar dessa maneira meu pequeno episódio com Adam.

— Claire! — disse mamãe. — Graças a Deus você está em casa!

— O quê? — perguntei, assustada. — Que aconteceu?

— Claire, entre e sente-se — disse papai, tomando a frente.

Meu estômago estava embrulhado.

Alguma coisa terrível acontecera *mesmo.*

— É Kate? — implorei a mamãe, agarrando seu braço. — Alguma coisa aconteceu com ela?

Mil cenas terríveis passavam-me pela cabeça.

Ela morrera em seu berço.

Fora sequestrada.

Fora sufocada.

Helen a deixara cair.

Anna a enfeitiçara.

Tudo era minha culpa.

Eu a deixara.

Eu a deixara enquanto saía para transar com Adam.

Como pudera?

— Não, não — disse mamãe, tranquilizadora. — Não é Kate.

— Bem, quem foi, então? — perguntei, com os horríveis roteiros recomeçando.

Alguma coisa acontecera com uma de minhas irmãs?

Será que Margaret fora morta por um gângster, em Chicago?

Ou Rachel desaparecera em Praga?

Anna conseguira um emprego?

Helen desculpara-se por alguma coisa?

— É James — explodiu mamãe.

— James — eu disse, tonta, sentando-me vagarosamente no sofá. — Ah, meu Deus, James.

James.

Sequer pensara nele, quando estava convencida de que algo terrível acontecera com alguém que eu amava.

Enquanto eu estava na cama com Adam, algo acontecera com meu marido.

Que tipo de mulher eu era?

— O que houve com James? — perguntei a eles.

Ambos se sentaram ali, olhando-me, com rostos preocupados e compassivos.

— Ah, digam logo! — gritei. — Por favor, digam!

Estava preparada para o pior.

James tivera um acidente em alguma parte, enquanto eu me retorcia no auge da paixão com outro homem.

Claro, percebi que minha vida estava acabada.

Não tinha outra opção a não ser adotar o celibato. Talvez entrasse para um convento. Era o mínimo que eu poderia fazer.

Minha punição por dormir com alguém que eu não amava.

Não queria ver Adam nunca, nunca mais, até o fim da minha vida.

Era tudo culpa dele.

Se eu não tivesse ido para a cama com ele, James estaria bem.

— Ele está aqui — disse mamãe, branda.

— Aqui?! — guinchei. — O que quer dizer com *aqui*?

Olhei em torno da sala, frenética, como se esperasse que ele aparecesse de repente por trás de uma cortina ou debaixo do sofá, com um sorriso ameno, usando um smoking, fumando um charuto, e dissesse algo como "Minha esposa, eu presumo".

— Quer dizer que ele está aqui em casa? — perguntei, histérica. Minha cabeça girava como um pião.

Por que agora?, imaginei.

Por que ele escolhera agora para reaparecer?

E o que ele queria?

— Não — disse mamãe, com um tom de voz um pouco aborrecido. — Você acha que eu o deixaria ficar aqui, depois de tudo o que aconteceu? Não, ele ligou. Está em Dublin, sim, mas hospedado num hotel.

— Ah — eu disse. Estava a ponto de desmaiar. — Ele quer me ver?

— Claro que quer — disse papai. — Mas você não é obrigada, se não quiser.

— Jack — disse-lhe mamãe —, claro que ela tem de vê-lo. De que outra forma poderiam resolver alguma coisa? Ela tem de pensar na filha, você sabe.

— Mary, só estou dizendo que, se ela não conseguir encará-lo, não vamos pressioná-la. Nós a ajudaremos em tudo o que pudermos.

— Jack! — disse mamãe, duramente. — Ela é uma mulher adulta e...

— Mas, Mary... — interrompeu papai.

— Parem com isso! — gritei.

Sabia que era melhor cortar o mal pela raiz. Aquilo podia durar horas.

Ambos me olharam, surpresos. Quase como se tivessem esquecido que eu estava ali.

— Quero vê-lo — eu disse, um pouco mais tranquila. — Você tem razão, mamãe. *Sou* uma mulher adulta. Sou a única pessoa que pode resolver tudo isso. E tenho mesmo de pensar em Kate. Ela é a pessoa mais importante, nessa situação. E obrigada, papai. — Fiz para ele um aceno afirmativo com a cabeça. — É bom saber que posso contar com você para juntar uma multidão capaz de linchar James se eu precisar.

— Uma multidão capaz de linchar James!? — perguntou ele atabalhoadamente. — Bem, quanto a isso, não sei. Mas, se achar que pode precisar, posso pedir ajuda a alguns sujeitos do clube de golfe. E verei o que dizem.

— Ah, papai — disse eu, desanimada. — Estou brincando.

— Ele disse que ligará de manhã — disse mamãe.

— A que horas? — perguntei.

— Dez horas — falou mamãe.

— Certo — eu disse.

Se James dissera que telefonaria às 10 horas, James telefonaria às 10 horas.

Não às 10h18, você me entende, nem meio minuto antes das 10 horas.

Mas precisamente às 10 horas.

Ele podia ter-me deixado por outra mulher, mas era o homem mais confiável do mundo, sob alguns aspectos.

— E que horas são agora? — perguntei.

— Três horas e vinte minutos — disse papai.

— Acho melhor ir para a cama, então — disse eu. — Vai ser um dia atarefado amanhã.

Embora eu soubesse que não dormiria nem um minuto.

— Todos iremos para a cama — disse mamãe. — A propósito, onde você estava até essa hora?

— Transando com Adam — disse.

Papai soltou uma risada nervosa.

Mamãe fez um ar de choque.

Ora essa, pensei. Você foi a primeira a pôr a ideia em minha cabeça.

— Não, agora estou falando sério — disse mamãe. — Em que você estava metida?

— Estou falando sério. — Sorri. — Boa noite.

Mamãe parecia horrorizada. Não sabia se acreditava em mim ou não, mas obviamente suspeitava do pior. Ficou ali em pé, abrindo e fechando a boca como um peixinho dourado, enquanto eu fechava a porta do meu quarto.

Não creio que ela sequer notasse papai puxando-a pelo robe e cochichando para ela:

— Qual deles é Adam?

24

Fui para a cama e tinha razão.

Não dormi um só instante.

Por que James estava ali?

Seria aquilo uma tentativa de reconciliação?

Ou era apenas para acertar questões pendentes?

Será que eu suportaria, se ele apenas quisesse acertar pendências?

Será que eu desejava uma tentativa de reconciliação?

Ele ainda estaria com Denise?

Um pensamento me ocorreu — meu Deus, e se ele tivesse trazido Denise?

Sentei-me ereta na cama. A fúria me dominava.

Aquele filho da puta, ele não faria isso, ou será que sim?

Forcei-me a me acalmar.

Não tinha nenhuma prova de que ele fizera algo assim e não adiantava aborrecer-me por causa de coisas que podiam não ter acontecido.

Tinha de manter Kate em primeiro plano em minha mente.

Ela era a pessoa mais importante em tudo aquilo.

Queria que as conversas com James fossem corteses para ele poder participar da vida de Kate.

Mesmo que ele nunca mais quisesse me ver, eu ainda queria que ele estivesse presente por causa dela.

Então não podia encontrá-lo com uma machadinha na mão, no dia seguinte, quando o visse.

Realmente, não conseguia acreditar.

Eu o veria no dia seguinte.

E se o impensável acontecesse, e ele quisesse tentar novamente comigo?

E aí?

Eu não sabia.

E Adam?

O homem de cuja cama eu acabara de sair.

Não posso pensar nisso agora, concluí.

Minha cabeça estava tão atulhada de coisas que mal dava para se ficar em pé lá dentro. De fato, alguns pensamentos audaciosos estavam do lado de fora da minha cabeça, com suas bebidas, sob a chuva torrencial, mas onde pelo menos havia um pouco de espaço.

Mas não havia absolutamente espaço para Adam.

Esqueça, eu disse a mim mesma, você não pode pensar nisso agora. Espere até tudo terminar, de uma forma ou de outra, e depois pense nele.

E então comecei a me perguntar — por quê?

Sabem, por que James me deixara. Por que James partira com Denise, quando eu pensava que nosso relacionamento era tão bom. Fazia algum tempo que eu não me torturava com esses pensamentos.

Mas, no dia seguinte, eu tentaria, pelo menos, obter algumas respostas para essas perguntas.

Se eu pudesse entender o que dera errado ou o que eu fizera de errado, talvez não fosse tão difícil aceitar aquilo.

Desejaria que houvesse algum tipo de botão em meu cérebro. Que eu pudesse desligá-lo, da mesma maneira como podia desligar a televisão. Uma pressão num botão e esvaziaria imediatamente minha cabeça de todas aquelas imagens e ideias atormentadoras. Deixar a tela vazia.

Ou se eu pudesse, simplesmente, tirar minha cabeça, colocá-la em minha mesa de cabeceira e esquecer-me dela até amanhecer. E, depois, recolocá-la quando precisasse dela.

A manhã finalmente clareou tudo em torno e eu ainda não pregara os olhos.

Pulei da cama e tive a vaga sensação de uma leve rigidez na parte interna das minhas coxas. "Que é isso?", pensei. E então lembrei. "Ah, sim, certo." Corei um pouco, quando me lembrei do que aprontara na noite da véspera. "Adam. Sexo. Mas não posso pensar nisso agora."

Honestamente, James que fosse para o inferno!

Negavam-me o prazer de me recostar indolentemente nos travesseiros, lembrando em clima de sonho todos os detalhes da minha noite de luxúria com Adam.

Em vez disso, tinha de me levantar e voar de um lado para o outro feito uma mosca, Preparando-me Para Sua Chegada. Como se ele fosse o papa ou algum chefe de Estado visitante.

Depois que dei a Kate sua mamadeira, banhei-a e vesti-a com seu macacão mais bonito. Era cor-de-rosa e fofo, com pequenos elefantes cinzas em toda parte.

Cobri-a de talco e abracei-a, inalando seu maravilhoso cheiro de bebê.

— Você está linda — garanti-lhe. — O sonho de qualquer homem. E, se ele não perceber isso, então é um idiota ainda maior do que já penso que seja.

Queria que ela ficasse divina. Queria que fosse o bebê mais lindo do planeta. Queria que James ansiasse por ela.

Desejando carregá-la, beijá-la, alimentá-la, cheirá-la.

Queria que ele visse exatamente o valor do que abandonara.

E queria fazer com que ele nos desejasse de volta.

A casa inteira parecia estar de pé, mal raiou a aurora. Anna e Helen sabiam que James telefonara. Helen entrou em meu quarto, por volta das sete e meia, correu para o berço de Kate e disse:

— Ah, que bom, ela está linda. Ele vai ver só. Vamos apenas esperar que ela não vomite em cima dele nem faça pipi na fralda enquanto ele a estiver carregando.

Ela levantou Kate e admirou o macacão.

— Acha que podíamos pôr uma fita cor-de-rosa em seu cabelo para combinar? — perguntou.

— Helen, se ela tivesse mais cabelo, eu consideraria a possibilidade — respondi.

Mas, quando Helen sugeriu que colocássemos nela um pouco de maquiagem, decidi que aquilo estava indo longe demais.

Eu guardaria a maquiagem — e em boa quantidade — para mim.

— Certo, temos de fazer você ficar bonita também — disse Helen.

Não tive muita certeza se gostei do seu tom.

Soava um pouco duvidoso, derrotista, de alguma forma.

Então papai chegou.

— Estou saindo para trabalhar — disse. — Mas lembre-se do que falei. Você não precisa voltar para ele só por causa de Kate.

— Quem disse que ele vai querer que ela volte para ele? — perguntou Helen, em voz alta.

Não havia realmente nenhuma necessidade de que ela dissesse isso.

Mas ela tinha certa razão.

Depois, mamãe chegou no quarto.

— Como está você? — perguntou, carinhosa.

— Estou ótima — eu disse.

— Certo — disse ela. — Vá tomar um bom banho. Helen e eu tomaremos conta de Kate.

— Ah, está bem. — Eu estava um tanto perplexa com toda aquela organização e atividade. Quase como na manhã em que eu me casara.

E lá veio Anna.

Pensei que poderia descer, abrir a porta da frente e começar a convidar estranhos da rua para entrar.

Anna sorriu meigamente para mim e me estendeu algo:

— Claire, pegue este cristal e ponha-o no bolso ou em algum outro lugar. Ele lhe trará sorte.

— Ela vai precisar de mais do que uma dessas drogas de cristais velhos que você tem — disse Helen, duramente.

— Pare com isso, Helen — disse mamãe, com severidade.

— O quê?! — exclamou Helen, ultrajada.

— Você precisa ser tão má? — perguntou mamãe.

— Eu não estava sendo má — defendeu-se Helen, veemente. — Mas, se ela estiver com aspecto simpático e agir como se estivesse ótima, ele a desejará. Não se precisa de um cristal, para fazer isso.

Olhei para Helen quase em estado de choque.

Ela podia ser uma das pessoas mais irritantemente idiotas que eu já vira, mas, no que dizia respeito à psicologia dos homens, era uma mestra, eu tinha de reconhecer isso.

De qualquer jeito, peguei o cristal.

Pois nunca se sabe.

Tinha de me afastar alguns instantes da minha família. Assim não podia pensar direito. Tinha de me acalmar antes de falar com James.

Ligaria para Laura, decidi. Ela me diria o que fazer.

— Laura — disse eu, com voz trêmula, quando ela atendeu.

— Ah, Claire! — irrompeu ela. — Eu já ia ligar para você. Adivinhe o que aconteceu!

Quem devia estar dizendo isso era eu, pensei.

— O quê?

— Aquele babaquinha do Adrian encerrou nosso caso.

Adrian, claro, seu estudante de arte de 19 anos.

— O quê? — tornei a perguntar.

— Sim — disse ela, chorosa. — Dá para acreditar numa coisa dessas?

— Mas eu pensei que você não ligasse para ele — disse eu, surpresa.

— Também pensei — soluçou ela. — E espere até ouvir! Adivinhe por que ele me jogou fora!

— Por que? — perguntei, imaginando qual seria o motivo. Será que ela, afinal, não tinha mais meia nenhuma?

— Porque encontrou outra pessoa — declarou Laura. — E imagine qual a idade dela.

— Treze anos — arrisquei.

— Não! — gritou ela. — Malditos 37 anos!

— Meu Deus! — disse.

Estava chocada.

— Sim — disse ela, mal capaz de falar, porque chorava muito. — Ele diz que sou imatura.

— Aquele fedelho.

— Que ele precisa de uma pessoa mais centrada.

— Mas que *audácia,* a dele!

— E eu estava apenas lhe fazendo um favor, saindo com ele. E ele simplesmente me largou — ela soluçou. — Sem uma só meia. E terei de voltar a não saber os nomes de ninguém no programa *Top of the Pops.*

— Meu Deus, que tristeza — disse eu, sacudindo resignadamente a cabeça.

— Ouça — disse ela, com um jeito trágico. — Tenho de sair. Senão chegarei atrasada no trabalho. Converso com você mais tarde.

E desligou.

E essa, agora? Ela, provavelmente, tinha pensado que eu ligara para contar detalhes da minha noite de paixão com Adam. Pouco sabia do grande drama que ocorrera, enquanto isso.

Por alguns segundos fiquei sentada olhando para o telefone.

Para quem ligaria?

Para ninguém, decidi.

Tentaria enfrentar aquilo sozinha.

Se não pudesse enfrentar minha própria vida, não poderia esperar que alguma outra pessoa fosse capaz de fazer isso em meu lugar.

Tomei um banho de chuveiro, lavei o cabelo e voltei para meu quarto, onde alguma discussão sem sentido parecia estar se desenrolando entre Anna, Helen (claro) e mamãe.

Todas as três gritavam ao mesmo tempo. Kate estava deitada em seu berço, inteiramente largada.

— *Não* fiz careta para você — negou Anna, tão enfaticamente quanto podia, o que não era muito.

— Fez sim, mas que droga! — disse Helen.

— Não foi uma careta — disse mamãe, tentando despejar água na fervura. — Foi mais propriamente um olhar.

A babel de vozes parou abruptamente, logo que entrei no quarto.

Todas as três viraram para mim com seus rostos cheios de expectativa.

Parecia que haviam decidido abandonar suas diferenças cruentas e se unir a mim contra o inimigo comum, James.

Correram de um lado para o outro, pegaram roupas e me vestiram.

— Você tem de ficar bonita — disse Anna.

— Exatamente — concordou Helen. — Mas tem de parecer que não tentou isso, de jeito nenhum. Como quem simplesmente se enfiou numa roupa velha.

— Mas ele só vai me ligar às dez — lembrei-lhes. — E não disse nada sobre uma visita.

— Sim — falou mamãe. — Mas ele não veio de tão longe, até Dublin, apenas para telefonar. Podia ter feito isso de Londres.

Um bom raciocínio.

— Certo, meninas — disse eu a Anna e a Helen. — Nesse caso, façam com que eu fique bonita.

— Prometemos emprestar roupas e fazer sua maquiagem — disse Helen. — Nunca dissemos que poderíamos fazer milagres.

Mas estava sorrindo, quando disse isso.

Finalmente, concordamos que eu usaria a legging e a blusa de seda azul que usara no dia da vinda de Adam para o jantar.

Adam, pensei por um momento, cheia de desejo.

Mas, depois, empurrei-o com firmeza para as profundezas da minha mente.

Agora, não, pensei, séria.

— Você está com ótimo aspecto e magrinha — disse Helen, recuando e olhando para mim. — Agora, sua maquiagem.

Honestamente, ela organizava a coisa toda como se fosse uma campanha militar.

A menção à minha maquiagem fez os olhos de Anna se iluminarem. Ela se aproximou com uma bolsa plástica que parecia cheia de giz de cera e lápis.

— Vá embora — disse-lhe Helen, cheia de irritação, afastando-a com uma cotovelada. — Sou *eu* quem vai fazer a maquiagem dela. Você, provavelmente, quer fazer pintura no rosto, colocar nela estrelas, sóis, todo esse horror *new age*.

Anna parecia mesmo um pouquinho envergonhada.

— Não — explicou Helen, com um pouco mais de delicadeza. — Ela tem de ficar com um aspecto de quem não está usando nenhuma maquiagem. Apenas beleza natural.

— Isso — disse eu, entusiasmada. — Faça-me ficar com esse aspecto.

Por que Helen estava tão simpática comigo?, pensei.

Será que suspeitava de que eu estava competindo com ela, por Adam? Se eu voltasse para James, isso significaria que ela teria terreno livre com Adam.

Ou talvez fosse cinismo total de minha parte.

Quero dizer, afinal ela era minha irmã.

E, de qualquer jeito, ela provavelmente não suspeitava de nada.

Devo dizer que eu estava de fato bonita, quando Helen terminou.

O rosto fresco, a pele clara, os olhos brilhantes, vestida informalmente.

— Sorria — ordenou-me ela.

Obedeci.

Todas fizeram acenos de aprovação com a cabeça.

— Ótimo — disse mamãe. — Sorria o tempo todo.

— Que horas são agora? — perguntei.

— Quase nove e meia — disse mamãe.

— Ainda falta meia hora — calculei, sentindo-me nauseada.

Sentei-me na cama.

Mamãe, Anna, Helen e Kate já estavam nela.

— Ainda falta tempo — disse eu. Estava sentada em cima do pé de Anna.

— Ai — disse Helen, quando Anna se movimentou e mais ou menos acotovelou-a no rosto.

Estávamos todas amontoadas na cama, quase deitadas uma em cima da outra.

Era como uma vigília.

Elas ficariam ali comigo até ele telefonar.

Parecia que estávamos numa jangada cheia de sobreviventes de um naufrágio. Todas apertadas, desconfortáveis, mas não houve nenhuma sugestão de que nos separássemos.

— Ouçam — disse mamãe. — Faremos um jogo.

— Está bem — respondemos em uníssono.

Exceto Kate, claro.

Mamãe conhecia ótimos jogos. Jogos com palavras que, quando éramos meninas, usávamos para passar o tempo em longas viagens de carro.

Por algum motivo, na verdade o jogo que brincávamos, quando ele ligou, foi um inventado (por quem mais?) por Helen, baseado em minha recente condição. Era um jogo no qual era preciso lembrar todas as palavras diferentes que aludem à gravidez.

Não creio que fosse realmente o que mamãe tinha em mente, ao nos encorajar a inventar nossas próprias versões dos jogos que nos ensinara.

— Barrigão! — gritou Anna.

— Prenhe! — guinchou Helen.

— Esperando — sussurrou mamãe, dividida entre a desaprovação e o desejo de ganhar.

— É sua vez, Claire — disse Anna.

— Não — respondi. — Psssiuu, não é o telefone?

O quarto ficou silencioso.

Era.

— Quer que eu atenda? — perguntou mamãe.

— Não. Obrigada, mamãe, mas eu mesma vou atender.

E lá fui eu.

25

— Alô — disse eu, por falta de algo melhor para dizer.

— Claire — disse a voz de James.

Então era ele.

Finalmente, nos falávamos.

— James — respondi.

E, depois, não soube mais o que dizer. Não estava muito familiarizada com a etiqueta das conversas com maridos fugitivos. Especialmente tendo certeza de que ele não estava tentando me adular para recuperar meu afeto.

Precisamos de um livro. Um livro que nos diga como falar com maridos fugitivos que voltam.

Você sabe, o tipo de livro que nos indica a faca correta para usar, a fim de tirar uma ostra de sua concha, e a maneira correta de falar, digamos, com um bispo, por exemplo (apenas para que fique registrado, considera-se, geralmente, "um belo anel este que está usando, Vossa Excelência Reverendíssima", cortês o bastante para um primeiro encontro).

Então, esse livro nos instruiria, gentilmente, sobre o número correto de vezes em que a expressão "filho da puta" poderia ser usada em qualquer das frases, e quando é considerado descortesia não usar violência física etc.

Por exemplo, se seu namorado/marido/amigo desapareceu sem dar satisfação por alguns dias, após uma partida de futebol particularmente importante, e acabou de voltar para o lar com o rosto esverdeado, sem barbear, o cabelo todo despenteado, seria apropriado dizer:

"Merda, por onde você andou, durante os últimos três dias, seu bêbado, egoísta, cretino?"

Mas, como ninguém ainda escreveu esse livro, eu precisava confiar em meu próprio instinto.

— Como você está? — perguntou ele.

Como se lhe importasse, pensei.

— Muito bem — disse eu, educada.

Uma pausa.

— Ah!... e você, como vai? — apressei-me a perguntar.

Puxa vida, onde estava minha boa educação?

Seria de causar surpresa que ele me deixasse?

— Bem — respondeu ele, atencioso. — Sim, muito bem.

Seu cretino pomposo, pensei.

— Claire — ele continuou, amável —, estou em Dublin.

— Eu sei — disse eu, indelicada. — Minha mãe me disse que você telefonou na noite passada.

— Sim, não tenho dúvidas de que ela lhe disse — falou ele, com leve ironia.

Não se podia nunca dizer que James era um tolo.

Um babaca, te garanto. Mas jamais um tolo.

— Onde está hospedado? — perguntei.

Ele deu o nome de uma pensão qualquer, no centro. Numa rua que só poderia ser descrita como No Miolo de Tudo. Não era absolutamente o estilo habitual de James. Era mais provável que fosse encontrado num hotel de luxo, tipo hotéis de rede. Cheio de casas de câmbio e lojinhas de suvenires no saguão vendendo varetas envernizadas de ameixeira-brava e duendes. Pelo endereço de James, deduzi que ele não estava em Dublin a negócios. Porque, se estivesse, teria seus custos pagos e ficaria em algum lugar muitíssimo melhor e mais caro. E, se não estava em Dublin a negócios, então por que estava ali?

— Em que posso ajudá-lo? — perguntei, num tom levemente maldoso. Ele não era a única pessoa presente capaz de dizer coisas irônicas.

Meu tom de voz visava transmitir que eu não mexeria uma palha por ele.

— O que você pode fazer por mim, Claire — pediu —, é se encontrar comigo. Você faria isso?

— Claro — disse eu, obediente.

De que *outra maneira* posso quebrar todos os ossos do seu corpo, pensei.

— Você irá me encontrar mesmo? — ele perguntou, com um tom de surpresa na voz. Como se previsse algum tipo de batalha.

— Sem dúvida — disse eu, dando uma pequena risada. — Por que você parece tão chocado?

Porque, quando terminar de quebrar todos os ossos do seu corpo, vou cortar seu pênis e enfiá-lo em sua boca e com certeza também não posso fazer *isso* pelo telefone, não é?, pensei.

— Bem, ah, ... nada, nada. Isso... ah... é ótimo — ele disse.

Ainda parecia surpreso.

Obviamente, esperava que eu me recusasse a vê-lo. Isso explicaria o tom adulador e a surpresa diante da minha calma concordância em me encontrar com ele.

Mas, para sermos justos, o que eu ganharia recusando-me a vê-lo?

Queria a resposta para algumas perguntas.

Por exemplo: por que você deixou de me amar?

E: quanto dinheiro você dará para Kate?

De que outra forma resolveríamos nossas respectivas posições legais e nosso relacionamento se não nos encontrássemos para conversar a respeito?

Talvez ele esperasse descobrir que eu estava completamente arrasada.

Mas, bem... Ei! Eu não estava arrasada agora, estava?

Não estava assim tão bem. Nada disso, mas, fosse lá como eu examinasse a questão, não podia negar que melhorara muito.

Que estranho!

Quando isso acontecera?

Vocês conhecem aquele instante, bem no fim de um relacionamento, quando todos os nossos amigos se reúnem em torno de nós e dizem uma porção de coisas chatas, como "Tem muito homem por aí" e "Ele jamais a faria feliz". Bem, quando eles chegam ao trecho sobre "Com o tempo tudo isso passa", tente lutar contra seu impulso inicial de dar um soco no olho de cada um.

Não faça isso, porque é realmente verdade.

Eu era uma prova viva disso.

O único problema com relação à cura com o passar do tempo é que ela demora um bocado.

Então, por mais eficaz que seja, sua utilidade é muito pequena para os que têm pressa.

Acho também que transar com Adam não prejudicou em nada minha recuperação. Mas eu tinha de arrastar meus pensamentos novamente para o presente. James tornou a falar.

— Onde nos encontraremos? — perguntou.

— Por que você não vem até aqui em casa?

Não queria que o jogo fosse no campo do adversário. Queria jogar em casa, mesmo que não segundo minhas regras.

— Você pode pegar um táxi. Ou, se preferir, um ônibus, e pedir ao motorista para deixá-lo no cruzamento circular no fim da...

— Claire! — ele interrompeu, rindo da minha tolice. — Estive em sua casa muitas vezes. *Sei* como chegar aí.

— Claro que você sabe — disse eu, polidamente.

Eu *sabia* disso.

Mas não pude resistir à chance de tratá-lo como um total estranho. Deixar que ele perceba que não fazia mais parte de nada da minha vida.

— Às onze e meia está bom? — falei com autoridade.

— Ah, está bem — ele disse.

— Ótimo — disse eu, mordaz. — Até lá.

E desliguei, sem esperar sua resposta.

26

Ora, eu estaria mentindo tanto para mim mesma quanto para você se não admitisse que me daria um bocado de satisfação ver James voltando para mim de joelhos, um homem arrasado. Ficaria maravilhada se ele rastejasse de quatro pela entrada da garagem, soluçando e me implorando para recebê-lo de volta. Queria que ele estivesse com a barba por fazer, sujo e usando roupas rasgadas. Queria que seu cabelo estivesse comprido e todo desgrenhado, e que seu aspecto fosse o de alguém perturbado e obviamente ensandecido de dor, e com a terrível percepção de ter perdido a única mulher que amara em sua vida. E, na verdade, a única que poderia algum dia amar.

Tão vívida era essa minha imagem mental que, quando deu onze e meia e ele apareceu no portão, fiquei imensamente desapontada ao descobrir que, na verdade, caminhava inteiramente ereto.

O homem pré-histórico deve ter sentido a mesma sensação de descrença quando um de seus companheiros pulou de uma árvore e começou a desfilar andando apenas sobre duas pernas.

Fiquei em pé junto à janela e observei-o, enquanto ele subia pelo curto caminho de entrada da casa. Mas, preste atenção, eu estava bem recuada. Achava que minha dignidade não se beneficiaria em nada se ele me visse com o nariz pressionado contra a vidraça.

Imaginara qual seria seu aspecto. E agora eu o veria.

Isso me causava intensa dor.

Ele não era mais meu, então estaria com aspecto diferente.

Teria desaparecido a marca que eu deixara nele, sutil, mas definida.

Ele fora uma extensão minha, de modo que eu tinha, de forma subliminar — algumas vezes até mesmo subversivamente —, feito com que assumisse determinado aspecto.

Ora, vamos ser justos, ele era um reflexo de mim. Eu não podia deixá-lo andando de um lado para o outro feito um trapo humano.

Agora todo aquele poder se fora.

E qual era seu aspecto?

Estaria diferente?

Será que Denise o engordara?

Estaria malvestido?

Será que Denise o enfarpelara com os mesmos casacos e suéteres com que vestia seus três meninos? Todos eram roxos e azul-turquesa. Muito feios.

Será que ele estaria com o aspecto de um filho da puta cruel e desalmado, que vinha tomar minha casa e minha filha?

Mas ele simplesmente parecia tão *normal.*

Caminhando daquele jeito com as mãos nos bolsos. Podia ser qualquer pessoa, indo para qualquer parte.

Embora tivesse um aspecto diferente da maneira como eu me lembrava dele.

Está mais magro, pensei.

E tinha certeza de que outra coisa também estava diferente... o que era?... Eu não tinha certeza... será que ele... será que ele *sempre* fora assim tão baixo?

E não estava vestido da maneira como eu esperava.

Todas as vezes que pensara vê-lo eu o imaginava vestido com aquele terno soturno que ele usara aquela vez no hospital. Hoje, ele usava jeans, uma camisa azul e uma espécie de paletó.

Muito informal. Muito descontraído.

Obviamente não dando àquela ocasião a grande importância que ela merecia.

Achei errado.

Sem sentido.

Como um carrasco aparecendo para um dia de trabalho com uma camisa havaiana e um boné de beisebol com a pala virada para trás, sorrindo até as orelhas e contando piadas de mau gosto.

Ele tocou a campainha. Respirei fundo e fui abrir a porta.

Meu coração batia forte.

Escancarei a porta e ali estava ele.

O mesmo. Seu aspecto cortava o coração, de tão inalterado.

Seu cabelo ainda era castanho-escuro, seu rosto ainda era pálido, seus olhos ainda eram verdes, seu maxilar ainda era estreito.

Ele me deu um estranho sorriso retorcido e, depois de uma pausa desajeitada, disse, com o rosto inexpressivo:

— Como vai, Claire?

— Estou ótima — sorri de leve, educadamente, para ele. — Vamos entrar?

Ele entrou no saguão e quase caí de joelhos, atacada por uma forte náusea.

Uma coisa era discutir com ele pelo telefone. Mas era muito mais difícil lidar com ele em carne e osso.

Por mais desagradável que fosse, porém, eu tinha de me comportar como uma pessoa adulta.

O momento de sair correndo para meu quarto, em prantos, haviam passado há muito tempo.

E ele próprio não estava com uma fisionomia lá muito satisfeita.

Eu sabia que ele não me amava mais, mas era um ser humano. Bem, supunha que fosse um ser humano. E não podia deixar de ser afetado por aquela momentosa ocasião.

Mas eu conhecia James. Ele recuperaria seu prumo dentro de um segundo, no máximo.

Era o que eu tinha de fazer.

Com toda a polidez, perguntei-lhe:

— Quer me dar seu paletó? — como se ele fosse apenas alguém que viera para tentar vender-me um sistema de aquecimento central.

— Ah, claro — disse ele, com relutância. Tirou o paletó num movimento de ombros e entregou-o a mim, cautelosamente, com um cuidado que parecia excessivo, como que para se certificar de que nossas mãos não se tocariam.

Olhou nostalgicamente para o paletó, como se jamais fosse vê-lo outra vez e quisesse memorizar cada detalhe dele.

Do que tinha medo?

Eu não ia roubar o maldito paletó.

Não era tão bonito assim.

— Vou guardá-lo — disse eu e, pela primeira vez, nossos olhos realmente se encontraram.

Ele examinou rapidamente meu rosto e disse, num tom neutro:

— Você está com uma aparência ótima, Claire.

Disse isso com o entusiasmo que um agente funerário geralmente reserva para alguém que sobrevive, contra todas as expectativas, a um terrível acidente de automóvel.

— Sim — fez um sinal afirmativo com a cabeça, um pouquinho surpreso. — Você *está* com uma aparência ótima.

— Ora, por que não deveria estar? — dei-lhe um sorrisinho significativo, transmitindo, pelo menos, esperava transmitir, dignidade e ironia em proporções iguais.

Fazendo com que ele soubesse que, embora ele não me amasse mais, embora me tivesse magoado e humilhado, eu era um ser humano racional e podia superar aquilo tudo.

Quase transformando em piada todo aquele lamentável desastre e praticamente convidando-o, a ele, o perpetrador, a entrar no jogo e rir comigo.

Não conseguia acreditar que tivesse chegado a tanto.

Estava satisfeitíssima comigo mesma.

Porque, como só Deus sabe, embora eu não me sentisse calma nem civilizada, faria um ótimo trabalho representando isso.

Ele no entanto, não parecia achar aquilo tão levemente divertido como eu me esmerava em fingir que achava.

Lançou-me um olhar gélido.

Nova atitude de agente funerário.

Que miserável filho da puta.

Já que eu estava preparada para tentar ser simpática e civilizada com relação a tudo aquilo, sem dúvida, mas sem dúvida mesmo, ele podia fazer a mesma coisa. Afinal, o que tinha a perder?

Talvez tivesse preparado um belo discurso sobre a maneira como eu podia esquecê-lo, como ele não era suficientemente bom para mim, como jamais fomos adequados um para o outro, como eu estava melhor sem ele. Talvez estivesse desapontado porque não precisaria pronunciá-lo.

Provavelmente, ficara em pé diante do espelho do seu quarto no LiffeySide (aprovado pelo Bord Failte, suíte com chuveiro, instalações para fazer chá e café em todos os quartos, TV a cabo, barulhentas brigas de bêbados de manhã cedo na rua debaixo do seu quarto, a pedido) e ensaiava lançar os braços em torno de mim, de maneira suplicante, enquanto me dizia, com uma voz sufocada de emoção, que ainda me amava, mas já não estava *apaixonado* por mim.

Ficamos de pé no hall por alguns segundos, James com ar de quem perdeu toda a sua família num ataque a facão. Meu aspecto não era muito melhor do que o dele. A tensão era terrível.

— Vamos para a sala de jantar — disse, assumindo a liderança da situação. Se não o fizesse, poderíamos ficar em pé ali o dia inteiro, os dois, pálidos, infelizes e paralisados pelo sistema nervoso. — Não seremos perturbados lá e poderemos usar a mesa, caso seja preciso abrir alguns documentos, ou seja o que for.

Ele fez um sinal afirmativo com a cabeça, sério, e seguiu caminhando pelo saguão, à minha frente.

Mas que cara de pau! Qual era o motivo para estar assim tão zangado?

Não era a mim, sem dúvida, que cabia esse direito?

Kate estava à espera na sala de jantar.

Deitada em seu bercinho e linda.

Peguei-a e a segurei, com seu rosto contra o meu.

— Esta é Kate — disse eu, simplesmente.

Ele olhou fixamente para nós duas, abrindo e fechando a boca.

Parecia um pouco um peixinho dourado. Um peixinho dourado pálido e sério.

— Ela... ela está tão grande, cresceu tanto — conseguiu finalmente dizer.

— Os bebês são assim — fiz-lhe um sinal afirmativo com a cabeça, com um ar de sabedoria.

Claro que, implicitamente, queria dizer: "Se você tivesse ficado por perto, seu filho da puta, presenciaria o crescimento dela." Mas não disse isso.

Nem precisava.

Ele sabia.

Estava estampado em seu rosto constrangido, envergonhado.

— E o nome dela é Kate? — perguntou ele.

Meu ímpeto de raiva foi tão intenso que pensei que certamente eu o mataria.

Ele nem sequer se dera o trabalho de descobrir o nome dela.

Havia uma porção de pessoas a quem poderia ter perguntado.

— Por causa de Kate Bush? — perguntou ele, referindo-se a uma cantora da qual sem dúvida eu gostava, mas cujo nome eu jamais pensaria em pôr na minha primeira filha.

— Exatamente — consegui dizer, com amargura. — Por causa de Kate Bush.

Não me preocuparia em dizer-lhe o verdadeiro motivo. Pois se ele não estava ligando a mínima!

— Ei — disse ele, acabando, obviamente, de ter a ideia. — Posso segurá-la? — Em circunstâncias diferentes, seria possível descrever sua pergunta como entusiasmada.

Minha raiva e amargura, é óbvio, lançaram raios diretamente em direção à sua cabeça bem penteada.

Queria gritar-lhe: "Claro que você pode segurá-la, ela esperou dois meses para que você a segurasse. Você é o maldito PAI dela!" Mas não consegui fazer isso.

Sentia-me uma traidora, como uma mãe do Terceiro Mundo que é forçada, por circunstâncias econômicas, a vender sua filha ao gringo rico. Mas passei-a dos meus braços para os dele.

E observei a expressão do seu rosto.

Foi como se ele, de repente, se tornasse mentalmente retardado. Todo sorrisos, olhos brilhantes, um ar de reverência.

Claro que a segurava de maneira completamente errada.

Transversalmente, em vez de ao comprido.

Na horizontal, em vez de na vertical.

As pessoas que não sabem nada de bebês seguram-nos assim.

Sei disso porque foi como eu fiz no primeiro ou segundo dia de vida de Kate, até que uma das outras mães, cansada de ouvir Kate berrando, cautelosamente advertiu-me ("Para cima, não de um lado para o outro!").

Mas vocês, não me pegaria sendo benevolente com James, pelo fato de cometer o mesmo erro.

Kate começou a chorar.

Claro, era a única coisa que a pobre criança poderia fazer!

Ser segurada como um tapete enrolado por um homem estranho.

Você também não choraria?

James fez um ar assustado.

— O que há de errado com ela? — perguntou. — Como posso fazê-la parar de chorar?

A expressão reverente desapareceu.

Substituída por outra de puro medo.

Eu percebera que toda aquela história de cara legal era boa demais para ser verdadeira.

— Tome — disse ele, passando-a às pressas para mim. Olhou para nós duas com uma expressão de desagrado.

Obviamente, no universo de James não havia espaço nenhum para mulheres chorando.

Vocês sabem, ele nem sempre fora assim.

Ora, casara-se comigo. E minha fama não era exatamente a de alguém que reprime as lágrimas. Melhor pôr para fora do que para dentro, sempre fora meu lema.

Mas, naquele momento, olhando-o, examinando sua expressão rabugenta, espantei-me — e não pela primeira vez, sendo sincera — com o babaca que ele se tornara.

— Ah, meu Deus — sorri, irônica. — Ela não parece gostar de você.

Ri, como se fosse uma piada, e tomei-a de volta dos braços estendidos de James.

Ele estava louco para livrar-se dela. Dei-lhe uns beijinhos, fiz "shhh". Ela parou de chorar.

Por um momento senti uma amarga satisfação por Kate ficar do meu lado, não do dele.

E, em seguida, senti-me triste e envergonhada.

James era o pai de Kate.

Eu deveria fazer tudo o que estivesse ao meu alcance para gostarem um do outro.

Eu encontrara outro homem para amar.

Mas Kate só tinha um pai.

— Desculpe — sorri, como quem pede perdão. — É apenas o fato de que você é novo para ela. Dê-lhe uma chance. Ela está assustada.

— Você tem razão. Provavelmente apenas demorará um tempinho — disse ele, alegrando-se um pouco.

— É só isso — tranquilizei-o. Mas, ao mesmo tempo, tomada de horror, pensando em quando, exatamente, ele proporia passar esse "tempinho" com ela.

Se viera a Dublin para tentar levar Kate para Londres em sua companhia, então tinha de morrer. Era realmente muito simples.

Ele não fizera o papel do pai amoroso, até aquele momento. Então, o que queria?

— Café.

— O quê? — perguntei bruscamente.

— Será que você me daria uma xícara de café? — perguntou ele.

Olhava-me como se eu estivesse meio estranha.

Quantas vezes me perguntara antes de eu ouvir?

— Claro — disse.

Coloquei Kate de volta no berço e fui para a cozinha fazer o café para ele.

Eu devia ter-lhe oferecido antes. Mas, com toda a excitação, não me passara pela cabeça.

Senti certo alívio por estar na cozinha.

Suspirei longa, profunda e fortemente quando fechei a porta.

Minhas mãos tremiam tanto que mal podia encher a chaleira.

Estar com ele era tão difícil.

Ter de fingir que me sentia ótima era exaustivo.

E manter incessantemente uma tampa em cima da minha raiva assassina era algo que exigia demais de mim.

Mas eu precisava fazer isso.

Resguardaria tanto quanto pudesse de bom para Kate.

Levei o café para a sala de jantar.

E, não, não lhe dei biscoitos.

Lamento, mas eu não era uma pessoa tão generosa assim.

Ele estava inclinado sobre o berço, tentando conversar com Kate.

Mantinha com ela algum tipo de discussão sussurrada, nervosa.

Como se ela fosse um colega de negócios, não um bebê de 2 meses.

Ele não se comportava da maneira como fazem as pessoas simpáticas, normais e calorosas na presença de bebês. Você sabe, como se perdessem a cabeça, de repente.

E começam a fazer ruídos em tatibitate e amorosas perguntas retóricas.

Perguntas ridículas, do tipo: "Quem é a menina mais linda do mundo?" E a resposta correta não é, como vocês poderiam esperar, Cindy Crawford, mas sim Kate Webster.

Em vez disso, a voz dele soava como se discutisse com ela questões referentes a impostos.

Mas ele não parecia notar que faltava alguma coisa.

Coloquei o café em cima da mesa da sala de jantar e, no momento em que a porcelana tocou o mogno, percebi que, automaticamente, fizera o café de James da maneira como ele gostava.

Fiquei furiosa!

Não podia sequer *fingir* que esquecera?

Não podia ter-lhe dado um café com leite e dois torrões de açúcar, em vez de café preto, sem açúcar e com metade de água fria?

E depois, quando ele se engasgasse, cuidando da boca queimada e cheia de açúcar, eu não poderia ter dito, num tom aéreo, alguma coisa como: "Ah, desculpe, esqueci, *você* é o que não gosta de açúcar?"

Mas não.

Eu perdera a preciosa chance de mostrar a ele que não me importava mais, de jeito nenhum, com sua pessoa.

— Ah, obrigada, Claire — disse ele, bebendo o café aos golinhos, da caneca. — Você se lembrou da maneira como eu gosto do café — e sorriu de satisfação.

Eu poderia, com a maior felicidade, ter ido para a cozinha, me encharcado toda de gasolina e me incendiado, de tanta raiva que fiquei.

— De nada — disse eu, por entre os dentes que rangiam.

Houve um breve silêncio.

Depois, James começou a falar.

Ele parecia de repente ter apertado um botão e passado para o Estado de Espírito Descontraído. O nervosismo aparente, na porta da frente, evaporara-se.

Eu só queria que o mesmo tivesse ocorrido comigo.

— Você sabe, não posso acreditar que estou realmente aqui — ele refletiu, relaxado, recostando-se em sua cadeira, embalando o traidor café entre suas mãos em concha.

Sua voz soava, na verdade, como se não tivesse problema algum em acreditar nisso:

— Não consigo crer que você tenha me deixado entrar.

Ora, na verdade você não é o único maldito que entra, tive vontade de lhe dizer, mas não disse.

— E por quê? — perguntei, com gélida polidez.

— Ah — disse ele, sacudindo a cabeça, com um sorrisinho irônico, como se não pudesse confiar inteiramente em sua imaginação desenfreada. — Quando cheguei, pensei que talvez sua mãe e suas irmãs pudessem fazer alguma coisa realmente desagradável. Você sabe, do tipo despejar óleo fervendo em cima de mim ou algo assim.

E ficou ali sentado e, olhando diretamente para meus olhos, sorriu presunçosamente, aceitando a facilidade com que fora readmitido no Covil do Leão como se isso lhe fosse devido, confiante em que, embora eu fosse de uma família louca e de uma nação de selvagens, ele estivesse de fato inteiramente seguro.

Resisti ao ímpeto de me lançar por cima da mesa contra ele e rasgar sua laringe com meus dentes, rosnando: "Óleo fervente seria bom demais para você."

Em vez disso, dei um pequeno sorriso frio e disse:

— Ora, não seja ridículo, James. Somos perfeitamente civilizados aqui, embora você possa pensar o contrário. Por que o atacaríamos? E, afinal — risadinha tilintante, como fragmentos de gelo batendo no vidro de um copo —, precisamos que esteja com boa saúde para poder arcar com a pensão alimentícia de Kate.

Houve um silêncio eloquente.

— Que quer dizer com "pensão alimentícia?" — perguntou ele, lentamente, como se jamais, em sua vida, tivesse ouvido falar numa coisa dessas.

— James, você deve saber o que é pensão alimentícia — disse-lhe eu, fraca, com o choque.

Limitei-me a olhá-lo fixamente.

Que diabo estava acontecendo?

Ele era o tipo de pessoa tediosa, que queima as pestanas, um contador.

Ele e as despesas com o sustento deveriam estar bem familiarizados um com o outro.

Na verdade, eu estava pasma por ele não ter vindo com um acordo imenso, cheio de itens, para eu assinar. Você sabe, detalhando todos os tipos de coisas, como os custos de manter Kate calçada pelo resto da vida, dados econômicos projetados em escala, fundos de ações, amortização e coisas do gênero.

Afinal, aquele era o homem que podia, e provavelmente fazia isso com frequência, calcular a gorjeta de uma garçonete com todos os decimais cabíveis.

Não que fosse mesquinho, você entende.

Mas era muito, muito organizado mesmo.

Sempre rabiscando no verso de envelopes ou em guardanapos de papel e mostrando cálculos minuciosamente detalhados que, por estranho que pareça, quase sempre estavam corretos.

Em cinco minutos, podia dizer até quase em centavos quanto custaria decorar o banheiro de alguém, considerando todos os detalhes, incluindo a pintura, instalações, trabalho, biscoitos para os operários, diárias de trabalho (as do dono do banheiro, quero dizer), as noites sem dormir quando os operários sumissem por três semanas, deixando o banheiro inacabado etc. Honestamente, ele pensava em tudo!

— Pensão alimentícia — disse ele de novo, pensativo. Não parecia satisfeito.

— Sim, James — retorqui, com inabalável determinação.

Embora meu estômago se revolvesse de um lado para o outro, como o de um bêbado numa barca em mar agitado.

Se James fosse bancar o difícil com relação a dinheiro, eu morreria.

Não, vou formular de outra maneira. Não morreria, não.

Eu o mataria.

— Certo, certo, entendo — disse ele, parecendo um tanto pasmo. — Sim, obviamente, temos mesmo uma porção de coisas para discutir.

— Sim, sem dúvida temos — confirmei, tentando falar com um tom jovial. — E você está aqui agora, de modo que nos encontramos na feliz circunstância de podermos fazer isso.

Dei-lhe um animado sorriso.

Meu esforço foi tamanho que pensei ter lesado alguns músculos do rosto.

Mas eu tinha de manter aquilo tão amigável e cordial quanto possível.

— Pois bem — continuei, energicamente, decidida a falar como se entendesse do assunto —, sei que ambos não estamos familiarizados com esse tipo de coisa, mas não acha que devemos tentar resolver nós mesmos as coisas básicas e deixar que os advogados acertem os detalhes? — Permiti-me um pequeno sorriso, ao dizer isso. Que ele ignorou inteiramente. — Ou você prefere fazer a coisa toda por intermédio dos nossos advogados?

— Hã! — ele de repente pareceu animar-se. Ergueu o indicador, como Monsieur Poirot demonstrando a falha fatal da argumentação. — Seria ótimo, se tivéssemos advogados. Mas não temos, não é mesmo? — Olhou-me de uma maneira gentil, mas piedosa, como se eu fosse meio retardada.

— Bem, na verdade eu tenho — disse-lhe eu.

— Tem? — perguntou ele. — Tem mesmo? Ora, ora, ora. — Parecia inteiramente pasmo. E não muito satisfeito.

— Hã... sim, claro que tenho — disse eu.

— Meu Deus, não era você quem estava ocupada? — perguntou ele, de forma um tanto desagradável. — Sem dúvida, não perdeu muito tempo.

— James, o que quer dizer? Passaram-se dois meses — protestei.

E pensar que eu me sentira culpada com relação a todo o adiamento e a perda de tempo.

Estava confusa.

Será que fizera algo errado?

Haveria algum tipo de protocolo? Algum tipo de limite de tempo que eu devesse respeitar, antes de lidar com os destroços do meu casamento naufragado?

Como não ter permissão para dançar com um vestido vermelho até completar seis anos da morte de seu marido ou qualquer das coisas com que Scarlett O'Hara escandalizou a sociedade de Atlanta?

— Exato — disse ele. — Acho que se passaram dois meses.

Suspirou.

Por um momento, a excêntrica ideia de que ele poderia estar triste passou-me pela cabeça.

E depois percebi que sim, provavelmente ele estava triste.

Qual homem não ficaria triste ao perceber, de repente, que agora tem duas famílias para sustentar?

E ele, provavelmente, já previa os exorbitantes custos do advogado e a comissão do corretor imobiliário no futuro, quando discutíssemos a divisão dos nossos bens.

E claro que manter aqueles três fedelhos mal-educados de Denise, com seus terninhos de náilon cor-de-rosa, também não sairia barato.

Embora, por direito, devesse sair.

Então, deixei de lado qualquer compaixão que pudesse ter alimentado e disse:

— James, você trouxe a escritura do nosso apartamento?

— Hã, não — disse ele, parecendo um pouquinho perplexo.

— Por que não? — perguntei, levemente exasperada.

— Não sei — disse ele, olhando para seus sapatos.

Houve uma pausa de perplexidade.

— Acho que não pensei nisso. Saí de Londres com tanta pressa.

— Você tem aí qualquer um dos nossos documentos? — perguntei, lutando contra o impulso de bater nele. — Você sabe, extratos bancários, os detalhes da nossa aposentadoria, esse tipo de coisa.

— Não — disse ele, sucintamente. Seu rosto ficara muito pálido. Ele devia estar furioso por ser apanhado desprevenido.

Esse tipo de ineficácia não era, de forma alguma, característica dele. Agia inteiramente diferente do habitual. Embora não estivesse mesmo, há algum tempo, agindo como costumava. Quem sabe não estava com um esgotamento nervoso? Ou talvez a paixão pela gorducha Denise fosse tanta que ele se transformara num idiota?

Sua visão obviamente falhou quando fugiu com ela. E se seu cérebro tivesse feito a mesma coisa?

— Precisamos de todos esses documentos? — perguntou ele.

— Ora, não imediatamente, eu acho — disse eu. — Mas, se você quer resolver as coisas enquanto está em Dublin, seria muito mais útil tê-los aqui.

— Acho que poderia fazer com que me mandassem alguns deles por fax — disse ele, lentamente. — Se é isso que você realmente quer.

— Ora, não é exatamente uma questão do que *eu* quero — disse, sentindo--me um pouco confusa. — É para tentarmos decidir o que fica com quem.

— Meu Deus, mas que coisa mesquinha! — disse ele, com grande repugnância. — Você quer dizer coisas do tipo "Quero aquela toalha, você fica com aquela frigideira"?

— Bem, acho que é isso mesmo — disse eu.

O que havia de *errado* com ele? Será que não pensara absolutamente nisso?

— James — perguntei-lhe, enquanto ele estava ali sentado na cadeira, parecendo em estado de choque. — O que você *pensou* que aconteceria? Que as fadas do divórcio apareceriam e, magicamente, resolveriam tudo para nós enquanto dormíssemos?

Ele conseguiu, diante disso, dar um pálido sorrisinho.

— Você tem razão — disse ele, cheio de cansaço. — Você tem razão, tem razão, tem razão!

— Tenho, sim — garanti-lhe. — E, se isso o faz se sentir um pouco melhor, pode ficar com todas as frigideiras.

— Obrigado — disse ele, em voz baixa.

— E não se preocupe — disse-lhe, com toda falsa amabilidade, num tom brincalhão de quem dá palmadas nas costas. — Um dia, tenho certeza de que olharemos para trás e riremos de tudo isso.

Mas claro que eu não tinha certeza quanto a nada disso.

Tinha a vaga consciência de que existia algo profundamente errado com o fato de eu ter de confortá-lo, com o fato de ter de animá-lo para seguir em frente e encorajá-lo a ser forte.

Mas, de qualquer maneira, era tudo tão esquisito que, para ser inteiramente franca com você, eu já não distinguia meu bumbum do meu cotovelo.

E não é o tipo de erro que normalmente cometo.

Não seria comum me acharem colocando pomada para hemorroidas em meu cotovelo. Ou encharcando meu bumbum com suco de limão, por exemplo. Mas, como eu já disse, eram tempos difíceis.

James levantou-se, de repente. E ficou ali em pé por alguns momentos, parecendo perdido. Estava obviamente planejando como conseguir que os documentos da hipoteca e todo aquele material fossem enviados de Londres, pensei. Devia estar mortificado por ter sido tão pouco eficiente.

— É melhor eu ir embora — disse ele.

— Está certo — disse. — Tudo bem. Por que não volta para seu hotel (hotel!, que piada!) e organiza o envio dos documentos do apartamento? E, depois, podemos nos encontrar mais tarde.

— Está ótimo — disse ele, ainda muito quieto.

Eu mal podia esperar para vê-lo partir.

Aquilo era demais.

Finalmente, estava acontecendo.

Tudo acabado, tudo realmente acabado.

Tínhamos tratado do assunto como seres humanos civilizados. Civilizados demais, em minha opinião.

A coisa toda parecia um sonho.

Foi horrível.

— Ligo para você esta tarde — ele disse.

Despediu-se de Kate e, embora parecesse estar explicando a ela o que lhe era devido em termos de pensão, pelo menos fez um esforço para estabelecer um laço afetivo com a criança.

Finalmente, consegui fazer com que fosse embora.

Parecia tão exausto quanto eu.

27

Mal fechei a porta para ele, comecei a chorar.

Como se instintivamente soubessem que ele partira — estavam deitadas no chão do quarto acima da sala de jantar, com as orelhas encostadas em copos, tentando ouvir tudo o que era dito —, Anna, Helen e mamãe magicamente surgiram das sombras, usando suas Expressões Preocupadas.

Eu estava arrasada.

Como se sentisse minha dor, Kate começou a berrar.

Ou talvez fosse apenas porque estivesse com fome.

Seja como for, aquilo tudo orquestrou uma confusão de vozes.

— Aquele babaca! — consegui dizer, entre soluços, com as lágrimas escorrendo pelo meu rosto. — Como pode ser tão fácil para ele? Parece um robô, absolutamente sem sentimentos.

— Ele não estava nem um pouquinho perturbado? — perguntou mamãe, cheia de ansiedade.

— A única coisa, mas a única mesmo, com que aquele sacana está preocupado é quanto será *mesquinho* quando tivermos de partilhar nossos bens.

— Mas isso não é tão ruim assim — disse Helen, em tom de consolo. — Talvez então ele deixe tudo para você. E você ficará com tudo.

Boa tentativa, Helen.

Mas não era exatamente o que eu precisava ouvir.

— Então, uma reconciliação não foi sequer mencionada? — perguntou mamãe, com o rosto pálido, os olhos preocupados.

— Não! — explodi, provocando um novo surto de gemidos por parte de Kate, que estava no colo de uma aparentemente infeliz Anna.

— Reconciliação?! — gritou Helen. — Mas você não o aceitaria de volta, não é? Não depois da maneira como ele a tratou.

— Mas a questão não é essa — solucei. — Pelo menos eu queria a escolha. Queria a chance de dizer a ele que fosse para o inferno, e que eu não o tocaria nem que me pagassem. E o babaca sequer teve a decência de fazer isso.

As três fizeram um aceno afirmativo com a cabeça, em sinal de solidariedade.

— E ele foi muito presunçoso! — explodi. — Lembrei-me até de como gosta do seu maldito café!

As três soltaram bruscamente um suspiro. Ficaram sacudindo tristemente a cabeça diante da minha tolice.

— Isso é ruim — disse Anna. — Agora, ele sabe que você ainda está interessada.

— Mas *não estou* — protestei, violentamente. — Detesto aquele sujeito metido a besta e infiel, quando não passa de um contadorzinho. E que cara de pau! — continuei, com as lágrimas escorrendo pelo meu rosto, borrando a maquiagem.

— Por quê? — perguntaram as três, chegando um pouco mais para a frente, a fim de ouvir mais outra das safadezas de James.

— *Ele* estava preocupado com a partilha de nossas coisas e eu, eu, EU, fui quem acabou tentando fazê-lo sentir-se melhor a respeito da questão. Imaginem só uma coisa dessas! *Eu* o consolando. Depois de tudo o que aconteceu.

— Os homens — disse Anna, sacudindo a cabeça, com uma cansada descrença. — Não se pode viver com eles, não se pode viver com eles.

— Não se pode viver com eles — continuou mamãe. — Não se pode matá-los.

Houve uma pausa. Depois, Helen falou:

— Quem disse que não?

— Então, qual é o resultado? — perguntou mamãe.

— Nenhum, ainda — disse eu. — Ele vai ligar esta tarde.

— O que você vai fazer até lá? — perguntou mamãe, com seu olhar ansioso desviando-se inadvertidamente na direção do armário das bebidas, embora ele estivesse vazio há muitos anos. Mas velhos hábitos não se superam com facilidade. Poderia ter sido mais apropriado se seu olhar se desviasse inadvertidamente para o jardim e para debaixo do reservatório de gasolina, mas vamos esquecer isso.

— Nada — disse eu. — Estou tão cansada.

— Por que não vai para a cama? — apressou-se a sugerir. — Foi um suplício para você. Tomaremos conta de Kate.

Helen fez um ar de quem iria protestar. Abriu a boca, num início de motim. Mas depois a fechou.

Quase um milagre, devo dizer.

— Ok — disse eu. Arrastei-me pelas escadas e me deitei na cama, ainda usando as lindas roupas com que me enfeitara aquela manhã. Não havia vestígio da mulher sorridente, bem-maquiada e atraente que eu fora então. Apenas um destroço, com o rosto vermelho, os olhos inchados e a pele manchada de maquiagem.

No meio da tarde, mamãe acordou-me, sacudindo-me levemente pelo ombro e sussurrando:

— James ao telefone, atrás de você. Quer falar com ele?

— Quero — disse.

Saí cambaleando da cama, com as roupas amassadas, meio cega de sono, babando como uma débil mental.

— Alô — resmunguei.

— Claire — ele disse, energicamente, cheio de autoridade e eficiência. — Tentei conseguir que nossos documentos fossem enviados por fax, mas não há correio com fax nesta maldita cidade.

Imediatamente, senti-me culpada. Ele me fazia sentir como se tudo fosse minha culpa. Como se eu tivesse dado pessoalmente uma volta e fechado todos os correios com fax de Dublin, apenas para contrariá-lo.

— Ah, sinto muito, James — gaguejei. — Se você tivesse mencionado isso, eu sugeriria que os documentos fossem enviados por fax para o escritório do papai.

— Deixa pra lá — ele suspirou, parecendo irritado, exasperado e insinuando que, se ele quisesse que alguma coisa fosse feita, era melhor fazê-la sozinho e não envolver a mim ou a qualquer membro da minha família. — De qualquer forma, é tarde demais, agora. Estão sendo postos no correio e devem chegar amanhã de manhã.

Você terá sorte se isso acontecer, pensei, lembrando a atitude relaxada do sistema postal irlandês em comparação com o inglês. Mas não disse nada. Sem dúvida, quando chegasse a hora e os documentos não viessem, ele daria um jeito de fazer parecer que aquilo, de alguma forma, era culpa minha.

— Mas, de fato, acho que devemos nos encontrar esta noite, seja como for — ele continuou, eficiente, sempre profissional.

Tempo é dinheiro, não é mesmo, James?

Mas, para ser justa, ele tinha razão. Precisávamos nos encontrar de qualquer jeito. Tínhamos tanto para conversar. Fazia sentido.

Eu, obviamente, queria tudo resolvido o mais rápido possível, para poder tocar minha nova vida.

Não tinha nenhum outro motivo, não é verdade?

Não era patética a ponto de pensar que, se ele me visse outras vezes, poderia perceber que ainda me amava.

Talvez eu apenas apreciasse a companhia dele.

Talvez, droga!

Mas tinha de admitir que estava fascinada pelo fato de ele não me amar mais.

Vocês sabem, a mesma espécie de sentimento que leva as pessoas, depois de uma batida de automóveis, a sempre olharem para o sangue na estrada e os veículos destroçados sendo rebocados. Sei que é horrível, mas ao mesmo tempo sinto-me tão atraída por isso. Sei que ficarei perturbada depois, mas mesmo assim não posso conter-me.

Ou, talvez, eu apenas quisesse espezinhá-lo até dizer chega. Quem sabe?

— Bem, o que devemos fazer? — ele perguntou. — Eu iria até sua casa, mas não tenho certeza se serei bem recebido.

Eu mal podia acreditar em meus ouvidos.

Mas que *audácia!*

Uma audácia que não diminuía, não se diluía!

Ele não tinha nenhum direito a se sentir bem recebido, mas, ao mesmo tempo, eu o tratara com o máximo da educação.

O que era mais do que se poderia dizer da maneira como ele me tratara.

Não fizera café para ele?

Por acaso soltei os cachorros em cima dele?

A verdade é que não tínhamos cachorros, mas a questão não era essa.

Pior ainda, eu poderia ter soltado Helen em cima dele.

Exatamente o que ele esperava?

Que as estradas do aeroporto de Dublin estivessem marginadas com nativos dando vivas, acenando com bandeiras britânicas? Bandas tocando e tapetes vermelhos? Feriado nacional declarado? Eu o cumprimentando à porta de entrada da minha casa, usando um robe sensual, sorrindo e dizendo com voz rouca: "Seja bem-vindo de volta, meu amado?"

Francamente, eu estava perplexa.

Não tinha certeza do que deveria dizer.

Desculpe, senhor, mas estamos no momento sem novilhos para sacrificar em sua honra.

Ele falava como se estivesse amuado. Como se desejasse que eu dissesse algo como: "Ah, não seja tolo, James. Claro que você é bem-vindo."

Mas não era possível que James estivesse irritado. Já estava crescido demais para isso. E nenhum homem com a cabeça no lugar poderia esperar que eu o recebesse de volta de braços abertos.

Mas, o que eu deveria dizer?

— Lamento que você se sinta assim, James — consegui dizer, humildemente. — Se minha família ou eu nos comportamos de maneira pouco hospitaleira, então só posso lhe oferecer minhas desculpas.

Claro, nem uma só palavra foi dita a sério.

Se minha família o ofendera de alguma maneira; se, por exemplo, Helen chamara sua atenção quando ele saiu da casa, fazendo caretas ou gestos horríveis para ele, de uma janela do andar de cima, ou mostrando-lhe seu traseiro — ou algo ainda pior —, então eu o recompensaria, pessoalmente.

Mas eu precisava fazer o jogo de James.

Embora gaguejasse ao dizer essas palavras corteses, Kate sempre estava por trás delas.

Nada me daria maior prazer do que dizer a James quanto era indesejado, mas isso seria prejudicar a mim mesma. Não queria que Kate crescesse sem pai; então, garantir a James que ele não seria mal recebido (acho que só estava preparada para ir até esse ponto) era o preço que eu tinha de pagar.

— Bem, quer que vá até aí, então? — perguntou ele, de má vontade.

O que havia de *errado* com ele?

Comportava-se como uma criança manipuladora.

— Ah, James — disse eu, gentilmente. — Não gostaria que viesse aqui, se não se sente bem recebido. Ambos queremos estar descontraídos. Talvez, em vez disso, seja melhor nos encontrarmos na cidade.

Houve uma longa pausa, enquanto James digeria isso.

— Ótimo — disse ele, friamente. — Podemos sair para jantar.

— Acho uma boa ideia — disse eu, pensando: acho mesmo uma boa ideia.

— Bem, tenho de comer alguma coisa — disse ele, sem a menor educação. — Então você pode me acompanhar.

— Você sempre foi ótimo com as palavras — disse eu, forçando minha voz para que parecesse sorridente. Mas, de repente, senti-me muito triste.

Combinamos de nos encontrar num restaurante no centro da cidade, às sete e meia.

E os preparativos foram, para começo de conversa, ainda mais complicados do que os daquela manhã.

Claro que eu queria estar linda.

Mas decidi que queria também ficar com um aspecto sensual.

James sempre adorara minhas pernas e as adorava ainda mais quando eu usava saltos altos, mesmo que me fizessem ficar quase da altura dele.

Então, usei meu par de sapatos com saltos mais altos e meu vestido mais curto, e preto, claro, e o par de meias mais finas que pude encontrar.

Por sorte, não é que eu raspara as pernas bem na noite passada? Na verdade, fora quando me preparava para fazer sexo com Adam. Mas não vamos conversar sobre isso justamente agora.

Coloquei no rosto camadas e mais camadas de maquiagem.

— Mais rímel — insistia Helen. — Mais base.

A abordagem sutil não tivera, digamos assim, grande sucesso, aquela manhã. Então, agora íamos arrasar.

Enquanto aplicava o fixador que ponho em meus lábios para o batom não sair, ocorreu-me repentinamente como aquilo tudo era terrível. Pavoroso.

Eu aplicava minha maquiagem com aquele mesmo tipo de cuidado, quando começara a sair com James. E agora, ali, me embonecava toda, tentando de tudo para ficar bonita para o Grand Finale do nosso relacionamento.

Era tudo um desperdício.

Relacionamentos frustrados podem ser descritos como muita maquiagem desperdiçada.

Esqueça os risos, esqueça as brigas, esqueça o sexo, esqueça o ciúme. Mas tire o chapéu e faça um minuto de silêncio pelas legiões de tubos de base desconhecidos, de rímel, de delineador, de blush e de batom, que morreram por tudo o que poderia ser possível. Mas morreram em vão.

Olhei para mim mesma no espelho e, devo admitir, minha aparência era boa. Alta, esguia e quase elegante. Nenhuma melancia à vista.

— Meu Deus — disse Helen, sacudindo a cabeça, com indisfarçável admiração. — Olhe para si mesma. E faz tão pouco tempo que você estava um horror, gorda e velha.

Elogio de primeira.

— Prenda o cabelo — sugeriu Helen.

— Não posso, está curto demais — protestei.

— Não, não está — disse ela e se aproximou de mim, penteando-o para o alto da cabeça.

Que coisa, ela tinha razão. Ele devia ter crescido um pouco, enquanto eu o esquecia inteiramente, durante os dois meses anteriores.

— Ah! — disse eu, feliz. — Desde os 16 anos eu não tinha cabelos compridos.

Helen ocupou-se com prendedores e grampos, enquanto eu sorria como uma lunática para meu reflexo no espelho.

— James ficará louco — disse eu. — Ficará tão arrependido de não poder ter mais uma gata como eu. Eu o farei cair de joelhos, suplicando-me para aceitá-lo de volta, assim que entrar.

Minha bela fantasia de um James se babando, arrependido, foi interrompida por Helen, que dizia em voz alta:

— O que você fez com suas orelhas?

— O que há de errado com elas?

— Estão meio roxas.

— Ah, é apenas a tinta. Acho que é melhor soltarmos meu cabelo para cobri-las — disse, em tom de lástima. Rapidamente eu me acostumara com aquele aspecto sofisticado.

— Não, não, vamos pensar numa solução — disse Helen, com um certo brilho no olhar. — Fique aqui. — E saiu.

Chegou com Anna, que assobiou quando me viu, e alguns pedaços de pano e um frasco de terebintina.

— Você faz essa orelha — instruiu Helen —, e eu faço a outra.

Fui encontrar-me com James com orelhas vermelhas, esfoladas e quase sangrando, em vez de tingidas com um castanho intenso e brilhante.

Mas meu cabelo continuou preso num coque.

28

Tenho de admitir que entrar naquele restaurante foi uma das experiências mais gratificantes que já tive em minha vida. James ergueu os olhos do que quer que estivesse lendo e, literalmente, *literalmente,* ficou de queixo caído.

— Hã, Claire — disse ele, todo atrapalhado —, hã, você está linda.

Sorri, de uma maneira que esperava fosse misteriosa, enigmática, sofisticada.

— Obrigada — ronronei.

Isso vai te dar uma lição por me deixar, seu ingrato, pensei, enquanto me movimentava para ocupar meu lugar, dando-lhe uma visão plena das minhas coxas com meias finas e reluzentes e meu vestido preto curto e apertado.

Ele não conseguia tirar os olhos de mim.

Foi maravilhoso.

Eu tinha recebido alguns poucos olhares estranhos enquanto caminhava do local onde estacionara o carro até o restaurante. Acho que estava vestida com certo exagero para um claro início de noite, em abril. Mas, e daí?

O garçom, um jovem com um uniforme que lhe caía mal, supostamente um italiano, mas com sotaque de Dublin, aproximou-se correndo e passou uma quantidade desnecessária de tempo dando palmadinhas no guardanapo em cima das minhas pernas.

— Hã, obrigada — disse eu, quando senti que aquilo já demorara demais.

— Bem-vinda — disse ele, num tom enrolado, tão italiano quanto bacon com repolho. Piscou para mim por cima da cabeça de James.

Mas que coisa!

E, então, fiquei realmente paranoica.

Talvez ele pensasse que eu era uma prostituta.

Será que minha aparência dava margem a tal suspeita?

Sabia que meu vestido era curto demais.

Ah, mas vamos em frente, decidi.

James sorriu para mim. Um sorriso bonito, caloroso, de admiração e aprovação. E, por um momento, vi o homem com quem me casara.

Depois, ele notou o jovem garçom curvando-se para dar uma olhada melhor em minhas pernas debaixo da mesa, e o sorriso desapareceu, deixando-me com a sensação de ter sido roubada.

— Claire — ele franziu a testa como um patriarca vitoriano. — Cubra-se. Veja a maneira como o garçom está olhando para você!

Corei.

Sentia-me tola e constrangida, naquele momento, com meu vestido curto, em vez de sensual e elegante.

Que James fosse para o inferno por me fazer sentir assim!

Comportando-se como um maldito puritano.

Ele nem sempre foi assim, sabe? Eu podia lembrar-me de uma época em que, quanto mais curto meu vestido, mais ele gostava.

Baixei a cabeça e, maldosamente, procurei a coisa mais cara do cardápio.

— Acho que deveríamos falar sobre dinheiro — disse, depois que o garçom foi embora.

— Tudo bem — ele disse. — Pagarei com o cartão.

— Não, James — disse eu, imaginando se ele estava sendo deliberadamente obtuso. — Quero dizer, temos de conversar sobre *nosso* dinheiro. Você sabe, seu e meu, nossa situação financeira.

Falei deliberadamente de forma lenta, como se falasse com uma criança.

— Ah, entendo. — Ele fez um sinal afirmativo com a cabeça.

— Então, temos algum?

— Dinheiro? Claro que temos — disse ele, aborrecido, como se eu tivesse posto o dedo na ferida. Como se colocasse em dúvida sua capacidade de prover sua esposa e família. Ou deveria dizer: sua esposa e famílias?

— Por que duvida de que tenhamos dinheiro? — perguntou ele.

— Ora, pelo fato de eu não estar trabalhando e apenas receber a droga do auxílio-maternidade e de você estar pagando o financiamento do apartamento, o aluguel de outro apartamento e...

— O que você quer dizer, pagando o aluguel de outro apartamento? — disse ele, em tom alto e aborrecido.

— Você sabe, o apartamento em que você e... e... Denise moram — disse eu. Quase me matou dizer o nome dela.

— Mas eu voltei para nosso apartamento — disse ele, olhando-me de maneira ligeiramente perplexa. — Você não sabia?

Várias coisas me ocorreram ao mesmo tempo.

Será que eu poderia feri-lo de maneira fatal com um garfo?

Será que uma juíza seria mais leniente?

Como seria a comida da prisão?

Como seria Kate no futuro se sua mãe matasse seu pai?

A voz de James nadava em minha direção através de um nevoeiro de raiva assassina.

— Claire — ele estava dizendo, ansioso: — Você está se sentindo bem?

Percebi que segurava minha faca para manteiga com tanta força que minha mão doía. E, embora não pudesse ver meu rosto, sabia que ele ficara vermelho-vivo de tanta fúria.

— Você está me dizendo — consegui finalmente rosnar para ele — que levou aquela mulher para a *minha* casa?

Pensei que sufocaria, vomitaria ou faria *alguma coisa* antissocial.

— Não, não, Claire — disse ele. Sua voz estava apressada, ansiosa, temerosa de que, Deus não permitisse!, eu pudesse fazer uma cena. — Voltei para o nosso apartamento. Mas Deni... hã... ela, não foi.

— Ah.

Eu estava totalmente apatetada. Não sabia o que dizer. Porque não sabia como me sentia.

— Não estou... hã... você sabe... mais com ela. Já faz algum tempo que não estou.

— Ah.

De certa forma era quase pior.

Eu ainda queria estrangulá-lo.

Pensar que ele jogara fora nosso casamento, nosso relacionamento, em troca de alguma coisa que não sobrevivera a sequer dois meses de vida em comum.

Que *desperdício.* A sensação de perda sem sentido era quase insuportável.

Depois, explodi:

— Por que ninguém me contou?

O que acontecera com o sistema telegráfico de fofocas que eu e meus amigos operávamos?

James falou-me em tom apaziguador:

— Talvez ninguém saiba ainda. Não fiz muito alarde. E não vi muita gente mês passado — explicou ele, obviamente ansioso para me manter calma.

Ele *devia* estar tendo um colapso nervoso, pensei. Tornara-se uma figura reclusa, tipo Howard Hughes, fantasmagórico, vivendo nas sombras.

— Estive fora, fazendo um curso — prosseguiu ele.

— Ah.

Tudo bem, então ele não estava tendo nenhum colapso nervoso. *Não* se tornara uma figura reclusa, tipo Howard Hughes, fantasmagórica, vivendo nas sombras.

Eu deveria saber disso. James era prático demais para ter um colapso nervoso. Se alguma coisa não tivesse uma justificativa em termos financeiros, ele não ficaria interessado.

Pelo menos, isso significava que ele não estava numa viagem de férias com a gorducha Denise, quando liguei.

Que desperdício de angústia e infelicidade.

E, depois, a curiosidade continuou a me roer.

O que acontecera com James e Denise?

Sabia que não devia fazer perguntas, mas simplesmente não consegui me conter.

— Então ela chutou você? — Tentei dizer isso de maneira leve, mas soou apenas amargo. — Voltou para o Mario... Sergio, ou seja lá qual for o nome dele.

— Na verdade, não, Claire — disse James, olhando para mim com cautela. — Eu a deixei.

— Meu Deus. — A amargura saía por meus poros. — Você está transformando isso num hábito. Deixar mulheres, quero dizer — acrescentei, com crueldade, para o caso de ele não ter entendido.

— Sim, Claire, sei o que você quer dizer. — O tom de sua voz dava a entender que, de alguma forma, ele sentia que estava *acima* de tudo aquilo. Mas que era um sujeito decente, preparado para me tratar com indulgência.

Apesar disso, prossegui:

— E, de qualquer jeito, sempre achei que um cavalheiro nunca deveria dizer que deixou uma mulher. Sempre achei mais elegante dizer que ela o deixou, mesmo não sendo verdade.

Até eu estava surpresa com a maneira ilógica como me comportava. Tinha consciência do toque histérico em minha voz. Mas não conseguia me conter. Não tinha nenhum controle sobre minhas emoções desenfreadas.

— Não estou dizendo a todo mundo que a deixei — disse ele, categórico. — Estou dizendo apenas a você. Você me perguntou, lembra-se?

— Ora, por que não está dizendo a todo mundo que a deixou? *Quero* que diga a todo mundo que a deixou — exigi, com um perigoso tremor em minha voz. — Por que todo mundo soube que você simplesmente me jogou fora, e a Kate também, e agora deveriam pensar que foi ela quem o chutou? Por que ela deve ser poupada da humilhação?

— Então está bem, Claire — disse ele, suspirando alto, diante de minhas exigências ilógicas e irracionais. — Se isso a faz feliz, direi a todos o que aconteceu com Denise.

— Ótimo — eu disse, com meu lábio inferior tremendo como gelatina.

Aquilo era terrível! Para aonde fora a Claire com seu equilíbrio recuperado? Tentara tanto permanecer inteiramente controlada com James, não o deixar ver quanto me magoara e como eu estava arrasada. Mas toda a dor estava tão próxima da superfície. Eu estava à beira de um ataque de nervos.

Era tudo tão *constrangedor.* Eu estava muito perturbada e ele mantinha o controle. O contraste era mortificante.

— Vou ao toalete — disse eu. Talvez lá eu conseguisse recuperar a calma.

— Não, Claire, espere — disse James, quando eu fiz um movimento para me levantar. Ele tentou segurar minha mão através da mesa.

Sacudi sua mão com força, cheia de raiva, para me livrar dela.

— Não me toque — disse, em prantos.

A próxima coisa seria algo como: "Você perdeu o direito de me tocar quando me deixou."

— Você perdeu o direito de me tocar quando me deixou — escutei a mim mesma dizendo.

Eu sabia, eu simplesmente sabia! A pessoa que escrevia os diálogos da minha vida trabalhava numa telenovela de péssima qualidade.

Mas eu falava sério.

Queria magoá-lo profundamente. Queria que ele sentisse a mesma perda que eu sentira. Desejar tanto uma pessoa que chega até a doer. E perceber que não se pode ter essa pessoa.

E, acima de tudo, queria que ele sentisse que era *sua culpa*.

Quem fez com que acontecesse?

Foi você.

— Claire, por favor, sente-se — disse ele, soltando lentamente minha mão. Seu arremedo de palidez e nervosismo era bastante convincente. Durante um momento, senti-me culpada. Meu Deus, eu não podia ganhar.

— Calma, James — disse eu, friamente. — Não vou fazer uma cena.

Ele teve a cortesia de parecer envergonhado.

— Não é com isso que estou preocupado — disse.

— Verdade, mesmo? — zombei dele.

— Sim, verdade — ele respondeu, com um tom um pouco mais paciente. — Ouça, Claire, *precisamos* conversar.

— Não há mais nada a dizer — respondi automaticamente.

Opa! Lá íamos nós novamente. Mais clichês de merda! Honestamente, tive vontade de morrer. Era tão constrangedor.

E eu não me importaria, se ao menos fosse sincero. Havia toneladas de coisas para dizer.

Opa, opa, firme, calma aí, aguenta firme, disse a mim mesma. "Será que a discussão calma e civilizada não é parte do plano?" A parte razoável do meu cérebro perguntou com delicadeza à outra parte, propensa a discussões. "Bem, não é?"

"Acho que sim", a parte propensa a discussões admitiu, a contragosto.

— Preciso parar — disse a mim mesma, respirando fundo. — Vou parar.

— Claire — ele disse, tentando falar em um tom gentil, enquanto novamente tocava minha mão —, sei que tratei você mal.

— Mal?! — explodi, antes de poder me conter. — Mal?! Não acho que esta seja uma maneira adequada de descrever o que houve.

Ora, pouco estava ligando para ser razoável e manter o controle!

Apesar de meus esforços patéticos para controlar minhas emoções, agora eu estava soltando os cachorros. Todo aquele fingimento de ser calma, adulta e civilizada tinha ido por água abaixo. Bem, todo o fingimento de que eu era calma, adulta e civilizada, para ser específica. Ele ainda mantinha o equilíbrio com perfeição.

O equilíbrio era um de seus pontos fortes.

— De uma maneira medonha, então — concedeu ele.

Sua voz não soou muito arrependida. Falava como se estivesse se divertindo à minha custa.

Babaca sem sentimentos! Como podia ser tão controlado? Chegava a ser desumano.

— Como é que você pôde ser tão irresponsável? — explodi. Sabia que isso o feriria mais do que qualquer outra coisa. Ele podia aceitar, penitente, acusações de mesquinhez, crueldade e insensibilidade, mas chamá-lo de irresponsável era um golpe baixo. — Como pôde simplesmente nos abandonar? Eu *precisava* de você.

Terminei a frase num tom alto e apaixonado.

Seguiu-se um silêncio.

Ele ficou sentado muito quieto — perturbadoramente quieto — durante um momento, e algum tipo de emoção (embora fosse uma emoção com a qual eu não estava familiarizada) passou rapidamente por seu rosto.

Quando tornou a falar, ficou claro que sofrera uma mudança. Algo se rompera. A paciência se esgotara. Foi pegar um pacote de tolerância, e o armário estava vazio.

Foi-se o Cara Bonzinho. Que, de qualquer jeito, não chegara a ficar em muita evidência.

Quando ele falou, não foi com sua voz normal. Mas com um tom desagradável, entediado e impertinente.

— Puxa vida — disse, com uma longa pausa entre cada palavra. — Sem dúvida você precisava mesmo.

— O quê...? — perguntei, apanhada de surpresa.

Ainda estava imersa em sentimentos de perda e abandono, mas consegui entender que algo acontecera com James. E que isso era pouco vantajoso para mim. Tornou-se imediatamente óbvio que as coisas não estavam certas, quando ele concordava comigo tão rápido. Tornou-se imediatamente mais óbvio ainda que as coisas estavam de fato muito erradas, quando ele concordava comigo de forma tão rápida, com um tom de voz tão peculiar.

— Ah — prosseguiu ele, ainda nesse tom peculiar —, estou apenas dizendo que você tem toda razão. É o que você quer, não é? De fato, vou até repetir: você *precisava* de mim.

O que acontecera? Os acontecimentos haviam tomado uma direção repentina e inesperada. Senti-me como se tivesse entrado na discussão de outra pessoa. Ou como se James tivesse, com seus próprios meios, decidido mudar de canal. Eu ainda estava afundada até os joelhos na antiga conversa, aquela a respeito de James me deixar, e me sentia muito infeliz por causa disso. Mas ele passara depressa para uma nova conversa, sobre algo totalmente diferente. Esforcei-me para alcançá-lo.

— James, o que está acontecendo aqui? — perguntei, confusa.

— Que quer dizer? — inquiriu ele, num tom desagradável.

— Quero dizer, por que de repente você está tão estranho? — tornei a perguntar, nervosa.

— Estranho — ele disse, num tom pensativo, reflexivo, e olhou em torno da sala, como se apelasse para uma plateia invisível. — E ela ainda diz que estou estranho.

Isso dito pelo homem que conversava com pessoas que não se encontravam ali.

— Ora, você está mesmo — eu disse. Na verdade, ele ficava mais estranho a cada segundo.

— Tudo o que eu disse foi que precisava de você e...

— Ouvi o que você disse — ele interrompeu, zangado, abandonando bruscamente o tom entediado e impertinente.

Inclinou-se por cima da mesa e me olhou atentamente, com um rosto furioso.

Lá vai, pensei.

O alívio misturava-se com a dor. Pelo menos, agora eu saberia que diabo se passava com ele.

— Você disse que precisava de mim. — Ele fez uma espécie de som irritante e ergueu os olhos em direção ao céu. — Que belo eufemismo!

Fez uma pausa — em busca de impacto? — e tornou a me olhar fixamente.

Não me atrevi a falar. Estava hipnotizada. O que viria em seguida?

— Eu *sei* que você precisava de mim — atirou em minha cara.

— Você precisava de mim toda a droga do tempo para alguma merda de coisa ou outra. Como eu poderia *não* saber disso?

Eu só conseguia olhá-lo fixamente.

Ele não ficava irritado com frequência. Então, nas ocasiões especiais em que realmente ficava, em geral era uma delícia. Uma coisa espetacular. Mas naquele dia, não. Eu não sabia de onde vinha aquele seu ódio, mas a mensagem que ele parecia ansioso para transmitir era a de que a culpa era minha.

Isso não estava no roteiro.

Quem tinha razão era eu. Ele era o filho da puta. As coisas eram assim.

— Você precisava de mim para *tudo*! — ele quase gritou.

Acho que devo explicar a você, neste momento crítico, que James jamais gritava. Ele nunca chegara sequer a quase gritar.

— Você exigia atenção constante — prosseguiu ele. — E constante apoio. E jamais deu a mínima para mim, para como eu me sentia e para as minhas necessidades.

Eu o olhava fixamente, boquiaberta.

Não podia acreditar no que estava ouvindo.

Por que ele me atacava?

Fora ele quem me deixara, não?

Então, se havia qualquer acusação a ser feita, eu era a pessoa indicada para a tarefa.

— James... — disse eu, fracamente.

Ele me ignorou, continuando com seu discurso, a brandir o dedo para mim.

— Você era impossível. Eu estava cansado de você. Não sei como fiquei com você por tanto tempo. E não sei como *qualquer pessoa* poderia viver com você.

Ora, vejam só! Era demais. Senti um ímpeto de raiva subir por todo o meu corpo.

Eu estava sendo julgada da maneira mais arbitrária.

Eu era vítima de uma injustiça terrível.

Não ia deixar que ele fizesse aquilo impunemente.

Eu estava *lívida*.

— Ah, entendo — disse eu, absolutamente furiosa. — Então, agora é tudo culpa minha. Fiz você ter um caso. Fiz você me deixar. Ora, é engraçado, porque na verdade não me lembro de ter apontado um revólver para sua cabeça. Devo ter esquecido.

É verdade o que dizem: o sarcasmo é, de fato, a forma mais baixa do humor. Mas eu não conseguia evitar. Ele me criticava. E eu estava ardendo, *escaldada* com a sensação de injustiça.

— Não, Claire — disse ele. Na verdade, falava entre dentes, rangendo-os. O que eu jamais vira ninguém fazer, até então. Pensava que era apenas uma figura de retórica. — Claro que você não me obrigou a fazer nada.

— Então, o que é que você está querendo dizer? — perguntei.

Eu sentia um frio esquisito na boca do estômago. Sabia que era de medo.

— Estou querendo dizer que viver com você era um pouco como viver com uma criança exigente. Você sempre queria sair. Como se a vida fosse uma grande e demorada festa. E era, para você. Você ria e se divertia o tempo inteiro. E eu tinha de ser o adulto. Tinha de me preocupar com o dinheiro e as contas. Você era muito *egoísta*. Eu tinha de ser a pessoa que lembrava você, à uma da manhã em um jantar, que ambos tínhamos de ir trabalhar no dia seguinte. E, depois, tinha de suportar você me chamando de babaca chato.

Eu estava mortificada com aquela torrente de palavras de James.

Além do fato de ser inesperada, eu sentia que era bastante injusta.

— James, era assim que as coisas funcionavam para nós — protestei. — Eu era a engraçada, você era o sério. Todos sabiam disso. Eu era a palhaça, a tola que fazia você rir e se descontrair. Você era o forte. Era a maneira como ambos desejávamos que fosse. E por isso era tão bom.

— Mas não era — ele disse. — Eu estava para lá de cansado de tanto ser o forte.

— E eu nunca o chamei de babaca chato! — exclamei, de repente. Sabia que algo que ele dissera ali estava errado.

— Não importa — disse ele, irritado. — Você me fazia sentir assim.

— Sim, mas você disse que eu... — comecei a protestar.

— Ah, pelo amor de Deus, Claire — disse ele, zangado. — Lá vem você de novo tentando provar que está certa. Não pode simplesmente deixar para lá? Não pode, apenas uma vez, aceitar a culpa?

— Sim, mas... — disse eu, fracamente.

Não sabia sequer ao certo qual o motivo para aceitar alguma culpa.

Não importava. Eu não tinha tempo para pensar a respeito. James tornou a respirar fundo e recomeçou. E eu tinha de prestar o máximo de atenção ao que ele dizia.

— Você só fazia desarrumar tudo — ele suspirou. — E eu tinha de sair limpando.

— Não é verdade! — gritei.

— Bem, acredite no que estou falando, era como me sentia — disse ele, sem a menor gentileza. — Você apenas não quer admitir. Havia sempre um drama. Ou um trauma. E era sempre eu a pessoa que tinha de lidar com isso.

Fiquei calada. Totalmente mortificada.

— E, você sabe, Claire — ele continuou, solenemente —, que ninguém acorda, como num passe de mágica uma manhã sabendo como ser uma pessoa adulta. Não se sabe da noite para o dia como pagar contas. Você trabalha para chegar a isso. Você trabalha seu senso de responsabilidade.

— Sei pagar contas — protestei. — Não sou uma completa débil mental, e você sabe muito bem disso.

— Então, por que era eu que tinha de cuidar dessas coisas? — perguntou ele, formalmente.

— James — minha cabeça girava, enquanto eu procurava meios para me defender —, na verdade, tentei ajudar.

Lembrei claramente uma ocasião em que eu me sentara com James, enquanto ele, todo convencido, folheava canhotos de talões de cheques e recibos de pagamentos em dinheiro e ficava batendo nas teclas de uma máquina de calcular. Ofereci-me para ajudá-lo, naquele dia. E ele me disse, com um sugestivo brilho em seu olhar, que faria aquilo que sabia fazer e que eu também deveria fazer o que sabia. Depois, se me lembro corretamente, e tenho certeza de que sim, transamos em cima da escrivaninha. Na verdade, os relatórios bancários e as faturas do Access e do Visa para julho de 1991 ainda guardam certas marcas um tanto interessantes. Mas não consegui encontrar coragem para lembrá-lo disso.

— Na verdade, ofereci-me para ajudar — tornei a protestar —, mas você não deixou que eu o fizesse. Disse que você faria muito melhor, porque tem cabeça para números.

— E você, simplesmente, aceitou isso? — perguntou ele, com um tom desagradável, sacudindo de leve a cabeça, como se mal pudesse acreditar até que ponto eu fora tola e estúpida.

— Ora... sim, acho que sim — disse eu, sentindo-me mesmo uma tola.

Ele tinha razão. Eu o deixara preocupar-se com as cartas de advertência e os avisos de corte de fornecimento e tudo isso. Mas realmente pensava que ele desejava fazer aquilo. Não que algum dia tenha havido qualquer carta ameaçadora, aviso de corte de fornecimento ou coisa parecida. James era organizado demais para deixar alguma dessas coisas acontecer. Pensei que ele gostasse de ter o controle. Que seria menos atrapalhado se apenas um de nós se envolvesse. Como estava enganada!

Desejaria voltar no tempo. Se, pelo menos, eu prestasse mais atenção a coisas como a data em que pagávamos nossa hipoteca...!

— Sinto muito — disse eu, constrangida. — Pensei que você quisesse fazer aquilo sozinho. Eu faria, se soubesse que você não queria fazer.

— Por que eu iria querer? — perguntou ele, agressivo. — Que pessoa com a cabeça no lugar gostaria de ser inteiramente responsável pelas contas de uma casa?

— Claro, você tem razão — admiti.

— Bem — disse James, com um tom de voz um pouco mais caloroso —, acho que não foi realmente culpa sua. Você sempre foi um pouco desligada.

Engoli uma resposta azeda. Não era hora de contrariá-lo.

Mas eu não era *desligada*. Sabia que não era.

James pensava de forma diferente.

— Se pelo menos você não fosse desligada quando era realmente importante — refletiu ele. — Porque um dos problemas em nosso casamento não era apenas o de você não assumir parte das responsabilidades. Tinha mais a ver com a maneira como você me fazia sentir.

— O que você quer dizer? — perguntei. Fortaleci-me para outra rodada de acusações. Acusações que eu não queria ouvir. Mas que tinha de escutar, se quisesse entender por que ele me deixara.

— Ora, tudo girava em torno de você, não era? — disse ele.

— Como? De que maneira? — perguntei, confusa.

— Eu voltava do trabalho, depois de ter um dia terrível. E você não conversava comigo sobre isso. Falava longamente sobre seu dia, contando-me histórias e esperando que eu risse delas.

— Mas eu perguntava — protestei. — E você sempre me dizia que era chato demais para explicar. Eu só lhe contava histórias engraçadas porque sabia que você tivera um dia horrível e queria animá-lo.

— Não tente se justificar — disse ele, energicamente. — Era óbvio que você nunca queria ouvir nada desagradável. Tudo o que você queria eram momentos agradáveis. Não tinha interesse algum em ouvir falar de nada desagradável.

— James... — disse eu, sem forças.

O que eu poderia dizer?

Ele já estava com a cabeça inteiramente feita.

E, juro a você, tudo isso era completa novidade para mim. Eu jamais suspeitara de que ele se sentisse dessa maneira. E não tinha nenhuma ideia de que me comportara de maneira tão intolerável.

James não estaria, por um acaso, interessado em absolver-se de toda a culpa daquele lamentável fiasco?

Por mais remota que fosse, não haveria alguma chance de James estar manipulando-me de alguma maneira?

Eu precisava descobrir.

— James — disse eu, com um fio de voz. — Lamento perguntar isso, mas você não está tentando inventar uma desculpa para ter me deixado? Sabe, pondo a culpa em mim e transformando tudo em falha minha?

— Ah, pelo amor de Deus — bufou ele. — É exatamente o tipo de reação infantil e egoísta que eu deveria esperar de você.

— Desculpe — disse eu. — Não devia nem ter perguntado.

Outro silêncio.

— Por que você não me disse? — explodi. — Éramos tão próximos. Era tão bonito.

— Não éramos tão próximos e não era tão bonito — disse ele, duramente.

— Éramos, sim. Era, sim — protestei.

Ele já me tirou o bastante, pensei. Não vai tirar agora minhas lembranças.

— Claire, se era tão bonito, por que eu a deixei? — perguntou ele, calmamente.

E, de fato, o que poderia eu dizer? Ele estava coberto de razões.

Mas era preciso resistir. Ele recomeçava a falar. Mais acusações. Suas queixas eram uma força impossível de se deter.

— Claire, você era absolutamente impossível. Eu tinha de esconder muita coisa de você. Precisava carregar sozinho tantas preocupações, porque sentia que você não tinha condições de suportá-las.

— Por que você não me testou?

Ele sequer se deu o trabalho de responder.

— Você era simplesmente insuportável. Eu chegava em casa do trabalho, exausto, e você decidia, sem mais nem menos, fazer um jantar para oito pessoas. Resultado: eu tinha de sair correndo de um lado para o outro, feito um louco, comprando cerveja, desarrolhando garrafas de vinho e batendo creme.

— James, isso só aconteceu uma vez. E foi para seis pessoas, não para oito. E foi para seus amigos que vieram de Aberdeen. Deveria ser uma surpresa para você. Quem bateu o creme fui eu.

— Escute, não vou entrar em detalhes — disse ele, teimoso. — Certamente você pode tentar justificar qualquer coisa que eu lhe disser, mas mesmo assim estará errada.

Posso tentar justificar qualquer coisa que fiz, porque sinto que as coisas que fiz estavam certas, pensei, confusa. Mas não disse nada.

— Pensei que você gostasse que eu fosse espontânea — disse eu, tímida. — Pensei que você até encorajasse isso.

— Ora, essa é a maneira como você vê as coisas — disse ele, com um sorriso de escárnio. — Acho que é a maneira como você deseja ver tudo o que aconteceu — repetiu, um pouco mais brando.

Um garçom sorridente aproximou-se de nossa mesa, a passos rápidos. Mas parou subitamente e deu uma volta brusca em direção a outra mesa, ao notar o olhar furioso que James lhe lançou.

— Então, você pensou que me ajudaria a crescer. Pensou que, se me abandonasse, poderia dar-me um choque que me levaria a isso — disse eu, com essa percepção surgindo aos poucos, embaralhada. — Que pena ter usado medidas tão extremas.

— Ah, não foi por isso que deixei você — ele disse. — Não foi para forçá-la a se tornar adulta. Francamente, não achei que fosse possível. Mas desejei estar com alguém que se preocupasse comigo. Alguém que cuidasse de mim. E Denise fez isso.

Engoli a mágoa.

— Eu *me preocupava* com você. Eu o *amava.* — Tinha de fazer com que ele acreditasse em mim.

Prossegui:

— Você nunca me deu a chance de ajudá-lo. Você nunca me deu uma só oportunidade de ser forte. *Sou* forte, agora. *Poderia* ter cuidado de você.

Ele me olhou. Usava sua expressão paternal, indulgente.

— Talvez pudesse — disse ele, muito mais brando. — Talvez pudesse.

— E, agora, jamais saberemos — pensei em voz alta, com meu coração quase se partindo, tal a sensação de perda, de oportunidades perdidas, de não ter sido compreendido.

Houve uma pequena e estranha pausa. Depois, ele falou.

— Hã, acho que não — disse, apressadamente.

E agora?

Eu me sentia farta, triste, penalizada.

Triste por nós dois.

Triste por James, que carregara sozinho tantas preocupações.

Triste por mim, por ter sido tão pouco compreendida.

Ou era triste eu ter entendido tudo tão mal?

Triste por Kate, a vítima inocente.

— Você deve ter pensado que eu desmoronaria sem você, não é? — perguntei-lhe. Sentia-me acalorada, cheia de raiva, com muita vergonha e mortificação.

— Sim, acho que sim — ele admitiu. — Ora, você não pode culpar-me por isso, não é?

— Não — disse eu, baixando a cabeça. — Mas não desmoronei, não é? — perguntei. Lágrimas escorriam pelo meu rosto. — Enfrentei a situação que você criou. E enfrentarei tudo o que o futuro me apresentar sem você.

— Estou vendo. — Ele fez um sinal afirmativo com a cabeça e olhou com algum divertimento para meu rosto molhado, marcado pelas lágrimas. — Ah, sua tolinha, venha cá. — Ele mais ou menos me puxou, todo desajeitado, por cima da mesa, empurrando o jarro de flores e os galheteiros para o lado, e deu palmadas em minha cabeça, levando-a para cima do seu ombro, de uma maneira supostamente reconfortante.

Deixei minha cabeça ali por um momento. Senti-me um pouco desconfortável e tola. Endireitei-me outra vez. Dificilmente minha causa se beneficiaria, se eu continuasse a me comportar como uma criança necessitada de conforto.

Mas isso também não pareceu agradar a ele.

— O que há de errado? — perguntou, num tom de voz meio aborrecido.

— O que quer dizer? — perguntei, imaginando o que fizera agora.

— Por que se afasta de mim? Posso ter deixado você por outra mulher, mas será que contraí raiva ou algo parecido? — Deu um pequeno sorriso afetado, por causa de sua piadinha. Que fracamente tentei retribuir.

— Ah, não — disse eu, totalmente confusa. O que ele *queria* de mim? Eu não conseguia agradá-lo, fosse qual fosse minha maneira de me comportar.

Estava exausta.

As coisas eram muito mais claras quando ele era um babaca infiel e mulherengo. Sabia então onde eu pisava. Entendia aquela situação. Mas ele devia estar certo. Com certeza eu gostava mesmo de ser irresponsável. De outra forma, por que eu não podia aceitar a culpa pela minha parte no fim do casamento?

Mas era difícil aceitar que fosse tudo culpa minha. Fora ele quem me deixara. Fora ele quem partira meu coração.

Nada que eu esperava que acontecesse chegou a acontecer. Pensara que ele poderia perguntar se eu queria voltar para ele. Ou isso, ou que ele continuaria a se comportar como um total canalha. Sem dúvida, o que eu não esperava era acabar pedindo desculpas por causar sozinha toda aquela situação.

As coisas tinham ficado bastante claras. Ele fora a escuridão, e eu a luz. Ele fora o errado, e eu era a vítima.

Agora, estava tudo misturado.

Eu era a errada, e ele era a vítima.

Não parecia certo.

Era duro, mas me senti preparada para refletir um pouco mais sobre o assunto.

— Ouça, James — disse eu, engolindo as lágrimas. — Tudo isso está sendo um choque para mim. Preciso pensar no que você disse. Vou embora agora. Conversarei com você amanhã.

E, tendo dito isso, pulei da cadeira e me dirigi para a porta, deixando James sentado à mesa, mexendo silenciosamente a boca, como um nervoso peixinho dourado.

— Que bom pra você, querida — disse um dos garçons para mim, quando passei às pressas. — Ele não é para você, de jeito nenhum.

Dirigi para casa em alta velocidade, avançando sinais vermelhos e arriscando a vida dos pedestres e dos outros motoristas.

29

Coloquei a chave na fechadura e, com uma maravilhosa exibição de suas habilidades psíquicas, a porta da cozinha se abriu e Anna, Helen e mamãe correram para o hall para me receber. Ou então me ouviram estacionando o carro.

— Como foram as coisas? — perguntou mamãe.

Obviamente, estavam todas sem ter o que fazer, no momento. A novela da minha vida real não atrairia tanto interesse, se tivessem algo melhor com que se ocupar.

— O que aconteceu? — gritou Helen.

— Ah, notícias maravilhosas — berrei, chorosa, enquanto começava a subir a escada para ver Kate.

— Ah, que bom — mamãe estava exultante.

— Bem, vocês sabem a maneira como James me deixou e foi embora para viver com outra pessoa, sem sequer saber o nome de Kate. Ora, pois está tudo bem, agora. Porque foi minha culpa. Eu estava pedindo isso. Aparentemente, eu estava suplicando por isso. De joelhos, implorando por isso!

Kate começou a berrar, quando me viu. E, levada por um impulso, decidi fazer o mesmo. Eu não estava achando essa aceitação de culpa uma coisa fácil, como você deve ter percebido.

Mas despejei minha frustração pela situação em cima de Helen, Anna e mamãe, quando deveria tê-la transmitido a James. E isso não era justo com as meninas e mamãe. Uma vozinha lembrou-me de que eu tentara falar com James a respeito e que ele dissera que aquilo era outra prova da minha infantilidade. Ora, ele provavelmente estava certo. Em geral estava.

Mas que droga, pensei, com rebeldia.

E agora eu tinha de parar de ser ressentida e rebelde. Não era mais uma adolescente de 29 anos. Se queria me tornar uma adulta sensível, reflexiva e atenciosa, então eu devia começar exatamente naquele momento.

Podia começar prestando atenção às necessidades de Kate.

— O que é que posso pegar para você, minha querida? — perguntei. E imaginei se isso seria suficientemente *maduro* para James. Precisava parar!

Ele estava certo, e eu, errada.

Tentei acalmar a criança que chorava em meus braços.

— Fraldas limpas, talvez? Ou será que você está interessada em uma mamadeira? Temos também um maravilhoso sortimento de atenção e afeto. Tudo está disponível. Basta você pedir.

Mas não, até isso eu estava fazendo errado. Segundo James, as pessoas não deveriam nem precisar me pedir o que queriam. Se fosse realmente desprendida, eu deveria saber.

Por uma questão de segurança, dei-lhe tudo. Troquei sua fralda, alimentei-a e disse-lhe que ela era mais bonita do que Claudia Schiffer.

Mamãe, Anna e Helen materializaram-se no quarto. Esgueiraram-se cautelosamente para dentro, imaginando até que ponto eu enlouquecera.

— Ah, olá — disse eu, quando vi a primeira cabeça aparecendo timidamente na porta. — Entrem, entrem. Desculpem aquela pequena cena na entrada. Eu estava perturbada. Não tinha nenhum direito de descontar tudo em cima de vocês três.

— Ah, que bom, então — disse Helen. As três marcharam para dentro e se instalaram na cama, enquanto eu cuidava de Kate e lhes contava a história da minha noite.

— Então, de uma maneira engraçada, saber quanto fui difícil torna o fato de ele ter me deixado um pouco mais fácil — disse-lhes eu. — Sabem, pelo menos faz sentido.

— Claire — disse mamãe, cautelosamente —, tenho certeza de que você não pode ter sido tão má quanto ele a pintou.

— Eu sei, também não entendo isso — admiti. — Mas, quando eu lhe disse isso, ele respondeu que era exatamente a maneira como esperava que eu reagisse.

Realmente, não havia nada que se pudesse dizer.

James não me deu chance alguma.

Aquela noite foi terrível. Tão ruim quanto os primeiros dias logo depois que ele me abandonou. Quando as outras finalmente foram embora, depois de desistirem de tentar assegurar-me de que eu não podia ser tão ruim assim, não consegui dormir. Fiquei estirada de costas, olhando fixamente para a escuridão. Perguntas zumbiam em minha cabeça.

Tudo isso representara um choque terrível. Eu jamais soubera que era tão egoísta e imatura. Nunca ninguém se queixara disso. Sem dúvida, eu era animada. E talvez um tanto barulhenta e cheia de vida. Mas, honestamente, eu pensava que tinha consideração com os sentimentos das outras pessoas.

Passou pela minha cabeça a hipótese de que talvez, apenas talvez, James estivesse exagerando o quanto agi mal com ele. Ou inventando tudo, simplesmente. Tornei a rejeitar essa ideia, quase com a mesma rapidez. Isso era apenas uma tentativa de fugir da culpa. Por que James faria uma coisa daquelas se tudo não fosse verdade? Como ele próprio dissera — e suas palavras não paravam de ecoar em minha cabeça: "Se eu fosse feliz, por que iria embora?"

Admito que detestava ao máximo estar errada. Não era boa, na verdade, em admitir graciosamente que me equivocara. Sentia-me ardendo toda, em carne viva, liquidada, mortificada. Fora tão presunçosa. Pensara que estivesse com a razão. Era muito humilhante descobrir que não.

Mesmo quando eu era menina e não soletrava tudo direito na escola, achava muito duro curvar a cabeça, engolir em seco e dizer: "Você está certa e eu estou errada."

Bem, a prática faz a perfeição.

Finalmente, dormi.

30

Papai me acordou na manhã seguinte atirando um imenso envelope de papel pardo embaixo do meu nariz.

— Tome — ele disse, cheio de mau humor. — Pegue isso. Estou atrasado para o trabalho.

— Obrigada, papai — disse eu, sonolenta, arrastando-me de cima da cama, enquanto tirava o cabelo dos olhos.

Olhei para a carta. Tinha um carimbo de Londres. Com um pequeno calafrio, percebi que era a escritura do apartamento e todos os outros documentos que James pedira para serem enviados.

Pensei, brincando, em telefonar para o Vaticano, a fim de informar sobre um milagre. Tinha certeza de que nada jamais chegara tão rapidamente de Londres a Dublin.

Pensei, brincando, em vez disso, em telefonar para James.

Podia ser melhor se eu telefonasse para James.

Embora, provavelmente, eu recebesse uma acolhida melhor no Vaticano.

Descobri o número do The LiffeySide na lista telefônica. Uma mulher atendeu. Pedi para falar com James.

Ela me disse que aguardasse um momento, enquanto ia chamá-lo. Enquanto esperava, ouvia ruídos ao fundo que soavam como disparos de metralhadora. Ora, com certeza devia ser apenas a máquina de lavar roupa, mas quando se conhecia The LiffeySide e a rua onde ficava, a tendência era apostar que se tratava mesmo de uma metralhadora.

— Alô — disse James. Sua voz soava formal e importante.

— James, sou eu — disse.

— Claire — disse ele, tentando dar um tom amável à sua voz. — Eu ia justamente ligar para você.

— É mesmo? — perguntei, imaginando qual o motivo. Será que acabara de lembrar-se de alguma outra maneira terrível como eu o tratava? Será que omitira alguma crítica importante sobre meu comportamento em público, que pretendera comunicar-me na noite passada?

Vamos, vamos, adverti a mim mesma. Seja desprendida e adulta com relação a isso.

— Dá para acreditar? — perguntou ele, em tom incrédulo. — Nenhuma banca de jornais desta cidade abre antes das 9 horas. Estou tentando conseguir o *Financial Times* desde que me levantei, mas não teve jeito.

— Ora, ora, mas é incrível mesmo — disse eu, sentindo uma onda de irritação. Mas tentei escondê-la. Precisava ter em mente que, embora o *Financial Times* não fosse importante para mim, era importante para outro ser humano, isto é, James, e então, como uma pessoa altruísta, atenciosa e empática, eu *deveria* me importar

— Era a propósito disso que você estava prestes a me telefonar? — perguntei. — Para me dizer isso?

— Não, não, não. O que era mesmo? Ah, sim — disse ele, lembrando-se. — Queria saber se você está bem, depois da noite passada. Percebo que posso ter sido um pouquinho... bem... *duro* com você. Vejo agora que você não tinha nenhuma ideia de que se comportava de forma tão egoísta e impensada. As verdades desagradáveis que lhe disse podem ter lhe causado certo choque.

— Bem, certo choque, sim — admiti.

A confusão começou novamente. Eu me sentia como um suspeito sendo interrogado por dois policiais, um simpático e um grosseiro. Exatamente quando eu me acostumava com um deles sendo duro comigo, o outro começava a ser muito simpático, fazendo-me ter vontade de chorar e abraçá-lo. Só que existia apenas um James. Mas o efeito era o mesmo. Agora que ele estava sendo simpático comigo, tive vontade de, sim, você já adivinhou, chorar e abraçá-lo.

— Você não foi terrível de propósito — ele prosseguiu. — Apenas não tinha consciência do que fazia.

— Não — funguei. — Não tinha.

Estava tão *satisfeita* por ele finalmente estar sendo simpático comigo que poderia chorar de alívio.

— Deve se esforçar mais — disse ele, com uma risadinha. — Não é mesmo?

— Hã, sim, suponho que sim. Boas notícias, James — disse eu, chegando ao assunto do meu telefonema.

— Do que se trata? — perguntou ele.

Sua voz soava satisfeita e indulgente.

— Os documentos chegaram! — disse eu, em tom triunfal. — Mal posso acreditar nisso. Deve ser a primeira vez que acontece com o sistema postal irlandês.

— E então? — perguntou ele, bruscamente.

Ah, meu Deus, pensei, irritei-o novamente. Vejo o que ele quer dizer. Parece que faço isso sem sequer ter consciência.

— Então é bom... — disse eu, sem forças. — Não precisamos perder mais tempo. Podemos começar a resolver as coisas imediatamente.

— Ah. — A voz dele soou um tanto aturdida. Um tanto estúpida. — Ah — disse ele outra vez. — Ótimo. Que bom.

— Por que você não vem até aqui? — sugeri. — Não haverá óleo fervente, prometo.

Forcei-me a rir de uma maneira gentil e bem-humorada.

Como se a própria sugestão de que ele pudesse sofrer algum tipo de lesão nas minhas mãos ou nas mãos da minha família fosse grotesca.

— Ótimo — disse ele, laconicamente. — Estarei com você em uma hora.

E desligou sem dizer mais nada.

Uma breve ideia passou por minha cabeça.

Será que James era esquizofrênico?

Será que havia algum caso de loucura em sua família?

Sem a menor dúvida, eu estava com uma dificuldade dos diabos para acompanhar todas aquelas mudanças de seu estado de espírito.

Alguma coisa devia estar causando aquilo.

Talvez eu descobrisse, quando ele chegasse. Enquanto isso, eu daria uma olhada furtiva nos documentos, apenas para ver se eu, de fato, tinha qualquer direito.

Precisamente uma hora depois, a campainha da porta tocou. Era James.

Ele me cumprimentou com um sorrisinho e uma pergunta sobre a saúde de Kate.

— Ah, por que não pergunta a ela você mesmo? — sugeri.

— Ah, hã, está ótimo — disse ele.

Fomos para a sala de jantar, onde estava Kate. James, hesitante, fez-lhe cócegas. Fui para a cozinha fazer café.

Reapareci com o café e me virei para James com um sorriso.

— Está bem — disse, amavelmente. — Vamos começar?

Apontei para os documentos, espalhados em cima da mesa.

Ambos nos sentamos.

— Achei que seria melhor se começássemos com os documentos do apartamento — disse eu.

— Ok — disse ele, com voz débil.

— Pois bem, se você olhar para esta cláusula aqui — disse eu, apontando para uma que se referia à venda do apartamento antes de a hipoteca ter sido inteiramente paga —, verá que...

Entrei em explicações e sugestões, temperadas com o estranho toque do jargão legal. Estava orgulhosa de mim mesma. Minha voz soava como se eu soubesse exatamente do que falava. Sem ter muita consciência disso, esperava impressioná-lo. Mesmo separados, era importante para mim que ele começasse a pensar em mim como uma mulher capaz e não como uma mimada e tonta boboca.

Depois de algum tempo, notei que ele não prestava a menor atenção ao que eu dizia.

Apenas se recostava em sua cadeira e olhava para o meu rosto, não para os documentos que eu tão esforçadamente lhe explicava.

Parei no meio da cláusula sobre isenção de responsabilidade e perguntei:

— James, o que há? Por que você não está prestando atenção?

Ele despenteou afetuosamente meu cabelo — o que foi uma completa surpresa, pode acreditar — e disse, com um pequeno sorriso:

— Pode parar agora, Claire, estou convencido.

— Convencido do quê? — perguntei-lhe.

Sobre que diabo ele estava falando agora?

— Estou convencido de que você mudou. Não precisa continuar representando.

— Representando o quê? — perguntei, sem compreender.

— Você sabe — disse ele, sorrindo e me olhando bem dentro dos olhos. — Esse fingimento de que vamos vender o apartamento e chegar a um acordo de pensão para Kate. Agora pode parar.

Eu não disse nada. Que diabo, neste mundo, eu poderia dizer?

— Não é representação — gritei.

— Claire — disse ele, sorrindo, indulgente. — Devo admitir que você de fato me enganou, a certa altura. Quase acreditei que falasse sério. Realmente era preciso chegar ao ponto de deixar que os documentos fossem enviados? Não foi um pouco além da medida?

— James — disse eu, com voz fraca.

Ele parecia encarar isso como algum tipo de capitulação. Pôs os braços em torno da minha cintura e me puxou para ele. Fiquei ali sentada, com a cabeça rigidamente apoiada em seu ombro.

— Ouça, sei que para você foi muito difícil. Uma dificuldade dos infernos — disse ele. Eu podia ouvir o pesaroso sorriso em sua voz. — Mas posso ver que você está fazendo um esforço. Posso ver quanto você se esforça para me convencer de que agora é responsável, adulta, que tem consideração pelos outros.

— É mesmo? — perguntei.

— É, sim — disse ele, bondosamente. Afastou-se de mim e me olhou dentro dos olhos. — Você se esforça. Então, para começo de conversa, podemos esquecer de tudo isso. — Remexeu os papéis em cima da mesa e juntou-os numa pilha desarrumada.

— Por quê? — perguntei.

— Porque não venderemos o apartamento. — Ele sorriu.

Olhou com um pouco mais de cuidado para meu rosto pálido e chocado.

— Ah, meu Deus. — Ele bateu sua mão dramaticamente na sua testa. — Você não percebeu, não é?

— Não — eu disse.

Ele agarrou-me à força pelos ombros e colocou seu rosto próximo do meu.

— Eu te amo — disse, com uma pequena risada. — Sua tolinha, será que não percebeu?

— Não — disse eu, sentindo-me como se estivesse prestes a explodir em prantos.

Não é estranho como o alívio pode algumas vezes parecer-se tanto com o terror?

E como a felicidade pode ter um gosto de desapontamento?

— Por que acha que vim a Dublin? — Sacudiu-me gentilmente pelos ombros e me deu aquele mesmo sorriso indulgente.

— Não sei — gaguejei. — Talvez para acertar as coisas.

— Acho que você pensou que eu nunca a perdoaria pela maneira como se comportou.

Na verdade, não, eu não estava pensando em nada do gênero, imaginei.

— Mas eu a *perdoei* — disse-me ele, bondosamente. — Estou pronto para fazer as coisas darem certo, no futuro. Tenho certeza de que tudo será muito diferente, porque você cresceu.

Fiz, sem dizer uma palavra, um sinal afirmativo com a cabeça.

Por que eu não estava feliz?

Ele ainda me amava.

Jamais deixara de me amar.

Eu o afastara.

Mas eu estava diferente, agora, e as coisas podiam ser endireitadas.

Não era isso o que eu queria?

Ora, não era?

Ele olhou para meu rosto silencioso e chocado e me fez um afago debaixo do queixo.

— Você não está mais com aquela história de Denise na cabeça, não é? — perguntou ele, como se essa fosse uma ideia inteiramente grotesca.

— Bem, na verdade, estou — disse eu, com voz débil. Sentia que não tinha nenhum direito de me queixar de nada, agora que ele estava sendo tão bonzinho comigo.

— Mas não foi nada — protestou ele, risonho. — Foi apenas uma reação à maneira como você me fazia sentir. Tenho certeza de que você não cometerá novamente esse erro. — Sorriu, como se isso fosse engraçado.

Mas não era.

— Hã, está certo, James — disse eu. Sentia-me como se minha cabeça fosse explodir. Tinha de me afastar dele por algum tempo. — James — prossegui, fracamente. — Isso foi uma terrível...

— Surpresa! — interpôs ele. — Eu sei, eu sei.

— Preciso ficar sozinha para pensar um pouco em tudo isso.

— O que há para pensar? — perguntou ele, em tom despreocupado.

— James — disse eu —, você me magoou terrivelmente. Magoou e humilhou. Não posso simplesmente eliminar esse sentimento só para agradar você.

— Ah, meu Deus — ele suspirou. — Você está de volta à "pobre Claire", repetindo tudo. Pensei que tivesse mudado. Que tal a maneira como você me magoou e humilhou?

— Mas nunca pretendi fazer isso...

— Ora, eu também nunca parti com a intenção de magoar você — respondeu ele com um leve tom de impaciência em sua voz. — Simplesmente aconteceu.

— Mas você disse que *amava* Denise — falei, lembrando-me do detalhe que mais me magoara.

— *Pensei* que a amava — disse ele, cuidadosamente, como se explicasse alguma coisa a uma criança muito pequena. — Mas descobri que não era verdade.

Houve uma pausa.

Depois, ele falou.

— Ótimo, está bem! — disse, em tom agressivo. — Você quer que eu admita que cometi um erro. Ótimo, eu o farei. Apenas para lhe mostrar como estou empenhado em fazer nosso casamento dar certo.

Fez uma pausa e disse, numa voz cantada, como se fosse um menino falando, o tipo de menino que a gente tem vontade de matar:

— "Cometi um erro." Isso basta?

— Hã, obrigada! — disse eu, educadamente.

Será que ele, por favor, não podia ir embora?

— Claro, se você vai se prender a queixas e lamentações, então não adianta eu estar aqui, não é? — perguntou ele. — Se for esse o caso, irei diretamente para o aeroporto, voltarei para Londres e jamais tornarei a falar em tudo isso outra vez.

— Não, não faça isso. — Senti-me em pânico com a hipótese de ele me deixar de novo.

Mas também me sentia em pânico com a hipótese de ele ficar.

Era demais lidar com isso.

Ele me abandonara sem mais nem menos.

Mas ainda me amava e queria tentar novamente.

Seria esse o comportamento de uma pessoa lógica?

— Claire — ele disse, fazendo outra vez o gênero "James, o Bom Sujeito". — Posso imaginar o quanto é difícil de lidar com tudo isso. É perfeitamente compreensível. Você achou que estava inteiramente sozinha. E, agora, descobre que tem de volta sua antiga vida feliz. Deve ser duro engolir tudo isso de uma só vez.

— É isso mesmo — gaguejei.

— Então, vou deixá-la sozinha por algumas horas.

— Obrigada. — Relaxei de alívio.

— Vou cuidar das passagens aéreas. Que dia você gostaria de voar de volta para Londres?

— Ah, não sei. — O pânico tornou a me dominar. Eu não queria voltar para Londres. Pelo menos, não queria voltar com James.

— Não deixe para amanhã o que pode fazer hoje, hein? — Ele piscou. — Quanto tempo você demoraria para fazer as malas?

— Ah, James, não sei — disse eu, sentindo-me inteiramente horrorizada. — Séculos, provavelmente, com todas as coisas de Kate.

— Ah, sim, Kate — disse ele, como se tivesse acabado de lembrar-se dela. — É melhor também fazer a reserva para ela no avião.

— Bem, não faça nada, por enquanto — disse eu. — Dê-me um pouquinho de tempo para pensar em tudo isso.

— Bem — disse ele, franzindo a testa. — Estou faltando ao trabalho neste período aqui. Então, gostaria de voltar logo que possível, agora que já esclarecemos tudo.

— Mais tarde converso com você a respeito — disse eu, conduzindo-o para a porta da frente.

— Bem, não demore muito com isso — falou ele. — Afinal...

— Tempo é dinheiro, eu sei, eu sei — concluí a frase para ele, cheia de cansaço.

Fechei a porta quando ele saiu e fiquei em pé por um momento, encostada nela, sentindo-me muito fraca.

— Ele já foi embora? — cochichou uma voz.

Era mamãe, esticando a cabeça para fora do seu quarto e olhando para mim, embaixo, no saguão.

— Já — eu disse.

— O que há de errado? — perguntou ela, vendo meu aspecto chocado.

— Nada — respondi, fraca.

— Que bom — ela disse.

— James me disse que ainda me ama — falei, em tom apático.

— O quê?! — berrou ela.

— Espero que você tenha dito a ele onde enfiar esse amor! — gritou uma voz atrás de mamãe.

— Claire, Claire — disse mamãe, correndo pela escada abaixo —, venha cá. Sente-se. Conte-me o que aconteceu. Essa é uma grande notícia.

Ela me conduziu para a cozinha.

— Onde está Kate? — perguntou.

— Na sala de jantar — disse eu, sentando-me à mesa da cozinha.

— Vou pegá-la — disse mamãe, e saiu correndo.

Voltou num momento, com o rosto todo ansioso e impaciente.

— Então, o que ele disse? — perguntou, ansiosa.

— Disse que ainda me ama e me quer de volta — disse eu, sem nenhuma expressão.

— Ora, isso não é ótimo? — perguntou mamãe.

— Acho que sim — disse, em tom de dúvida.

— E qual é a situação dele com essa tal Denise? — perguntou ela, olhando-me cuidadosamente.

— Segundo parece, ele nunca a amou — disse eu, com tranquilidade. — Apenas procurou-a quando sentiu que não estava obtendo de mim nenhuma atenção, cuidado e amor.

— E acabou tudo com ela? — perguntou mamãe.

— Acabou — eu disse.

— Você acredita nele? — perguntou ela.

— É muito engraçado, mas acredito — disse eu.

— Bem, então está ótimo — falou mamãe.

— Será? — perguntei.

Mamãe ficou em silêncio durante alguns momentos. Pensava a respeito de alguma coisa.

— Claire — disse ela —, não cometa o erro de deixar que o orgulho atrapalhe o perdão. Você ainda o ama. Ele ainda a ama. Não jogue fora tudo isso apenas porque está com os sentimentos feridos.

Permaneci em silêncio. E ela continuou a falar. Com uma expressão distante e sombria em seus olhos.

— Muitos casamentos passam por crises — disse ela. — E as pessoas as superam. Aprendem a perdoar. E, depois de algum tempo, até aprendem a esquecer. E o casamento, em geral, fica mais forte em seguida, quando as pessoas lutam por ele e ficam juntas.

Ah, não. Eu reconhecia esse roteiro. É aquele em que a mãe revela à filha que ela teve um caso, há muitos anos, com alguém, como o melhor amigo do seu marido. Ou, mais provavelmente, que o pai da filha teve um caso com alguém. ("O quê? Você quer dizer que papai teve um caso?") E a mãe estava inteiramente decidida a deixá-lo e a levar os filhos com ela. ("Você era apenas uma criança de colo.") Mas a mãe não foi embora. Ela o perdoou. O pai ficou louco de arrependimento. E, agora, o casamento deles estava mais forte do que nunca.

Mas, se ela estivera prestes a me contar algo parecido, mudou de ideia. A expressão sombria clareou em seus olhos.

Ela voltou ao presente.

— Vai demorar para toda a mágoa desaparecer — disse ela. — Você não pode esperar que desapareça instantaneamente. Mas, com o tempo, realmente desaparecerá.

— Não sei, mamãe — murmurei. — Minha impressão é de que está tudo errado.

— De que maneira?

— Não sei... — suspirei. — Não há sensação de *triunfo*. De vitória. E ainda me sinto com raiva dele.

— É ótimo sentir-se ainda com muita raiva dele — disse. — E você tem todo o direito de estar com raiva pelo que aconteceu. Mas torne a conversar com ele. Talvez vocês possam recorrer a um conselheiro matrimonial. Mas não deixe que a raiva a cegue para tudo. Afinal, estamos falando do pai de sua filha. Se você não consegue engolir a raiva em seu benefício, pense em Kate. Faça isso por ela. Você não vai querer privar sua filha do pai apenas porque está com raiva dele.

Ela terminou com um tom muito apaixonado.

E, antes que eu pudesse responder, ela já recomeçava a falar.

Mais tiradas apaixonadas.

— E, quanto a desejar sentir triunfo ou vitória com o fato de tê-lo de volta, isso é muito vazio. Muito oco. Realmente *é* uma coisa infantil desejar ser uma vencedora, neste caso. Não há vencedores nem perdedores numa situação como essa. Se você conseguir que seu casamento volte a funcionar, já será uma vencedora. *Será* vitoriosa!

Ela devia procurar um emprego como escritora de discursos para revolucionários! Aquilo mexia com a pessoa!

— Está bem — disse eu, com certa dúvida. — Se você tem certeza...

— Ah, eu tenho — disse ela, cheia de confiança. — Seu casamento foi muito bom durante algum tempo. Claro que você encontrou problemas. E não foram bem resolvidos. Mas, provavelmente, ambos aprenderam com isso.

— Acho que sim — eu disse.

— E isso só serve para mostrar que você não pode ter sido tão ruim quanto ele pensa, se ele a quer de volta. — Ela sorriu.

Mas não achei engraçado.

Eu ainda estava achando difícil de acreditar que eu tivesse sido tão difícil, afinal.

Quem foi que disse: "Tenha cuidado com seus desejos. Eles podem se realizar?"

E um santo qualquer disse: "Há mais lágrimas causadas pelas preces atendidas do que pelas não atendidas."

Entendia o que queriam dizer.

Eu ficara tão magoada. Eu o amara tanto. E desejara James, meu casamento e minha antiga vida de volta. E agora que eu tinha tudo isso, não estava certa, realmente, de qual o motivo para tanta confusão.

Por quê?

Eu estava recebendo meu casamento de volta; antes, porém, tinha de aceitar que era imatura, difícil e egoísta. E que fora uma carga para James. E estava achando isso muito, mas muito difícil. Quero dizer, eu sabia que devia ser verdade. Não havia nenhum outro motivo para que ele me deixasse. Mas, se eu não tinha sequer certeza do que fazia de errado, então como diabo poderia ter certeza de que não ia repetir tudo?

Ainda sentia uma grande humilhação e mágoa por ele ter transado com aquela vaca gorda. Mas ele não me deixava dizer-lhe isso. Eu me sentia como se não pudesse queixar-me, porque me fazia parecer egoísta e imatura. Eu não podia ganhar.

Sabia que o amava. Mas não podia realmente lembrar-me do que amava nele. Ele parecia tão... tão... tão *pomposo*. Será que ele foi sempre assim? Tão sem humor, digamos, tão glacial?

E como seria o futuro?

Será que eu teria medo de fazer comentários petulantes e de lhe contar histórias engraçadas?

Teria medo de me apoiar nele e sentir que era protegida, como costumava fazer, preocupada com a possibilidade de ele se sentir solitário e abandonado?

Nossos papéis haviam sido trocados.

E eu não sabia como devíamos nos comportar um com o outro.

Tudo teria de ser reaprendido. Era muito assustador.

O que havia de errado com a maneira como nosso casamento fora?

Ora, muita coisa, obviamente, quando se ouvia James falar.

Mas eu gostava do jeito que havia sido. E não tinha certeza se poderia funcionar de outra forma.

Só havia uma maneira de descobrir, porém: voltar com ele e tentar de novo.

Eu precisava fazer isso, nem que fosse só por causa de Kate.

Valia a pena tentar. Porque fora tão bom.

Mas, naquele momento, era terrível.

Eu ainda me sentia tão em carne viva, com raiva e humilhada.

Sentia vontade de bater nele todas as vezes que dizia como eu era infantil.

Ótimo, então. Respirar fundo. Levantar os ombros.

Eu voltaria para Londres com ele.

Kate teria direito ao seu pai.

E eu teria uma oportunidade de endireitar as coisas.

Engraçado isso. A pessoa deseja uma coisa tão profundamente que dói. E então, quando essa coisa acontecesse, mas precisa de muita restauração, renovação, derrubada de paredes, nova fiação elétrica e canos novos, ela pensa: "Mas que diabo! Não quero mais isso. Vou me conformar com algo menor, sem jardim, mas pelo menos *já pronto*."

Mamãe ainda estava sentada, olhando para mim. Sua expressão era de ansiedade.

— Está bem, mamãe. *Vou* voltar para ele. Tentarei novamente.

De fato, não parecia haver outra coisa a dizer.

Levantei-me e suspirei.

— É melhor ligar para James e falar que vou voltar.

Fui até o telefone. Sentia-me como se fosse enfrentar um pelotão de fuzilamento. Telefonei para The LiffeySide.

— James — disse, quando ele atendeu. — Estive pensando sobre o que conversamos e tomei uma decisão.

— Qual é? — perguntou ele, bruscamente.

— Voltarei. Tentarei de novo.

— Que bom — disse ele. Podia-se ouvir o fraco sorriso em sua voz. — Que bom. Nos esforçaremos mais desta vez, hein?

— E nada mais de Denise? — perguntei.

— Nada mais de ninguém. Se as coisas funcionarem — ele disse.

Não gostei da ameaça velada que havia aí.

— James — eu disse, nervosa —, você sabe que não estou achando isso fácil. Ainda me sinto traída e magoada. E isso não vai passar imediatamente.

— Não — ele concordou, com seu tom de voz bem razoável. — Talvez não imediatamente. Você deve trabalhar para se livrar desses sentimentos, né? Mas não haverá futuro se você não puder me perdoar.

— Eu sei — falei, quase lamentando ter mencionado isso.

E então respirei fundo.

— Você também estava errado, não estava?

— Já admiti isso — disse ele, friamente. — Vamos ter de relembrar isso todos os dias pelo resto de nossas vidas?

— Bem, não... mas... — gaguejei.

— Mas nada — disse ele. — Está no passado, agora. Temos de esquecer isso e olhar para o futuro.

É muito mais fácil para você do que para mim, pensei. Mas não disse. Não adiantava. Não me levaria a parte alguma.

— Bem, para quando devo reservar as passagens de volta para Londres? — perguntou ele, quebrando meu silêncio ressentido.

— Ah, James, não sei. Precisarei de alguns dias para resolver tudo — eu disse.

A ideia de partir era aterrorizante.

— Claire, não posso esperar mais alguns dias — disse ele, cheio de irritação. — Tenho muito trabalho a fazer no momento.

— Ora, não é sorte sua eu ter concordado em voltar para você em apenas dois dias? — perguntei, com amargura. — E se eu tivesse criado um caso que o obrigasse a gastar uma semana inteira para me convencer?

— Ora, Claire — disse ele, mansamente —, não há nada de bom em pensar assim. Convenci você. Isso é o principal.

Uma pausa.

— *Convenci,* não foi? — perguntou ele. E, se não tivesse certeza do contrário, eu quase diria que ele falava sem muita convicção.

— Sim, James — disse eu, apática —, você me convenceu.

— Será ótimo — disse ele. — Você verá.

— Sim — repeti, sentindo-me bem longe de acreditar nisso, mas não tinha energia nem vontade de discordar dele.

— James, você também pode voltar para Londres imediatamente — sugeri. — Irei no início da próxima semana com Kate.

— Por que você precisa de uma semana inteira? — Sua voz soava irritada.

— Bem... tenho pessoas de quem quero me despedir... e coisas... — eu gaguejava.

— Preferiria que você voltasse antes — disse ele, severamente.

— Não, James, realmente sinto muito, mas... preciso de tempo para me adaptar — disse eu, fraca.

— O suficiente para que não faça você mudar de ideia — disse ele, com uma gargalhada que parecia forçada.

— Não vou mudar — disse eu, cheia de cansaço, sabendo que não podia. — Não vou mudar.

— Ótimo! — ele disse. — Bem, então, acho que irei imediatamente para Londres. Se for para o aeroporto agora, consigo pegar um voo. Será que consigo uma devolução do dinheiro pelas reservas desta noite?

— É pena que eu não tivesse decidido e dito a você antes — falei. — Provavelmente é tarde demais agora para conseguir a devolução do seu dinheiro para esta noite.

— Não tem importância — disse ele, compreensivo. — Teve de ser assim.

Que idiota!

Eu estava sendo totalmente sarcástica!

— Ligo para você quando chegar em casa à noite — ele prometeu.

— Faça isso — disse eu, tranquila.

— Dê um grande beijo em Kate — falou ele.

— Darei.

— E até breve.

— Sim, até breve.

31

— Então, quando vai viajar? — perguntou mamãe.

— Você vai *viajar?* — gritou Helen.

— Vou — resmunguei, consciente de como devia parecer fraca e patética aos olhos dela.

— Acho que você é louca! — exclamou.

— Mas Helen, você não entende... — Lutava para explicar a ela. — Não foi culpa dele. Ele teve momentos realmente difíceis comigo. Eu era muito exigente e infantil. E ele não conseguiu enfrentar isso. Então, por desespero, foi procurar o que queria em outro lugar.

— E você acredita nisso? — indagou ela, em tom de zombaria e repugnância. — Você é louca. Já é bastante ruim que ele estivesse transando com outra pessoa, mas que ele ponha a culpa de tudo em você, ora, isso é uma *loucura* completa. Você não tem nenhum amor-próprio?

— Helen, tudo isso vai além de um simples caso de amor-próprio — insisti, tentando desesperadamente convencê-la. Talvez, se eu a convencesse, pudesse convencer também a mim mesma. — Ele é o pai da minha filha. E éramos felizes juntos. Muito felizes. — E tínhamos sido, mesmo. — E, se nos esforçarmos, poderemos voltar a ser.

— Então, por que você está com um aspecto tão infeliz? — perguntou ela. — Não deveria estar feliz? O homem que você ama vai levá-la de volta. Embora tenha te traído.

— Helen, chega — disse mamãe, em tom de advertência. — Você não pode entender. Nunca foi casada. Nunca teve um filho.

— Bem, com certeza nunca vou querer ter, se isso me transformar numa completa idiota — vociferou, olhando-me com desprezo. — Você é *louca*!

E saiu da sala, pisando forte.

Houve um silêncio.

— Ela tem alguma razão — disse mamãe, afinal.

— O que quer dizer? — perguntei, apática.

— Ora, você não parece... lá muito feliz. Não está decidindo outra coisa, não é?

— Não — suspirei. — Não estou. Devo a todos nós uma tentativa. Mas acho que está tudo errado. Sinto-me manipulada. É como se ele me atropelasse. Como se não admitisse um não como resposta. Sinto-me mais ou menos como se tivesse muita sorte de consegui-lo de volta. Sim, é como ele me faz sentir. *Com sorte!*

— Mas você não tem sorte de ter uma segunda chance? Nem toda mulher consegue isso — disse mamãe.

— Não, não é sorte desse tipo — falei, desesperada para fazê-la entender, para entender a mim mesma. — Ele me faz sentir como se eu tivesse sorte, mesmo não merecendo. Como se ele fosse bonzinho comigo, embora não tenha a obrigação de ser. Mas apenas porque é uma boa pessoa. Por causa da bondade do seu coração. Ou algo parecido. Realmente não sei. Mas parece errado.

— Mas ele está sendo bom com você — disse mamãe, agarrando-se à única coisa importante para ela.

— Sim, mas...

— Mas o quê?

— Mas... mas... ele está sendo bom comigo, mas como alguém que é bom com uma criança teimosa, que foi muito petulante, mas que a pessoa decide perdoar. E, embora eu seja uma porção de coisas, não sou uma criança teimosa.

— Você, provavelmente, é apenas paranoica — disse ela, tentando ser útil.

Obrigada, mamãe!

— Não pode ter sido fácil para ele voltar, humilhar-se, admitir que estava errado.

— Mas é exatamente isso! Ele não se humilhou. Mal chegou a admitir que estava errado.

— Claire, você está com a cabeça fora dos eixos. Ele não voltou em meio a uma torrente de lágrimas, com um estoque inteiro de rosas vermelhas, ele não suplicou para você recebê-lo de volta — ela ponderou.

— Teria sido bom — admiti.

— Mas flores não têm a menor importância. O amor, sim — ela disse.

— Eu sei — concordei, melancólica. — Mas sinto que ele agora me colocou numa armadilha — explodi, afinal, percebendo exatamente como me sentia. — Tenho que ser perfeita o tempo inteiro, senão ele me deixará de novo. Não posso dizer uma só palavra contra ele, porque assim só provarei que penso apenas em mim mesma. Sinto que devo estar tão grata por voltar com ele que não posso nunca mais ousar queixar-me de nada. Que ele pode comportar-se mal como quiser, que tenho de manter a boca calada.

— Ora, ora, você não tem de tolerar nenhuma outra tolice da parte dele — esbravejou mamãe. — Se houver qualquer indício de que há outra mulher, volte para cá imediatamente.

— Obrigada, mamãe.

— Mas, enquanto isso, fique satisfeita de ter outra oportunidade. E faça com que dê certo. Tente o melhor que puder. E aposto que ficará agradavelmente surpresa.

— Tentarei — prometi.

Afinal, o que eu tinha a perder?

— Outra coisa — disse ela, um tanto sem jeito.

— Que é?

— Não tenho certeza se devo contar.

— O quê? Não tem certeza de que deve me contar o quê? Diga, pelo amor de Deus — pedi.

— Bem — disse ela, com ar envergonhado —, aquele Adam telefonou para você.

Adam!

Meu coração deu um salto. Ou talvez fosse meu estômago que se revirasse. A única certeza que tenho é de que *alguma coisa* saiu do lugar.

— Quando? — perguntei, sem fôlego. Sentia-me excitada, tonta, feliz.

Você sabe, a maneira como James deveria fazer com que eu me sentisse.

— Algumas vezes — ela admitiu, parecendo, na verdade, muito envergonhada. — Ontem de manhã. Ontem à tarde, quando você estava dormindo. A noite passada, quando você saiu.

— Por que você não me disse?

— Não achei que distrações de qualquer tipo fossem boa coisa, enquanto você resolvia as coisas com James — disse ela, humildemente.

— Você devia ter deixado a meu critério — disse eu, irritada.

Um pensamento me ocorreu.

— Você não contou a ele onde eu estava a noite passada, contou? — perguntei, rapidamente.

— Contei — disse ela, com a voz soando defensiva. — Disse que você tinha saído com seu marido. Por que não deveria dizer? Era a verdade, não?

— Sim, mas... — minha voz foi sumindo.

Que importância tinha isso agora? Eu voltaria para Londres. Voltaria para James. Nada mais de Adam.

Mas eu precisava vê-lo. Tinha de me despedir. Tinha de lhe agradecer por ser tão bom comigo. Por me fazer sentir tão linda, desejável, interessante e especial.

— Ele deixou algum número de telefone? — perguntei, esperançosa.

— Hã, não — disse ela, olhando para o outro lado, com o rosto envergonhado.

— Talvez ele torne a ligar — disse eu, um tanto desesperada.

— Talvez — duvidou ela.

O que *realmente* ela lhe dissera?

— E, se ele telefonar, quero falar com ele, está ouvindo? — exigi.

— Não precisa bater em mim — ela resmungou.

Fiel à palavra dada, James ligou para mim mais tarde, na noite de terça-feira, para dizer que chegara bem de viagem. E, quanto a mim, já marcara a data da volta?

— Não, ainda não — disse eu, fraca —, mas marcarei logo, prometo.

— Basta ter certeza de que marcará — disse ele, com uma entonação sugestiva em sua voz. Que, na verdade, provocou em meu corpo inteiro um espasmo de horror, de medo, ou quase isso. A ideia de dormir com ele, de tornar a fazer sexo com ele, não era nada agradável.

Logo que eu — graças a Deus — desliguei, depois da conversa com James, o telefone tornou a tocar.

Era Adam!

O Adam lindo, alto, gentil e engraçado.

— Alô, Claire — disse ele, com sua bela voz.

— Oi, Adam — sentia-me tão feliz de ouvi-lo. Sentia-me uma menininha, risonha, cheia de alegria e de felicidade.

— Ouvi dizer que a hora é de dar parabéns — disse ele, com uma voz fria e dura.

Aquilo foi como um balde de água fria em meu caloroso encantamento por estar falando com ele.

— O... o que quer dizer? — perguntei.

Eu era uma filha da puta sem coração, que o seduzira simplesmente para me divertir. Que não tinha nenhum verdadeiro interesse nele. Agora que meu marido estava de volta, eu não tinha mais utilidade para ele.

— Helen acabou de me dizer que você voltará para Londres. Voltará para James — disse ele, acusador.

— Bem, é verdade — disse eu, em tom de quem se desculpa. — Sinto isso como um dever. Você sabe, por causa de Kate.

— E quanto a você própria? — perguntou ele.

Tive vontade de explodir em prantos. Tive vontade de lhe dizer que eu estava inteiramente infeliz com a perspectiva de voltar para aquele porco hipócrita, que só fazia me criticar.

Como você vê, James, aos meus olhos, piorava a cada segundo. E Adam tornava-se mais desejável e atraente. Estava *louca* para me encontrar com ele.

Mas não podia dizer isso a ele. Tinha de consertar as coisas com James. Desejar estar com outra pessoa era inútil.

— Dará certo — disse.

— Sem dúvida, parece que sim — concordou ele, amargo.

Sentia-me envergonhada demais para dizer qualquer coisa.

— E eu? — perguntou ele. — E eu? Será que domingo à noite não significou nada para você?

— Claro que sim — gaguejei.

— Ora, não pode ter significado muito, se em menos de dois dias você vai voltar para outro homem — disse ele, sem rodeios.

— Adam, não é assim... — tentei desesperadamente explicar. — Tenho que... Tenho que dar a isso uma nova chance.

— Por quê? Ele foi horrível com você — comentou Adam.

— Sim, mas... não foi realmente culpa dele.

Adam soltou uma agressiva risada sem humor.

— De quem foi a culpa então? Não me diga. Não, por favor, não me diga. Ele falou que foi *sua* culpa — disse ele.

— Bem, sim, mas, você sabe...

— Simplesmente não acredito — ele interrompeu, cheio de raiva. — Você é uma mulher inteligente, uma mulher *muito* inteligente. Como é que deixou esse idiota te enrolar?

E Adam continuou sem respirar:

— Que foi que ele lhe disse? Vejamos. Que precisava de sexo, enquanto você estava grávida, mas que você não podia atendê-lo? Hum? Foi isso?

— Não — disse eu, com uma vozinha fraca.

— Que você estava concentrada demais no bebê que ia nascer e ele se sentiu ignorado e posto de lado, tendo de ir buscar afeição em outra parte?

— Não, também não foi isso — disse-lhe eu, agradecida por ele não ter encontrado ainda o motivo certo.

— É bastante óbvio que você não vai me contar exatamente porque a culpa é sua — esbravejou ele —, mas pode ter certeza de que *não* é culpa sua. Por que deixa que ele a manipule dessa maneira?

Boa pergunta, pensei. Por que eu deixava que ele me manipulasse assim? Ah, sim, já sei.

— Porque era tão bom, antigamente, que vale a pena tentar de novo — disse eu a Adam.

Mas isso soou insincero e pouco convincente, até para mim.

— E, Adam — continuei, com voz trêmula —, eu realmente passei momentos maravilhosos com você. Você fez com que eu me sentisse novamente linda, especial, uma pessoa que tinha valor.

— Estou à disposição — disse ele, sarcástico.

— Ah, por favor, não fique com raiva de mim — disse eu, triste. — Lamento muito. Lamento. Mas não tenho escolha. Preciso fazer isso.

— Você tem escolha — disse ele.

— Não tenho — respondi. — Por Kate.

— Então você vai voltar para um relacionamento horroroso, com um homem que não a respeita nem gosta de você, apenas por causa de Kate — ele disse.

— Ele gosta de mim — protestei.

— Ele tem uma maneira engraçada de demonstrar isso — retrucou Adam.

— Escute. Há alguma possibilidade de sermos amigos? — perguntei a Adam, tentando desesperadamente resgatar alguma coisa de toda aquela situação desagradável.

— Não.

— Por que não? — perguntei, desesperada.

— Porque não consigo acreditar que esteja falando com a mesma pessoa com quem estive na noite de domingo. Pensei que aquela mulher era inteligente, tinha amor-próprio e sabia o que queria.

— *Sou* inteligente e *tenho* amor-próprio — disse eu, quase em prantos. Tinha de convencê-lo. Não queria perdê-lo. Sabia que não podia haver romance algum com Adam. Naquele momento, não. Mas continuava achando-o maravilhoso e queria ser sua amiga.

— De qualquer jeito — ele suspirou —, não posso ser seu amigo. Porque quero muito mais de você. E aposto que você também não poderia ser minha amiga. Sentimos atração demais um pelo outro.

— Ora, se não podemos ser amigos, então não podemos ser mais nada — disse eu. Era uma sentença de morte, mas tive de dizer aquilo. Não poderia voltar para James ainda apaixonada por Adam. Precisava ser dura. Porque tornaria as coisas mais fáceis. Um rompimento claro, honesto, era menos doloroso, a longo prazo.

Pretendia forçá-lo a tomar uma atitude, mas não estava preparada para o que ele disse a seguir.

— Então, não podemos ser mais nada — disse ele, com frieza.

O pânico me dominou.

Por causa do seu tom de voz. Por perceber quanto ele estava desapontado comigo. E com a perspectiva de jamais tornar a vê-lo.

— Você me dá seu número de telefone? — explodi eu.

Não conseguia *suportar* a ideia de simplesmente terminar com ele, naquele momento. Agarrava-me a Adam, esperando que fosse gentil comigo.

Esperando provar, se ele dissesse que ainda era meu amigo, que eu estava agindo da forma correta.

— Não — ele disse, com uma voz que não admitia réplicas.

— Por que não? — repliquei, mesmo assim. Fosse lá qual fosse a razão.

— Vou te responder com uma pergunta: para que você quer o meu número de telefone?

— Para te ligar — disse eu.

— E me ligar para quê? — perguntou ele.

— Para conversar com você — eu disse, quase chorando. — Não quero perder você.

— Claire — suspirou ele —, não seja estúpida. Você já tomou sua decisão. Vai para Londres viver com outro homem. Não pode ter os dois. Não *adianta* telefonar para conversar comigo. Não vamos ser amigos. E ponto final.

— Não há realmente mais nada que eu possa dizer, há? — falei, triste, percebendo que não ia conseguir o que queria. Ele não me daria sua bênção.

E por que, pelo amor de Deus, faria isso?

— Não — disse ele.

— Eu te decepcionei, não foi? — perguntei.

— Você decepcionou a si mesma — disse ele, friamente.

— Desapontei você, não foi? — prossegui, incapaz de parar de pôr o dedo nas feridas.

— Sim, você... me desapontou — repetiu, depois de uma pequena hesitação.

— Bem, hã, cuide-se — disse eu, sentindo-me tola. Desejando dizer tanta coisa. Mas sendo incapaz de dizer o que quer que fosse, a não ser banalidades.

— Vou me cuidar — prometeu ele.

— Sinto muito — disse eu, sentindo-me profundamente infeliz.

— Não sente tanto quanto eu — retrucou ele.

E desligou.

Fiquei em pé junto ao telefone por algum tempo. Era como se meu coração se partisse. E sentia um medo pavoroso. Será que cometera um terrível engano?

Estaria eu num momento crucial da minha vida? Seria eu de fato importante para Adam?

Mas isso tinha importância? Não, porque eu já decidira em que direção seguir.

Mas seria a direção certa?

Como poderia saber?

Minha cabeça girava. Sentia-me assustada e sem controle sobre mim mesma.

Duas vidas possíveis me eram oferecidas. Uma com James. E talvez outra com Adam.

Será que eu estava jogando fora a errada? Será que entendera mal meu destino? Será que o rompimento com James queria dizer que eu poderia encontrar

Adam e ser muito mais feliz? Será que a dor me fora dada para eu me tornar mais forte?

Será que eu entendera mal todos os sinais?

Captara tudo errado?

Mas era tarde demais. Tomara minha decisão. E a levaria a cabo. Enlouqueceria, se ficasse mudando de ideia.

Meu futuro estava com James. Adam não existia mais em minha vida.

Provavelmente, eu era apenas uma boa transa para Adam. Bem, eu gostava de pensar que era *boa*. Mas talvez fosse apenas uma questão de sexo.

Mas, e se não fosse?

O que deveria eu fazer, então?

Tinha de superar aquilo. E superaria.

Claro que sim.

Só o conhecia há cerca de três semanas.

Só que, simplesmente, bem, você sabe... ele surtia um tremendo efeito sobre mim. Tocava-me de uma maneira inesperada. Fazia-me sentir vontade de tomar conta dele. Fazia-me sentir especial e maravilhosa, de uma forma que James não conseguia mais.

Ora! Talvez isso tivesse a ver apenas com meu ego agressivo. James já não me fazia sentir bem com relação a mim mesma. Então, eu me agarrava ao próximo homem disponível que podia fazer isso. Mas, com toda a minha honestidade, eu de fato não acreditava que fosse por causa disso.

Adam era especial.

Adam e eu éramos um casal especial.

Embora não fôssemos mais.

Adam me desprezava, agora. Por causa da minha estupidez, aceitando a droga de explicação de James. E pela rapidez com que deixei sua cama e fui embora com outra pessoa. Mesmo sendo essa outra pessoa meu marido.

Realmente me magoava o fato de Adam pensar tão mal de mim. Embora eu não o culpasse. Porque eu também não tinha muito respeito por mim mesma.

32

Depois da conversa com Adam, na terça-feira, esforcei-me para esquecê-lo. Todas as vezes que pensava nele, afastava a ideia. Tentava pensar em coisas agradáveis, como o zunzum de Londres. E o conforto de voltar para meu próprio apartamento. E como seria bom tornar a ver todos os meus amigos. E como seria interessante pensar em voltar para o trabalho. E como seria bom estar de volta a uma cidade onde uma em cada duas lojas vende sapatos.

E as coisas dariam certo com James. Eu deveria estar muito feliz. Eram-me concedidas todas as coisas das quais eu simplesmente morria de saudades, mais ou menos no primeiro mês depois que ele me deixara.

Minha vida toda melhoraria. Quanto à pequena escapada de James, jamais de fato acontecera. Tinha a esperança de apagar aqueles mais ou menos três meses e levar as coisas adiante como planejara. Kate teria seu papai. Eu teria meu marido. Poderíamos recomeçar nossa antiga vida. E, se eu tivesse de ser mais tranquila, menos cheia de caprichos e mais séria e solícita com relação à felicidade e a paz de espírito de James, então seria um preço pequeno a pagar.

Tinha certeza de que, se trabalhasse nisso, não seria tão terrível quanto parecia. Aprenderia a conhecer minha nova personalidade. Seria bom para mim. E o terror que estava sentindo passaria.

E, claro, um pouco da tristeza que eu sentia era pelo brusco afastamento da minha família. Por pior que fossem, eu de alguma forma me acostumara a eles durante aquela temporada. A versão anárquica de vida familiar que eles levavam parecia infinitamente mais desejável do que a calma e ordenada existência que James colocava diante de mim.

Sentiria falta deles. Sentiria falta de mamãe, sentiria falta de papai, sentiria falta de Anna.

Que droga, podia até sentir falta de Helen.

Mas talvez não.

Ainda achava todas essas coisas difíceis. Ainda tinha terríveis ímpetos de raiva, sentindo-me injustiçada por James. Era duro resistir à necessidade de pegar o telefone e dizer-lhe que era um filho da puta egoísta. Que não tinha direito nenhum de me fazer sentir como se tudo o que acontecera fosse minha culpa. Que eu não era má pessoa. Que não era sequer uma pessoa egoísta. Nem imatura. Mas então eu previa como ele reagiria à minha raiva. Partiria para explicações e condenações racionais. E eu me sentiria ainda pior. Mais frustrada. Como se tivesse decepcionado ainda mais a mim mesma.

A única coisa que me tornava capaz de conter toda a minha raiva era perceber que, em alguma parte, de alguma maneira, de uma forma inteiramente inadvertida, eu estava errada. As palavras que ele dissera aquela noite, no restaurante italiano, não paravam de ecoar em minha mente: "Se eu fosse feliz, por que a deixaria?"

Então, eu não tinha escolha. Precisava aceitar que a culpa era minha. Ele não me deixaria, não daria o passo terrível de ter um caso, de pensar que estava apaixonado por outra pessoa, se não fosse por minha culpa.

James não era homem de andar atrás de mulheres. James não era uma pessoa frívola. James ruminava — ruminava horrores, se você quer mesmo saber — a respeito de tudo. Não fazia coisas tolas e capazes de romper o cotidiano simplesmente para se divertir. Devia ter ficado sem escolha. Devia estar no fim de suas forças.

As coisas acabariam bem. No fim, tudo voltaria ao normal com James. Só levaria um tempinho.

Eu estava fazendo a coisa certa.

Finalmente, decidi que voltaria para Londres na terça-feira seguinte.

Que isso me daria tempo suficiente para fazer as malas. E o mais importante: para me preparar e deixar de lado meu ressentimento com James e ser positiva em minha atitude para com ele.

Na sexta-feira à tarde, após dois dias frenéticos de colocar roupas numa mala e depois encontrá-las penduradas no fundo do armário de Helen, tirá-las do armário, recolocá-las na mala e depois, algumas horas mais tarde, redescobri-las debaixo da cama de Helen, tornar a colocá-las na mala etc., decidi telefonar para James no trabalho para lhe dizer a que horas meu voo chegaria, na terça-feira. Foi muito estranho. Ele me telefonava pelo menos uma vez por dia, desde a terça-feira, fazendo perguntas quanto à data e hora da minha volta. Ele parecia quase... *ansioso* para me ver. Como se tivesse medo de que eu não voltasse. Claro, a minha parte agressiva e cínica decidiu que ou ele não fazia sexo ou sua roupa não tinha sido lavada desde que saíra do lugar onde estava com Denise, não sendo de admirar que esperasse minha volta com certa ânsia.

Mas, ao mesmo tempo, era estranho sentir-me desejada ou necessária, por parte dele. Isso, depois do desdém e dos ares de superioridade com que me tratara, enquanto estava em Dublin, quando me dera a impressão de que, levando-me de volta, me fazia um favor.

Agora, embora fizesse um bom trabalho para esconder isso, parecia inseguro, sem nenhuma certeza quanto a mim.

Mas não precisava preocupar-se.

Eu voltaria.

Podia não querer. Mas voltaria.

Telefonei para seu escritório. Um homem atendeu e disse:

— Não, lamento, mas no momento o Sr. Webster não está no escritório.

Agora, todos sabemos o que acontece aqui. Esta é a parte do livro em que a voz desencarnada prossegue e diz: "Não, o Sr. Webster foi para a clínica pré-natal com sua namorada, Denise." Ou: "Não, o Sr. Webster tirou licença esta tarde para ir para casa e transar loucamente com sua namorada, Denise", ou algo parecido. E onde eu sussurro: "Obrigada. Não, não quero deixar recado", e desligo, com as mãos trêmulas, e cancelo as passagens de volta para Londres.

Porém, nada do gênero aconteceu. A voz desencarnada perguntou:

— Quem está falando, por favor?

Tive de pensar nessa pergunta por um minuto.

Quem *estava* telefonando? Então me lembrei.

— Hã, é a mulher dele — eu disse.

— Claire! — exclamou o homem, mostrando-se extremamente jovial, provavelmente para esconder seu constrangimento. — Como vai? Aqui é George. É ótimo falar com você.

George era o sócio de James. E também seu amigo. E, suponho, à sua maneira machista, de garotão bebedor de cerveja, ele era também meu amigo.

George era um bom homem. Aceitando-se como inevitáveis certas características de George, então provavelmente a pessoa se daria muito bem com ele. Por exemplo, eu não difamaria o sujeito dizendo que ele jogava rúgbi. Mas não havia como ignorar o fato de que ele assistia ao jogo.

Mas ele era gentil. Eu gostava dele, e Aisling, sua mulher, tinha uma risada contagiante. Em muitas ocasiões, bebemos juntos.

— Olá, George — disse eu, sentindo-me um pouco constrangida.

Era a primeira vez que eu falava com ele, desde o rompimento, e descobri que não sabia o que dizer. Deveria ou não referir-me ao fato?

Deveria fingir que nada, absolutamente nada acontecera? Que tudo estava ótimo?

Ou talvez devesse encarar logo a situação? Lidar com ela de cara, por assim dizer, tentando transformá-la em algum tipo de piada, com comentários pesarosos e autodepreciativos? Talvez dizer: "Oi, aqui é Claire. Mas você pode chamar-me de Denise, se for mais fácil de lembrar."

Percebi que me encontraria com muita frequência nesse tipo de situação, nas minhas primeiras semanas de volta a Londres.

Meu Deus, seria humilhante.

Mas George me salvou, entrando direto no assunto.

— Então, você vai voltar para ele — riu. — Bem, graças a Deus. Poderemos agora conseguir um dia de trabalho decente da parte de James.

— Ah, sim — disse eu, educadamente.

— Pois é — continuou George, com grande jovialidade e alegria.. O que me fez suspeitar de que ele tivera um almoço demorado e com líquidos. Bem, vamos ser justos. Era sexta-feira, afinal. — Como posso explicar isso, Claire? Vamos apenas dizer que não tem sido fácil. Quero dizer, você sabe como ele é. Tem dificuldade de falar dos seus sentimentos — ora, acontece com todos nós, eu acho —, e tanto orgulho lhe faz mal. Mas até um cego pode ver quanto ele a ama. E é óbvio, basta olhá-lo para saber, que ficou arrasado sem você. Arrasado! E como! Nem vamos conversar sobre isso! Só posso dizer que graças a Deus você o recebeu de volta. Se não fosse assim, teríamos de demiti-lo.

Veio de George uma risada alta, quase um urro, risada de quem tomou três canecos grandes na hora do almoço.

Mas que droga o George estava falando?

Ele não estava... ele não podia estar... sem dúvida ele não estava *rindo* de mim, não era?

Lágrimas quentes de raiva e vergonha encheram meus olhos.

Será que eu me tornara uma espécie de bobo da corte?

Estariam todos dando uma boa risada à minha custa?

Sim, sim, para ser honesta, admito que em circunstâncias diferentes eu seria a primeira a gargalhar de uma esposa abandonada acolhendo o marido errante de volta ao ninho com uma rapidez tão agradecida. E eu seria uma tola se não pensasse que as pessoas não ririam disfarçadamente da minha situação patética, recebendo James de volta com tanta felicidade.

Mas eu não conseguia acreditar que George estivesse sendo tão abertamente debochado. Tinha plena consciência de que James não ficara arrasado sem mim. E George sabia que eu sabia. Bem, ele devia saber. Claro, os dois eram homens, mas, sem dúvida, de vez em quando conversavam sobre outras coisas além de futebol e carros.

Mas George era normalmente tão gentil. Não entendia por que ele brincava com o que acontecera entre James e mim. Por que se mostrava tão cruel?

Senti-me muito magoada. Mas não podia chorar. Tinha de me defender sozinha. Cortar aquilo pela raiz. Porque, se não o fizesse, todos pensariam que tinham o direito de zombar de mim.

— É mesmo? — perguntei a George, com um tom de pesado sarcasmo.

Tentando transmitir, em uma palavra, que o fato de James me tratar com uma total falta de respeito não me transformava numa espécie de alvo público. James podia ter me maltratado — bem, ele não podia, mas você sabe o que quero dizer —, mas isso não dava a mais ninguém o direito de debochar de mim.

Que ousadia a de George! E pensar que eu sempre gostara dele.

Mas George não reagiu ao meu "É mesmo?"

Ao menos, ele não pareceu ficar ofendido, de forma alguma.

Porque continuou, com o maior bom humor:

— Não sou um perito em relacionamentos, mas estou tão feliz que vocês dois tenham resolvido toda essa lamentável confusão. Tudo o que posso dizer a você é que foi muito boa, perdoando-o. Deve ter sido terrível para você. Mas acho que, quando você o viu no estado em que estava, parecendo um morto--vivo, não foi?, percebeu como ele estava arrependido.

Minha cabeça parecia cada vez mais apertada, de tanta confusão.

O que estava acontecendo?

Será que George estava debochando mesmo de mim?

Não tive tanta certeza de que estivesse. Ele *parecia* sincero.

Mas, se não estava debochando de mim, de que diabo falava ele?

O que queria dizer com "morto-vivo"? Estaríamos falando sobre o mesmo James? O mesmo hipócrita e crítico James que viera me ver em Dublin?

Mas, antes que eu pudesse arrumar meus confusos pensamentos, George recomeçou, mais uma vez. Estava com disposição para falar. O tédio da tarde de sexta-feira e três canecas de cerveja na hora do almoço obviamente haviam afrouxado sua língua.

— Agora, Claire — disse ele, com falsa severidade —, espero que você tenha sido uma garota sensata e que não o tenha perdoado na mesma hora. Espero que tenha brigado por pelo menos algumas belas joias e umas férias nas Maldivas.

"Está brincando?", pensei, confusa. "Tive sorte de ele me trazer de volta, afinal. Quase tive de prometer a *ele* as joias e as férias."

— Hã... — disse eu.

Mas George continuava falando.

— Ele a ama muito, e pensou que não tivesse a mínima chance, sabe? Pensou que você não queria mais nada com ele. E, em certo sentido, quem poderia culpá-la por isso?

— George! — interpus, energicamente. Tinha de determinar exatamente o que estava acontecendo! — Do que é que você está falando?

— De James — disse ele, surpreso.

— Você diz que ele *lamentou* o fato de termos nos separado? — perguntei.

— Ora, "lamentou" é muito pouco — disse George, com uma pequena risada. — Em minha opinião, "ficou aniquilado" corresponderia mais à verdade.

— Mas... como é que você sabe disso? — perguntei, com a voz fraca, imaginando onde George obteria suas informações. Porque era óbvio que ele fora gravemente iludido.

— James me disse — falou ele. — Conversamos de vez em quando, você sabe. Não são apenas as mulheres que têm conversas francas e abertas!

— Sim, mas... Quero dizer, você tem *certeza*?

— Claro que tenho — disse George, cheio de indignação. — Ele estava torturado pela ideia de ficar sem você. Torturado! Não parava de me dizer: "George, eu a amo tanto. Como posso tê-la de volta?" E eu, simplesmente, dizia-lhe: "James, diga a ela a verdade. Fale para ela como lamenta." Ele me deixava maluco!

— É verdade mesmo? — gaguejei.

Foi tudo o que consegui dizer. Minha cabeça girava. Aquilo não se parecia nada com o que realmente acontecera.

Então, o que se passava, de fato?

— E, Claire — disse George, num tom solidário —, sei que deve ter sido muito difícil para você. Mas tenho certeza de que foi muito difícil para James também. Admitir que cometeu um erro terrível e depois desculpar-se por ele deve ter sido uma coisa quase impossível para ele, puxa vida. Depois disso, tenho certeza de que, se você ouvir outra vez em sua vida a palavra "desculpe", vai ter vontade de vomitar. Deve estar *enjoada* de tanto ouvir isso!

Outra gargalhada escandalosa de George.

Àquela altura, eu tinha certeza de que George não estava debochando de mim. Não se tratava de algum tipo de brincadeira sofisticada e cruel. A voz de George soava muito séria. Mas eu não podia entender por que sua versão dos acontecimentos era tão diferente da que James me apresentara.

Eu não estava enjoada de ouvir a palavra "desculpe". Teria adorado ouvir a palavra "desculpe". Mas não reconheceria a palavra "desculpe" — certamente não saindo dos lábios de James — nem que ela desse um pulo e me mordesse.

Mas tinha de prestar atenção, porque George voltava a falar.

— Estranho é que James sempre pensou que seria você quem podia ter um caso, não ele.

— Por quê? — perguntei. Embora soubesse mais ou menos o que ele queria dizer. Sempre me consideraram a arruaceira, e James, o careta.

— Porque você sempre foi a alma da festa — disse George. — A animada, a carismática. E James jamais achou que era suficientemente bom para você — continuou George. — Nunca! Sempre tinha medo de ser sério e tedioso demais para você. Nós, contadores, não temos facilidade com as mulheres, você sabe. Elas acham que não temos graça, sabia?

— Nunca soube que James se achava sério e tedioso demais para mim — disse eu, apática.

— Ora, vamos — disse George, em tom de descrença. — Você não concordaria que, dos dois, você era a vida e a alma das coisas?

— Sim — concordei, em tom de dúvida, desesperada para manter George falando.

— E James? — riu George. — Ora, você não poderia encontrar sujeito melhor. Mas, ao mesmo tempo, quando é que ele ficaria cercado de pessoas, sendo capaz de manter todo mundo rindo de chorar, como você faz?

— Pois é — eu disse. — Mas, se eu me aquietasse um pouco, talvez ele não se sentisse tão chato.

— E para que isso serviria? — perguntou George. — Assim, você não seria mais você mesma.

"Eu *sei*", pensei, desesperada. "Mas é o que James quer que eu faça!"

— Ora, talvez James não gostasse de viver com uma pessoa tão barulhenta e animada quanto eu — sugeri a George. — Talvez eu o deixasse nervoso.

O que eu estava fazendo era imperdoável. Agora, obviamente, tentava arrancar tudo o que pudesse de George. Encorajava-o a "entregar" seu amigo.

— Não seja boba — riu George. — Claro que você não o deixava nervoso. Ele realmente a achava difícil, algumas vezes. Mas era apenas seu ego e sua insegurança que entravam em jogo. Não pode ser sempre fácil viver com alguém que é muito mais popular do que a própria pessoa.

— Ah — disse eu, sem entusiasmo. — Entendo.

E você sabe de uma coisa? Acho que entendia, mesmo. Acho que começava a entender.

Deveria dizer isso a George?

Mas tinha de pensar em tudo aquilo que acabara de ouvir. Não podia ouvir mais, senão minha cabeça explodiria.

Comecei a encerrar minha conversa com George.

— Como é que de repente você se tornou um tal perito em relacionamentos? — perguntei-lhe em tom brincalhão. — Você falou comigo de uma forma tão sensível e moderna.

— É que... — disse ele, com uma voz ao mesmo tempo constrangida e satisfeita — ... Aisling comprou um livro para mim sobre o assunto.

— Sei — dei uma risada. — Bem, obrigada, George, você me ajudou muito.

— Ótimo — disse ele. — Estou satisfeito. Tudo vai ficar bem, você verá.

"Ah, não, não verei", pensei.

— James sentia-se ameaçado por sua vitalidade. Em vez de perceber que sua animação complementava a calma dele — disse George, que parecia empilhar citações de algum manual de psicologia.

— Puxa vida, George — disse eu, desesperada para tirá-lo do telefone. Não sabia quanto tempo ainda aguentaria manter aquela conversa. — Não há dúvida de que você entrou em contato com suas emoções.

— Pois é — disse ele, timidamente. — Estou até explorando meu lado feminino.

Eu acharia isso hilariante, se não me sentisse tão confusa e assustada.

— George — disse eu —, é um prazer conversar com um homem tão sensível. Você entende profundamente a dinâmica do meu relacionamento com James. Nem todo homem seria capaz de demonstrar tal empatia.

— Obrigada, Claire — disse ele, orgulhoso. Quase que podia ouvi-lo irradiando satisfação. — Acho que aprendi mesmo muita coisa. E não tenho mais medo de chorar.

— Ótimo, ótimo — disse eu, efusiva, aterrorizada com a possibilidade de que ele se oferecesse para me dar uma demonstração ali mesmo, naquele momento. Como poderia fazer com que ele desligasse o telefone sem parecer que não estava interessada em seu crescimento emocional?, pensei, desesperada.

Acabei fazendo outra pergunta.

— E você cuida da sua criança interior, e a alimenta? — perguntei, com voz gentil.

— Como é? — perguntou ele, confuso.

Eu o perdera. Aisling não lhe dera ainda o segundo volume.

— Não tenho filhos, Claire. Você sabe disso.

— Eu sei — disse eu, em tom compreensivo. Não adiantava empurrá-lo longe demais e desfazer todo o bom trabalho que Aisling fizera.

— George — interrompi-o bruscamente, cortando suas descrições líricas de como tudo funcionara bem para James, porque James seguira seus conselhos e como James e eu seríamos felizes agora e... — George — repeti, um pouco mais alto.

Consegui captar sua atenção.

— Então, George, vamos ver se entendi bem — disse eu a ele. — James me ama. James sempre me amou. James se sentia inseguro e temia que pudesse ser chato demais para mim. Entendi direito?

— Mas você sabe de tudo isso — disse George, parecendo confuso.

— Só estou checando — disse eu, em tom descontraído.

George ainda tagarelava. Talvez eu estivesse imaginando coisas, mas será que ele estivera se referindo às chamadas "regras masculinas"?

Mas eu mal conseguia prestar atenção ao que ele dizia. Tinha coisas muito mais importantes com que me preocupar.

Em primeiro lugar, por que James dissera a George que ele me amava desesperadamente e tinha medo de me perder? E a mim, que era quase impossível viver comigo e que me levaria de volta para Londres quase como um ato de caridade?

Mesmo um cego poderia ver que havia uma leve discrepância entre as duas histórias.

Ou ele mentira para George, ou para mim.

E em algum lugar, meu instinto me dizia que fora para mim que ele mentira.

Eu precisava falar com ele. Tinha de descobrir.

— George — disse eu, interrompendo-o de novo —, preciso falar com James. Quer fazer o favor de pedir a ele para me ligar? É importante.

— Claro — concordou ele. — Farei isso. Ele deve voltar dentro de mais ou menos meia hora.

— Obrigada — eu disse. — E agora, tchau.

E desliguei.

Fiquei sentada, tentando entender o que George, inadvertidamente, me dissera. Então, James sempre me amara. E James sentia-se ameaçado pelo fato de eu ser, ora... *eu mesma,* suponho, por falta de melhor descrição.

Era por isso que ele precisava ter um caso com outra mulher? E por isso tinha de me dizer que era tudo culpa minha? E por que tinha de me dizer que eu precisaria mudar totalmente, para nosso casamento ter um futuro?

Eu não tinha muita certeza do que estava acontecendo. Mas de uma coisa eu sabia: algo estava realmente acontecendo.

33

Apenas para me certificar, liguei para Judy.

— Claire! — respondeu ela, com uma voz encantada. — Você voltou?

— Não, Judy, ainda não — disse eu, muito infeliz.

Antes que ela pudesse dizer alguma coisa, continuei a falar.

— Ouça, Judy — disparei —, preciso conversar com você sobre uma coisa.

— Fale tudo! — disse ela. — Você está bem? Parece um tanto agitada.

— E estou, Judy — disse eu. — Estou agitada e confusa e não sei o que está acontecendo.

— Que quer dizer? — perguntou ela, afetuosa.

— Bem, você sabe que James e eu nos reconciliamos — comecei.

— Sei — disse ela.

— Bem, você sabia que foi culpa minha o fato de James ter um caso?

— Do que diabo você está falando? — perguntou ela, com uma voz horrorizada.

— Ele me disse que foi tudo culpa minha. Que eu sou imatura, egoísta, exigente e sem consideração, e que ele só me aceitaria de volta se eu mudasse radicalmente.

— Ele está falando como se fosse *ele* quem vai recebê-la de volta? — perguntou Judy, incrédula. — Claire, Claire, pare um minuto. Há alguma coisa muito errada aqui.

Ora, se Judy achava que havia alguma coisa errada, então não era apenas imaginação minha.

Mas não tinha certeza se devia ficar aliviada ou não.

— Bem, Claire, podemos começar de novo, por favor? — pediu ela. — James disse que foi forçado a ter um caso porque era muito difícil viver com você. Entendi direito?

— Entendeu — disse eu, cada vez mais infeliz. Admito que aquilo soou muito falso, da maneira como Judy falou. James, de alguma forma, fez com que soasse muito mais *razoável*.

— E, agora, ele está dizendo *que a receberá de volta*, se você mudar? — continuou ela. — De que maneira ele quer que você mude?

— Ah, você sabe — murmurei. — Ele quer que eu não dê tantas festas. Nem vá a outras tantas. Que seja mais quieta. E tenha mais consideração por ele.

— Ah, entendo — disse ela, em tom acalorado. — Ele quer que você seja uma chata de galochas como ele, certo? Ou então que você fique num lugar ao alcance daquele olho desmancha-prazeres dele. Mas que droga!

Ela fez uma pausa. Depois, ocorreu-lhe outra ideia.

— E que tipo de idiota é você? Jura que *acreditou* nessa besteira toda? Não é capaz de perceber que esse é o truque mais velho do mundo?

— De que maneira? — perguntei. Sem querer ouvir.

— Ele tem um caso. Percebe o imenso erro que cometeu. Quer você de volta — porque realmente a ama, qualquer idiota pode ver isso —, mas tem medo de que você o mande às favas. Então, inventa que foi tudo culpa sua, para você se sentir culpada e depois grata porque, mesmo você sendo uma pessoa terrível, ele ainda a quer. E, de qualquer jeito — disse ela, tomando fôlego e iniciando outro discurso furioso —, eu sei, sem a menor dúvida, que ele está mentindo.

— Ah, é? — perguntei. Foi tudo o que consegui dizer.

— É — ela disse. — Michael me contou.

Michael era o namorado de Judy. E amigo de James.

— Há cerca de um mês, Michael saiu com James para tomar umas cervejas; melhor dizendo, muitas cervejas; enfim, o fato é que James ficou bêbado e não conseguia parar de falar em você. Michael diz que James é doido por você. Que sempre foi. E que sempre foi muito mais apaixonado por você do que você por ele. E sempre pensou que perderia você. E não conseguia enfrentar isso. Então, com a pressão do bebê e tudo isso, ele decidiu dar no pé. E foi cair nos braços de Denise que, vamos ser sinceras, não conseguiu acreditar em sua sorte, por agarrar alguém como James.

— Entendo — disse eu, em tom neutro. — Isso é interessante, porque hoje George me disse algo muito parecido.

— Não consigo *acreditar* que você precisasse ouvir isso de George ou de mim. Não sabia que James era louco por você? E totalmente inseguro a seu respeito?

Judy estava, obviamente, chocada comigo.

— E ele está sendo tão manipulador — disse ela, furiosa. — Aproveitando-se da situação para poder manter você presa. Chegar a dizer que é culpa sua o fato de ele deixá-la e que, se você não se comportar do jeito como ele quer, a abandonará de novo. Típico!

— Judy — comecei —, preciso que você mantenha a calma por um momento. Isto é muito importante.

— Hã, está certo — disse ela, parecendo ligeiramente constrangida. — Ouça, quando eu disse que ele é um chato de galochas, não quis dizer...

— Tudo bem, Judy — disse eu, amável. — Sei que quis, mas não tem importância.

— Você sabe como é — continuou ela. — O calor do momento, essas coisas.

— Judy, pelo amor de Deus! Esqueça. Preciso fazer toda essa história entrar direitinho em minha cabeça.

— Desculpe, desculpe — comentou. — Pode falar.

— James teve um caso, mas ele diz que foi minha culpa. Certo? — perguntei.

— Foi o que você disse — concordou ela.

— Ele devia ter se desculpado comigo, mas não fez isso. Certo?

— Hã, certo — disse Judy.

— Ele convenceu a todos de que me ama. Menos a mim. Certo?

— Certo.

— Ele me magoou, humilhou, deixou-me confusa, fez com que eu assumisse um compromisso, mentiu para mim, me abalou, me fez pedir desculpas por ser eu mesma. Certo?

— Certo.

— E não se desculpou nem me consolou. Certo?

— Certo.

— Não quero um homem assim. Certo?

— Certo! Mas... hã... Claire, o que você vai fazer?

— Matar esse cretino.

— Não, Claire, vá com calma — gaguejou Judy.

— Ah, relaxe, Judy — suspirei. — Não vou matá-lo. Mas vou magoá-lo seriamente.

— Está certo, então — disse ela, com alívio. — Não vale a pena ir para a cadeia por causa dele.

— Obrigada por seu conselho franco — disse eu. — Você tem razão. Ele é mesmo um cretino e um chato de galochas, não é?

— *Só é* — falou ela, com paixão.

— Volto a falar com você em breve — eu disse.

— Boa sorte. Tchau.

E agora, que fazer?

Achei melhor esperar que James me telefonasse.

Mas não estava mais confusa. James me deixara com muita, muita raiva.

E achei perfeitamente justo informá-lo disso.

Pessoalmente.

James me ligou de volta pouco tempo depois. Parecia estar feliz por eu ter ligado para ele.

Mal pude forçar-me a ser educada com ele. Minha raiva ameaçava explodir a cada instante.

— Claire, que bom falar com você — ele disse.

— Que vai fazer esta noite, James? — perguntei, bruscamente.

— Hã, bem, nada — respondeu ele.

Gosto de pensar que ele ficou um pouquinho chocado com meu tom abrupto.

— Ótimo — falei eu. — Esteja em casa às oito horas. Preciso conversar com você.

— Mas... a respeito do quê? — perguntou ele, com a voz soando um pouquinho ansiosa.

— Você verá — prometi-lhe, suave.

— Não, não, diga logo — falou ele, já com um tom bastante ansioso.

— Não, James, espere até esta noite — disse eu, amável, mas de maneira muito, muito firme mesmo.

Ele ficou em silêncio.

— Oito horas, hoje à noite então, James — concluí, ainda amável.

— Ok — ele resmungou.

Desliguei o telefone.

Fiquei pensando no que acabara de descobrir.

Você entende, eu *sabia* que não era assim tão ruim como James me apresentara. E, de fato, não era apenas porque eu não queria acreditar que fosse uma pessoa ruim. Embora eu não *quisesse* acreditar que fosse uma pessoa ruim, mas... ora, você sabe o que quero dizer. Tive mesmo a sensação de que James mentia para mim ou, no mínimo, exagerava muito, quando me disse que mulher horrorosa, infantil, egoísta sem consideração eu fora durante todo o nosso casamento.

Mas eu não conseguia entender qual o motivo de suas mentiras.

Minha sensação era de que ele tentara reduzir meu tamanho até um tamanho que lhe conviesse — ao dizer que eu fora uma pessoa assim.

Não gostava da minha autoconfiança. Assustava-se com ela. Assim, de uma maneira maldosa e cínica, decidira deixar-me inteiramente abalada, para que eu me tornasse dependente dele.

Mas que babaca.

Sabe, acho que o odiei menos quando descobri que ele estava transando com Denise. O que ele fizera agora constituía um tipo pior de traição.

— Mamãe — chamei eu, do segundo andar.

— Que é? — gritou ela da cozinha.

— Preciso de você.

— Para quê?

— Preciso de você para tomar conta de Kate hoje à noite. E preciso que você me leve de carro até o aeroporto.

— Que diabo pretende fazer?

— Vou a Londres. Preciso que tome conta de Kate — disse eu, em tom moderado.

— Já é terça-feira? — perguntou ela, toda confusa.

— Não, mamãe, hoje é sexta-feira. Mas, mesmo assim, vou a Londres.

— E irá novamente na terça-feira? — perguntou ela, parecendo um pouco atordoada.

— Talvez — respondi.

Não podia dar certeza. Eu própria não sabia se iria ou não.

— Do que se trata, afinal? — perguntou ela, desconfiada.

— Tenho algumas coisas para resolver com James — eu disse.

— Pensei que você já tivesse resolvido as coisas com James — disse ela, acho que com toda a razão.

— Resolvi, sim — falei, com tristeza. — Mas outras, como é que vou chamá-las?, *provas,* vieram à tona, mais ou menos de uma hora para cá, então tenho de ir vê-lo.

— Quando você voltará? — ela perguntou.

— Logo — prometi. — Por favor, mãe, isto é importante, preciso de sua ajuda.

— Ah, está bem — disse ela, falando de uma forma mais simpática. — Fique o tempo que quiser.

— Não ficarei mais de um dia — prometi.

— Está ótimo.

— Preciso de dinheiro emprestado.

— Não exagere.

— Ah, por favor.

— De quanto você precisa?

— Não muito. Vou pagar a passagem com o cartão. Mas preciso de dinheiro para pequenas coisas. Você sabe, passagens de metrô, um soco-inglês etc.

— Desde que você me devolva na próxima semana, posso lhe emprestar cinquenta.

— Cinquenta está ótimo — eu disse.

Bem, esperava que sim. Não tinha nenhuma ideia de onde dormiria aquela noite. Mas algo me dizia que não seria em minha cama de casal em Londres, com James.

Não tinha importância. Eu tinha um ou dois ex-namorados que nunca chegaram a me esquecer. Então pelo menos eu teria um teto em cima da minha cabeça.

Além de uma ereção em minhas costas.

Vesti-me para matar.

Pensei que seria apropriado.

Mas não como você poderia esperar, com um uniforme de combate, capacete com uma rede cheia de folhas e alguns cartuchos de munição atravessados sobre o peito. Ah, não, usei uma saia sensual, curta, preta, com um casaco preto, meias finas e saltos altos, muito altos. Teria usado um pequeno chapéu arredondado, sem aba, com um véu, se tivesse um. Mas felizmente eu não tinha.

Queria parecer uma puta assassina saída do inferno. Mas, pensando bem, acho que o chapéu seria um exagero.

Eu ficaria apenas com o aspecto de uma dessas viúvas glamorosas que se apresentam lindas à beira do túmulo, mas que a cidade inteira detesta, porque todos suspeitam de que ela matou o marido e herdará o dinheiro que ele pretendia deixar para a comunidade, a fim de construírem um novo hospital.

Mamãe pareceu um pouco chocada, com minha aparência dramática, quando desci a escada, mas deu uma olhada em meu rosto decidido e zangado, e achou melhor não comentar nada.

— Está pronta? — perguntei.

— Estou — disse mamãe. — Só preciso encontrar as chaves do carro.

Suspirei. Isso podia levar dias.

Enquanto mamãe entrava e saía correndo de quartos, esvaziava bolsas em cima da mesa da cozinha, apalpava bolsos de casacos e resmungava para si mesma como o coelho branco (*foi* o coelho branco, não?) em *Alice no país das maravilhas,* a porta da frente se abriu e Helen chegou, com sua habitual pompa e circunstância.

— Sabe de uma coisa? — berrou ela.

— O quê? — respondi. Carrancuda. Desinteressada.

— Adam tem uma namorada!

O sangue fugiu do meu rosto e meu coração quase parou de bater. Sobre o que falava ela? Será que alguém descobrira a respeito de mim e de Adam?

— E espere até ouvir — continuou Helen, parecendo se divertir. — Ele tem um bebê!

Olhei fixamente para ela. Será que falava sério?

— Que tipo de bebê? — consegui perguntar.

— Um *bebê,* uma menina — disse Helen, debochada. — O que você esperava? Um filhote de girafa? Meu Deus, algumas vezes eu me preocupo com você!

Minha cabeça girava. O que significava aquilo? Quando acontecera tudo aquilo? Por que Adam não me contara?

— Mas é um bebê que nasceu agora, ou o quê? — perguntei. Não tentei sequer evitar que a desolação aparecesse em minha voz, mas Helen, com sua costumeira sensibilidade, não pareceu notar.

— Não — disse Helen. — Acho que não. Ela não se parece com Kate. Tem cabelos e não parece um velho.

— Kate não parece um velho — disse eu, zangada.

— Parece, sim — riu Helen. — Ela é careca, gorda e não tem nenhum dente.

— Cale a boca! — disse eu, feroz. — Ela vai ouvir o que você está dizendo. Os bebês podem entender essas coisas, sabe? Ela é linda.

— Calma, mulher — disse Helen, em tom ameno. — Não sei por que você está tão irritada.

Eu não disse nada.

Aquilo tudo era um choque terrível.

— Foi engraçadíssimo — continuou Helen. — Adam levou a moça e o bebê para a universidade e metade da minha turma está falando em se suicidar. É claro que ele não vai passar nos exames da professora Staunton. O olhar que ela lançou para ele! Juro por Deus, agora ela o *odeia*.

— Então, bem, vocês não conheciam essa moça antes? — perguntei, tentando entender.

Será que ele estava saindo com ela enquanto me cortejava? Bem, devia estar. Não se sai, simplesmente, e compra um bebê com cabelo num supermercado. Essas coisas levam tempo.

— Não, não conhecíamos — disse Helen. — Parece que eles tiveram uma grande briga, séculos atrás, e ele não a via nem ao bebê há muito tempo. Mas agora estão juntos.

Helen começou a cantar com a voz no máximo da altura. Uma canção terrível sobre casais que se juntam e isso é tão bom. Valsou pela escada acima, ainda cantando.

— Espere! — chamei-a, quase gritando. — Não terminei ainda. Há um monte de coisas que quero perguntar a você.

Mas ela foi para o banheiro e bateu a porta. Ainda podia ouvi-la cantando, mas agora um pouco mais baixo.

Fiquei em pé no saguão, sentindo-me desolada.

E muito tola.

É uma grande verdade o que dizem. Que não existe burro pior do que um burro velho.

"Não posso pensar nisso agora", disse a mim mesma. "Devo esquecer. Pensarei a respeito em alguma outra ocasião, quando tudo for diferente. Quando estiver feliz, com meus problemas resolvidos. Mas não agora."

Forcei a mim mesma a parar de pensar a respeito. Fui para o cômodo do meu cérebro onde todos os meus pensamentos sobre Adam moravam e desliguei a eletricidade, pregando todas as portas e janelas para nada poder entrar ou sair.

Obviamente, ficou muito feio. Não podia deixar de haver queixas dos pensamentos vizinhos. Mas eu não tinha escolha. Estava tentando resolver a questão do meu casamento, de uma forma ou de outra, e tinha de evitar as distrações.

Finalmente, mamãe achou as chaves do carro. Kate, mamãe e eu nos enfiamos nele e seguimos para o aeroporto. Não falamos. Eu percebia que mamãe estava louca para me perguntar o que havia. Mas felizmente ela manteve a boca fechada.

Foi um verdadeiro milagre, mas realmente parei de pensar em Adam. Estava tão perturbada e zangada com James que acho que não havia nenhum espaço restante em minha cabeça para me preocupar com qualquer outra coisa. Minha arena de preocupações estava entulhada ao máximo com milhares e milhares de pensamentos relacionados a James. E não havia lugar, nem mesmo para se ficar em pé, para quaisquer outros pensamentos à espera de sua vez de entrar e começar a se preocupar com Adam.

Injusto, talvez. Mas eu agia a partir do que chegara primeiro, do que fora servido primeiro.

Deixar Kate era terrível, mas tive de fazer isso. Não seria direito levá-la. Acredito que tenha um efeito terrível sobre as crianças verem a mãe matar o pai delas.

Despedi-me de Kate com um beijo, na sala de embarque.

— Até breve, querida — disse.

Abracei mamãe.

— Posso perguntar apenas uma coisa? — disse ela, ansiosa, examinando meu rosto em busca de quaisquer sinais iminentes de explosões de raiva.

— Diga — falei eu, tentando dar um tom simpático à minha voz.

— James voltou para aquela mulher, Denise? — perguntou.

— Que eu saiba, não. — Sorri com amargura, tranquilizando-a.

— Graças a Deus — suspirou ela, com alívio.

Ah, meu Deus. Pobre mamãe. Se ela soubesse. Denise não era um problema. Mas *havia* um problema. Um problema muito maior do que Denise. E, puxa vida, aquilo tinha de fato um significado.

Honestamente, vocês não pensariam que, àquela altura, eu poderia começar a perdoar e esquecer? Não era tempo de eu parar de ser maldosa a respeito de Denise?

É que ser maldosa era tão fácil.

Virei-me com meus sedutores sapatos de saltos bem altos e tentei marchar decididamente através da sala de embarque. Não era fácil ser decidida, quando eu não parava de esbarrar em todos os tipos de pessoas descontraídas que ficavam em pé por toda parte conversando, cercadas de sacolas e malas, descansando os cotovelos em seus carrinhos, como se tivessem todo o tempo do mundo. Como se aquilo não fosse absolutamente um aeroporto e ninguém tivesse um avião para tomar. Sem dúvida, ninguém que fosse embarcar pelo menos dentro da próxima década.

Tentei comprar uma passagem para Londres, apressada.

Mas não foi possível.

A amável e descontraída recepcionista da Aer Lingus só me permitia comprar a passagem de uma maneira também relaxada, descontraída.

Entre uma conversa sobre a presidência russa (a bebida não é mesmo um flagelo?) e outra sobre o tempo (vamos esperar que dure, esta temporada sem chuvas), fui parar numa fila de espera para um voo que partiria em breve para Londres.

Não havia problemas, absolutamente. O que achei um terrível desperdício, porque não era com frequência que eu experimentava aquele humor perverso e ainda ser capaz de responder por mim mesma, insistir quanto aos meus direitos, causar problemas e tudo; e aquele dia seria simplesmente ideal para fazer isso.

Estava realmente a fim de uma boa briga.

Mas todos foram tão decentes e conciliatórios, que tudo se passou maravilhosamente.

Que droga.

Eram 17h10.

O voo não teve surpresas.

Seria ótimo se o homem de negócios com ar importante sentado ao meu lado tivesse tentado conversar comigo ou, ainda melhor, tentado flertar comigo, só para eu poder aproveitar-me plenamente do meu péssimo humor.

Honestamente, eu era tão infantil. Estava simplesmente *louca* por uma chance de dizer algo maldoso. Pensei que gostaria de experimentar uma voz do tipo Joan Collins. Vocês sabem, toda elegante e assustada, as palavras com som de pedaços de gelo caindo dentro de um copo. E dizer algo como: "Eu, no seu lugar, não tentaria conversar comigo. Estou com péssimo humor e não tenho certeza se poderei ser cortês com o senhor por muito tempo."

Mas, além de me lançar um vago "desculpe", enquanto tateava em torno do meu quadril em busca do seu cinto de segurança, ele me ignorou totalmente. Apenas abriu sua impressionante pasta de couro e, com a maior rapidez do mundo, já estava com seu nariz enterrado num romance de Catherine Cookson. Tenho certeza de que você o conhece. É aquele sobre a menina ilegítima, com um sinal de nascença cor de vinho, cujo primo está apaixonado por ela, que é açoitada com um chicote de montaria por sua madrasta, estuprada aos 13 anos pelo dono do castelo e que, enquanto foge dele, fica com o pé preso numa armadilha para coelhos, o qual é amputado e a ferida cauterizada com um atiçador em brasa, enquanto seus gritos ecoam através da mina de ouro.

Ou isso acontece em todos eles?

De qualquer jeito, o homem estava muito mais interessado em Catherine Cookson do que em mim, e isso me deixou um tanto nervosa. Estava louca para exercitar meu humor agressivo. Ganhar flexibilidade, por assim dizer, para a verdadeira briga em que estaria envolvida mais tarde. Mas, nada feito.

E então me senti envergonhada de mim mesma, mas tentei iniciar uma conversa com ele, sorrindo-lhe, convenções à parte, quando ele me passou a bandeja de comida, e me oferecendo, gentilmente, para abrir seu pequeno recipiente de leite, quando ele encontrou dificuldades para fazer isso, além de lhe dar meu chocolate com menta, para ele levar para sua filhinha, em casa, embora ele tivesse comido o seu — esse tipo de coisa.

Ele revelou-se um homem maravilhoso. Conversamos sobre o livro que ele estava lendo. Recomendei-lhe mais alguns. E, quando aterrissamos no aeroporto de Heathrow, já nos tratávamos pelos primeiros nomes. Apertamos as mãos, dissemos que tinha sido um prazer nos conhecer e, com a maior cordialidade, nos desejamos mutuamente uma viagem segura para casa.

Depois, fiquei sozinha novamente. Sozinha com meus pensamentos, medos e raiva.

Além das noventa bilhões de outras pessoas que se achavam em Heathrow, eu estava inteiramente sozinha em Londres.

Ora, se isto fosse um filme, em vez de um livro, você veria cenas com ônibus vermelhos e táxis negros passando pelos edifícios do Parlamento e pelo Big Ben, policiais com chapéus engraçados orientando o trânsito em frente ao Palácio de Buckingham e garotas sorridentes com saias muito curtas, em pé debaixo de um letreiro onde estaria escrito "Bem-vindos a Carnaby Street".

Mas isto é um livro, e então você terá de usar apenas sua imaginação.

Heathrow estava, ora... Heathrow estava, ora... estava movimentado. É uma maneira de descrever aquilo.

Estava totalmente louco.

Eu não conseguia acreditar que existissem tantas pessoas. Era como se uma pintura renascentista retratando o dia do Juízo Final ganhasse vida.

Ou como a cerimônia de abertura dos Jogos Olímpicos.

Pessoas de todas as nacionalidades, com todos os tipos de trajes exóticos, passavam correndo por mim, falando todos os idiomas que existem neste planeta.

Por que estavam todos com tanta *pressa*?

E o barulho era ensurdecedor. Anúncios pelo alto-falante. Meninos perdidos. Marmanjos perdidos. Bagagem cara perdida. Paciência perdida. Cabeças perdidas. Bolas de gude perdidas. Diga qualquer coisa e há uma boa chance de que estivesse perdida.

Eu me esquecera de que Londres era assim. Houve um tempo em que eu operaria nesse tipo de velocidade com a maior facilidade. Mas naquele momento eu estava no ritmo de Dublin e então me tornara mais lenta, ficara como todo mundo de lá e degelara. Fiquei em pé no salão de desembarque, aterrorizada, parecendo uma caipira, sentindo-me esmagada pelo número de pessoas, desculpando-me num fio de voz, quando elas esbarravam em mim e me faziam sinais de impaciência.

Depois, recompus-me. Aquilo era apenas *Londres,* afinal.

Quero dizer, eu poderia estar em algum lugar realmente assustador.

Como Limerick, por exemplo. Desculpem, estou apenas brincando.

E em toda parte para onde eu olhava, *em toda parte,* havia pequenas aglomerações de homens de negócios. Em pé por toda parte, com seus ternos desagradáveis, esperando por suas malas ou aguardando um avião, tendo aos seus pés suas valises, provavelmente cheias de revistas pornográficas.

Todos bebiam cerveja, apertavam-se firmemente as mãos, transmitindo com decisão o toque do "bom sujeito" e muita simpatia, competindo para ver quem ria mais alto e quem podia fazer o comentário mais depreciativo sobre suas esposas ou o mais vulgar sobre qualquer das mulheres no congresso do qual vinham ou ao qual compareceriam. "Não a jogaria para fora da cama nem que peidasse", "Ora, os peitos dela são pequenos demais" e "Todo mundo trepou com ela, até os *garotos* da sala de correspondência" chegavam até os meus ouvidos, vindos dos vários grupos.

Qual será o coletivo de homem de negócios? Sem dúvida deve existir um.

Uma conferência de homens de negócios? Uma valise de homens de negócios? Um encontro de homens de negócios? Um poliéster de homens de negócios? Uma risca de giz de homens de negócios?

Não adianta. Nenhuma dessas palavras realmente transmite a *agressividade* dos grupinhos. Que tal: uma insinceridade de homens de negócios? Ou uma deslealdade de homens de negócios? Ou uma infidelidade de homens de negócios?

Vi de repente um homem de um dos grupos olhando-me de soslaio. Desviei apressadamente a vista. Ele virou-se para os quatro ou cinco homens com quem estava e disse alguma coisa. Houve uma grande explosão de risadas e todos começaram a curvar e a esticar seus pescoços, para me dar uma boa olhada.

Filhos da puta! Tive vontade de matá-los!

E eram todos sem atrativos e insípidos. Como ousavam ser tão arrogantes com relação a mim? Ou a qualquer mulher, na verdade. Deviam ficar agradecidos se alguma os tocasse sem vomitar. Que se fodam, pensei, furiosa.

Hora de ir embora.

Eu não tinha malas para pegar. Não planejava ficar por tempo suficiente para precisar delas. Então, pelo menos, foi-me poupado o inferno da esteira rolante.

Respirei fundo, endireitei os ombros, cerrei os maxilares firmemente e comecei a caminhar, empurrando os outros, através da sala de desembarque. Dirigia-me à estação do metrô, abrindo caminho com determinação através de todos os outros seres humanos, como um explorador da Amazônia abrindo seu caminho a foice através da densa vegetação.

Finalmente, cheguei à estação. O Japão estava obviamente realizando seu censo nacional ali. Após esperar o que me pareceu vários anos, enquanto os filhos do Sol Nascente descobriam como fazer funcionar as máquinas de bilhetes — mas eles não são considerados todos gênios tecnológicos? —, comprei o meu bilhete e entrei num metrô para o centro de Londres. A grana não dava para um táxi. O vagão estava cheio e cada nação da terra tinha um representante ali.

Não preciso ir a nenhuma reunião do Conselho de Emergência das Nações Unidas. Já estive lá.

O metrô estava tão apinhado, desconfortável e desagradável que, de certa maneira, foi uma dádiva divina. Mesmo que eu já não me sentisse totalmente homicida antes de entrar no trem, havia uma boa chance de que estivesse, ao sair.

Um companheiro de viagem teve a bondade de tirar da minha cabeça o iminente confronto com James, pressionando sua ereção contra minha bunda todas as vezes que o trem fazia uma curva.

Por volta das 19h50, cheguei à minha estação.

34

Quando saí do metrô e cheguei à rua onde morava, senti um frio no estômago. Tudo era tão dolorosamente familiar — a banca de jornais, a lavanderia, a loja de bebidas, a lanchonete indiana com comida para viagem.

De certa maneira, senti que estava ausente há uma eternidade, mas, de outra, foi como se nunca tivesse saído dali. Comecei a caminhar em direção ao meu apartamento, com o coração batendo forte, os joelhos com uma sensação estranha e uma espécie de tremor.

Fiquei surpresa. Um tanto chocada.

Não esperava ser tão afetada por voltar ao meu antigo bairro. Quando dobrei a esquina e vi meu apartamento, a casa que eu partilhara com James, o suor começou a escorrer pela minha testa.

Eu caminhava devagar, cheia de hesitação.

Agora que chegara, eu não sabia realmente o que fazer.

Queria apenas não estar ali. Que não precisasse estar ali.

"Será que este confronto é necessário?", perguntei a mim mesma, desesperada. "Talvez eu esteja errada. Talvez realmente James me ame como sou. Talvez eu deva apenas dar a volta, voltar para casa e fingir que tudo está ótimo."

Fiquei em pé na porta de entrada do edifício e encostei meu rosto ardente no vidro frio.

Não estava zangada, agora. Não estava absolutamente zangada. Sentia-me assustada e muito, mas muito triste mesmo.

Um táxi dobrou a esquina. Estava com as luzes acesas. Tive um ímpeto de esperança. Podia fazer um sinal e simplesmente sair dali, pensei. Não precisava passar por aquilo.

Era melhor afastar de mim esse cálice.

E, por falar em cálices e taças, eu realmente deveria lembrar-me de pegar alguns dos meus sutiãs, enquanto estivesse ali. Agora que meus seios — lamentavelmente — tinham voltado ao seu tamanho normal, todos os sutiãs que eu levara para a Irlanda estavam grandes demais para mim.

Essa momentânea falta de concentração foi fatal, e espiei o táxi passar por mim, seguindo caminho.

Eu não partiria, segundo parecia. De qualquer forma não naquele momento.

Veria James e descobriria o que se passava.

"É preciso que eu lembre outra vez por que estou aqui — ah, sim, eu me lembro. É porque James mentiu para mim. Mentiu sobre a essência de seus sentimentos por mim, sobre as bases do nosso relacionamento."

Comecei a me sentir irritada outra vez. Isso era bom. A coisa toda não parecia um pesadelo tão grande quando eu me sentia zangada.

Respirei fundo e vigorosamente.

Deveria tocar a campainha e dar a James um rápido aviso de que chegara? Ou deveria apenas entrar, como se o lugar fosse meu? Quando todos sabiam que apenas metade era minha. Mas depois pensei: "Ora, mas que droga, é minha casa. Vou entrar, e que se danem."

Minha mão tremia enquanto eu vasculhava minha bolsa, procurando o molho de chaves. Levei séculos para colocar a chave na fechadura.

O cheiro familiar e evocativo da portaria foi como um soco na boca do meu estômago. Cheirava a lar. Fiz um grande esforço para ignorar isso — não era hora de sentimentalismo.

O elevador levou-me para o segundo andar. Cheia de hesitação, segui pelo corredor até a porta da frente do meu apartamento. Quando ouvi o barulho da televisão vindo de dentro, senti um peso ainda maior no coração. Significava que James estava em casa. Agora realmente não havia maneira de escapar daquilo.

Entrei e, tentando aparentar indiferença, segui caminhando para a sala da frente.

James quase morreu de choque quando me viu.

De uma maneira perversa, eu ficaria satisfeita se o tivesse surpreendido fazendo alguma coisa ruim. Talvez numa trama sadomasoquista com uma menina de 14 anos. Ou, ainda melhor, com um menino de 14 anos. Ou, ainda melhor, com uma ovelha de 14 anos. Ou, o melhor de tudo, espiando o programa *Cada segundo conta* (isso, sim, é abominável e imperdoável).

Isso significaria que eu não precisaria ter nenhum confronto com ele. Teria ido embora, sabendo que ele era uma pessoa terrível. Não restaria espaço para nenhuma dúvida. Tudo bem compreendido. Nenhuma lacuna.

Mas, por mais filho da puta que fosse, não poderia parecer mais saudável e inocente se tivesse ensaiado o dia inteiro esse papel. Estava lendo o jornal e, ao fundo, passava *Coronation Street*. Até o copo ao seu lado continha Coca-Cola, não álcool. Um verdadeiro anjinho.

— Cl... Claire, o que você está fazendo aqui? — arquejou ele, dando um pulo do sofá. Parecia ter visto um fantasma.

Para sermos justos, deve ter sido um choque terrível. Pelo que ele sabia, eu estava a centenas de quilômetros de distância, em outra cidade.

Mas, ao mesmo tempo, em circunstâncias comuns, ele deveria estar *um pouquinho* satisfeito de me ver. Surpreso e feliz, em vez de chocado e horrorizado.

Se ele realmente me amasse, não tivesse sentimento de culpa e nada a temer, ou do que se envergonhar, não ficaria muito feliz em me ver?

Ele parecia nervoso. Você sabe, nervoso, atento. Imaginando por que eu viera. Ele *sabia* que alguma coisa estava errada.

E, com um choque, percebi que não estivera imaginando coisas. Algo estava muito errado. Para saber disso, bastava olhar o rosto de James.

Não posso ficar triste agora, disse a mim mesma. Posso ficar com o coração partido e depois me despedaçar, mas no momento preciso continuar forte.

— É ótimo ver você, Claire — disse ele, com a voz soando horrorizada. Ele parecia um pouco histérico.

Olhei para seu rosto pálido e ansioso e senti tal ímpeto de raiva que tive vontade de mordê-lo.

Mas eu *queria* sentir a raiva. Queria que a raiva me percorresse toda.

A raiva é boa, disse a mim mesma. A raiva afasta a dor. A raiva me dá poder.

Olhei em torno da sala de estar. Sorri para ele, embora estivesse tremendo.

— Isto aqui parece ótimo — disse-lhe eu, amável. Eu estava surpresa com a ausência de tremor da minha voz. — Vejo que você trouxe seus livros, discos, todas as suas coisas de volta. E...

Empurrando-o, passei por ele, marchei para o quarto e escancarei as portas do armário.

— Vejo que você trouxe também todas as suas roupas de volta. Muito conveniente.

— Claire, o que você está fazendo aqui? — ele conseguiu perguntar.

— Não está feliz em me ver? — perguntei, toda redutora e sorridente.

— Claro! — ele exclamou. — Claro, apenas... quero dizer que não estava esperando você... você sabe... pensei que fosse telefonar.

— Sei exatamente o que você pensou, James — disse eu, olhando-o fixamente, com um olhar acusador.

Devo dizer que, apesar da sensação de desgraça iminente, eu começava a gostar daquilo.

Houve um breve silêncio.

— Alguma coisa errada, Claire? — perguntou ele, cautelosamente.

Parecia assustado. Desde o momento em que me vira entrando no apartamento, ele soube que eu não viera numa missão amorosa. Estava agindo de uma maneira muito culpada e assustada.

Talvez já tivesse falado com George e soubesse que eu sabia de sua duplicidade.

Talvez esperasse algum tipo de acerto de contas.

Mas, pelo menos, ele queria conversar sobre o que quer que estivesse errado.

Isso tinha de ter algum valor, não é?

Talvez tudo fosse acabar muito bem.

Ou era simplesmente patético demais para palavras?

— Claire — começou ele, novamente, de forma um pouco mais urgente —, alguma coisa está errada?

— Sim, James — disse eu, docemente. — Alguma coisa está errada.

— O que é? — perguntou ele, observando-me com cautela.

— Tive uma conversa muito interessante com George hoje — disse eu, em tom despreocupado.

— É mesmo? — perguntou James, tentando parecer tranquilo. Mas um espasmo de alguma coisa (medo, talvez, ou poderia ser aborrecimento?) passou por seu rosto.

— Hummm — disse eu, examinando minhas unhas. — Sim, na verdade tive mesmo.

Houve uma pausa. James estava em pé observando-me, da mesma maneira que um camundongo observa um gato.

— Sim — continuei, com um tom muito casual —, e ele me deu uma versão muito diferente dos acontecimentos referentes a mim e a você.

— Ah — disse James, e engoliu em seco.

— Pelo visto, você sempre me amou — eu disse. — E, pelo visto, o único problema que tinha comigo era o medo de que eu o deixasse.

James estava calado e emburrado.

— Isso é verdade, James? — perguntei, rispidamente.

— Você não devia prestar atenção às coisas que George diz — falou ele, recuperando a pose.

— Sei disso, James — respondi, maldosa —, e foi por isso que telefonei para Judy. E, veja só, ela me disse a mesma coisa.

Mais silêncio.

— James — suspirei —, é hora de você começar a me dizer o que está acontecendo.

— Já disse — resmungou ele.

— Não, você não disse — eu o corrigi, em voz alta. — Você teve um caso com outra mulher, você me deixou no dia em que dei à luz sua filha, depois decidiu que me queria de volta. Mas, em vez de me dizer isso, você inventou todo um monte de mentiras e falou mal de mim, chamando-me de egoísta, infantil, sem consideração e estúpida. — (A voz aqui subiu vários decibéis.) — E, em vez de pedir desculpas pela maneira horrorosa como me tratou, você inventou que era tudo minha culpa. (A voz continuou a subir.) E você decidiu que me intimidaria para que me transformasse numa coisa diferente do que sou. Uma mulherzinha fraca que nunca reagisse às suas críticas. E que não lhe fizesse sombra. E que não lhe fizesse se sentir inseguro!

— Não foi assim — ele protestou, fracamente.

— Foi *exatamente* assim! — gritei. — Simplesmente não posso acreditar que fui tola o bastante para crer em sua história ridícula!

— Claire, você precisa me ouvir — ele pediu, com uma voz mal-humorada e irritada.

— Ah, não, eu não — eu o corrigi, cheia de raiva. — Por que tenho de ouvir o que você tem a dizer? Vai tentar me contar uma porção de outras mentiras? É isso que pretende? — gritei quando ele não me respondeu.

Sentei-me e olhei para ele, desejando que falasse, desejando que consertasse tudo.

"Convença-me", supliquei-lhe, silenciosamente. "Quero estar errada. Por favor, explique-me tudo isso. Até me conformarei com uma simples desculpa. Uma desculpa apenas funcionará."

Ele sentou-se sem pressa no sofá, com o rosto entre as mãos. E, embora esperasse algum tipo de reação, ainda me deu um pequeno sobressalto perceber que ele estava chorando.

Meu Deus! O que eu diria?

Detesto ver um homem chorar.

De fato, isso não é verdade, absolutamente.

Habitualmente, não há nada de que eu mais goste do que ver um homem chorar.

Principalmente se sou eu a pessoa que o fez chorar.

Que sensação de poder! Não há nenhuma maior do que essa.

Se ele estava chorando, isso devia significar que ele realmente lamentava ter sido tão horrível comigo e que tudo ia acabar bem.

Ele se desculparia.

Ele admitiria que estava inteiramente errado.

Meu coração começou a se abrandar.

Mas então ele me olhou e não consegui acreditar na expressão do seu rosto. Ele parecia tão zangado!

— Isso é típico de você! — gritou.

— O quê? — perguntei, com voz fraca.

— Você é tão diabolicamente egoísta — bradou ele, todos os vestígios do homem choroso magicamente desaparecidos.

— Por quê? — perguntei, perplexa.

— Tudo estava ótimo! — gritou ele. — Tudo estava resolvido e íamos começar novamente e você tentaria ser madura e ter um pouquinho mais de consideração. Mas você simplesmente não conseguiu deixar como estava, não foi?

— Mas o que eu deveria fazer? — perguntei, branda. — George me diz uma coisa e você me diz outra completamente diferente. A história de George é muito mais verdadeira do que a sua. Especialmente depois que Judy a confirmou.

Eu me esforçava muito, muito mesmo, para ser razoável. Podia ver quanto James estava zangado e isso era assustador, mas ao mesmo tempo eu estava tentando defender meu território. Por favor, meu Deus, dê-me forças para enfrentá-lo. Não deixe que eu acabe assumindo outra vez a culpa por tudo. Você sabe, apenas por uma vez, seria ótimo não ser um fantoche.

— Ora, claro que você só podia mesmo acreditar em George e em Judy — disse ele, em tom desagradável. — Claro que você quer acreditar em coisas boas sobre si mesma. Simplesmente não poderia aceitar a verdade partindo de mim, não é?

— James — disse eu, lutando para me manter calma —, eu apenas quero chegar ao fundo das coisas. Apenas quero saber por que você disse a George que realmente me amava e que tinha medo de me perder e por que me disse que mal conseguia me tolerar. Simplesmente, não faz sentido!

— Eu disse a verdade — falou ele, mal-humorado.

— Então, o que foi que você falou para o George? — perguntei.

— George entendeu mal — respondeu ele, laconicamente.

— Judy também entendeu mal? — perguntei com frieza.

— Acho que sim — retrucou ele, sem pensar.

— E Aisling, Brian e Matthew também entenderam mal?

— Devem ter entendido — disse ele, despreocupado.

— Ouça, James — falei, com seriedade. — Seja razoável. Eles não podem estar *todos* errados, podem?

— Podem — disse ele, abruptamente. — E estão.

— James, por favor, você é um homem lógico — eu disse, começando a me sentir desesperada. — Você não pode ver que *alguém* não está dizendo a verdade? E você não imaginou que mais cedo ou mais tarde eu saberia das diferentes versões? Não sabe que meus amigos e eu conversamos sobre tudo?

Ele não disse nada. Ficou sentado no sofá, com os braços cruzados, olhando para mim, desafiador.

Meu Deus! Era quase impossível suportar.

Tudo bem! Eu tentaria de novo. Não importava o que acontecesse, eu permaneceria calma. Tentaria não matá-lo. Tentaria não ficar com raiva. Tentaria não magoá-lo, da maneira como desejava. Engoliria meu orgulho mais uma vez. Deixaria claro que eu o perdoaria pelo caso. Isso não era fácil, fiquem sabendo.

Principalmente quando, ao mesmo tempo, eu tentava defender meu território e não ser inteiramente intimidada por ele.

Eu estava tentando manter em mente que existia uma tênue linha divisória entre ser compreensiva e ser um capacho, entre defender a si própria e ser uma agressora enlouquecida.

— James — comecei eu, conseguindo por milagre falar com calma —, nós temos mesmo de tentar resolver essa questão. Se eu fizer perguntas, você se limitará a responder "sim" ou "não"?

— Que tipo de perguntas? — suspeitou ele.

— Ora, como você mentiu para mim quando me disse que foi por minha culpa que você me deixou.

— Quer dizer que quer ficar sentada aqui me interrogando? — perguntou ele, ultrajado. — Deve estar brincando! Quem diabo você pensa que é? Está tentando fazer com que eu me sinta um criminoso!

— James — eu disse. Estava à beira das lágrimas de frustração. — Não estou! Realmente, não estou. Estou apenas tentando fazer você conversar comigo, me contar o que de fato sente, o que está de fato acontecendo. Quero que seja honesto comigo. De outro modo, não temos nenhum futuro.

— Entendo — disse ele, antipático. — Então você quer que eu diga algo como: "Você é uma pessoa maravilhosa, Claire, e não sei por que tive um caso, já que você é uma joia." É isso que quer ouvir?

"Sim", pensei.

— Não... — disse eu, fracamente. — É apenas...

— Você quer que eu assuma toda a culpa, é isso? — perguntou ele, elevando a voz. — Quer que eu seja o sujeito ruim, o "sujeito que você e todos os seus amigos adoram odiar", é isso? Depois de tudo o que eu fiz por você? É isso que você quer?! — Ele terminou com um grito, seu rosto próximo do meu.

— Mas você é o culpado — eu disse, confusa. — Foi você quem teve o caso, não eu.

— Ah, meu Deus! — ele gritou, *realmente* gritou, desta vez. — Você nunca vai parar de ficar repetindo isso, não é? Tentando fazer com que me sinta culpado a respeito. Bem, não me sinto culpado, certo? Sempre fui muito bom para você. Todos sabem disso. Não sou o culpado aqui. Você, sim!

Seguiu-se um silêncio. A sala inteira o ecoava.

Fiquei sentada muito quieta. Estava traumatizada.

James soltou a respiração com força, zangado, e começou a andar de um lado para o outro da sala. Não olhou para mim.

Percebi que eu tremia.

Sou uma pessoa ruim?, perguntei a mim mesma.

Será verdade?

Uma vozinha em minha cabeça me disse para não ser ridícula. Aquilo fora longe demais. Tinha de me aferrar ao que eu sabia que era a verdade. Fora James quem tivera um caso. Não eu. Não forcei James a ter um caso. Ele é que decidiu fazer isso. James me disse que eu era quase impossível de amar, mas disse a todas as outras pessoas que me amava muito.

James queria que eu assumisse a culpa pelo caso *dele*.

Enquanto eu ficava ali sentada, tremendo, com a cabeça tonta, algo se tornou muito claro para mim. Algo que eu não vira antes daquele momento. James não queria admitir, não aceitava isso, que errara. Ele não podia aceitar que tivera um caso. Ora, obviamente, sabia que sim — eu diria que a lembrança de Denise não era fácil de apagar —, mas não queria que fosse sua culpa.

Um curto espaço de tempo se passou. A atmosfera estava carregada de tensão.

Pela reação de James, percebi que ele não ia admitir, nem que o matassem, que mentira para mim e dissera a verdade a George.

Acontece que eu acreditava em George. Tinha certeza de que ele não estava inventando nada — antes de mais nada, porque ele era estúpido demais para isso! E tinha certeza de que James não pensara por um só momento que as palavras ditas a George voltariam para mim. Pensou que estava perfeitamente seguro ao dizer a George que me amava muito, enquanto me dizia que era difícil para ele amar uma pessoa tão problemática e egoísta quanto eu. Eu sabia que James detestava sentir-se inseguro com relação a qualquer coisa. Ele detestava ser vulnerável, mesmo com relação ao seu trabalho, não ter controle total. E ele queria sentir-se seguro em relação a mim.

Eu ainda pretendia chegar ao fundo da controvérsia das versões contraditórias George/Claire, mas desta vez decidi tentar uma abordagem diferente. Por um lado, tinha vontade de mandar James para o inferno, dizer que ele era um aleijado emocional irresponsável e imaturo e que até uma criança podia ver que estava tentando me manipular. Mas, por outro lado, era óbvio que ele tinha medo. Ou que estava confuso.

Talvez ele precisasse de alguém para verbalizar seus temores, porque estava assustado demais para fazer isso ele próprio, e então eu podia tentar tranquilizá-lo.

Valia a pena tentar isso mais uma vez.

— James — comecei eu, com brandura —, me amar não é uma coisa vergonhosa, você sabe. Não é sinal de fraqueza amar alguém e algumas vezes sentir-se inseguro. É humano. Não há nada de errado nisso. E, se você disse a George que me amava muito, não há necessidade de mentir para mim a respeito disso. Não vou usar isso como uma arma contra você. E, quando você foi a Dublin, não havia necessidade de fingir que você quase não me amava. Ninguém vai condenar você por amar sua mulher, pelo amor de Deus. E quanto ao caso com Denise, você cometeu um erro. (Isso foi extremamente duro de dizer, pode crer, mas eu disse.) Ninguém é perfeito — continuei. — Todos cometemos erros. Você pode ser honesto comigo, sabe? Não precisa ficar jogando para se proteger. Pode trabalhar tudo isso com franqueza e ter um casamento de verdade.

Terminei de falar. Estava exausta.

Houve uma pausa. Eu mal ousava respirar. James ficou sentado em silêncio, olhando para o chão. Tudo dependia disso.

— Claire — disse ele, finalmente.

— Fale — disse eu, tensa, aterrorizada.

— Não sei que merda de discurso psicológico é esse que você está fazendo, mas não faz sentido nenhum para mim — disse ele.

Então era isso.

Eu tinha perdido.

— Não consigo enxergar qual o problema — ele continuou. — Eu nunca disse que não a amava. Simplesmente disse que você tinha de mudar para continuarmos a viver juntos. Disse que você teria de crescer. Disse que você tinha tão pouca consideração...

— Sei o que você disse, James — interrompi-o. Decidi fazer com que ele parasse, antes de fazer todo o discurso de novo. Sua voz soava como se ele estivesse lendo um roteiro. Ou como se ele fosse um robô, programado para dizer essas coisas: quando se apertava um botão, lá ia ele.

Quanto a mim, eu já ouvira o bastante.

Chegava de humilhação para mim, muito obrigada. Não engoliria mais minha raiva. Honestamente, não entrava mais nem uma garfada. Mas estava deliciosa. Foi você quem fez?

Fizera o que podia. Não foi suficientemente bom. Mas não faria mais, que diabo. Simplesmente, não valia a pena.

— Ótimo — eu disse.

— Ótimo? — perguntou ele, confuso.

— Sim, ótimo — concordei.

— Está muito bem — disse ele, com uma voz paternal e presunçosa —, mas será que está ótimo, mesmo? Não quero você jogando tudo isso na minha cara de dois em dois meses.

— Não farei isso — disse eu, lacônica.

Comecei a pegar minha bolsa e o jornal de maneira muito mais ruidosa e estabanada do que era necessário. Levantei-me e comecei a vestir meu casaco.

— O que você está fazendo? — perguntou James, com a perplexidade estampada em seu rosto.

Providenciei uma expressão espantada e inocente.

— O que você acha que estou fazendo?

— Não tenho certeza — ele disse.

— Então é melhor que eu lhe diga, não é? — perguntei, maldosa.

— Bem... ora, sim — disse James. Deu-me um prazer cruel ouvi-lo falar num tom um pouquinho ansioso.

— Vou embora.

— *Embora?* — ele gritou. — Por que diabo vai embora? Acabamos de resolver tudo.

Então ele começou a rir, aliviado.

— Ah, meu Deus, desculpe — disse. — Por um minuto, aqui... — Sacudiu a cabeça com sua própria tolice. — Mas claro, você tem de voltar. Tem de pegar suas coisas e trazer Kate. Mas devo admitir que mais ou menos esperava que você passasse a noite aqui, e pudéssemos... bem... ter uma reaproximação. Mas tudo bem. Podemos esperar mais alguns dias. Então, a que horas, na terça-feira, devo esperar você?

— Ah, James — disse eu, com uma risadinha fingidamente simpática. — Você não entendeu, não é?

— Não entendi o quê? — perguntou ele, com cuidado.

— Não estarei aqui na terça-feira. Nem em nenhum outro dia, se quer saber — expliquei, com toda a simpatia.

— Pelo amor de Deus, o que houve agora? — berrou ele. — Acabamos de resolver tudo e você...

— Não, James — interrompi, num tom gélido. — Não resolvemos nada. Absolutamente nada. *Você* pode ter resolvido alguma coisa. Sua imagem de si mesmo como bom sujeito está perfeita e intata, mas eu não resolvi nada.

— Mas sobre o que conversamos durante a última hora? — perguntou ele, agressivo.

— Justamente — eu disse.

— O quê? — explodiu ele, olhando-me como se eu tivesse ficado um pouco louca.

— Eu disse "justamente". Sobre que diabo, exatamente, *estivemos* conversando? — perguntei-lhe. Porque, pelo bem que me fez, tanto fazia se eu tivesse conversado com a parede.

— Ah, voltamos para você outra vez, não é? — perguntou James, num tom antipático. — É só com o que você se preocupa: com você, seus sentimentos e...

Era isso!

— Cale a boca! — ordenei, com minha voz saindo muito mais alta do que eu esperara.

James ficou tão chocado que de fato calou a boca.

— Não vou mais ouvir nenhuma de suas besteiras sobre eu ser uma pessoa terrível — gritei. — Não trepei com outra pessoa. Foi você quem trepou. E você é tão imaturo e egoísta que não pode assumir nada e admitir sua culpa.

— *Eu* é que sou imaturo e egoísta? *Eu?* — gritou ele, dramaticamente apontando com ar de incredulidade para seu próprio peito. — Eu!? Acho que você está ligeiramente confusa quanto a isso.

— Não estou, não, de jeito nenhum! — gritei. — Sei que não sou perfeita. Mas pelo menos consigo admitir isso.

— Então por que não assume que é egoísta e que tem pouca consideração em nosso casamento? — perguntou ele, com um ar de triunfo.

— Porque não é verdade! — eu disse. — Eu *sabia* que não era verdade, mas amava você e queria agradá-lo, de modo que me convenci de que tinha de ser verdade. Pensei que, se pudesse consertar a mim mesma, consertaria nosso casamento. Mas não havia nada errado comigo. Você estava apenas me manipulando.

— Como ousa dizer uma coisa dessas? — falou ele, com o rosto vermelho de raiva. — Depois de tudo o que fiz por você! Fui um marido perfeito!

— James — disse eu, com gélida calma —, não há dúvida de que você foi muito bom para mim durante anos. Acho que, se você olhar para trás, descobrirá que era mútuo. Nós nos amávamos, era parte do trato. Mas você parece ter começado a acreditar em sua própria publicidade. Ter um caso com outra mulher não é ser bom para mim. Você não pode justificar isso. — Houve uma pausa. Pela primeira vez, James não teve uma resposta pronta e indignada. — Mas — continuei eu — você não é a primeira pessoa a se comportar mal, a sair da linha. Não é o fim deste maldito mundo. Poderíamos ter superado isso. Mas você está interessado demais em parecer limpo ao extremo e mais cristão do que o próprio Cristo. Foi essa a escolha que você fez.

Comecei a caminhar em direção à porta.

— Não consigo entender por que você vai embora — ele disse.

— Eu sei — respondi.

— Diga-me o motivo — falou ele.

— Não.

— Por que não, porra? — perguntou.

— Porque tentei. E como tentei. Por que você me ouviria agora, se não conseguiu em nenhuma das outras vezes? Não perderei mais tempo. Não tentarei mais.

— Eu te amo — disse ele, em voz baixa.

Cretino.

Sua voz soava como se ele realmente falasse sério.

Mordi o lábio. Não era hora de fraquejar.

— Não ama, não — disse, com firmeza.

— Amo, sim — protestou ele, em voz alta.

— Não é verdade — disse. — Se você me amasse, não teria tido um caso.

— Mas... — interrompeu ele.

— E — continuei, em voz alta, antes que ele começasse outra vez seu discurso —, se você me amasse, não iria querer me transformar numa mulher fraca, com medo de você. Se você me amasse, não tentaria me manipular ou me controlar. E, acima de tudo, se você me amasse, não teria medo de admitir que estava errado. Se você me amasse, poderia elevar-se acima de si mesmo e do seu ego e me pedir desculpas.

— Mas eu realmente te amo — disse ele, tentando segurar minha mão. — Você precisa acreditar em mim!

— Não acredito — disse eu, sacudindo sua mão para longe, com repugnância. — Não sei quem ou o que você ama, mas certamente não sou eu.

— É!

— Não, James, não sou — respondi, com a maior calma. — Você apenas quer algum tipo de idiota que possa controlar. Por que não volta para Denise?

— Não quero Denise. Quero você — ele insistiu.

— Ora, é uma pena — disse eu, tranquilamente —, porque isso não será mais possível.

O choque foi um pouco demais para ele. Parecia ter levado um soco no estômago. Você sabe — um pouco do jeito como eu fiquei no dia em que ele me disse que estava me deixando.

Não é que eu desejasse uma coisa tão estúpida quanto vingança, você entende.

— E você sabe qual é a pior coisa de todas? — perguntei.

— O quê? — disse ele, lívido.

— O fato de que você me fez duvidar de mim mesma. Eu estava preparada para tentar mudar a maneira como sou, mudar *quem* eu sou, simplesmente por você. Você me fez abandonar toda a minha integridade. Tentou destruir quem eu sou. E eu deixei!

— Era para o seu bem — disse ele, mas sem convicção.

Semicerrei os olhos e fitei-o.

— Escolha suas próximas palavras com muito cuidado, seu babaca. Podem ser as últimas — ameacei.

Ele se tornou ainda mais lívido, se isso era possível, e manteve a boca firmemente fechada.

— Nunca mais vou me deixar intimidar novamente — disse eu, com determinação. Gosto de pensar que tinha algo da coragem de Scarlett O'Hara, quando ela fez o discurso: "Como Deus é testemunha, jamais sentirei frio nem fome novamente." — Serei sempre fiel ao que sei que sou — continuei. — Serei eu mesma, seja isso bom ou ruim. E, se qualquer homem, mesmo Ashley, tentar me mudar, vou me livrar dele tão depressa que ficará tonto.

James não entendeu absolutamente que eu estava citando *...E o vento levou*. Não tinha nenhuma imaginação.

— Nunca tentei intimidar você — disse ele, cheio de indignação.

— James — disse eu, começando a me sentir cansada —, esta discussão acabou.

— Ora, esqueça o passado — pediu ele, com uma voz ansiosa e apressada. — Mas e se... e se eu prometer que não a intimidarei no futuro?

O tom de voz dele era de alguém que houvesse acabado de ter a ideia mais inovadora e genial do mundo. Comparado com James, Arquimedes pulando do banho, inteiramente nu, pareceria contido e reservado.

Olhei-o com uma piedade zombeteira.

— Claro que você não vai me intimidar no futuro — eu disse —, porque não terá a oportunidade.

— Você não está falando sério — ele falou. — Mudará de ideia.

— Não mudarei, não — disse eu, com uma risadinha límpida.

— Mudará — continuou ele a insistir. — Você jamais aguentará viver sem mim.

Uma coisa errada para dizer, lamento.

— Para onde vai? — perguntou ele, ultrajado, quando me viu pegando minha bolsa.

— Para casa — disse, simplesmente. — Se for embora agora, pegarei o último voo para Dublin.

— Você não pode ir — disse ele, levantando-se.

— Observe-me — eu disse. E fiz outro daqueles giros para os quais meus saltos eram tão úteis.

— E o apartamento? E Kate? — perguntou ele.

Ora, era bom saber quais eram suas prioridades, o apartamento no topo da lista, antes de Kate.

— Manterei contato — prometi, com um eco agradável das palavras que ele proferira para mim naquele dia terrível no hospital.

Caminhei na direção da porta da frente.

— Você voltará — disse ele, seguindo-me até o saguão. — Você não aguentará viver sem mim.

— Pode continuar dizendo isso, se te deixa feliz. Mas não confie muito nisso — foram minhas últimas palavras, antes de sair e fechar a porta.

Consegui percorrer todo o caminho até a estação do metrô antes de começar a chorar.

35

Não consigo realmente lembrar muita coisa sobre a viagem de metrô até Heathrow.

Estava inteiramente atordoada.

Sabia que fizera a coisa certa. Pelo menos pensava ter feito. Mas acontece que aquilo era a vida real, e nenhuma decisão era inteiramente clara. Não é como virar no lugar certo e conseguir a felicidade para sempre ou virar no lugar errado e sua vida se transformar num desastre. Na vida real, muitas vezes é quase impossível dizer qual a decisão que se deve tomar, porque o que se ganha e o que se perde muitas vezes são equivalentes.

Como eu poderia saber se fizera a coisa certa? Queria que alguém se aproximasse de mim com uma taça ou uma medalha de ouro, apertasse minha mão, desse palmadas em minhas costas e me parabenizasse por tomar a decisão certa.

Queria que minha vida fosse como um jogo de computador. Se tomar a decisão errada, perco uma vida. Se tomar a decisão certa, ganho pontos. Só queria saber. Só queria ter certeza.

Não parava de fazer listas com os motivos pelos quais não podia haver futuro para meu casamento com James. Ele queria que eu fosse alguém que eu não era. Não se sentia feliz comigo do jeito que eu era. E eu não me sentiria feliz, se mudasse para James ser feliz. E eu não era feliz com o complexo de santo de James. Se eu o recebesse de volta, James seria feliz porque, nesse caso, pensaria que eu perdoava tudo o que ele fizera. Da maneira como já perdoava, ele próprio, tudo o que tinha feito. Provavelmente significaria que, na primeira briga que eu tivesse com James, em nosso novo casamento melhorado, a separação se repetiria. James era pomposo e hipócrita e achava que eu era frívola e imatura. Estava convicta de que era melhor o casamento realmente estar terminado. Só que sempre restava espaço para um pouquinho de dúvida.

Você sabe, eu imaginava se, caso fosse mais simpática, mais forte, mais gentil, mais enérgica, mais paciente, mais doce, mais generosa, mais desagradável, mais cruel, se tivesse ditado mais regras e calado mais a boca, salvaria meu casamento.

Torturava a mim mesma com essas conjecturas.

Porque, no fim, fora eu quem tomara a decisão. Fora eu quem dissera que o casamento não podia mais funcionar. Eu sabia que James não me dera muita opção, muita escolha, mas, mesmo assim, fora eu quem puxara o gatilho, por assim dizer.

Sentia-me tão *culpada*.

E, depois, disse a mim mesma para não ser tão tola. O que James me oferecia não valia nada. Era apenas um relacionamento falso, seria inteiramente nos termos dele e não duraria uma semana. Se durasse, seria ao preço da minha felicidade. Seria apenas uma vitória da obstinação.

Meus pensamentos giravam sem parar, enquanto eu me balançava suavemente no metrô, com as cenas se repetindo em minha cabeça.

Meu Deus! Eu detestava aquela história de ser adulta. Detestava tomar decisões quando não sabia o que haveria escondido por trás da situação. Desejava um mundo onde as coisas boas e as más tivessem rótulos claros. Onde música sinistra começasse a tocar no instante em que o vilão aparece na tela, de modo a não se poder confundi-lo com o mocinho.

Onde o que lhe pedem é para escolher entre brincar com a linda princesa, no jardim perfumado, ou ser devorado pelo monstro horroroso, no fosso fedorento. Nada de muito difícil, entende? Nada que force a pessoa a se angustiar a respeito nem que lhe tire o sono a noite inteira.

Ser uma vítima não é uma coisa lá muito boa, mas, que diabo, tira um bocado da confusão das coisas. Pelo menos você sabe que está *certa*.

E acho que eu estava desapontada. Muito desapontada. Antigamente, amara James. Não sabia se continuava a amá-lo. Se continuasse, não era da mesma maneira. Mas uma reconciliação seria melhor do que nenhuma reconciliação, se entende o que quero dizer, ou seja, uma reconciliação que funcionasse. Não um tipo de compromisso inútil.

Estava triste. Depois, fiquei com raiva. E, em seguida, culpada. Depois, veio novamente a tristeza. Era um maldito pesadelo.

Uma coisa evitou que eu perdesse inteiramente a cabeça. Percebi que não havia nada que me impedisse de voltar para James. Exatamente naquele momento, naquele *minuto,* eu podia sair do trem, atravessar a plataforma, voltar diretamente para o apartamento e dizer-lhe que estava errada e que deveríamos tentar de novo.

Mas não fiz isso.

E, por mais dificuldade que tivesse para ver as coisas, confusa, perplexa, atrapalhada, fora de mim, o fato me revelou alguma coisa.

Se eu realmente o amasse, se quisesse ficar com ele, teria voltado.

Então, estava fazendo a coisa certa, pensei.

E voltei a pensar em tudo de novo.

Heathrow acalmara-se bastante. Estava bem mais tranquilo. Como o primeiro dia das liquidações de janeiro. Estava maravilhoso.

Peguei um avião praticamente vazio de volta para Dublin.

Dispunha de uma fila inteira de poltronas só para mim, de modo que podia fungar e chorar em discreto conforto, se a necessidade me forçasse a isso.

As comissárias de bordo estavam intrigadas.

Eu não parava de surpreender pequenos grupos delas observando-me, com ar preocupado.

Provavelmente achavam que eu acabara de fazer um aborto.

Quando cheguei a Dublin, chovia. A pista de pouso estava escorregadia e brilhante, na escuridão. E a sala de desembarque, deserta. Passei pelas esteiras rolantes silenciosas, com meus sensuais sapatos altos ecoando no piso de azulejos.

Eu não dissera a ninguém que voltaria, então não havia ninguém à minha espera.

Não parecia haver qualquer pessoa ali esperando por alguém.

Avistei um carregador solitário. Ele estava ocupado explicando a um homem perplexo que perder um voo era falta de sorte, mas perder dois era descuido.

Fui batendo os saltos enquanto passava pelas lojas fechadas, as casas de câmbio escuras, os balcões desertos de aluguel de automóveis. Finalmente, cheguei à entrada encharcada de chuva.

Havia um único táxi esperando em frente, na noite molhada. O motorista lia um jornal.

Parecia estar ali há vários dias.

Levou-me para casa num silêncio inesperado. Os únicos sons eram o silvo dos limpadores de para-brisa e o ruído da chuva tamborilando em cima do carro.

Seguimos através dos subúrbios adormecidos e ele, finalmente, deixou-me diante da minha casa. Estava tudo mergulhado em escuridão. Educadamente, agradeci-lhe pela corrida. E ele, também educado, agradeceu-me pelo dinheiro que lhe entreguei. Despedimo-nos.

Era 1h10.

Entrei silenciosamente. Não queria acordar ninguém.

Temo que não por consideração para com eles, e sim porque não queria responder a nenhuma das inevitáveis perguntas.

Estava ansiosa para ver Kate, mas ela não estava em meu quarto.

Mamãe devia ter pensado que eu não estaria em casa e levou o berço para o quarto dela e de papai.

Mas eu estava louca para vê-la. Sentia tanta falta dela.

Entrei na ponta dos pés no quarto deles para pegar Kate, esperando não acordar mamãe.

Tive sucesso no roubo da criança. E, depois, caí na cama, exausta. Dormi com Kate em meus braços.

36

Quando acordei, na manhã seguinte, senti-me um pouquinho melhor. Não curada, sadia ou qualquer coisa do gênero, porém mais preparada para esperar. Para esperar que as coisas melhorassem, esperar que a dor passasse.

Tinha tomado a decisão de não ficar com James e, sendo do tipo que deseja gratificação imediata para tudo, queria sentir-me instantaneamente maravilhosa. Desejava que os frutos da minha decisão caíssem naquele mesmo momento em meu colo impaciente.

Eis o meu desejo: "Fora com o velho, e que venha o novo!" Livrar-me de toda a parafernália de minha encarnação anterior, não ter mais nenhum pingo de sentimento por James, nem um cisco de dúvida, nem uma migalha de indecisão. Era uma transformação imediata, miraculosa, que eu queria. Que a Fada dos Relacionamentos me tocasse com sua varinha mágica e salpicasse em mim sua cintilante poeira de recuperação, fazendo-me esquecer imediatamente tudo o que um dia sentira por James, esquecer que ele sequer existira.

Quisera deixar minha dor debaixo do meu travesseiro e descobrir que, de manhã, ela desaparecera. Nem me incomodaria, se não houvesse dinheiro algum deixado em seu lugar.

Mas não havia nenhuma cura mágica, não havia nenhuma Fada dos Relacionamentos. Já percebera isso há muito tempo.

Tinha de passar por aquilo sozinha. Percebi que precisava ser paciente. O tempo me permitiria saber se eu tomara a decisão certa.

Ainda não sabia se agira corretamente, deixando James. Mas ficar com ele seria, definitivamente, a coisa errada.

Ponha sua cabeça para resolver isso, se puder.

E, se conseguir uma resposta, quer fazer o favor de explicá-la a mim?

James telefonou às 8 horas, na manhã seguinte. Eu não quis falar com ele. E às 8h40. Idem. E às 9h10. Idem. Depois, veio uma calmaria inesperada até quase 11 horas, quando houve três telefonemas em rápida sucessão. Idem, idem e idem. Às 12h15 houve outro. Idem. Às 12h55, 13h05 e 13h20, em todas essas horas houve telefonemas. Idem etc. Os telefonemas permaneceram estáveis pela maior parte da tarde, ocorrendo mais ou menos a cada meia hora. Depois, um fluxo final aconteceu por volta das 18 horas. Idem, como acima.

Mamãe, muito educadamente, atendeu aos telefonemas o dia inteiro. Não posso deixar de registrar isso — em tempos difíceis, aquela mulher vale quanto pesa.

Papai chegou do trabalho às 18h20 e, às 18h40, irrompeu no quarto onde eu estava sentada com Kate e todos os documentos relativos ao apartamento, e rugiu:

— Claire, pelo amor de Deus, quer fazer o favor de falar com ele?

— Não tenho nada para dizer — respondi, com doçura.

— Para mim tanto faz — berrou ele. — Isso já foi longe demais. E ele diz que vai telefonar a noite inteira, até você falar com ele.

— Deixem o fone fora do gancho — sugeri, voltando minha atenção outra vez para os documentos do apartamento.

— Claire, não podemos fazer isso — disse ele, exasperado. — Helen não para de pôr de volta no gancho.

— Sim, por que minha vida social deveria sofrer, só porque você se casou com um lunático? — veio a voz abafada de Helen de alguma parte, do lado de fora da porta.

— Por favor, Claire — suplicou papai.

— Ah, está bem, então — suspirei, guardando a caneta que usava para tomar notas.

— James — perguntei eu, ao telefone —, o que você quer?

— Claire — disse ele, com voz de zanga —, você ainda não pôs a cabeça no lugar?

— Não percebi que estava fora do lugar — disse eu, calmamente. Ele ignorou minhas palavras.

— Estou telefonando o dia inteiro e sua mãe diz que você não quer falar comigo — disse ele, com um tom irritado e ofendido.

— Mas é isso mesmo — disse eu, amável.

— Precisamos conversar — insistiu ele.

— Não, não precisamos — disse eu.

— Claire, eu te amo — afirmou ele, com seriedade. — Precisamos resolver tudo isso.

— James — falei, com frieza —, não haverá mais discussão a respeito. Já resolvemos tudo o que podíamos. E, agora, estamos no fim da linha. Você acha que tem razão. Eu acho que está errado. E não vou gastar mais tempo nem energia tentando convencer um de nós dois a mudar de ideia. Agora, te desejo tudo de bom e espero que possamos nos manter civilizados, especialmente por causa de Kate. Mas, de fato, não há mais nada para conversar.

— O que aconteceu com você, Claire? — perguntou James, com voz chocada. — Você nunca foi assim. Você mudou muito. Ficou dura.

— Ah, não lhe contei? — perguntei, com um tom de voz casual. — Meu marido teve um caso. Provocou em mim um certo trauma, sabe?

Muito pouco generoso, eu sei. Mas não consegui resistir.

— Muito engraçado, Claire — disse ele.

— Na verdade, não, James — eu o corrigi. — Não foi nem um pouco engraçado.

— Ouça — disse ele, começando a assumir um tom de voz aborrecido —, isso não nos levará a parte alguma.

— Para mim, está ótimo — disse eu —, porque parte alguma é precisamente para onde nós vamos.

— Muito espirituoso, Claire. Muito engraçado — disse ele, agressivo.

— Obrigada — respondi, com um excesso de doçura.

— Agora, ouça — disse ele, falando de repente com uma voz mais oficial e até mais pomposa do que de costume. Eu podia quase ouvir papéis farfalhando ao fundo. — Tenho... hã... uma proposta a lhe fazer.

— Ah, é? — perguntei.

— Sim — ele disse. — Claire, eu realmente te amo e não quero que a gente se separe. Então, se isso a fizer você se sentir melhor, estou disposto, hã... a fazer... hã... uma concessão.

— E qual é? — perguntei.

Pouco estava interessada. Mal ligava para as palavras dele.

Percebi, com um choque, que não havia nada, absolutamente nada que ele pudesse dizer, agora, para melhorar as coisas.

Eu não o amava mais.

Não sabia por que ou quando acontecera.

Mas acontecera mesmo.

James continuou a falar, e tentei concentrar-me no que dizia.

— Estou disposto a esquecer o que disse sobre você ter de mudar, quando voltasse a viver comigo — disse ele. — Você, obviamente, resiste muito em fazer um esforço no sentido de ser mais madura, ter mais consideração com os demais e todas as outras... bem... coisas sobre as quais conversamos. Então, se isso significa que abandonará essa ideia de separação, posso tolerar que continue da maneira como era antigamente. Acho que você não era assim tão má — disse ele, com relutância.

Tive um ímpeto de raiva. Esqueci-me, por um momento, de que eu não ligava mais. Puxa vida, mas que *desplante* o daquele homem! Que cara de pau. Eu mal podia acreditar em meus ouvidos.

Disse-lhe isso.

— Está satisfeita? — perguntou ele, num tom cauteloso.

— Satisfeita? Satisfeita? — gritei. — Claro que não estou satisfeita coisa nenhuma. Isso só faz piorar as coisas.

— Mas por quê? — lamuriou-se ele. — Estou dizendo que perdoo você e que tudo será ótimo.

Quase explodi. Como tinha coisas para lhe dizer!

— Perdoar a mim? — perguntei, incrédula. — *Você*, perdoar a *mim?* Não, não, não, não, *não,* James! Você coloca tudo isso de uma forma errada. Se alguém deve perdoar alguém aqui, sou eu e não você. Mas não farei isso.

— Espere um minuto! — explodiu James.

— E essa é, supostamente, a razão pela qual você teve o caso com aquela vaca gorda. O fato de eu ser imatura e egoísta. Mas você está disposto a esquecer isso agora, num abrir e fechar de olhos. No entanto, foi muito importante para você, a ponto de levá-lo a ser infiel. Decida, James! É importante ou não é?

— É importante — disse ele.

— Ora, então você não pode esquecer isso — disse eu, furiosa. — Se quer que eu seja de certa maneira, e isso é importante, então que tipo de relacionamento teremos se eu não quiser ser dessa maneira?

— Está bem, então — disse ele, com um toque de desespero na voz. — Não é importante.

— Ora, se não é importante, então por que você teve um caso por causa disso? — perguntei eu, com um tom de triunfo.

— Será que não podemos, simplesmente, esquecer isso? — perguntou ele. Percebia pânico em sua voz.

— Não, James, não podemos. Talvez você seja capaz, mas não é tão fácil para mim.

— Claire — implorou ele —, farei tudo o que você quiser.

— Não duvido nada — disse eu, triste. — Não duvido nada.

Não queria mais brigar e discutir com ele. Não aguentava mais ser incomodada.

— James, vou desligar agora.

— Pensará no que eu disse? — perguntou ele.

— Pensarei. Mas não alimente nenhuma esperança.

— Conheço você, Claire — disse ele. — Você vai mudar de ideia. Vai ficar tudo bem.

— Tchau, James.

Para ser justa, pensei *mesmo* no que James dissera. Devia isso a Kate.

Os argumentos a favor e contra uma volta para James iam e vinham em minha cabeça, como uma bola de tênis.

Mas havia uma coisa que eu não podia ignorar, uma coisa da qual eu não podia livrar-me com nenhuma argumentação, uma coisa da qual eu não conseguia convencer-me de que fosse diferente: o fato de que eu *não gostava* mais de James.

Quero dizer, gostava dele. Não queria que nada de terrível demais lhe acontecesse. Mas não o amava como antigamente. Desejava saber o que fizera para que isso acontecesse. Mas havia um sem-número de motivos. Ele tivera um caso — por mais que quisesse que eu esquecesse o fato. Isso deve ter contribuído muito para destruir minha confiança nele. E eu levar a culpa por isso, ora, não me causava nenhuma satisfação. Também podia ser porque ele não era homem bastante para assumir o que fizera e simplesmente desculpar-se. Situação que ajudou muito a destruir qualquer respeito que eu tivesse por ele. Mesmo agora, ele não queria admitir que agira de modo errado. Embora reduzisse suas exigências quanto a mim, ainda fazia isso soar como se fosse um favor.

Ele me traíra. E depois agravara tudo, tratando-me como uma idiota.

Ou talvez eu apenas tivesse perdido o gosto por homens baixos.

Só sabia de uma coisa, que, se estava morto, estava morto. Ninguém pode fazer o amor renascer, depois que este deu seu suspiro final.

Telefonei para James dois dias depois e lhe disse que não haveria nenhuma reconciliação.

— Você está deixando seu orgulho interferir — opinou ele. Como se tivesse sido aconselhado nesse sentido.

— Não estou — disse, desanimada.

— Você quer me punir — sugeriu ele.

— Não, não quero — menti. (*Claro* que era muito bom estar por cima desta vez.)

— Posso esperar — ele prometeu.

— Por favor, não faça isso — respondi.

— Eu te amo — sussurrou ele.

— Tchau — falei.

James continuou a telefonar, umas duas ou três vezes por dia. Sondando--me, checando se eu já teria mudado de ideia, se pusera a cabeça no lugar, como sempre dizia.

Eu era simpática com ele, pelo telefone. Não me custava nada. Ele dizia que sentia falta de mim. Acho que era verdade.

Mas eu achava os telefonemas um pouquinho irritantes. Era duro acreditar que há apenas três meses eu seria capaz de matar para receber um telefonema dele. Agora, era mais provável eu ser capaz de matar se os telefonemas *não parassem*.

Depois, não me senti mais irritada, apenas triste.

A vida é uma criatura muito peculiar.

37

Não podia dizer que estava feliz. Mas também não estava muito infeliz. Nem arrasada, do jeito como fiquei logo depois do abandono de James.

Acho que estava calma. Aceitara que minha vida nunca mais seria a mesma novamente e tampouco seria da maneira como eu a planejara. As coisas que eu esperara jamais aconteceriam. Eu não teria quatro filhos com James. James e eu não envelheceríamos juntos. Embora eu sempre prometesse que meu casamento seria um dos que sobreviveriam, dos que não se romperiam, agora podia aceitar, sem muito sofrimento, que *acabara*.

Claro, sentia-me triste. Triste pelo meu eu idealista, que se casara com expectativas muito, mas muito altas mesmo. Triste até por James.

Na verdade, sentia-me mais velha — e como! — e mais sábia.

Acho que aprendera — através do caminho longo e difícil — a ter um pouquinho de humildade.

Controlava realmente muito pouca coisa, fosse em minha vida ou na de qualquer outra pessoa.

E, quando ouvia alguém dizer "Tudo acontece por um motivo" ou "Quando Deus fecha uma porta, abre uma janela", não era mais tão difícil assim me refrear de dar-lhe um soco na cara. Na verdade, não era absolutamente difícil.

Não sentia que minha vida estivesse inteiramente acabada. Alterada sem retorno, talvez. Mas não acabada por completo.

Meu casamento terminara, mas eu tinha uma bela filha. Tinha uma família maravilhosa, amigos muito bons e um emprego para voltar. Quem sabe um dia eu não conheceria um homem bondoso que não se incomodaria de levar Kate junto comigo? Ou, se eu esperasse tempo suficiente, talvez Kate conhecesse um homem bondoso que não se importasse de me levar junto com ela. Mas, enquanto isso, eu decidira que, simplesmente, tocaria minha vida e, se o Sr. Perfeito chegasse, daria um jeito de abrir espaço para ele em algum lugar.

Tomei todas as tediosas medidas legais que deveria ter tomado há séculos. Ora, talvez eu não devesse tê-las tomado há séculos. Talvez eu não estivesse pronta naquele tempo. Talvez agora fosse o momento certo.

De uma forma ou de outra, não fazia mais a mínima diferença. O fato era que não *tinham sido* tomadas então, e eram tomadas agora.

Eu queria a custódia de Kate. James disse que não brigaria, se lhe fosse dado completo acesso à filha. Fiquei contente, porque queria que Kate conhecesse o pai. E sabia que tinha muita sorte por James mostrar-se tão razoável. Ele poderia ser deliberadamente desagradável e pouco cooperativo, mas, para ser justa com ele, não foi.

James e eu chegamos a um acordo quanto ao apartamento. Decidimos vendê-lo. Ele moraria lá até ser vendido.

Isso, na verdade, foi horrível. Quando recebeu os documentos do meu advogado, ele não gostou nem um pouquinho. Acho que percebeu, finalmente, que tudo estava terminado.

— Você realmente não vai voltar, não é? — perguntou ele, triste. E, mesmo eu tendo instigado a coisa toda, mesmo sendo o que eu realmente desejava, senti-me também um bocado triste.

Tive uma forte pontada de arrependimento. Ah, se as coisas não tivessem acabado daquela maneira. Se nunca tivessem dado errado.

Mas deram.

Tentativas de reconciliação dramáticas aos 43 minutos do segundo tempo são coisa de novela. Raramente acontecem na vida real.

E, quando acontecem, habitualmente são quando uma das partes bebeu — ou as duas.

Durante séculos e séculos, ninguém mostrou o menor interesse em comprar o apartamento. De certa forma, fiquei satisfeita, porque a ideia de qualquer outra pessoa morando no que eu ainda considerava *meu* lar era terrível demais para imaginar. Mas, por outro lado, era uma verdadeira preocupação, porque o dinheiro estava muito escasso. Creio que James era o responsável. Provavelmente, ele agarrava quaisquer compradores em perspectiva e os matava de tédio, com conversas sobre redução de impostos, hipotecas e coisas do gênero. Provavelmente, eles pegavam no sono antes mesmo de verem o quarto. Mas eu não devia ser tão cruel. Ele tinha boas intenções.

Falei com minha chefe e lhe disse que voltaria ao trabalho no início de agosto. Ora, se eu não me sentia muito infeliz, antes daquele momento, o lembrete de que tinha de voltar para o trabalho era quase suficiente para me derrubar de vez.

Talvez eu estivesse no emprego errado, talvez eu não possuísse uma verdadeira vocação, talvez eu apenas fosse uma grande preguiçosa. Ora, fosse qual fosse o motivo, eu não era uma dessas pessoas de sorte (embora eu ache, apenas, que são estranhas) que extraem uma grande alegria do seu trabalho. Na melhor das hipóteses, pensava nele como um meio para o fim; na pior, como um inferno na terra. E só pensava na hora de me aposentar. Faltavam somente 31 anos. A não ser que eu tivesse sorte, nesse meio-tempo, e morresse.

Não, honestamente, isso foi apenas uma piada.

Então, dentro de cinco semanas, seria a hora de voltar ao escritório. Retorno à administração sete horas por dia, cinco dias por semana, 48 semanas por ano.

Meu Deus!

Por que não nascera rica?

Lamento, lamento, sei que não deveria me queixar. Tinha sorte de ter um emprego. Só que desejava poder ter alguém para tomar conta de mim e de Kate. Estava apenas fantasiando. Mesmo se tivesse ficado com James, ainda assim teria de voltar a trabalhar. O caso era que voltar ao trabalho lembrava-me de como agora eu estava sozinha. Quanta responsabilidade. Não era mais só para mim que trabalharia. Uma criança dependia de mim.

Sabia que James sustentaria Kate — ah, sim, eu sabia. Acredite, eu sabia. E tinha um advogado caro para provar isso! Não que James fosse pão-duro ou mesquinho, de alguma maneira. Vamos dar a César o que é de César etc. Mas os dias em que eu podia gastar meu salário mensal inteiro com batom, revistas e álcool haviam passado. Há muito haviam passado.

Ser adulta não é tudo o que você é levada a acreditar que seja. Nem de longe. Era tarde demais, agora, mas eu desejaria ter lido todas as cláusulas em letra miúda antes de fechar contrato com a vida adulta.

Queria meu dinheiro de volta. Mas eu usara a droga da coisa, de maneira que agora não poderia sequer trocá-la.

Encontrei um lugar para Kate e eu morarmos em Londres.

Bem, na verdade, quem encontrou foi Judy.

Seria impossível encontrar um lugar para mim em Londres, enquanto ainda estava em Dublin. A não ser que desejasse pagar o correspondente à Dívida Nacional em taxas de agências.

Algum amigo de um amigo de Judy ia trabalhar na Noruega, em julho, e precisava de alguém que cuidasse do seu apartamento durante nove meses. Eu podia pagar o aluguel, e a localização não era assim tão ruim. Judy vira o apartamento e me garantira que tinha teto, chão e paredes. Depois, Judy soltou uma grande mentira e disse ao seu amigo de um amigo de um amigo que eu era arrumada, limpa, sossegada e capaz de pagar todas as minhas dívidas. Não tenho certeza nem mesmo se ela chegou a mencionar Kate.

Andrew — o nome dele era esse — me ligou para se certificar de que eu não era algum tipo de louca, que encharcaria seu precioso apartamento com gasolina e tocaria fogo nele, antes mesmo que ele chegasse ao Terminal Dois.

Pelo telefone, mostrei-me a pessoa mais educada e bem-comportada possível. Enfatizei que achava que a limpeza deveria ser equiparada à Divindade e que eu era a favor de reinstituir a pena de morte para assaltantes de domicílios e pessoas que jogam lixo nas ruas.

— Ora, talvez o melhor fosse chicoteá-los publicamente. Talvez assim voltassem a ter algum respeito — sugeriu ele.

— Hummm — disse eu, num tom neutro, porque não tinha certeza se ele estava brincando ou não.

Andrew enviou-me um contrato e eu lhe enviei todos os tipos de referências e detalhes bancários e, o que era mais importante, algum dinheiro. (Que pedira emprestado a papai — será que algum dia eu me tornaria adulta?)

Durante os mais ou menos dez dias seguintes tivemos detalhadas conversas pelo telefone sobre o que eu faria com a correspondência dele. E quais de suas plantas precisavam ouvir piadas. Eu tinha de gravar o programa *Brookside* e enviá-lo para ele toda semana.

Ele me deu todos os tipos de conselhos úteis.

Alertou-me para o fato de que a mulher do andar de baixo era maluca.

— Que ótimo — disse eu, esquecendo-me da cautela. — Provavelmente gostarei dela.

— E não vá ao primeiro chinês que encontrar — advertiu-me ele. — Foram apanhados com um pastor alemão no freezer. O outro, mais adiante, é muito melhor.

— Obrigada — eu disse.

— Pode usar qualquer coisa que tenha ficado nos armários ou no bar — ofereceu ele.

— Obrigada — repeti eu, entusiasmada.

— E se algo der errado — disse sua voz desencarnada —, não deixe de me telefonar. Vou deixar um número de telefone pelo qual você pode entrar em contato comigo.

— Obrigada — tornei novamente a dizer.

— Tenho certeza de que você será feliz aqui — prometeu ele. — É um belo e arejado apartamento.

— Certo — disse eu, engolindo em seco. — Obrigada.

Tentava não pensar em meu próprio belo apartamento, que eu decorara, projetara e tornara lindo ao longo dos anos. Algum dia terei outro, prometi a mim mesma. Quando chegar a hora.

Senti-me ainda pior quando percebi que "belo e arejado apartamento" é em geral o que os funcionários das imobiliárias dizem, quando as vidraças estão quebradas.

Ah, meu Deus.

— Estarei em Londres por pouco tempo em outubro — disse ele. — Espero que possamos nos encontrar, nessa ocasião.

— Seria ótimo — respondi.

Bom sujeito, pensei, enquanto desligava o telefone.

Tratando-se de um neonazista.

Imaginei a aparência dele.

38

Os homens.

Ah, sim, os homens. Acho que a questão estava destinada a vir à baila mais cedo ou mais tarde.

Mas escute aqui, quero deixar uma coisa clara. Não me interessei por esse cara, Andrew. Apenas gostei de ele ter dito coisas simpáticas (exceto aquilo sobre chicotear maus inquilinos em público). E eu era outra vez, oficialmente, uma mulher solteira, e havia alguns padrões de pensamento que simplesmente voltaram a funcionar. Não conseguia deixar de fazer isso! Era obviamente genético. Ou hormonal.

De qualquer forma, estava apenas curiosa. Não fazia mal nenhum cogitar sobre essas coisas. Eu não planejava tomar nenhuma iniciativa.

E aquilo não significava que eu ia pular na cama do primeiro homem que me fizesse um sinal.

Quero dizer, se eu estava tão desesperada por um homem, não ficaria com James?

Embora perceba que, depois da maneira como me comportei com Adam, há uma boa chance de que você não acredite em mim.

Ok, ótimo, você não precisa acreditar em mim, mas Adam foi uma exceção.

Adam era especial.

Então você ouviu que Adam tinha uma namorada e um bebê. O que acha disso? Sensacional, não?

Acho que fazia sentido. Havia sempre uma sugestão de que havia mais coisas nele do que se podia enxergar apenas ao se olhar para ele. Porém, eu mais ou menos esperava que esse Terrível Segredo fosse algo como o hábito de consumir drogas, uma sentença criminal sem importância ou algo com um pouquinho de notoriedade, até mesmo glamour. Sem dúvida, não estava preparada para a notícia de que Adam era um Pai de Família.

Foi um choque. Eu chegaria a dizer que foi um choque desagradável. Mas, quando Helen me deu bruscamente a notícia, não fui capaz de reagir com toda a minha atenção e indignação. Distraiu-me um pouco o fato de estar a caminho de pegar um avião para Londres para terminar meu casamento. Não, definitivamente não era uma boa notícia, mas eu estava preocupada demais para encará-la de frente e pensar em como de fato me sentia.

Ora, eu tinha uma quantidade enorme de coisas para resolver e não podia permitir-me desperdiçar tempo devaneando. E Adam e eu, da forma como as coisas aconteceram, terminamos antes mesmo de eu descobrir que ele tinha esse bebê, de modo que não havia nada a ganhar pensando nele. Adam era o passado.

De qualquer jeito, para ser perfeitamente franca, eu não gostava de pensar em Adam. Não me deixava feliz. Era doloroso. Se ele, acidentalmente, ia parar em minha cabeça, não ficava nem cinco segundos, quase como um marinheiro que caísse de bordo nas águas geladas da Antártida. Alarmes soariam e uma dupla de troncudos seguranças seria enviada para tirá-lo dali imediatamente.

Se ele nem sequer cruzasse minha mente, eu teria a grande sorte de dispor de algum tipo de documento legal incrivelmente complicado e tedioso para me absorver.

E Helen não me dava nenhuma chance. Estudava para seus exames e causava um sem-fim de perturbações, queixando-se amargamente, fazendo perguntas e falando sobre fazer sexo com todos os seus professores para ter chance de passar. Assim, ela desviou meu pensamento de Adam. Desviou meu pensamento de tudo, menos das fantasias em câmera lenta de assassinatos brutais.

Mas era o mês de junho, e o tempo de repente ficara muito bonito e quente. E algumas vezes, quando eu estava sozinha com Kate no quintal, meio adormecida, com o sol em meu rosto, sentindo-me tão relaxada, quando talvez devesse estar pensando em James, em vez disso, meus pensamentos flutuavam acidentalmente na direção de Adam, e eu me lembrava de como ele fora doce e como me fizera sentir maravilhosa.

E, em ocasiões como essa, quando eu baixava a guarda, permitia-me sentir saudade e tristeza por ele não estar ali. Mas apenas por um momento. Eu não gostava de sentir saudade dele. Eu realmente não gostava de pensar nele, de forma alguma.

Vamos encarar os fatos: eu não gostei do que Helen me contou. Não era uma novidade que me alegrasse o coração. Ou qualquer outro dos meus órgãos internos. Não é que eu sentisse que ele me traíra. Eu não estava numa posição que me permitisse protestar, mesmo porque era casada. E, do que eu conseguira juntar, ouvindo a narrativa truncada de Helen, tinha bastante certeza de que ele estava brigado com sua namorada enquanto tivera sua pequena aventura comigo.

Se é que se pode chamar a experiência de aventura.

Se não achasse tão desagradável, provavelmente chamaria aquilo de uma transa, que é o que obviamente foi.

Acho que me sinto um pouco, ah, não sei, fácil demais, creio eu. Tola que fui, fiquei lisonjeada com toda a atenção que Adam me deu. Era maravilhoso sentir-me tão desejada e admirada. Principalmente depois do que acontecera com James.

E, agora, eu sentia que ele só me desejara por causa de Kate. Não que ele quisesse Kate, ou algo doentio desse tipo. Mas ele me desejava porque eu era mãe. Provavelmente fazia com que ele lembrasse sua namorada. Não sabia qual era o caso entre Adam e sua namorada, mas, se ela fugira com a criança, devia ter sido realmente duro para ele e, talvez, eu fosse algum tipo de substituto.

Eu me sentia, eu me sentia... um tanto mortificada, eu acho. Ficara encantada por Adam me escolher. Mas não fora realmente eu que ele escolhera. Foram minhas circunstâncias.

Estava magoada.

E me senti tola por pensar que alguém tão lindo quanto ele podia estar seriamente interessado em alguém tão comum quanto eu. O que é que eu tinha na cabeça?

A única coisa que poderia dizer em minha defesa era que eu estava fora de mim. Passara por muita coisa e minha sanidade ficara abalada.

Mas, enquanto tratamos do assunto Adam, devo admitir que estava chateada com ele.

Não muito. Mas um pouquinho. Estava chateada com ele por brincar com meus sentimentos. Por me fazer sentir especial, quando não era. E, depois, por fazer aquele discurso hipócrita sobre minha volta para James. Ele não tinha nada que fazer aquilo, se não gostava de mim. As pessoas têm de *conquistar* o direito de me fazer sentir culpada. Era algo que eu realmente deveria tentar não conceder com tanta facilidade, como costumava fazer.

Mas, à medida que o tempo corria e eu passava mais horas cochilando no jardim ensolarado, meus sentimentos começaram a mudar. Comecei a ver o outro lado da moeda. Na verdade, comecei a me sentir inteiramente metafísica a respeito do assunto. Não era algo para o qual eu tivesse normalmente uma tendência.

Talvez fosse o excesso de sol.

Talvez Adam me fosse enviado por um motivo, pensei. Adam me fez sentir tão bem a respeito de mim mesma e restabeleceu tanto minha confiança que tudo isso, provavelmente, deu-me forças para enfrentar James. Talvez o discurso sentencioso de Adam tivesse sido útil para me ajudar a tomar a decisão certa sobre James.

Teria sido bom pensar que Kate e eu ajudamos Adam a lidar com a dor de estar separado de sua filha e da namorada. Talvez nós o tivéssemos ajudado a perceber quanto elas eram importantes para ele, independentemente de quem deixara quem.

Era tão maravilhoso sentir a amargura me abandonar. Comecei a me sentir feliz por ter conhecido Adam. Senti que Adam e eu nos havíamos encontrado por um curto espaço de tempo por um motivo especial. *Tinha* de ser curto. E eu gostava de pensar que ambos havíamos nos beneficiado com aquilo.

Isso talvez não passasse de tolice mística e supersticiosa. Mas eu, normalmente, não era o tipo de pessoa que vê nos acontecimentos sinais, presságios, motivos e explicações. Ao contrário. Como disse antes, estava sempre debochando das pessoas que afirmam que tudo acontece por um motivo. Claro que eu não era tão pouco generosa quanto Helen, mas, ao mesmo tempo, estava longe de ser indulgente. Existencialismo, teu nome é Claire.

Minha abordagem habitual do fato seria dizer algo como: "Adam e eu fizemos sexo porque ambos desejávamos uma trepada. Apenas isso." Mas não conseguia ser cínica e dura como gostaria.

Era preocupante, claro, mas o que fazer?

Mas isso significava que ficar deitada no quintal era muito mais agradável, agora. Todas as vezes que pensava em Adam não sentia como se uma faca fosse retorcida nas minhas entranhas. Algum tipo de paz instalou-se sorrateiramente em mim. Eu não precisava sentir-me abandonada, vítima de mentiras, humilhada ou tola. Fora um prazer conhecê-lo, durante o curto espaço de tempo em que o conhecera. Talvez fosse melhor assim.

Sabem como é. Às vezes, você conhece uma pessoa maravilhosa, mas apenas por um rápido instante. Talvez em férias, num trem ou até numa fila de ônibus. E essa pessoa toca sua vida por um momento, mas de uma maneira especial. E, em vez de lamentar o fato de ela não poder ficar com você por mais tempo ou por você não ter a oportunidade de conhecê-la melhor, não é mais sensato ficar feliz por ter chegado a conhecê-la um dia?

Havia uma sensação muito perceptível de que um capítulo se encerrara em minha vida. Comecei a me preparar, tanto do ponto de vista emocional quanto prático, para a volta a Londres.

Comecei a colocar roupas na mala. Ampliei o raio de minhas buscas, visitando todos os armários da casa, especialmente o de Helen, e não deixando nenhuma gaveta sem abrir, nenhum cabide sem examinar.

Embora continuasse a brigar com todo mundo da família, sabia que deixá-los seria terrível. Seria especialmente duro deixar minha mãe. Não apenas porque ela era muito útil cuidando de Kate. Não, de fato, eu pensava mesmo seriamente a respeito, sabia que sentiria muita falta dela. Seria como repetir a saída de casa. Pior, na verdade, porque ao sair pela primeira vez, sete anos antes, estava animada em ir, e toda pressa parecia pouca para aproveitar minha iminente liberdade.

Agora era diferente. Eu estava sete anos mais velha e mais cansada. Sabia que não havia novidade em passar minhas próprias roupas, pagar minhas próprias contas.

Mas tinha de voltar para Londres.

Afinal, meu emprego estava lá. E eu não notara ninguém em Dublin fazendo muita força para me oferecer trabalho. Embora, para ser justa, eu não tivesse me candidatado a nada.

E, o que era mais importante, o pai de Kate estava em Londres. Queria que ela o visse muito, para saber que tinha um pai que a amava (bem, tinha certeza de que ele a amaria, quando a conhecesse melhor), e para crescer com um homem em sua vida. Porque, se ela fosse esperar por mim para lhe proporcionar uma figura paterna, eu não tinha certeza de poder atendê-la. Talvez conhecesse outro homem, algum dia, mas não tinha lá muita esperança.

E, ao pensar nisso, acabei trazendo à baila toda uma nova série de preocupações. E se Kate não gostasse do novo homem? E se ficasse cheia de ciúmes, tivesse acessos de mau gênio e fugisse de casa? Ah, meu Deus!

Ora, eu não me preocuparia ainda com isso. Seria dar um salto grande demais, quando eu ainda estava inteiramente preocupada com a possibilidade de jamais tornar a encontrar outro homem.

Na verdade, não pensava nisso a sério. Não estava *angustiada* com a ideia de nunca mais tornar a ter um homem.

Apenas levemente preocupada.

Decidi voltar para Londres no dia 15 de julho. Poderia mudar-me para meu novo apartamento e dar a mim mesma e a Kate algumas semanas para nos instalar e encontrar uma babá, antes de eu voltar para o trabalho.

Então, à moda de antigamente, descobri toda uma nova série de preocupações. Como tomaria conta de Kate, inteiramente sozinha? Eu me tornara muito dependente da presença de minha mãe para sugerir motivos por que Kate não queria parar de chorar, não queria comer, pelos quais vomitava, ou fosse lá o que fosse.

— Você pode me ligar a hora que quiser — tranquilizou-me mamãe.

— Obrigada — disse eu, com voz chorosa.

— E tenho certeza de que você ficará muito bem — confirmou ela.

— Tem mesmo? — perguntei, com ar patético.

Embora eu já tivesse quase 30 anos, às vezes comportava-me como uma criança quando estava perto da minha mãe.

— Ah, sim — disse ela. — Ninguém sabe quanto é forte, até precisar ser.

— Acho que você tem razão — admiti.

— Tenho — disse ela, firmemente. — Veja seu caso. Você não se saiu tão mal assim, apesar de tudo pelo que passou.

— É, acho que sim — disse eu, em tom de dúvida.

— É verdade — insistiu. — Lembre-se: o que não mata, fortalece.

— Estou mais forte? — perguntei, com minha voz mais infantil.

— Meu Deus — disse ela —, quando você usa essa voz, eu realmente duvido.

— Ah — disse eu, aborrecida.

Queria que ela fosse boazinha comigo e me dissesse que eu era maravilhosa e podia enfrentar qualquer coisa.

— Claire — disse ela —, não adianta me perguntar se está mais forte. Quem sabe a resposta é você mesma.

— Ora, então estou — disse eu, em tom agressivo.

— Ótimo — ela sorriu. — E lembre-se: foi você mesma quem disse. Não fui eu.

Na quarta-feira anterior àquela em que eu deveria voltar, Anna, Kate e eu estávamos no jardim. O tempo ainda estava lindo. Anna, hã, como posso expressar isso, estava entre dois empregos, então nós duas tínhamos passado a semana anterior perambulando pelo jardim, vestidas com uma variedade de sutiãs, de biquínis e shorts cortados bem curtos, tentando nos bronzear.

Eu estava ganhando.

Bronzeava-me com facilidade, mas Anna não. Porém, em compensação, Anna era minúscula e delicada, e ficava linda de biquíni, enquanto eu, ao lado dela, sentia-me uma imensa novilha. Não estava mais gorda. Mas ela era tão pequena e frágil que me fazia sentir imensa, por comparação. Eu *gostava* de ser alta. Só não gostava de me sentir como uma atleta da Alemanha Oriental.

Então, se eu estava ganhando na guerra do bronzeado, era uma coisa bastante justa e correta.

Quando os genes foram distribuídos, ela ficou com o corpinho gracioso, enquanto eu fiquei com a pele macia e dourada.

Ela tinha pernas esguias. Eu não.

Eu tinha seios. Ela não.

Meio a meio.

Nossa atenção foi atraída para a janela da cozinha. Mamãe erguera a cortina e estava gesticulando e batendo.

— O que ela quer? — perguntou Anna, sonolenta.

— Acho que ela está dizendo "olá" — respondi, erguendo sem pressa a cabeça da espreguiçadeira para olhá-la.

— Olá — ambas dissemos, languidamente, e acenamos com os braços moles. Mamãe continuou a bater. Os gestos que ela fazia me pareceram muito mais frenéticos e vulgares.

— Vá você — disse eu a Anna.

— Não posso — recusou ela. — Você é que vai.

— Estou com sono demais — reclamei eu. — Você terá de ir.

— Não, vá você — insistiu ela, fechando os olhos.

Mamãe aproximou-se, vindo pelo jardim.

— Claire! Telefone! — rugiu ela. — E, da próxima vez em que eu bater na janela, faça o favor de vir. Não faz bem à minha saúde, você sabe.

— Desculpe, mamãe.

— Fique de olho em Kate — disse eu a Anna, enquanto corria para dentro da casa.

— Hummm — resmungou ela.

— E ponha mais um pouco de filtro solar nela — gritei por cima do meu ombro.

Tropecei na cozinha, quase cega por entrar na casa escura depois da ardente luz do sol no jardim.

Peguei o telefone.

— Alô — falei.

— Claire — disse James.

— Ah, alô, James — disse eu, imaginando o que diabo ele queria. Só se me ligou para dizer que vendera nosso apartamento. Eu não queria falar com ele.

— Como vai você, Claire? — perguntou ele.

— Estou ótima — eu disse, brevemente, desejando que ele acabasse com aquilo.

— Claire — disse ele, com grande solenidade —, tenho algo para te contar.

— Está bem, vá em frente — incentivei, de maneira bem cordial.

— Claire, espero que você não se importe, mas encontrei outra pessoa.

— Ah — disse eu. — Ora, o que você quer que eu diga? Parabéns?

— Não — disse ele. — Não há necessidade disso. Mas pensei que seria melhor contar logo, já que você teve uma reação tão violenta, da última vez.

Com um autocontrole monumental, não desliguei o telefone.

— Obrigada, James — consegui dizer. — É muita consideração sua. Agora, se me dá licença, preciso ir.

— Mas não quer saber tudo a respeito dela? — ele se apressou a perguntar.

— Não — disse eu.

— Não se importa se eu disser? — perguntou ele, ansioso.

— Não — respondi.

— Não se importa mesmo? — perguntou ele, ainda ansioso.

— Não — ri.

— Ela é muito mais jovem do que você — disse ele, em tom antipático. — Tem apenas 22 anos.

— Que bom — disse eu, em tom amável.

— O nome dela é Rita — disse ele.

— Nome bonito — comentei.

— Ela é atuária — disse ele, com a voz um tanto desesperada.

— Que maravilha! — exclamei. — Vocês devem ter tanto em comum.

— Que diabo há de errado com você? — gritou ele.

— Não sei do que está falando — protestei.

— Por que age como se não desse a menor importância? — trovejou ele. — Acabei de te contar que tenho uma nova namorada!

— Acho que devo estar agindo como se não desse a menor importância porque, de fato, não dou a menor importância — foi a única resposta que pude dar. Continuei:

— Ah, e James...

— Sim? — disse ele, esperançoso.

— Kate está ótima — eu disse. — Tenho certeza de que é apenas um lapso o fato de você ter se esquecido de perguntar. Agora, já vou. Grande notícia! Estou feliz por você. Que dure muitos anos e todas essas coisas. Adeus. — Bati o telefone.

Até que ponto uma pessoa pode tornar-se patética? O que ele esperava que eu fizesse? Que explodisse em prantos e lhe implorasse para me receber de volta? Não aprendera nada?

Voltei para o jardim. Anna se aproximara de Kate e estava sentada brincando com ela. Tão linda. Quero dizer, Kate. Embora Anna também fosse linda, não havia dúvida a respeito. Mas Kate era mais linda. Começara a desenvolver uma pequena personalidade toda própria. Quando se falava com ela, fazia ruídos tipo "gu, gu", algumas vezes ria e se comunicava por meio do olhar. Era quase como conversar com ela.

Mas, no momento, ela não estava rindo muito. Seu rostinho gordo ficara de um tom rosa-vivo, sob seu chapéu amarelo, e ela não parecia querer tomar mais banho de sol nenhum. "Estou com calor e aborrecida", dizia sua expressão. "E já conversei demais com essa maluca."

— Quem era? — perguntou Anna.

— James — respondi com desprezo, sentindo dificuldade em dizer o nome dele.

— O que ele queria? — perguntou Anna.

— Tem uma nova namorada — disse eu, laconicamente.

— Você se importa? — perguntou ela, ansiosa.

— *Claro* que não me importo — respondi, ultrajada.

— Então, por que está agindo como se estivesse tão irritada? — perguntou Anna.

— Porque ele perturbou meu banho de sol, me fez sair da espreguiçadeira e *caminhar,* só para me dizer isso. Nem consigo acreditar! Na verdade, não consigo. Que idiota.

Mas vamos deixar James para lá. Eu estava preocupada com Kate.

— Será que ela está com queimaduras? — perguntei a Anna, ansiosa. — Talvez eu devesse ter usado um filtro solar mais forte.

— Talvez — concordou Anna, em tom de dúvida. — Mas não creio que *fabriquem* outro mais forte.

Era verdade. Eu lambuzara Kate com o filtro solar que continha o maior fator de proteção conhecido pelo ser humano. Será que eu era uma mãe superprotetora? Não conseguia deixar de ser. Preocupava-me com ela. Quero dizer, afinal ela era um bebê e sua pele era muito delicada. Eu não queria arriscar.

— Acho que vou levá-la para dentro — disse —, só para ter certeza de que está tudo bem.

— Relaxe — aconselhou Anna.

— Não, é melhor levá-la para dentro — disse eu. — Ela pode tomar sol demais e se queimar.

— Ah, não vá — implorou Anna. — Não terei ninguém com quem conversar.

Exatamente nesse momento ouvimos vozes na cozinha. Parecia estar ocorrendo uma pequena agitação.

— Helen está em casa — disse eu a Anna. — Você pode brincar com ela.

— Ah, não — gemeu Anna. — Ela vai dizer que se matará, se não passar nos exames, e cogitará se vai ter estômago para fazer sexo com o professor Macauley, e me fará uma porção de perguntas idiotas sobre a Grécia antiga. Quero dizer, o que sei eu sobre a Grécia antiga? — perguntou ela, com um tom de voz de quem foi injustiçado. — Só porque trabalhei num bar durante seis semanas em Santorini, ela acha que eu deveria conhecer bem Zeus e todo aquele pessoal.

Suspirou e começou a juntar suas coisas.

— Acho que vou entrar com você.

Mas, antes que ela pudesse escapulir, Helen irrompeu no jardim. Usava uma pequena saia jeans e uma camiseta. Seu cabelo estava enrolado no alto da cabeça e, como de costume, estava linda.

Parou quando nos viu e ficou nos olhando fixamente, com dureza.

— Olhe para elas — disse, com amargura. — Olhe só para elas, essas safadas. Como têm sorte.

— Oi, Helen — disse Anna, cautelosa.

— Suas vacas preguiçosas, deitadas por aí sem fazer nada, enquanto tenho de suar sem parar, só estudando — continuou, em tom ressentido.

Cobri meus olhos com a mão, a fim de olhar para Helen, para seu rostinho furioso. E só então percebi que Helen não estava sozinha.

Trouxera um convidado.

Um alto e belo convidado.

Um lindo convidado de olhos azuis, cabelos escuros, maxilar quadrado, alto, que usava jeans desbotados e uma camiseta branca.

Que se bronzeara bastante, desde a última vez em que eu o vira.

Não pensara que ele pudesse ficar com uma aparência ainda melhor, mas parece que estava errada.

Aquele idiota!

— Oi, Adam — disse eu, com vontade de explodir em prantos.

— Oi, Claire — disse ele, educadamente.

Prendi a respiração e esperei que ele voltasse para casa. Então percebi, com horror, que ele não ia voltar.

"Ah, mas que merda", pensei, desesperada, "ele vem para cá".

Helen e Adam aproximaram-se do pequeno oásis de espreguiçadeiras, Coca-Cola diet, loção bronzeadora, revistas femininas e batatinhas fritas, que Anna, Kate e eu havíamos criado. Adam ficou em pé por um momento e colocou-se acima de Anna e de mim, que estávamos prostradas nas espreguiçadeiras. Ele não parecia muito relaxado. Faltava aquele charme habitual, que lhe vinha naturalmente. Parecia constrangido, um tanto inamistoso.

Meu coração batia forte. Sentia-me numa situação de desvantagem tão terrível. Ah, meu Deus, por que Helen não podia ter me dado algum aviso de que estava trazendo o belo Adam? Eu poderia ter posto um pouco de maquiagem e um biquíni bonito. Porque, quando disse, antes, que estava deitada no jardim usando short cortado e um pequeno sutiã, nem por um momento queria sugerir que estava com o aspecto de uma daquelas garotas sensuais de *Baywatch*. Ah, meu Deus, não! O short era velho, feito de brim gasto e grosseiro, e estava cortado de uma maneira esquisita. Não ficava nada bem e fazia meu bumbum parecer enorme. E a lycra do sutiã havia afrouxado, de modo que ele estava todo caído e esgarçado.

É novamente a versão de novela contra a vida real. Na primeira, sempre que são apanhadas desprevenidas pelo seu homem, elas estão acabando de sair do chuveiro, cobertas com uma perfumada loção corporal, seus cabelos cheios de pequenas mechas úmidas que escapam por debaixo da toalha, e a aparência delas é linda, de uma maneira totalmente inocente e natural.

O bastante para fazer você vomitar.

Mas, na vida real, pode apostar que estará com a pior aparência possível, quando chega inesperadamente o homem por quem você sente simpatia/amor/tesão. Ora, essa sempre foi *minha* experiência. Talvez você tenha um pouco mais de sorte.

Gostaria que ele não ficasse ali em pé olhando para mim, abaixo, pensei, nervosa.

— Adam, você está tapando o sol — disse eu, tentando fazer a frase soar como uma brincadeira. — Por que não se senta?

Ele se sentou. Era surpreendente como um homem tão grande e alto pudesse transformar o ato de sentar-se numa coisa tão graciosa. Lamento, eu não devia ter notado isso. Sem dúvida, não deveria ter feito o comentário.

Ele sorriu para Anna, adiante.

— Olá — disse.

— Oi, Adam — ela respondeu, com um sorriso envergonhado.

— Como vai você? — Sua voz soava como se ele estivesse realmente interessado.

"Deixe Anna para lá! E eu?", quase gritei.

— Estou ótima — disse Anna, devolvendo timidamente o sorriso.

— Meu Deus — resmungou Helen, dando a Anna um olhar que significava: "Você é tão patética."

Adam e Anna continuaram a murmurar um para o outro.

Depois, Helen voltou sua atenção para mim.

— Saia daí — ordenou, tentando empurrar-me para fora da espreguiçadeira. — Acabei de fazer um exame. Preciso descansar.

— Ótimo — disse eu, levantando-me. — Eu já ia, mesmo.

Era importante fazê-la saber que não me forçara a abandonar minha espreguiçadeira. Que eu ia por vontade própria.

Jogos de poder.

Eu era tão infantil.

— É isso aí — disse Anna, apressada, com o rosto vermelho como um tomate. — Também vou.

— Ora, para onde você vai? — perguntou Helen.

— Para dentro — eu disse.

— Ah, mas que maravilha — disse ela. Estava realmente chateada. — Acabei de fazer um exame terrível e preciso aprender todo o curso de antropologia hoje à noite, e você se recusa a ficar aqui comigo durante cinco minutos para conversar um pouco e me ajudar a me descontrair.

— Mas Kate está com calor demais — eu disse.

— Então vá — disse ela, mal-humorada. — Vá.

Olhou para Adam.

— Começaremos dentro de dez minutos, ok?

— Ok — concordou ele.

— O que faremos primeiro? — perguntou ela.

— O que você quer fazer? — replicou ele.

Resposta correta. Ele, obviamente, tinha uma boa noção de como tratar Helen.

— Acho que podíamos fazer Famílias Desajustadas — disse Helen. — Já que você entende tanto do assunto.

Sorriu maldosamente.

— Helen! — disse Anna, com uma voz chocada.

— O quê!? — disse Helen, agressiva. — É apenas uma brincadeira. De qualquer jeito, ele entende *mesmo*. Não é verdade?

— Acho que sim — disse ele, educadamente.

Era o bastante. Eu já ia embora. Peguei Kate e atravessei o gramado (gramado! Que piada!) com ela. Aqueles 2 metros me pareceram quilômetros e quilômetros. Tudo em que conseguia pensar era nos olhos de Adam fixos em meu bumbum, sem nenhum atrativo por causa daquele short horroroso.

Finalmente, cheguei à segurança da cozinha.

Percebi que deixara minha revista no jardim. Ora, que ficasse por lá! Ninguém me veria aproximando-me de Adam por vontade própria. Deus do céu!

Eu estava muito perturbada. Porque, nas últimas semanas, começara a suspeitar de que talvez Adam não fosse tão atraente assim. Eu é que, em minha condição de mulher recém-abandonada, estava com a capacidade de avaliação prejudicada. Talvez ficasse tão grata pela atenção dispensada por ele que me convencera de que era lindo.

Mas não. Não era verdade. O filho da puta era lindo, mesmo. Eu não imaginara isso. Não me iludira.

E seu aspecto estava ainda melhor, assim bronzeado. E seus braços estavam tão grandes e musculosos naquela camiseta.

Meu Deus! Era demais para suportar, estando eu inteiramente sozinha há cinco meses, fora aquela noite com Adam.

Na verdade, era muito mais tempo do que isso, porque James não quisera me ver nem pintada, nos últimos quatro ou cinco meses da minha gravidez.

E então, qual era o problema de Adam? Por que ele estava tão frio e pouco amável comigo? Claro que isso era desnecessário, não? Será que ele temia que eu fosse agarrá-lo? Que não fosse capaz de me conter? Será que sentia que tinha de me manter a distância?

Ora, não precisava preocupar-se, pensei. Estava seguro. Eu não tentaria interpor-me entre ele e sua namorada. Não era tão idiota quanto antigamente. Reconhecia uma situação de perda quando me via diante dela.

“Não é estranho?”, pensei, enquanto carregava Kate para o andar de cima. “Da última vez em que vi Adam, tinha acabado de sair de sua cama. Fomos tão íntimos quanto dois seres humanos poderiam ser. E, agora, agimos como estranhos bem-educados.”

39

Kate ficou muito mais feliz dentro de casa. Toda sorrisos, "gu, gus" e chutes, quando a coloquei em seu berço. Segurei seus pezinhos quentes e fiz suas pernas movimentarem-se como numa bicicleta — ela adorava isso. Bem, pelo menos esperava que adorasse, porque eu adorava — quando ouvi a batida na porta do meu quarto.

O que era aquilo? *Ninguém* batia na porta, em nossa casa.

A porta abriu-se e Adam surgiu com sua imponente estatura no quarto. Tudo de repente pareceu muito menor, como numa casa de bonecas.

"Ah, meu Deus", pensei entrando em estado de choque e repentinamente abandonando as perninhas de Kate. "O que ele quer?"

Talvez não conseguisse acreditar em como meu short era horroroso, e viesse confirmar.

— Claire — disse ele, tímido —, posso conversar com você por um momento?

Ficou ali em pé, tão grande, tão lindo, com aquela expressão ansiosa em seu belo rosto.

Olhei para ele e algo aconteceu dentro de mim (não! isso não!), algo maravilhoso.

Meu coração se ergueu e um ímpeto de *alegria* percorreu meu corpo, tão forte que quase me derrubou. De repente, eu estava cheia de esperança, alegria e felicidade. Uma exultação daquele tipo que a gente sente quando pensava ter perdido tudo e então percebe que as coisas vão dar certo.

Você sabe do que estou falando. De um tipo de coisa que só acontece com a gente uma ou duas vezes numa vida inteira.

— Sim — eu disse. — Claro.

Ele se aproximou, sacudiu o pé de Kate e, depois, sentou-se ao meu lado na cama. O colchão quase tocou o assoalho, mas isso não tem nenhuma importância.

— Claire — disse ele, olhando-me com uma expressão de súplica em seus olhos tão azuis —, gostaria de lhe dar uma explicação sobre minha namorada e meu bebê.

— Ah, sim? — disse eu, tentando fazer minha voz soar casual e com um tom de quem trata de negócios. Como se ele não estivesse causando em mim um efeito muito perturbador.

O tamanho dele e sua proximidade eram um tanto esmagadores. Como já disse, a primeira coisa que eu notara sobre a ele era sua masculinidade. E agora era como se ele tivesse encharcado a cama com testosterona. Ou como se tivesse caminhado em torno do quarto com um daqueles incensórios que os padres balançam por ocasião da bênção, só que, em vez de incenso, seu incensório estava cheio com a Essência do Homem.

Eu não conseguia deixar de pensar em fazer sexo com ele. Afinal, era apenas humana. Se você me espetar, eu não sangro? Se você empurrar um homem lindo para debaixo do meu nariz, não sinto vontade de rasgar suas roupas e deixá-lo nu?

Quero dizer, não sou *eu* quem estabelece as regras.

Era imperativo que eu me controlasse. Adam não estava ali para me oferecer seu corpo. Ele estava ali, ou, pelo menos, eu esperava que estivesse, para podermos desemaranhar o que quer que estivesse acontecendo em nossas vidas, quando nos conhecemos. Então, talvez pudéssemos ser amigos.

Percebi que eu realmente, mas realmente mesmo, gostaria de ser sua amiga. Ele era tão interessante, divertido e doce. Era uma pessoa maravilhosa para se ter por perto. Especial, sabe? Quem quer que fosse essa sua namorada, era uma mulher de sorte.

— Claire — disse ele —, obrigado por me dar esta oportunidade de me explicar.

— Ah, meu Deus — eu disse —, controle-se. Pare de falar com tanta humildade.

— É apenas... Não sei — sua voz falhou. — Deve ter sido uma certa... *surpresa*, quando Helen lhe contou sobre o fato de eu ter uma filha.

— Sim, foi uma... surpresa — eu disse, com um pequeno sorriso.

— Ok, ok — disse ele. — Correu a mão pelo seu lindo cabelo sedoso. — Talvez surpresa seja a palavra errada.

— Talvez — concordei.

Mas de uma maneira simpática.

— Eu devia ter lhe contado — disse ele.

— Por quê? — perguntei. — Não estamos saindo um com o outro, nem nada disso.

Ele me olhou atentamente. Parecia triste.

— Mas tive medo de te assustar e afastar você — ele continuou.

— Não levou em conta as circunstâncias em que eu me encontrava — respondi.

— Mas pensei que você imaginaria que tipo de sujeito eu era, que não tinha permissão nem para ver sua própria filha. Queria lhe contar. Não sei quantas vezes quase contei, mas sempre perdia a coragem, no último minuto.

— E por que está me contando agora? — perguntei.

— Porque está tudo resolvido — ele disse.

— Ora, não foi um golpe de sorte o fato de Helen ter convidado você para vir aqui hoje e, por acaso, eu estar em casa? — perguntei, com certo azedume.

— Claire — disse ele, ansioso —, se você não estivesse aqui hoje, eu te ligaria. Pensava que tivesse voltado para Londres séculos atrás. Senão já teria entrado em contato. É verdade, *honestamente*! — ele me garantiu, quando viu o olhar cético que lhe lancei.

— Está bem — concedi. — Acredito em você. Então, conte-me o que aconteceu — acrescentei, forçando a mim mesma a falar com gentileza. Tentando manter fora da minha voz a urgente curiosidade.

Sempre aprecio uma boa história de interesse humano, mesmo quando, por acaso, estou envolvida.

Uma série de ruídos peculiares, do tipo "gu", vieram do berço de Kate. Por favor, não chore, querida, pensei, desesperada. Não agora. Quero *muito* ouvir isso. É importante para mamãe.

Então, vocês acreditam? Ela tornou a se aquietar. Obviamente, herdara algo de bom do pai.

Mas agora, psiu, senhoras e senhores, Adam ia explicar tudo.

— Eu saía com Hannah há... — começou ele.

— Quem é Hannah? — interrompi.

É sempre bom explicar quem são todos os personagens principais, antes de começar a história.

— A mãe da minha filha — disse ele.

— Ótimo — eu disse —, pode continuar.

— Saí com ela durante muito tempo, cerca de dois anos.

— Sei — fiz um sinal afirmativo com a cabeça.

— E acabou — ele disse.

— Ora — disse eu —, dito assim, parece um tanto repentino.

— Não, não foi — retrucou ele. — Quero dizer, nenhum de nós fugiu com outra pessoa, nem nada disso. Simplesmente aconteceu.

— Sei. — Fiz outro sinal afirmativo com a cabeça.

— Então nos separamos — disse ele.

— Sei. — Balancei a cabeça. — Estou entendendo tudo, até agora.

— Na verdade, eu ainda gostava dela — ele disse. — Sentia falta dela. Mas, todas as vezes que nos víamos, era horrível. Ela chorava e perguntava por que nosso relacionamento não funcionara e se não poderíamos tentar de novo, esse tipo de coisa.

— Sei — eu disse. Aquilo era tudo muito familiar.

— E sempre acabávamos indo para a cama — disse ele.

Pareceu um tanto constrangido quando disse isso. Eu não sabia por quê. Quero dizer, *todo mundo* faz isso quando se separa de alguém que amou um dia e ainda ama, de certa forma, não é?

É a regra.

A pessoa se separa, diz que ainda serão amigos, os dois se encontram uma semana depois, para sua primeira bebida "amistosa", embriagam-se, dizem como é estranho não serem capazes de se tocar, ainda que apenas de maneira afetuosa, beijam-se, param e dizem: "Não, não devemos", beijam-se novamente, param e dizem: "Isto é ridículo", beijam-se mais uma vez, e dizem: "Talvez apenas desta vez. É apenas porque sinto muito sua falta." Você pega o ônibus de volta para a casa dele, os dois praticamente fazem sexo no jardim de alguém quando saem do ônibus, você entra na casa dele, tudo é tão familiar e você chora porque não pertence mais àquele lugar. Os dois fazem sexo, você torna a chorar, vai dormir, tem sonhos horríveis, nos quais num minuto estão juntos, no outro separam-se novamente, e acorda no dia seguinte desejando estar morta.

Todos conhecem essa regra. É um dos primeiros princípios que regem o fim de uma história de amor. Adam devia ser muito ingênuo, se pensava que isso só acontecera com ele.

— Seja como for, Hannah engravidou — disse ele.

— Ah, meu Deus — falei, solidária.

Ele me olhou um tanto duramente. Pensou que fosse sarcasmo meu. Mas não era, honestamente.

— Conversamos a respeito e consideramos todas as possibilidades. Ela queria se casar. Eu não queria, porque achava uma coisa idiota. Não achava que adiantasse casar para dar à criança um lar estável, quando os pais já não se amam.

— Hummm — disse eu, num tom vago.

Tecnicamente, ele tinha razão. Mas, sendo nós duas mulheres, meu coração tomou o partido da infeliz Hannah.

— Acho que você me considera um completo filho da puta — disse ele, com um ar um tanto infeliz.

— Não, na verdade, não — eu disse. — Concordo com você que, numa situação dessas, casar-se não leva a nada.

— Você acha *mesmo* que eu sou um filho da puta — repetiu ele. — Posso sentir.

— Não acho, não — disse eu, exasperada. — Continue, por favor.

Para meu gosto, havia desenvolvimento em excesso dos personagens e ação insuficiente nessa história.

— Pensamos na possibilidade de ela ter o bebê e colocá-lo para ser adotado, mas Hannah não queria fazer isso. Depois, conversamos sobre a hipótese de ela fazer um aborto.

Lancei um rápido olhar para Kate. Não pude deixar de fazer isso. Senti-me com muita sorte, por não ter tido de pensar num aborto quando descobri que estava grávida.

— Um aborto parecia uma solução — disse ele, com voz cansada. — Mas nenhum de nós dois queria fazer isso.

— Tenho certeza de que você não queria — murmurei, tentando fazer minha voz soar como se acreditasse nele.

Mas, interiormente, imaginei: "Será que esse sujeito está falando a *verdade*"?

Sempre suspeitara de que a maioria dos homens achava que o aborto era quase um sacramento, uma dádiva generosamente concedida a eles pelo céu, a fim de livrar suas vidas de complicações e torná-las agradáveis. Para enfrentarem pequenos aborrecimentos desagradáveis, como crianças, capazes de atrapalhar suas vidas de alegre solteirice.

Claro que há sempre a multidão que se mostra hipócrita e farisaica e afirma que aborto é assassinato. Você descobrirá que os homens que ficam muito felizes quando dizem isso são aqueles cujas namoradas não estão grávidas. Mas, no minuto em que a mulher deles sofre um "acidente" e engravida, a história é, geralmente, muito diferente. Rápidos como um raio, os adesivos contra o aborto desaparecem do vidro traseiro do carro, sendo substituídos por "Meu corpo, minha escolha", ou mesmo, mais provavelmente, por "O corpo dela, minha escolha".

Muitas vezes, eles são os primeiríssimos a sugerir, jogando verde, que talvez agora não seja o momento certo para ter um bebê, que na verdade um aborto não é nada fora do comum. Que é mais fácil do que arrancar um dente. E que, na maioria dos casos, a pessoa não precisa nem passar a noite na clínica. E não há necessidade de se sentir culpada porque, a essa altura, não é nem sequer uma criança, são apenas algumas células. E que eles a acompanharão e irão pegá-la, depois. E, talvez, dentro de algumas semanas, façam juntos uma pequena viagem, para ajudá-la a se recuperar da experiência. E então, antes que a mulher saiba o que lhe está acontecendo, vê-se deitada numa mesa de operações, numa clínica cara, usando um camisolão de papel inteiramente aberto nas costas, com uma agulha enfiada em seu braço, fazendo uma contagem regressiva a partir de dez.

Desculpe! Desculpe! Distraí-me um pouco, agora.

Como deve ter notado, isso é algo que me provoca sentimentos muito fortes, mas talvez agora não seja o momento de me aprofundar no assunto. Basta dizer que Adam me convencera de que ele não era um desses homens.

Apenas mais uma coisa, depois calarei a boca. Mostre-me um homem que esteja grávido, sem tostão e sem parceiro, e depois convide-o a subir num palanque para dizer se ainda pensa que o aborto é uma coisa inteiramente errada. Ora! Aposto que ele daria o fora na mesma hora.

De qualquer forma, vamos voltar a Adam, o feminista.

Ele ainda explicava tudo, muito ansioso e sério, fitando-me atentamente, com uma expressão de súplica em seus belos olhos.

Sabem, ele tinha cílios lindos. Realmente cerrados, compridos e... desculpem.

— Eu disse que, se ela tivesse o bebê, faria tudo o que pudesse para ajudar — disse ele. — Prometi que a sustentaria e que ficaria feliz se o bebê fosse morar comigo. Ou com ela. Ou podíamos nos revezar. O que Hannah quisesse. Queria que ela tivesse o bebê, mas sabia que, no fim, a decisão seria dela. Eu não podia decidir em seu lugar e não queria pressioná-la para ter a criança, porque sabia que ela estava assustada. Tinha apenas 22 anos.

— Ah, meu Deus — disse eu. — Isso é muito triste.

— Foi mesmo — disse ele, num tom infeliz. — De fato, terrível.

— E então, o que aconteceu? — perguntei.

— Os pais dela se envolveram. E, quando descobriram que havíamos discutido a possibilidade de ela fazer um aborto, ficaram furiosos. Tinham razão, eu acho. E a levaram embora, para longe de minha suposta má influência, para a casa deles, em Sligo.

— Meu Deus — disse eu, imaginando Hannah trancada numa torre, no meio de um deserto, como a princesa com os longos cabelos compridos. — Que horror! É bárbaro! Como uma coisa saída da Idade Média.

— Não — disse ele, apressado e ansioso para que eu entendesse bem o que se passara. — Não foi assim tão ruim. A intenção deles era boa. Só queriam o melhor para o bebê. Afinal, era o neto deles, e queriam garantir que Hannah não faria um aborto. Mas, depois, não me deixaram falar com Hannah, em qualquer ocasião em que telefonei. E disseram que, quando o bebê nascesse, eu deveria deixá-los em paz.

— Sério? — perguntei, ultrajada. — Nunca ouvi falar de uma coisa como essa. Bem, acho que já ouvi, sim. Mas apenas com pessoas primitivas e loucas. E então, o que aconteceu? Essa Hannah não tinha personalidade própria? Não disse aos pais que dessem o fora? Afinal, ela era uma mulher adulta!

— Bem — disse ele, sem graça —, depois Hannah também não queria me ver. Fui até Sligo e ela me disse que não queria ter nenhum tipo de relacionamento comigo, e nem queria que eu interferisse, quando o bebê nascesse.

— Mas por quê? — indaguei.

— Na verdade, não sei — disse ele, infeliz. — Acho que se sentia muito amargurada porque eu não queria me casar com ela. E estava zangada comigo porque eu a engravidara. Os pais dela a convenceram de que eu devia ser o filho de Satanás, por pensar num aborto.

— Entendo — disse eu. — Então, o que aconteceu a seguir?

— Procurei um advogado, para ver o que podia fazer. E, sabe de uma coisa? Eu não tinha quase *nenhum* direito. Mas, mesmo se eu pudesse insistir em meu direito de *ver* minha filha, não queria que isso fosse por meio de uma horrorosa batalha judicial. Na verdade, não conseguia acreditar que Hannah fizesse aquilo comigo. Foi horrível.

Ficou em silêncio, por alguns momentos.

Kate estava estranhamente quieta, pensei, alarmada. Mas seu *aspecto* era ótimo.

— A pior ocasião de todas foi quando o bebê nasceu — continuou Adam. — Eu sequer soube. Não sabia se tinha dado tudo certo. Se era menino ou menina. Então, telefonei para a casa dela, e o pai de Hannah me disse que era menina e que estava ótima. E Hannah também estava ótima. Mas me disse também que ela não queria falar comigo.

— Mas não é terrível? — suspirei.

— Sim, foi. E, durante um ano inteiro, não tive nenhuma notícia — disse ele. — Foi um pesadelo. Eu estava totalmente impotente.

Minha atenção foi distraída do lamentável infortúnio de Adam para o som de pés que subiam a escada, pisando com força. Então Helen irrompeu no quarto. Olhou atentamente de mim para Adam e vice-versa.

— O que está acontecendo aqui? — perguntou, espantada.

Fiquei totalmente abestalhada. Não conseguia falar. Não sabia o que dizer a ela.

Adam, à moda antiga, veio em meu socorro.

— Helen — disse ele, com delicadeza —, você se importaria de me dar alguns momentos com Claire?

— Sim! — disse ela, truculenta. — Eu me importaria!

Uma pausa, enquanto ela lutava com sua curiosidade. Depois, perguntou:

— Por quê?

— Explicarei depois — disse ele, com um olhar simpático.

Ela ficou um instante à porta, com a suspeita e o ciúme estampados em todo o seu lindo rostinho.

— Cinco minutos — disse ela, lançando-me um olhar venenoso, e lançou-se indignada para fora do quarto.

— Ah, meu Deus — disse eu —, é melhor você ir.

— Não — ele disse. — Ela já está chateada comigo. Posso ficar e terminar o que estou contando a você.

— Nesse caso, faça como achar melhor — disse eu, nervosa e espantada com sua coragem.

— Ótimo — disse ele, sem se perturbar. — Bem, como eu disse, não tive notícias dela durante um ano inteiro. E eu estava justamente começando a aceitar isso. E então, cerca de um mês atrás ela apareceu, sem mais nem menos. Eu não conseguia acreditar! E trouxe Molly.

— Quem é Molly? — interrompi. — É seu bebê?

— É — ele disse. — Não é um nome horrível para um bebê?

— Eu gosto — disse eu, mal-humorada. — Acho que estou um pouco na defensiva porque o nome do meu bebê também não é o mais glamoroso que se poderia imaginar.

— Talvez — disse Adam —, mas você precisaria vê-la. É linda. Deveria ser chamada de algo belo. Como Mirabelle ou...

— Esse não é o nome de um restaurante? — interrompi.

Não gostava do rumo que a conversa estava tomando. Principalmente com Kate ouvindo. Não queria que ela ficasse com algum complexo. Deus sabe que ela já levava muitas desvantagens em sua situação. Tinha medo de que, dentro de trinta anos, quando ela fosse uma viciada em drogas, alcoólatra, sofrendo de bulimia e cleptomaníaca, eu ficasse com a culpa. Ela poderia dizer que era uma falha minha, por não ter posto nela um nome bonito e adequado para uma menina.

— Escute, não se preocupe com o nome de sua filha — eu disse. — Continue com a história.

— Ok — ele disse. — Ora, de qualquer jeito, acho que acertamos as coisas. Ela disse que lamentava não ter deixado que eu me envolvesse com Molly desde o início. Mas queria saber se era tarde demais para começar agora.

— E você? — perguntei.

— Bem, de início tive realmente vontade de mandá-la para o inferno — disse ele.

Meu Deus! Quase arquejei. Mal podia acreditar que Adam agisse de forma tão *normal.*

Veja a primeira página. Novas manchetes chocantes — "Adam guarda ressentimentos!"

— Mas então percebi que assim agiria contra mim mesmo — ele continuou.

Que desapontamento, pensei. Por um momento, pensei que ele fosse agir de maneira imatura e infantil. Ora, não importa. Haverá sempre outra oportunidade.

— Então, chegamos a um acordo civilizado sobre a custódia de Molly. Hannah e eu somos amigos novamente... ou, pelo menos, estamos trabalhando para isso — disse ele.

— Ah! — disse eu, espantada. — Ah.

O que significaria "amigos"?, imaginei. Será que significava que eles faziam sexo em todas as oportunidades disponíveis, ou realmente significaria apenas "amigos" ?

Só havia uma maneira de descobrir.

— Hã... isso significa que você e Hannah estão saindo novamente? — perguntei, tentando dar à minha voz um tom muito casual.

— Não — ele riu, lançando-me um olhar que queria dizer: "Você não prestou atenção a *nada* do que eu lhe disse?"

("Graças a Deus!")

— Não — ele repetiu. — Pensei que isso fosse óbvio. Toda a questão é essa. Por isso é tão maravilhoso. Posso envolver-me na vida da minha filha sem ter de estar romanticamente envolvido com a mãe dela. Mas, ao mesmo tempo, posso ser amigo de Hannah, porque eu a respeito e admiro — ele apressou-se a acrescentar, sempre ansioso por mostrar-se correto e decente.

— Você está realmente feliz, por ver sua filha? — perguntei, com brandura.

Ele fez um sinal afirmativo com a cabeça e seu rosto ficou com uma expressão de quem iria chorar.

Ah, não chore, pensei, desesperada. Acho que estou enjoada de toda essa história de novo homem. *Pare* de estar em contato com suas malditas emoções. Mantenha-se afastado do seu lado feminino! Se eu encontrar você perto dele, dou-lhe uma bofetada.

Uma vozinha em minha cabeça instigou: "Pergunte a ele!"

"Vá para o inferno", resmunguei, em resposta.

"Vamos nessa", ela disse, novamente. "Pergunte a ele. O que você tem a perder?"

"Não", disse eu, sentindo-me muito pouco à vontade. "Deixe me em paz."

"Você está louca para saber", lembrou a voz. "Na verdade, você merece saber."

"Cale essa boca", disse eu, entre dentes. "Não vou perguntar nada a ele."

"Ora, se você não vai perguntar", disse a voz, "então eu vou."

E, para horror meu, vi que abria a boca, e uma voz saía, perguntando a Adam:

— Então era por isso que você gostava de estar comigo? Por causa de Kate? Por eu ter um bebê?

Fiquei mortificada!

Não conseguia acreditar que tivesse tido a coragem de perguntar isso.

Meu inconsciente *não tinha mesmo jeito.*

— Não! — disse Adam. Ora, mais do que propriamente dizer, ele gritou isso. — Não, não, não. Estava com tanto medo que você pensasse isso. Que você partisse toda freudiana para cima de mim, acreditando que eu gostava de estar com você apenas porque procurava algum tipo de substituto para minha filha e namorada perdidas.

— Ora, você não pode me culpar por pensar isso, não é? — perguntei, mas não de maneira agressiva ou desagradável.

— Mas por que eu precisaria de algum tipo de isca para desejar estar com você? — perguntou ele. — Você é maravilhosa!

Eu não disse nada. Apenas fiquei ali sentada, sentindo-me meio constrangida, meio encantada.

— É sério — prosseguiu ele. — Você precisa acreditar em mim. Será que não tem nenhum amor-próprio? Você é o máximo. Não me diga que não sabe disso!

E perguntou outra vez, quando não respondi:

— Ora, você não sabe?

— Não — murmurei.

— Olhe para mim — ele disse. Pôs a mão gentilmente em minha face e virou meu rosto para cima, em direção ao dele. — Por favor, escute. Você é tão linda. E generosa, inteligente, engraçada, maravilhosa, faz qualquer um ter vontade de sorrir. *Esses* são alguns dos motivos pelos quais gosto tanto de estar com você. O fato de você ter uma filha não fez nenhuma diferença.

— É verdade, mesmo? — perguntei.

Corando como um tomate, e de repente toda infantil e tímida.

— É verdade — ele riu. — Eu gostaria de você, mesmo que você não tivesse um bebê.

Ele sorriu.

Estava tão lindo.

Ah, meu Deus! Eu me derretia toda.

— Honestamente — ele disse.

— Acredito em você — falei.

Sorri também. Não conseguia me conter.

Ficamos ali sentados na cama, sorrindo dengosamente um para o outro, feito idiotas.

Depois de algum tempo, ele tornou a falar.

— Então, no fim, você aceitou meu conselho — ele disse, implicando comigo, carinhoso.

— Sobre o quê? — perguntei. — Ah, quer dizer sobre James. Ora, não voltei para ele, mas não foi por causa de nada que *você* tenha dito.

— Ótimo, ótimo — ele riu. — Estou apenas satisfeito por você ter mudado de ideia. Não importa realmente quem tenha feito você chegar a isso. Você merece algo bem melhor do que alguém como ele.

— Posso perguntar uma coisa? — pedi.

— Claro — ele respondeu.

— Como é a Hannah?

Ele me deu um olhar penetrante e riu de leve, antes de falar.

— Tem cabelo comprido, cacheado e louro. É mais ou menos da mesma altura de Helen ou Anna. Tem olhos castanhos.

— Ah — resmunguei.

— Feliz agora? — ele perguntou.

— Do que você está falando?

— Por ela não se parecer nada com você? Por eu não estar tentando substituí-la por você?

Tinha de tirar o chapéu para ele. Não se poderia dizer que não fosse perspicaz. Eu estava satisfeita por essa Hannah não se parecer nada comigo. Mas agora eu estava cheia de ciúme porque, pelo que ele dissera, ela devia ser pequenina e linda.

Meu Deus! Será que eu ficava satisfeita com alguma coisa?

Comecei a rir. Estava sendo ridícula.

— Sim, Adam, estou feliz porque você não estava tentando substituí-la por mim. Mas, neste momento, é melhor você voltar para Helen — eu disse.

Levantei-me.

Então ele se levantou e fez com que, imediatamente, eu me sentisse minúscula.

Ficamos os dois em pé, sem saber o que dizer. Eu só sabia que não queria dizer adeus.

— Você é uma mulher muito especial — ele disse.

Puxou-me para si e me deu um abraço apertado.

E, tola que eu era, deixei que fizesse isso.

Grande erro. Imenso, colossal, *enorme erro.*

Eu não estava muito mal, até termos contato físico. Mas, no minuto em que fiquei em seus braços, senti um caos de emoções. Nostalgia, ânsia, desejo (sim, ainda mais!), perda e uma cálida sensação de tontura. Estar em seus braços lembrava-me de como ele me fizera sentir. Pensei que esquecera como era maravilhoso estar com ele. Mas tudo voltou depressa.

Minha cabeça estava enterrada em seu peito. Podia sentir seu coração batendo, através do tecido fino da camiseta. O mesmo delicioso cheiro de sabonete e pele masculina quente de que eu lembrava.

Queria ficar ali para sempre, segura, pressionada contra seu belo corpo musculoso, seus braços ternamente em torno de mim.

Afastei-me dele.

— Você também não é tão mau assim — respondi.

Juro que não entendia por que tinha lágrimas em meus olhos.

— Seja feliz — ele disse.

— Você também — respondi.

Fui saindo dos seus braços, com esforço.

— Bem, adeus — funguei.

— Por que adeus? — ele perguntou, sorrindo.

— Porque vou voltar para Londres no domingo, então provavelmente não tornarei a vê-lo nunca mais — eu disse.

Sentia-me como se fosse explodir em prantos. E imaginei do que diabo estaria ele sorrindo. Quem lhe dera o direito de parecer tão presunçoso e feliz? Será que ele não tinha senso de oportunidade? Não era questão para provocar riso! Ao contrário.

Eu desejava que ele simplesmente *fosse embora*!

— Você nunca mais vai sair de novo? — ele perguntou. — Não pode conseguir uma babá?

— Claro que posso — eu disse, triste. — Mas, mesmo assim, não poderei ver você. A não ser que você viaje de avião para Londres, de vez em quando, para sair uma noite. E não consigo imaginar você fazendo isso.

— Não — disse ele, pensativo. — Você tem razão. Não adiantaria ir de avião para Londres para uma saída à noite, quando já estarei lá.

Durante um momento, pensei que o entendera mal. Mas olhei-o, vi seu rosto sorridente e percebi que não.

A esperança percorreu meu corpo, uma tamanha sensação de algo maravilhoso que pensei que poderia explodir.

— Do que está falando? — perguntei, quase sem poder respirar.

Tive de me sentar.

— Hã, vou me mudar para Londres — disse ele, tranquilamente.

Sentou-se ao meu lado, na cama. Tentava parecer muito sério, mas de vez em quando sorria involuntariamente.

— É mesmo? — gritei. — Mas por quê?

E então um pensamento me veio.

— Não, não me diga. Você não tem lugar nenhum para ficar e estava imaginando, apenas imaginando, se poderia dormir no meu assoalho. Apenas por algumas noites, um ano no máximo. É isso? — perguntei, amarga.

Ele explodiu em risadas.

— Claire, você é tão engraçada! — disse ele.

— Por quê? — perguntei, aborrecida. — Do que está rindo?

— Que coisa! — disse ele, ainda às gargalhadas. — Tenho um lugar para ficar. Não sou tão estúpido a ponto de ser gentil com você apenas para lhe perguntar se posso ficar em sua casa. Acha que quero morrer? Sei que você me mataria.

— Que bom — disse eu, levemente apaziguada.

Pelo menos ele tinha um pouquinho de respeito.

— É por isso que pensa que vim até aqui conversar com você? — perguntou ele, muito mais sério. — Talvez eu seja o estúpido aqui, mas pensei ter deixado claro quanto gosto de você e a estimo. Não acredita em mim?

— Ora, você não pode me culpar por ser desconfiada — disse eu, amuada.

— Não — ele suspirou. — Teremos de trabalhar para convencê-la de que você é maravilhosa e que não tenho motivos ocultos para procurar sua companhia. Não quero você por causa de sua filha. Não quero você por causa do seu apartamento. Apenas quero você por você mesma.

— Você me quer? — sussurrei, sentindo-me de repente muito viva e sensual.

Tão poderosa, tão consciente de que eu era uma mulher e ele era um homem. E aquela inevitável atração física pulsou entre nós. Os olhos dele se escureceram, o azul quase se tornou negro e ele assumiu um aspecto e um tom de voz muito sérios.

— Quero muito você — ele disse.

O quarto de repente ficou silencioso e quieto. Mesmo Kate não fazia nenhum som. Podia-se cortar a tensão sexual com uma faca.

Quebrei esse clima antes que um de nós ou ambos entrasse em combustão espontânea.

— Deixe-me entender bem isso — pedi, tentando falar num tom de quem trata de negócios. — Você vai para Londres. Para quê? Por quê?

— Tenho um emprego lá — ele disse, como se fosse a explicação mais razoável do mundo.

— Mas, e a universidade? — perguntei, confusa. — Você vai desistir de tudo?

— Não — disse ele. — Mas agora será diferente. Vou estudar à noite.

— Por quê? — perguntei de novo, ainda sem entender. — Por que está fazendo tudo isso?

— Porque tenho de trabalhar, agora que tenho uma filha para sustentar. E não há empregos em Dublin. E meu pai conseguiu um trabalho para mim numa instituição financeira. Mesmo assim, ainda poderei completar meus estudos. Só que vai demorar mais.

— Mas, e seu bebê? — gemi. — Você precisa conhecê-la e agora terá de deixá-la novamente. Isso é terrível.

Agora, foi sua vez de ficar confuso.

— Mas Molly vai comigo — disse ele, com um tom de voz um tanto perplexo. — Levarei Molly para Londres.

— Meu Deus — disse eu, estupefata. — Não me diga que vai raptá-la. Ouvi falar de pais que fazem isso.

— Não! — disse ele, exasperado. — Hannah *quer* que eu a leve. Hannah quer dar a volta ao mundo, está cansada de ser responsável, quer um tempo livre. Acho que não é coincidência o fato de que foi de repente dominada pelo remorso de não me deixar ver Molly. Aconteceu quando ela percebeu que precisava de uma babá por um ano.

— Meu Deus — eu disse. — Não parece exatamente uma coisa ideal. E a pobre Molly? E por que os pais de Hannah não insistiram em cuidar da menina?

— Ah, Hannah teve uma séria briga com eles, quando decidiu que tiraria férias por um ano — explicou Adam. — E Molly ficará ótima, espero. Vou colocá-la numa terapia, logo que puder falar. — Quando viu meu rosto horrorizado, disse: — Só estou brincando. Sei que não é a criação ideal para ela. Ser desenraizada do seu lar, ver sua mãe escapar por um ano, passar para as mãos de um pai que nem a conhece. Mas tudo o que posso fazer é me esforçar ao máximo.

— E quando Hannah voltar e quiser trazer Molly novamente para a Irlanda? — perguntei, atormentada pela preocupação.

— Ah, Claire — disse ele, carinhoso, tomando minha mão na sua. — Quer relaxar, por favor? Quem sabe o que vai acontecer dentro de um ano? Vou me preocupar com isso quando a ocasião chegar. Não podemos viver no presente por algum tempo?

Eu não disse nada.

Estava pensando.

Ele tinha razão, decidi.

Quando a felicidade faz uma aparição como convidada especial na vida da pessoa, é importante aproveitá-la ao máximo. Pode não ficar por perto muito tempo e, quando for embora, não será terrível pensar que todo o período no qual se poderia ser feliz foi desperdiçado com preocupações sobre quando isso aconteceria?

— Então, se me permite chegar ao ponto principal da minha visita — continuou ele, de repente muito rápido —, posso pedir uma coisa?

— Claro — sorri.

— Se estiver sendo ousado demais, por favor, me interrompa — disse ele, com uma humildade encantadora. — Acha que seria possível nos encontrarmos em Londres? Quem sabe poderíamos partilhar uma babá? E, claro, a qualquer momento em que você precisar de alguém para tomar conta de sua filha, ficarei muito feliz em desempenhar esse papel.

— Obrigada, Adam — disse eu, educadamente. — Vou adorar ver você em Londres. E, claro, se você também precisar de uma babá, por favor é só pedir.

— Falo sério — disse ele, e sua voz baixou várias oitavas. — Isso é muito importante para mim. Poderemos mesmo nos ver em Londres?

— *Claro* — eu disse, rindo. — Adorarei ver você.

Ergui os olhos e nossos olhares se encontraram. Quando vi a expressão do rosto dele — de admiração, ou algo parecido, quase certamente de desejo; na verdade, podia até ser de amor —, o sorriso congelou em meu rosto.

— Ah, Claire — ele suspirou, ao se curvar para me beijar. — Senti muito sua falta.

Foi a essa altura que Kate decidiu que já bastava de ser ignorada e começou a chorar como uma sirene de polícia.

Ao mesmo tempo, Helen irrompeu pela porta e parou bruscamente quando nos viu. Viu o par que formávamos, sentados na cama, Adam segurando minha mão, minha cabeça erguida para o beijo dele, e então disse, lentamente:

— Mas que diabo, não acredito.

Preparei-me interiormente para o ataque.

A retaliação seria rápida e terrível.

Olhei para meus pés e fiquei horrorizada de ouvi-la chorar.

Helen? Chorando? Sem dúvida, devia haver algum erro. Era inédito!

Olhei-a, cheia de remorso e compaixão. Eu mesma quase estava em prantos.

E então percebi que ela não estava chorando.

Aquela maldita estava era rindo!

Ria sem parar.

— Você e Adam — disse ela, sacudindo a cabeça, com lágrimas provocadas pelos risos escorrendo pelo seu rosto abaixo. — Mas que *vergonha*!

— Por quê? — perguntei, com todo o aborrecimento, compaixão e remorso rapidamente esquecidos. — O que há de errado comigo?

— Nada — ela riu. — Nada. Mas você é tão velha e... — Parou, incapaz de falar, pois achava tudo tão engraçado. — Que expressão no seu rosto! Você parecia aterrorizada. E eu pensava que ele estava apaixonado por mim! — exclamou, e saiu de novo. Era tudo tão hilariante que ela não podia sequer ficar em pé direito. Apoiou-se na parede e depois dobrou o corpo.

Sentei-me e olhei-a friamente, enquanto Kate rugia como um leão.

Adam parecia ligeiramente confuso.

Se havia alguma coisa engraçada, então sem dúvida eu não conseguia vê-la.

Peguei Kate, antes que ela rompesse um vaso sanguíneo, e fiz um sinal afirmativo com a cabeça para Adam.

— Converse com Helen — sugeri.

Adam se levantou e saiu do quarto, atrás de Helen.

Balancei Kate em meus braços e tentei acalmá-la. Era uma criança maravilhosa, mas, juro por Deus, algumas vezes seu senso de oportunidade não funcionava.

Eu ouvia Helen rindo o tempo inteiro, enquanto descia a escada.

E, alguns instantes depois, ela voltou.

— Sua filha da puta — disse, alegremente, sentando-se na cama ao meu lado. — Você nos enganou a todos. Fingindo estar com o coração inteiramente partido por causa de James, e o tempo inteiro querendo Adam.

— Não, Helen... — protestei, debilmente. — Não foi assim.

Ela me ignorou. Tinha coisas mais importantes em sua cabeça.

— Como ele é? — perguntou, aproximando-se de mim, com ar de conspiradora, e baixando sua voz vários decibéis. — O negócio dele é grande?

— Mas que pergunta é essa? — indaguei, fingindo estar horrorizada.

— Não vou contar a ninguém — ela mentiu.

— Helen! — disse eu, com minha cabeça levemente tonta.

Acho que preferiria que ela estivesse furiosa comigo.

Agora eu teria de tolerar que ela fosse minha melhor amiga, para poder descobrir como Adam era na cama e poder contar a todo mundo.

— Onde está ele? — perguntei-lhe.

— Na cozinha, bajulando mamãe. Mas não se importe com isso — disse ela, entusiasmada. — Acho que ele a ama.

— Ah, Helen, vá embora — disse eu, começando a me sentir exausta.

— É sério, acho mesmo — garantiu ela.

— É verdade? — perguntei, insegura.

Eu era tão tola. Não devia ouvir nada do que ela dissesse. Em minha idade eu realmente deveria ter um pouco mais de bom senso.

— É, sim — ela respondeu, falando com uma seriedade incomum.

— Por quê? — perguntei.

— Porque o negócio dele estava inteiramente duro, enquanto ele falava com você, minutos atrás. — Ela gritou, de tanto rir. — Peguei você no ato, né?

— Agora, vá embora, por favor?

Por um dia já bastava.

— Desculpe — Helen riu. — Não, é sério. Acho que ele ama você. Acho mesmo. E, vamos encarar o assunto com franqueza, se alguém tem experiência com homens apaixonados, esse alguém sou eu.

Ela tinha razão.

— Você o ama? — perguntou.

— Não sei — disse eu, sem graça. — Não o conheço bastante bem para dizer. Mas gosto muito dele. Será que basta?

— Terá de bastar — disse ela, pensativa. — Espero que vocês se amem mesmo. Espero que sejam muito felizes juntos.

— Meu Deus, obrigada, Helen — disse eu, realmente emocionada.

Lágrimas me vieram aos olhos. Eu estava estupefata com as palavras dela.

— Pois é — disse ela, vagamente. — Fiz uma aposta com aquela vaca da Melissa Saint de que ela não sairia com ele antes do fim do verão. E estava até começando a ficar um pouco preocupada, mas isso agora é uma maravilha. Uma bênção de Deus. Ela agora não tem a menor chance, porque você o manterá bem longe do caminho dela.

E continuou, esfregando alegremente as mãos:

— Foram os cem paus mais fáceis que já ganhei.

E completou, parecendo muito satisfeita:

— É isso aí. Devo dizer que as coisas saíram muito bem. Não podiam ter saído melhor.

©Barry McCall

Marian Keyes

Uma das autoras irlandesas mais bem-sucedidas de todos os tempos, Marian Keyes nasceu em Limerick em 1963. Embora tenha sido criada em uma casa onde se perpetuou a tradição de contar histórias, nunca ocorreu a ela que poderia se tornar escritora. Depois de estudar Direito e Contabilidade, finalmente, em 1993 e "meio do nada", começou a escrever contos. Sem a menor intenção de escrever um romance ("levaria muito tempo"), enviou seus contos para uma editora com uma carta dizendo que ela estava trabalhando em um romance. Os editores responderam pedindo para ver o romance e, uma vez passado o pânico do momento, começou a escrever o que posteriormente acabaria se tornando seu livro de estreia, *Melancia*.

Publicado originalmente na Irlanda em 1995, *Melancia* foi um sucesso instantâneo. A prosa acessível e bem-humorada de Marian fisgou leitores de todas as idades, e ela finalmente pôde se dedicar à escrita em tempo integral. O livro está disponível em 36 idiomas. No Brasil, *Melancia* já ultrapassou a marca dos 400 mil exemplares vendidos.

Na sequência vieram *Casório?!*, *Férias!*, *É agora... ou nunca*, *Sushi*, *Los Angeles*, *Um bestseller pra chamar de meu*, *Tem alguém aí?* (vencedor do British Book Awards e do prêmio Melissa Nathan na categoria Comédia Romântica), *Cheio de charme* (vencedor do Irish Book Awards), *A estrela mais brilhante do céu*, *Chá de sumiço*, *Mamãe Walsh* e *A mulher que roubou a minha vida*, que juntos já venderam mais de 30 milhões de exemplares no mundo, dos quais mais de 1 milhão somente no Brasil. Seu mais recente lançamento no país é *Salva pelos bolos*, livro de receitas no qual compartilha com seus leitores como a culinária a ajudou a sair da depressão.

Atualmente, vive em Dublin com o marido, Tony. Entre seus hobbies favoritos estão ler, ver filmes e colecionar bolsas e sapatos.

Saiba mais sobre Marian e sua obra em www.mariankeyes.com.